The Reenchantment of the World

CUATRO VIENTOS EDITORIAL
Casilla 131 - Santiago 29
Chile

OTROS LIBROS DEL MISMO AUTOR

Social Change and Scientific Organization:
The Royal Institution, 1799 - 1844

OTROS TITULOS DE ESTA EDITORIAL

El Enfoque Guestáltico y Testimonios de Terapia, de Fritz Perls
La Estructura de la Magia, de Richard Bandler y John Grinder
Sueños y Existencia, de Fritz Perls
Esto es Guestalt, compilación de John O. Stevens
Manual de Iluminación para Hogazanes, de Thaddeus Golas
Palabras a mí Mismo, de Hugh Prather
Donde no hay Doctor, de David Werner
Psicología de lo Esotérico, de Bhagwan Shree Rajneesh
El Darse Cuenta, de John O. Stevens
No empujes el Río, de Barry Stevens
La Esencia del T'ai Chi, de Al Chung-liang Huang
Lilah: Juego del Conocimiento de sí mismo, de Harish Johari
Cuatro Vientos I, compilación de Francisco Huneeus y Allan Browne
La Profundidad Natural en el Hombre, de W. Van Dusen
Dentro y Fuera de la Basura, de Fritz Perls
Lenguaje, Enfermedad y Pensamiento, de Francisco Huneeus
IMPRO: La Improvisación y el Teatro, de Keith Johnstone
El Esquiador Centrado, de Denise Mc Cluggage
Use su Cabeza - para variar, de Richard Bandler
Secretos en la Familia, de Lilly Pincus y Cristopher Dare
El Hombre y su Doble Origen, de Karlfried Graf Dürckheim
Vivir Mejor con Menos, de Patrick Rivers
Carta de un Padre Desorientado, de Héctor Orrego
Sexualidad y Espiritualidad, de John Moore
Jaque a los Economistas, de Robert Lekachman
Fritz Perls aquí y ahora, de Jack Gaines
I Ching de R. Wilhelm, traducción de Helena Jacoby de Hoffmann
Conversando con Lola Hoffmann, de Estela Lorca

EL REENCANTAMIENTO DEL MUNDO

MORRIS BERMAN

TRADUCCION DE SALLY BENDERSKY
Y FRANCISCO HUNEEUS

CUATRO VIENTOS EDITORIAL

Este libro es traducción de The Reenchantment of the World Publicado por Cornell University Press, Ithaca

Diseño de Portada: Allan Browne E. Tomado de un pastel de *Laderas de Sacsahuaman*, de E. Sinet.

Traducción de Sally Bendersky y Francisco Huneeus.

Corrección: Paulina Correa G.

Impreso en los talleres de Editorial Universitaria S.A.

Agradecimientos a:
The Bobbs-Merrill Company, Inc., por citas del *Discurso del Método*, de René Descartes, traducción de J. Lafleur; © 1950.

Doubleday Company, Inc., por su permiso para citar trozos de *The Poetry and Prose of William Blake*, editado por David V. Erdman y Harold Bloom; y de *The Birth of Tragedy and the Genealogy of Morals* de Friedrich Nietzsche, traducción de Francis Golffing; © 1956 por Doubleday & Company, Inc.

Harper & Row, Publishers, Inc., por permiso para citar trozos breves de *Steps to an Ecology of Mind*, de Gregory Bateson (T.Y. Crowell); © 1972 por Harper & Row, Publishers, Inc.

Charles Scribner's Sons por su permiso para utilizar una ilustración de *The Tender Carnivore and the Sacred Game* por Paul Shepard, ilustrado por Fons van Woerkom; © del texto por Paul Shepard 1973, © de las ilustraciones por Fons van Woerkom, 1973.

El Objetivo de Editorial Cuatro Vientos es la publicación de ideas y medios que la persona pueda usar en forma independiente, con el único fin de llegar a ser más verdadera, de alcanzar el crecimiento como ser humano y de desarrollar sus relaciones y su comunicación con los demás.

Hecho en Chile

I.S.B.N. 84-89333-20-3

Dedicado a tres amigos:
Michael Crisp
David Kubrin
John Trotter

Dios no pudo convivir con la filosofía: ¿puede la filosofía vivir sin Dios? Desaparecido su adversario, la Metafísica deja de ser la ciencia de las ciencias y se vuelve
lógica, psicología, antropología, historia, economía,
lingüística. Hoy el reino de la filosofía es ese territorio,
cada vez más exiguo, que aún no exploran las ciencias
experimentales. Si se ha de creer a los nuevos lógicos
es apenas el residuo no-científico del pensamiento, un
error de lenguaje. Quizá la Metafísica de mañana, si el
hombre venidero aún siente la necesidad del pensar
metafísico, se iniciará como una crítica de la ciencia tal
como en la antigüedad principió como crítica de los
dioses. Esa Metafísica se haría las mismas preguntas
que se ha hecho la filosofía clásica pero el lugar, el
desde, de la interrogación no sería el tradicional *antes* de
toda ciencia sino un *después* de las ciencias.

—Octavio Paz, *Corriente Alterna*

Contenido

Ilustraciones

Ilustraciones

Agradecimientos

Fueron varias las personas que leyeron partes o la totalidad de este libro cuando aún era un manuscrito, ofreciéndome sugerencias y críticas muy significativas, y estoy particularmente agradecido a Paul Ryan, Carolyn Merchant de la Universidad de California en Berkeley, a Frederick Ferré de Dickinson College, y a W. David Lewis de Auburn University. Desde luego que no hay un acuerdo unánime sobre el contenido final de la obra, y como ocurre por lo general los errores de hechos y de interpretaciones son únicamente de mi responsabilidad. También hay una serie de otros amigos, que a pesar de no haber leído el manuscrito, ejercieron una importante influencia en mi vida mediante el ejemplo, posibilitándome adquirir cierta claridad sobre temas que finalmente llegaron a reflejarse en este libro. A lo largo de los años Bill Williams, Jack London, David Kubrin y Deirdre Rand me han impresionado profundamente, alterando mi definición de la realidad, y me es un placer reconocer en este momento mi deuda para con ellos.

Dudo sinceramente de que haya un modo como poder agradecer adecuadamente a mi crítico y querido amigo Michael Crisp, quien actuó como lector astuto e infatigable, y quien ha influenciado significativamente mi pensamiento, en particular en el caso del Capítulo 3 que surgió en gran parte en torno a discusiones que sostuvimos sobre la tradición mágica. En más de una oportunidad, el Sr. Crisp me ayudó a resolver algún problema de lógica o de exposición, y tan sólo puedo esperar que su inclusión en la dedicatoria de mi libro le retribuirá en parte su gran interés y generosa ayuda.

Finalmente, quiero reconocer mi gran deuda con John Ackerman de Cornell University Press, cuyo despiadado trabajo de edición hizo mucho por mejorar la forma final de mi manuscrito.

Este libro se basa en, y a veces explica, la obra de Carl Jung, Wilhelm Reich y Gregory Bateson, entre otros, pero no estoy consciente de haber seguido el marco conceptual de ninguna escuela filosófica en particular. Sin embargo, es un producto de su tiempo y refleja una concepción holística del mundo que está, en la actualidad, muy 'en el aire'. A pesar de no haber leído toda su obra, mi visión tiene mucho en común con la de autores como R.D. Laing, Theodore Roszak y Philip

Agradecimientos

Slater, y de muchas maneras pareciera que habitamos el mismo universo mental. En particular, su esperanza en una cultura humanizada donde la ciencia representara un papel muy distinto del que ha tenido hasta ahora, es también mi esperanza.

M.B.

San Francisco

Mi agradecido reconocimiento a los siguientes por permiso para reproducir material de su propiedad:

Robert Bly, por permiso para reproducir el Poema Número 16 de *The Kabir Book*, versión de Robert Bly, publicado por Beacon Press; © 1971 por Robert Bly.

Cambridge University Press por dos diagramas tomados de *Patterns of Discovery* por Norwood Russell Hanson; © 1958, 1965 por Cambridge University Press.

Coward, McCann & Geoghegan, Inc., por dos diagramas de *Depression and the Body* de Alexander Lowen, MD; © 1972 por Alexander Lowen, MD.

Grove Press, Inc., por cita de *The Labyrinth of Solitude* de Octavio Paz; reproducido por permiso de Grove Press, Inc.; © 1961 por Grove Press, Inc.

Harcourt Brace Jovanovich, Inc., y Faber & Faber Ltd, por líneas de 'Little Gidding' de T.S. Eliot, de *Four Quartets* en T.S. Eliot, *The Complete Poems and Plays, 1909-1950*; © 1952 por Harcourt Brace Jovanovich, Inc.; y en *Collected Poems, 1909-1962*; © 1963 por Faber & Faber Ltd.

Humanities Press, New Jersey, por un trozo de *The Metaphysical Foundations of Modern Science* por E.A. Burtt; © 1932 por Doubleday & Company, Inc.

Maclen Music, Inc., por la letra de *"When I'm Sixty Four"* (John Lennon y Paul MacCartney); © 1967 por Northern Songs Limited.

W.W. Norton & Company, Inc., por líneas de *Henry IV, Part I*, de Shakespeare, editado por James L. Sanderson; © 1969 por W.W. Norton & Company, Inc.

Oxford University Press por una cita tomada de *Micrographia* de Robert Hooke, en vol. XIII de *Early Science in Oxford*, editado por R.T. Gunther.

Penguin Books Ltd., por una cita de *The Politics of Experience and the Bird of Paradise* de R.D. Laing; reproducido con permiso de Penguin Books Ltd.; © 1967 por R.D. Laing.

Random House, Inc., por dos diagramas y citas determinadas de

The Divided Self de R.D. Laing; © 1962 por Pantheon Books Inc., una División de Random House, Inc.; y Associated Book Publishers Ltd.; © Tavistock Publications (1959) Ltd. 1960.

Viking Penguin Inc. por permiso para citar trozos de *The World Turned Upside Down* de Christopher Hill; y un trozo de *Alternating Current* de Octavio Paz; © 1973 por Octavio Paz.

Ziff-Davis Publishing Co. por citas de la entrevista a Claude Lévi-Strauss reproducido de la revista *Psychology Today*; © 1972.

Introducción
Paisaje Moderno

"Por todas partes vemos a aquellos que se empeñan por orientar y dirigir la vida de los demás al mismo tiempo que ellos mismos no darían nada por la suya propia —hombres que a pesar de temer la muerte odian la vida".

William Morris, *Noticias de Ninguna Parte* (1891)

Hace ya varios años que (basado en mi formación en historia de la ciencia) estoy intentando escribir un libro no demasiado técnico, que trate ciertos problemas contemporáneos. En un trabajo anterior, una monografía muy técnica, pude insinuar algunos de los problemas que caracterizan la vida en las naciones industrializadas de Occidente, problemas que me parecen profundamente alarmantes[1]. Comencé ese estudio en la creencia de que las raíces de nuestro dilema eran de naturaleza social y económica; pero una vez que lo hube completado, me percaté de que había omitido por entero una importante raíz epistemológica. En otras palabras, empecé a sentir que algo andaba muy mal con nuestra visión del mundo en su totalidad. La vida occidental parece estar derivando hacia un incesante aumento de entropía, hacia un caos económico y tecnológico, hacia un desastre ecológico y, finalmente, hacia un desmembramiento y desintegración psíquica y he llegado a dudar que la sociología y la economía puedan, de por sí, dar una explicación adecuada a este estado de cosas.

Por lo tanto, este libro es un intento de llevar ese análisis previo un paso más allá, es decir, captar la era moderna, desde el siglo XVI al presente, como una totalidad, y encontrar un punto de confluencia con las presuposiciones metafísicas que definen este período. Esto no

15

significa tratar la mente y la conciencia como una entidad independiente, escindida de la vida material; no creo que ese sea el caso. Para los fines de la discusión, sin embargo, a veces será necesario separar estos dos aspectos de la experiencia humana; y aunque haré todos los esfuerzos posibles para demostrar su interpenetración, el foco primario en este libro estará en las transformaciones de la mente humana. Este énfasis surge de mi convicción de que los asuntos fundamentales confrontados por cualquier civilización a lo largo de su historia, o por cualquier persona en su propia vida individual son, a final de cuentas, asuntos de *significado*. Históricamente, la pérdida de significado, ya sea en un sentido filosófico o religioso —la división entre hecho y valor que caracteriza la época moderna—, está enraizada en la Revolución Científica de los siglos XVI y XVII. ¿Y por qué tendría que ser así?

La visión del mundo que predominó en Occidente hasta la víspera de la Revolución Científica fue la de un mundo encantado. Las rocas, los árboles, los ríos y las nubes eran contemplados como algo maravilloso y con vida, y los seres humanos se sentían a sus anchas en este ambiente. En breve, el cosmos era un lugar de pertenencia, de correspondencia. Un miembro de este cosmos participaba directamente en su drama, no era un observador alienado. Su destino personal estaba ligado al del cosmos y es esta relación la que daba significado a su vida. Este tipo de conciencia —la que llamaremos en este libro "conciencia participativa"— involucra coalición o identificación con el ambiente, habla de una totalidad psíquica que hace mucho ha desaparecido de escena. La alquimia resultó ser en Occidente la última expresión de la conciencia participativa.

La historia de la época moderna, al menos al nivel de la mente, es la historia de un desencantamiento continuo. Desde el siglo XVI en adelante, la mente ha sido progresivamente exonerada del mundo fenoménico. En la teoría al menos, los puntos de referencia de toda explicación científica moderna son la materia y el movimiento, aquello que los historiadores de la ciencia llaman la "filosofía mecánica". Los desarrollos contemporáneos que han puesto en tela de juicio esta visión del mundo —por ejemplo, la mecánica cuántica y ciertos tipos de investigación ecológica— no han hecho mella en la forma predominante de pensamiento. Este tipo de pensamiento puede describirse mejor como un desencantamiento, una no participación, debido a que insiste en la distinción rígida entre observador y observado. La conciencia científica es una conciencia alineada: no hay una asociación ectásica con la naturaleza, más bien hay una total separación y distanciamiento de ella. Sujeto y objeto siempre son vistos como antagónicos. Yo no soy mis experiencias y por lo tanto no soy realmente parte del mundo que me rodea. El punto final lógico de esta visión del mundo es una sensación de reificación total; todo es un objeto ajeno, distinto y aparte de mí. Finalmente yo también soy un objeto, también soy una "cosa" alienada en un mundo de otras cosas igualmente insignificantes y carentes de sentido. Este mundo no lo hago yo: al cosmos no le importo nada y no me siento perteneciente a él. De hecho, lo que siento es un profundo malestar en el alma.

¿Qué significa, traducido en términos cotidianos, este desencantamiento? Significa que el paisaje moderno se ha convertido en el escenario de la "administración masiva y violencia desenfrenada"[2], un estado de cosas claramente percibido por el hombre corriente. La alienación y la futilidad que caracterizaron las percepciones de unos pocos intelectuales a comienzos de siglo han llegado a dominar, al final de este siglo, la conciencia del hombre común. La mayoría de los trabajos son idiotizantes, las relaciones vacías y transientes, la pista de la política absurda. En el vacío creado por el colapso de los valores tradicionales, tenemos algunas revitalizaciones evangélicas de tipo histérico, conversiones masivas a la Iglesia del Reverendo Moon, y un gran retraimiento hacia la evasión que ofrecen las drogas, la televisión y los tranquilizantes. También tenemos la búsqueda desesperada de terapia, en estos momentos una obsesión nacional, en la que millones de estadounidenses tratan de reconstruir sus vidas sumidos en un sentimiento profundo de anonimato y desintegración cultural. Una época que tiene por norma la depresión es en verdad una época oscura y triste.

Tal vez nada es más sintomático de este malestar general que la incapacidad que han demostrado las economías industriales de proveer empleos significativos. Hace algunos años, Herbert Marcuse describía las clases asalariadas en los Estados Unidos como "unidimensionales". "Cuando las técnicas se convierten en la forma universal de producción material", escribió, "esto circunscribe una cultura en su totalidad; proyecta una totalidad histórica —un 'mundo'". Se puede hablar de alienación como tal porque ya no hay un sí-mismo que alienar. Hemos sido todos comprados, hace tiempo que todos nos hemos vendido al sistema y ahora nos identificamos completamente con él. "La gente se reconoce a sí misma en sus bienes", concluía Marcuse; "se han convertido en lo que poseen"[3].

La tesis de Marcuse es una tesis plausible. Todos conocemos al vecino que cada domingo lava amorosamente su automóvil con un ardor casi erótico. Sin embargo, las observaciones actuales de la vida cotidiana de las clases media y trabajadora tienden a refutar la observación de Marcuse de que para estas personas el sí mismo y los bienes se han fusionado, produciendo lo que él denomina una "conciencia feliz". Si tomamos únicamente dos ejemplos: Las entrevistas de Studs Terkel con cientos de estadounidenses de todas las esferas de la vida, revelaron cuan vacías e insignificantes consideraban ellos sus propias vocaciones. Arrastrándose día a día al trabajo, empujándose a través del tedio diario de escribir a máquina, archivar, recoger dineros de pólizas de seguros, estacionar automóviles, entrevistar a aspirantes a beneficios de seguridad social y, en gran medida, fantaseando en el trabajo —estas personas, dice Terkel, ya no son caracteres tomados de Charles Dickens, sino que salidos más bien de Samuel Beckett[4]. El segundo estudio, de Sennett y Cobb, demostró que la noción de Marcuse de un consumidor inconsciente estaba completamente errada. El trabajador no compra bienes porque se identifica con el modo estadounidense de vida (The American Way of Life), sino porque está angustiado y cree que esta angustia se puede mitigar con los bienes materiales. El consumismo es visto paradójicamente como un modo de salida del sistema que lo ha dañado y que secretamente aborrece; es un modo de mantenerse *libre* de la garra emocional del sistema[5].

Sin embargo, el mantenerse libre del sistema no es una opción viable. A medida que el pensamiento tecnológico y burocrático invaden los rincones más profundos de nuestras mentes, la preservación de un espacio psíquico se ha tornado algo casi imposible[6]. Los así llamados "candidatos de alto potencial" para posiciones ejecutivas en corporaciones estadounidenses han recibido generalmente un tipo de educación especializada superior en que se les enseña a comunicarse persuasivamente, a facilitar la interacción social, a leer el lenguaje corporal y otras cosas parecidas. Esta disposición mental es luego llevada a la esfera de las relaciones personales y sexuales. Uno aprende así, por ejemplo, cómo descartar amigos que pueden ser obstáculos en nuestra carrera y establecer nuevas relaciones que pueden ayudarnos en nuestro ascenso. La esposa del empleado también es evaluada como un riesgo o una ventaja en términos de su destreza diplomática. Y para la mayoría de los varones en las naciones industrializadas, el acto sexual en sí mismo se ha convertido literalmente en un proyecto, un asunto que consiste en utilizar las técnicas adecuadas para alcanzar la meta prescrita y así ganar la aprobación deseada. El placer y la intimidad se ven casi como un impedimento al acto. Pero una vez que el ethos de la técnica y de la administración han invadido las esferas de la sexualidad y la amistad, literalmente no dejan lugar donde esconderse. Así resulta que "el muy difundido clima de ansiedad y neurosis" en que estamos inmersos es inevitable[7].

Estos bosquejos del paisaje psicológico interno dejan al descubierto las maquinaciones del sistema. En un estudio que oficialmente trataba de la esquizofrenia, pero que en su mayor parte era un perfil de la psicopatología de lo cotidiano, R.D. Laing mostró cómo llega a dividirse la psiquis, creando falsos sí-mismos, en un intento de protegerse de estas manipulaciones[8]. Si fuéramos a caracterizar nuestras relaciones habituales con otras personas, podríamos (como una primera aproximación), describirlas como están en la Figura 1 (véase arriba). Aquí tenemos al sí-mismo y al otro en una interacción directa, relacionándose con el otro de un modo inmediato. Como resultado, la percepción es real, la acción es significativa y el sí-mismo se siente corporalizado,

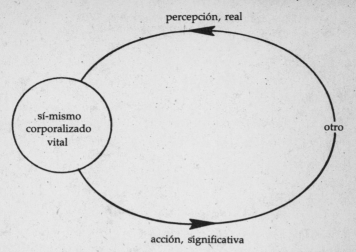

percepción, real

sí-mismo
corporalizado
vital

otro

acción, significativa

Figura 1. Diagrama esquemático de la interacción sana según R.D. Laing (de Laing, *El Yo Dividido*).

vital (encantado). Pero, como se insinúa claramente en la discusión de arriba, tal interacción casi nunca ocurre. Para nadie somos "enteros", menos aún para nosotros mismos. Más bien nos movemos en un mundo de roles sociales, de rituales interaccionales y juegos complejos que nos obligan a proteger el sí-mismo desarrollando lo que Laing denomina el "falso sistema de sí-mismo" (false self system).

En la Figura 2, el sí-mismo se ha dividido en dos: el sí-mismo "interior" se retira de la interacción, permaneciendo como un observador científico, mientras que el cuerpo —que ahora es percibido como falso o muerto (desencantado)— es el que se relaciona, en forma falsa o simulada, con el otro.

La percepción es, por lo tanto, irreal y la acción correspondientemente fútil. Como dice Laing, en el trabajo —y en el "amor"— nos retraemos hacia la fantasía y establecemos un falso sí-mismo (identificado con el cuerpo y sus acciones mecánicas), el cual ejecuta los rituales necesarios para que tengamos éxito en nuestras tareas. Este proceso comienza en algún momento del tercer año de vida, es reforzado en el jardín infantil y en los años de educación básica, sigue adelante hasta la grisácea realidad de la educación media, y finalmente se convierte en el destino diario de nuestra vida de trabajo[9]. Todo el mundo, dice Laing —ejecutivos, médicos, camareros, o lo que sea—, representa roles, manipula, para evitar a su vez ser manipulado. El objetivo es la protección del sí-mismo, pero dado que el sí-mismo está de hecho escindido de cualquier relación significativa, eventualmente se sofoca a medida que los seres humanos se distancian de los eventos de sus propias vidas. El ambiente se torna cada vez más irreal. A medida que este

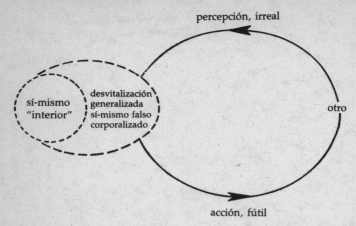

Figura 2. Diagrama esquemático de la interacción esquizoide según Laing (de *El Yo Dividido*).

proceso se acelera, el sí-mismo empieza a luchar consigo mismo y a recriminarse acerca de la culpa existencial que ha llegado a sentir, creándose así otra división. Nos atormenta nuestra falsedad, nuestro representar roles, nuestro huir del intento de llegar a ser lo que realmente somos o podríamos ser. A medida que aumenta la culpa, silenciamos las voces disidentes con drogas, alcohol, fútbol — cualquier cosa para evitar encarar la realidad de la situación. Cuando se agota esta auto-mistificación, o el efecto de las pastillas, quedamos aterrorizados por nuestra propia traición y por la vacuidad de nuestros "éxitos" manipulados.

Las estadísticas que reflejan esta condición, solamente en Estados Unidos, son tan nefastas que desafían una comprensión. Hay actualmente una tasa significativa de suicidios en el grupo de niños que va de siete a diez años de edad y entre 1966 y 1976 los suicidios de adolescentes se triplicaron a casi treinta al día. Más de la mitad de los pacientes en los hospitales mentales estadounidenses son menores de veintiún años. Una evaluación de niños de nueve a once años en la Costa del Pacífico efectuada en 1977, mostró que casi la mitad de los niños eran consumidores habituales de alcohol y que un buen número de ellos llegaba regularmente a la escuela en estado de ebriedad. El Dr. Darold Treffert, del Instituto Mental de Wisconsin, observó que en la actualidad millones de niños y adultos jóvenes están aquejados de lo que describe como "un agudo sentido de vacuidad y una falta de significado en su vida, expresados no en un temor acerca de aquello que les pudiera ocurrir, sino más bien en un temor de que jamás les ocurra algo". Las cifras oficiales del Gobierno entregadas durante 1971-1972, registraban que los Estados Unidos tiene cuatro millones de esquizofrénicos, cuatro millones de niños seriamente perturbados, nueve millones de alcohólicos, y diez millones de personas aquejadas de depresión severamente inhabilitante. A comienzos de los años '70 se informó que veinticinco millones de adultos estaban utilizando Valium; en 1980, la Administración de Alimentos y Drogas indicó que los estadounidenses estaban consumiendo 5 billones de tabletas de benzodiacepinas al año (el fármaco del "valium" y el "diazepam"). En "The Myth of the Hyperactive Child" (1975), Peter Schrag y Diane Divoky dicen que son cientos de miles los niños drogados diariamente en la escuela y una cuarta parte de la población femenina estadounidense del grupo entre los treinta y los sesenta años de edad, utilizan regularmente drogas psicoactivas. Algunas revistas populares, como Cosmopolitan, han publicado artículos donde se les aconseja a quienes padecen de depresión que hagan una visita a su Hospital Mental local para que se les administre tratamiento con psico-fármacos o con electro-shock, de modo que puedan retornar prontamente a sus trabajos. "La droga y el hospital mental" escribe un cientista político, "se han convertido en el aceite lubricante y la fábrica de repuestos indispensables para impedir el derrumbe total del motor humano"[10].

Si bien es cierto que estas cifras constituyen una expresión de lo que ocurre en Estados Unidos, ellas no son privativas de ese país.

Polonia y Rusia, por ejemplo, son líderes mundiales en el consumo de licor; las tasas de suicidio en Francia han estado aumentando progresivamente; en Alemania Occidental las tasas de suicidio se han duplicado entre 1966 y 1976[11]. Las tasas de enfermedades mentales en Los Angeles y Pittsburgh son arquetípicas y el "índice de miseria" ha estado subiendo progresivamente en Leningrado, Estocolmo, Milán, Frankfurt y en otras ciudades desde la mitad del siglo. Si Estados Unidos es la frontera del Gran Colapso, las demás naciones industrializadas no están muy atrás.

Es un postulado de este libro el que *no* estamos siendo testigos de un giro peculiar en las fortunas de la Europa y América de postguerra, ni de una aberración que podría relacionarse con problemas propios del siglo xx, como la inflación, la pérdida del imperio, y cosas por el estilo. Más bien, estamos presenciando el resultado inevitable de una lógica que ya tiene varios siglos y que ahora, durante nuestras propias vidas, se ha convertido en la protagonista central. Me refiero a la ciencia. No estoy intentando decir que la ciencia es la causa de nuestro predicamento; la causalidad es un tipo de explicación histórica que yo encuentro particularmente poco convincente. Lo que estoy argumentando es que la visión científica del mundo es parte *integral* de la modernidad, de la sociedad masificada y de la situación descrita más arriba. Es *nuestra* conciencia, en las naciones industrializadas de Occidente —y únicamente éstas— y está íntimamente relacionada con el surgimiento de un estilo de vida que se ha estado desarrollando desde el Renacimiento hasta el presente. La ciencia y nuestro modo de vida se han reforzado mutuamente y es por esta razón que la visión científica del mundo está bajo un serio escrutinio, al mismo tiempo que las naciones industriales empiezan a evidenciar signos severos de tensión, si no de una real desintegración.

Desde esta perspectiva, las transformaciones que estaré analizando y las soluciones que percibo tenuemente, tienen que ver con toda una época y esto es una buena razón para no relegarles al ámbito de las abstracciones teóricas. En verdad, voy a exponer que tales transformaciones fundamentales inciden en los detalles de nuestras vidas cotidianas mucho más directamente que aquellas cosas que habitualmente pensamos que son más urgentes: éste o aquel candidato presidencial, tal o cual asunto legislativo, etc. Ciertamente han habido otros períodos de la historia humana en que el paso acelerado de las transformaciones ha tenido el mismo impacto sobre las vidas individuales; tal vez el ejemplo más reciente antes del presente ha sido el Renacimiento. Durante tales períodos, el significado de la vida individual empieza a surgir como algo amenazante y las personas empiezan a preocuparse con el significado del significado en sí mismo. Aparece como un concomitante necesario a esta preocupación el que tales períodos se caracterizan por un agudo incremento de la incidencia de la locura, o más precisamente de aquello que define a la locura[12]. Porque lo que nos mantiene unidos (a *todos* nosotros, y no únicamente a los "intelectuales") son los sistemas de valores, y cuando estos sistemas empiezan a derrumbarse, igual suerte corren los individuos que viven con ellos. El último brote súbito de depresión y psicosis (o "melancolía", como se llamaban a estos estados mentales entonces), ocurrió en los siglos XVI y XVII, período en el cual se hizo muy difícil mantener la noción de la salvación y del interés que Dios pudiera tener en los asuntos humanos. La situación finalmente se estabilizó merced a la emergencia de un nuevo marco referencial mental que fue el capitalismo, y la nueva definición de la realidad basada en la modalidad científica de experimentación, cuantificación y destreza técnica. El problema es que en la actualidad toda esta constelación de factores —la manipulación tecnológica del ambiente, la acumulación de capital basada en ella, nociones de la salvación secular que se nutrían mutuamente— aparentemente ya ha extinguido sus posibilidades. En particular el paradigma científico moderno ha llegado a ser tan difícil de mantener a fines del siglo XX como lo fue sostener el paradigma religioso en el siglo XVII. El colapso del capitalismo, la disfunción generalizada de las instituciones, la repulsión que produce la expoliación ecológica, la incapacidad creciente de la visión científica del mundo para explicar cosas que realmente importan, la pérdida de interés en el trabajo, y el alza estadística de la depresión, la angustia y la psicosis son todos partes de un todo. Como en el siglo XVII, nuevamente nos vemos desestabilizados, lanzados a la

deriva. Como escribiera Dante en *La Divina Comedia*, hemos despertado para encontrarnos sumidos en la oscuridad del bosque.

Qué es lo que eventualmente servirá para estabilizar las cosas aún
sigue estando oscuro, pero es una de las premisas fundamentales de
este libro el que debido a que el desencantamiento es intrínseco a la
visión científica del mundo, la época moderna contuvo, desde sus
inicios, una inestabilidad inherente que limitó severamente su capacidad de sostenerse a sí misma por más tiempo que unos pocos siglos.
Durante más del noventa y nueve por ciento del transcurso de la
historia humana, el mundo estuvo encantado y el hombre se veía a sí
mismo como parte integral de él. El completo reverso de esta percepción en meros cuatrocientos años, o algo así, ha destruido la continuidad de la experiencia humana y la integridad de la psiquis humana. Al
mismo tiempo, casi ha conseguido arruinar por completo el planeta. La
única esperanza, al menos así me parece a mí, yace en el reencantamiento del mundo.

Aquí, entonces, está el meollo del dilema moderno. No podemos
retroceder a la alquimia o al animismo —o al menos eso no parece muy
posible; pero la alternativa es ese mundo triste, cientificista, completamente controlado, sombrío, de los reactores nucleares, de los micro-
procesadores y de la ingeniería genética— un mundo que virtualmente
ya está encima nuestro. Si es que vamos a sobrevivir como especie
tendrá que surgir *algún* tipo de conciencia holística o participativa con
su correspondiente formación sociopolítica. Aún no es en absoluto
evidente qué cosas va a involucrar este cambio; pero hay indicaciones
de que existe un estilo de vida que lentamente irá cobrando realidad y
que será vastamente diferente de la época que ha teñido tan intensamente, en verdad, que ha creado los detalles de nuestras vidas. Robert
Heilbroner ha sugerido que podría llegar el momento, tal vez en unos
doscientos años más, en que la gente visitará el centro de computación
de Houston o Wall Street como curiosas reliquias de una civilización
desaparecida, pero esto necesariamente va a involucrar una percepción dramáticamente alterada de la realidad[13]. Del mismo modo como
reconocemos un tapiz medieval o un texto de alquimia como pertene-
ciendo a un mundo vastamente diferente del nuestro, así también
aquellas personas que visiten Houston o la isla de Manhattan en dos
siglos más, van a encontrar nuestro punto de vista mental, partiendo
de las presuposiciones de la física del siglo xix hasta la práctica de la
modificación de la conducta, bastante barroco, si no completamente
incomprensible.

Willis Harman ha llamado a nuestro punto de vista "el paradigma de
la era industrial"[14], pero la Revolución Industrial no comenzó su des-
pegue sino hasta la segunda mitad del siglo xviii, mientras que el
paradigma moderno es en definitiva el vástago de la Revolución Científica. Por falta de un término mejor entonces, voy a llamar y me voy a

referir a nuestro punto de vista del mundo, como "el paradigma cartesiano", en honor al gran vocero de la metodología de la ciencia moderna, René Descartes. No quiero sugerir que Descartes fuera el único arquitecto de nuestra actitud actual, sino únicamente que las nociones de la realidad, las definiciones modernas de la realidad pueden identificarse con pasos específicos en su programa científico. Entender la naturaleza y los orígenes del paradigma cartesiano será, por lo tanto, nuestra primera tarea. Estaremos entonces en situación de analizar más cercanamente la naturaleza de la visión del mundo encantado, las fuerzas históricas que llevaron a su colapso y, finalmente, las posibilidades que existen para una forma moderna y creíble de reencantamiento, un cosmos una vez más nuestro.

1

El nacimiento de la conciencia científica moderna

"Y que en lugar de la filosofía especulativa ahora enseñada en las escuelas podemos encontrar una filosofía práctica, mediante la cual, conociendo la naturaleza y la conducta del fuego, del agua, del aire, de las estrellas, del cielo y de todos los otros cuerpos que nos rodean, como ahora entendemos las diferentes destrezas de nuestros trabajadores, podemos emplear estas entidades para todos los objetivos para los cuales son adecuados, y así hacernos amos y dueños de la naturaleza".

René Descartes, *Discurso del Método* (1637)

En el pensamiento occidental, hay dos arquetipos que invaden el tópico de cómo se aprehende mejor la realidad, arquetipos que tienen en último término su origen en Platón y Aristóteles. Para Platón, los datos sensoriales eran, en el mejor de los casos, una distracción del conocimiento, el cual era la provincia de la razón pura. Para Aristóteles, el conocimiento consistía en generalizaciones, pero éstas se derivaban en primera instancia de información obtenida del mundo exterior. Estos dos modelos del pensamiento humano, llamados racionalismo y empirismo respectivamente, formaron la herencia intelectual más importante del Occidente hasta Descartes y Bacon, quienes representaron, en el siglo XVII, los polos opuestos de la epistemología. Sin embargo, así como Descartes y Bacon tienen más cosas en común que diferencias, lo mismo sucede con Platón y Aristóteles. El cosmos cualitativamente orgánico de Platón, descrito en el *Timaeus*, es también el mundo de Aristóteles; y ambos estaban buscando las "formas" subyacentes de los fenómenos observados, los cuales siempre se expresaban en términos teleológicos. Aristóteles no estaría de acuerdo con Platón en que la "forma" de una cosa existe en algún cielo innato, sino en que la realidad de digamos, un disco usado en los Juegos Olímpicos era su Circularidad, su Peso (tendencia inherente a caer

27

hacia el centro de la Tierra) y así sucesivamente. Esta metafísica se preservó a lo largo de la Edad Media, edad notoria (desde nuestro punto de vista) por su extensivo simbolismo. Las cosas jamás eran "simplemente lo que eran", sino siempre llevaban corporalizadas en sí un principio no material visto como la esencia de su realidad.

A pesar de los puntos de vista diametralmente opuestos representados por el *New Organon* de Bacon y el *Discurso del Método* de Descartes, ambos poseen algo en común que, a su vez, se distingue claramente tanto del mundo de los griegos como del de la Edad Media.

El descubrimiento fundamental de la Revolución Científica —descubrimiento simbolizado por los trabajos de Newton y Galileo, fue que en realidad no había ningún gran choque entre el racionalismo y el empirismo. El primero dice que las leyes del pensamiento se conforman con las leyes de las cosas; el último dice que siempre coteja sus pensamientos con los datos de modo que se pueda saber qué pensamientos pensar. Esta dinámica relación entre racionalismo y empirismo yace en el corazón mismo de la Revolución Científica, y se hizo posible por su conversión en una herramienta concreta. Descartes demostró que las matemáticas eran el epítome de la razón pura, el conocimiento más confiable de que podíamos disponer. Bacon señaló que uno tenía que preguntarle directamente a la naturaleza, colocándola en una situación en la que se viera forzada a suministrarnos sus respuestas. *Natura vexata*, la denominaba, "la naturaleza acosada": disponga una situación de modo que tenga que responder sí o no. El trabajo de Galileo ilustra la unión de estas dos herramientas. Por ejemplo, haga rodar una bola por un plano inclinado y mida la distancia recorrida versus el tiempo. Entonces usted sabrá, exactamente, cómo se comportan los cuerpos en caída.

Nótese que digo *cómo* se comportan, y no por qué. El matrimonio entre la razón y el empirismo, entre las matemáticas y el experimento, expresó este cambio significativo en perspectiva. Mientras los hombres se contentaban con preguntarse por qué caían los objetos, por qué ocurrían los fenómenos, la pregunta de cómo caían o cómo ocurría esto era irrelevante. Estas dos preguntas no son mutuamente excluyentes, al menos en teoría; pero en términos históricos han demostrado que de hecho lo son. Mientras el "cómo" se hizo cada vez más importante, "el por qué" se hizo cada vez más irrelevante. En el siglo veinte, como veremos, el "cómo" se ha convertido en nuestro "por qué".

Visto desde este punto de vista, tanto la lectura del *New Organon* como la del *Discurso* resultan fascinantes, porque reconocemos que cada autor está lidiando con una epistemología que ahora se ha convertido en parte del aire que respiramos. Bacon y Descartes se entrelazan también de otros modos. Bacon está convencido de que el conocimiento es poder y la verdad utilidad; Descartes considera la certeza como equivalente a la medición y quiere que la ciencia se convierta en una "matemática universal". El objetivo de Bacon fue, desde luego, conseguido con los medios de Descartes: las mediciones precisas no sólo validan o invalidan las hipótesis, sino que también sirven para la construcción de caminos y puentes. Por lo tanto, en el siglo XVII se produjo otro alejamiento crucial con respecto a los griegos: la convicción de que el mundo está ante nosotros para que actuemos sobre él, no únicamente para ser contemplado. El pensamiento griego es estático, la ciencia moderna es dinámica. El hombre moderno es un hombre faustiano, apelación que viene de muy atrás, incluso antes que Goethe, desde Chistopher Marlowe. El Doctor Fausto, sentado en su estudio alrededor de 1590, está aburrido con los trabajos de Aristóteles que están extendidos ante él. "¿Será disputar bien el principal objetivo de la lógica?", se pregunta a sí mismo en voz alta. "¿Este arte no podrá soportar tal vez un milagro mayor? / Entonces no leas más..."[1]. En el siglo XVI Europa descubrió, o más bien, decidió que el asunto es hacer, y no ser.

Una de las cosas conspicuas acerca de la literatura de la Revolución Científica es que sus ideólogos estaban muy conscientes de su rol. Tanto Bacon como Descartes se percataban de los cambios metodológicos que estaban ocurriendo, y del curso inevitable que tomarían los acontecimientos. Se vieron a sí mismos indicando el camino, incluso posiblemente inclinando la balanza. Ambos fueron claros al decir que el aristotelismo ya había tenido su día. El mismo título del trabajo de Bacon, *New Organon*, el nuevo instrumento, era un ataque a Aristóteles, cuya lógica había sido recogida durante la Edad Media bajo el título *Organon*. La lógica aristotélica, específicamente el silogismo, había sido el instrumento básico para aprehender la realidad, y fue esta situación la que instigó el reclamo de Bacon y el Doctor Fausto: Bacon escribió que esta lógica "no se equipara con la sutileza de la naturaleza"; "adquiere consentimiento de la proposición, pero no capta la cosa". Por lo tanto, "es ocioso" dice, "esperar algún gran avance de la ciencia a partir de la superinducción o del injertar cosas nuevas sobre las antiguas. Tenemos que comenzar otra vez desde los fundamentos mismos, a menos que queramos estar para siempre dando círculos con un escaso e insignificante progreso[2]. El escapar de esta circularidad involucraba, por lo menos desde el punto de vista de Bacon, un violento cambio de perspectiva, lo que conduciría desde el uso de palabras no corroboradas y de la razón hasta los datos concretos acumulados mediante la experimentación de la naturaleza. Sin embargo, Bacon mismo jamás realizó un solo experimento, y el método que proponía para asegurarse de la verdad —la compilación de tablas de datos y las generalizaciones a partir de ellas— ciertamente estaba mal definido. Como resultado, los historiadores, erróneamente, han llegado a la conclusión que la ciencia creció "en torno" a Bacon, no gracias a él[3]. A pesar de la concepción popular del método científico, la mayoría de los científicos saben que la investigación verdaderamente creativa a menudo comienza con especulaciones y vuelos de la fantasía muy alejados de la realidad, y que luego son sometidas a la doble prueba de la medición y el experimento. El Baconianismo puro —esperar que los resultados se desprendan de los datos por su propio peso— en la práctica jamás resulta. Sin embargo, esta imagen pesadamente empírica de Bacon, es de hecho un resultado del ataque violento que se hizo en el siglo XIX a la especulación y del énfasis exagerado en la recolección de datos. En los siglos XVII y XVIII, el Baconianismo era sinónimo de la identificación de la verdad con la utilidad, en particular con la utilidad industrial. Para Bacon, romper el círculo Aristotélico-Escolástico significó dar un paso en el mundo de las artes mecánicas, un paso que era literalmente incomprensible antes de la primera mitad del siglo XVI. Bacon no deja dudas de que él considera que la tecnología es la fuente de una nueva epistemología[4]. El dice que la escolaridad, es decir el Escolasticismo, ha estado detenido durante siglos, mientras que la tecnología ha progresado y, por lo tanto, esta última ciertamente tiene algo que enseñarnos.

> Las ciencias (escribe) están donde estaban y permanecen casi en la misma condición; sin recibir un incremento notable... Mientras que en las artes mecánicas, que están fundadas en la naturaleza y a la luz de la experiencia, vemos que ocurre lo contrario, porque ellas... están continuamente prosperando y creciendo, como si tuvieran en ellas un hálito de vida[5].

La historia natural, como se entiende en el presente, dice Bacon, es meramente la compilación de copiosos datos: descripción de plantas, fósiles, y cosas por el estilo. ¿Por qué debiéramos darle valor a tal colección?

> Una historia natural que está compuesta para sí misma y para su propio bien, no es como una que está coleccionada para darle al entendimiento la información para la construcción de una filosofía. Ellas difieren en muchos aspectos, pero especialmente en esto: el primero contiene únicamente la variedad de las especies naturales, y no contiene experimentos de las artes mecánicas. Porque incluso, como en los asuntos de la vida, la disposición de un hombre y los funcionamientos secretos de su mente y de sus afectos son mejor puestos al descubierto cuando él está en problema; asimismo los secretos de la naturaleza se revelan más rápidamente bajo los vejámenes del arte (por ejemplo, la artesanía, la tecnología) que cuando siguen su propio curso. Por lo tanto, se pueden tener grandes esperanzas en la filosofía natural, cuando la historia natural, que es su base fundamento, haya sido diseñada sobre un mejor plan; pero no hasta entonces[6].

Este es realmente un pasaje notable, ya que sugiere por primera vez que el conocimiento de la naturaleza surge bajo condiciones artificiales. Vejar a la naturaleza, perturbarla, alterarla, cualquier cosa, pero no dejarla tranquila. Entonces, y sólo entonces, la conocerás. La elevación de la tecnología al nivel de la filosofía tiene su corporalización concreta en el concepto del experimento, una situación artificial en que los secretos de la naturaleza, son extraídos bajo apremio.

No es que la tecnología hubiera sido algo nuevo en el siglo XVII; el control del medio ambiente por medios mecánicos, en forma de molinos de viento y de arados, es casi tan antiguo como el *homo sapiens* mismo. Pero la elevación de este control a un nivel filosófico fue un paso sin precedentes en la historia del pensamiento humano. A pesar de la sofisticación extrema, por ejemplo, de la tecnología china de antes del siglo XV D.C., jamás se les había ocurrido a los chinos (o a los occidentales, en lo que respecta a esta materia) hacer equivalente la extracción de minerales o la fabricación de pólvora con el conocimiento puro, y menos aún con la clave para adquirir tal conocimiento[7]. Por lo tanto, la ciencia no creció "en torno" a Bacon, y su falta de experimentación es irrelevante. Los detalles de lo que constituye un experimento fueron descritos más tarde, en el transcurso del siglo XVII. El marco general de la experimentación científica, la noción tecnológica de cuestionar a la naturaleza bajo apremio, es el mayor legado de Bacon.

A pesar de que tal vez le estemos atribuyendo demasiado a Bacon, existe siempre la oscura sugerencia de que la mente del experimentador, al adoptar esta nueva perspectiva, también estará bajo apremio. Del mismo modo como a la naturaleza no se le debe permitir seguir su propio curso, dice Bacon en el Prefacio de su obra, también es necesario que "desde el comienzo mismo, a la mente no se le permita seguir su propio curso, sino que sea guiada en cada paso de modo que el asunto sea concluido como si fuera hecho por una maquinaria". Para conocer la naturaleza, trátala mecánicamente; pero para ello tu mente también tiene que portarse en forma igualmente mecánica.

René Descartes también tomó una posición en contra del Escolasticismo y la verbosidad filosófica, y sentía que para una verdadera filosofía de la naturaleza sólo serviría la certeza. Su *Discourse*, escrito diecisiete años después del *New Organon*, es en parte una autobiografía intelectual. Su autor pone énfasis en el poco valor que tuvieron para él las enseñanzas de la antigüedad, y al hacerlo también implica que lo mismo debe haber ocurrido en el resto de Europa. Dice al respecto: "Tuve la mejor educación que Francia podía ofrecer (estudió en el Seminario Jesuita, la Ecole de La Flèche); sin embargo, no aprendí nada que pudiera llamar cierto. Por lo menos en lo que se refería a las opiniones que había estado recibiendo desde mi nacimiento, no podía hacer nada mejor que rechazarlas completamente, al menos una vez en mi vida..."[8]. Al igual que con Bacon, el objetivo de Descartes no es "injertar" o "superinducir", sino que comenzar de nuevo. ¡Pero cuán vastamente diferente es el punto de partida de Descartes! No sirve de nada recolectar datos o examinar la naturaleza directamente, dice Descartes; ya habrá tiempo para eso una vez que aprendamos a pensar correctamente. Sin tener un método de pensamiento claro que podamos aplicar, mecánica y rigurosamente, a cada fenómeno que deseemos estudiar, el examen que hagamos de la naturaleza necesariamente estará lleno de defectos y faltas. Entonces, dejemos enteramente fuera al mundo externo y quedémonos con la naturaleza misma del pensamiento correcto.

"Para comenzar", dice Descartes, "fue necesario descreer todo lo que pensé que conocía hasta este momento". Este acto no fue emprendido por su propio valor, o para servir a algún principio abstracto de rebelión, sino para proceder a partir de la percepción de que todas las ciencias estaban en ese momento en terreno muy movedizo. "Todos los principios básicos de la ciencia fueron tomados de la filosofía", escribe, "la que en sí misma no tenía ninguno verdadero. Dado que mi objetivo era la certeza, resolví considerar casi como falsa cualquier opinión que fuera meramente plausible". Así entonces, el punto de partida del método científico, en lo que a Descartes se refiere, fue un sano escepticismo. Ciertamente, la mente debería ser capaz de conocer el mundo, pero primero debe deshacerse de la credulidad y la carroña medieval con las que se había visto atiborrada. "Todo mi objetivo", señala él, "fue lograr una mayor certeza y rechazar la tierra y la arena suelta en favor de la roca y la arcilla".

El principio de la duda metódica, sin embargo, llevó a Descartes a una conclusión muy deprimente: no había nada en absoluto de lo cual uno pudiera estar seguro. A mi entender, en sus *Meditaciones sobre la Primera Filosofía* (1641), reconoce que podría haber una disparidad total entre la razón y la realidad. Aun si yo asevero que Dios es bueno y no me está engañando cuando trato de igualar la razón con la realidad, ¿cómo sé que no hay un demonio maligno correteando por ahí que me confunde? ¿Cómo sé yo que 2 + 2 no son 5, y que este demonio no me engaña, cada vez que efectúo esta suma, llevándome a creer que los número suman 4? Pero incluso si este fuera el caso, concluye Descartes, hay una cosa que sí sé: sé que existo. Ya que incluso si estoy engañado, hay obviamente un "yo" que está siendo engañado. Y así, la certeza fundamental que subyace a todo: pienso, luego existo. Para Descartes, pensar era idéntico a existir.

Por supuesto que este postulado es sólo un comienzo. Quiero estar seguro no únicamente de mi propia existencia. Sin embargo, confrontado con el resto del conocimiento, Descartes encuentra necesario demostrar (lo que hace de manera muy poco convincente) la existencia de una Deidad benevolente. La existencia de tal Dios garantiza inmediatamente las proposiciones de las matemáticas, la única ciencia que se basa en la actividad mental pura. No puede haber engaño cuando sumo los ángulos de un triángulo; la bondad de Dios garantiza que mis operaciones puramente mentales serán correctas, o como dice Descartes, claras y distintas. Y extrapolando de esto, vemos que el conocimiento del mundo externo también tendrá certeza si las ideas son claras y distintas, es decir, si se toma a la geometría como modelo (Descartes jamás llegó a definir, para satisfacción de algunos, los términos "claro" y "distinto"). La ciencia, dice Descartes, debe convertirse en una "matemática universal"; los números son la única prueba de la certidumbre.

La disparidad entre Descartes y Bacon parecería estar completa. Mientras que el último ve los fundamentos del conocimiento en los datos sensoriales, la experimentación y las artes mecánicas, Descartes ve sólo confusión en estos tópicos y encuentra claridad en las operaciones de la mente pura[9]. Así, el método que él propone para adquirir conocimiento se basa, nos dice, en la geometría. El primer paso es el enunciado del problema que, en su complejidad, será obscuro y confuso. El segundo paso es dividir el problema en sus unidades más simples, sus partes componentes. Dado que uno puede percibir directa e inmediatamente lo que es claro y distinto en estas unidades más simples, uno puede finalmente rearmar la estructura total de una manera lógica. Ahora el problema, aun cuando pueda ser complejo, ya no nos es desconocido (obscuro y confuso), porque primero nosotros mismos lo hemos dividido y luego vuelto a armar otra vez. Descartes se impresionó tanto con este descubrimiento que lo consideró la clave, incluso la única clave, para el conocimiento del mundo. "Aquellas largas cadenas de raciocinio", escribe, "tan simples y fáciles, que permitieron a los geómetras llegar a las demostraciones más difíciles, me han hecho preguntarme si acaso todas las cosas conocibles para el hombre podrían caer en una secuencia lógica similar"[10].

Aunque la identificación que hace Bacon del conocimiento con la utilidad industrial y su apego al concepto del experimento basado en la tecnología subyace, con toda certeza, a gran parte de nuestro pensamiento científico actual, las implicaciones que se desprenden del corpus cartesiano tuvieron un impacto abrumador en la historia subsiguiente de la conciencia occidental y (a pesar de las diferencias con Bacon) sirvieron para confirmar el paradigma tecnológico —incluso ayudaron a lanzarlo por su senda. La actividad del hombre como un ser pensante— y esa es su esencia, de acuerdo con Descartes —es puramente mecánica. La mente está en posesión de cierto método. Confronta el mundo como un objeto separado. Aplica este método al objeto, una y otra vez, y eventualmente conocerá todo lo que hay por conocer. Más aún, el método también es mecánico. El problema se divide en sus componentes, y el simple acto de la cognición (la percepción directa) tiene la misma relación con el conocimiento de todo el problema que, digamos, una pulgada tiene para un pie: uno mide (percibe) un número de veces, y luego suma los resultados. Subdivide, mide, combina; subdivide, mide y combina.

Este método podría llamarse adecuadamente "atomístico", en el sentido que el conocer consiste en subdividir una cosa en sus componentes más pequeños. La esencia del atomismo, sea éste material o filosófico, es que una cosa consiste de la suma de sus partes, ni más ni menos. Y ciertamente, el mayor legado de Descartes fue la filosofía mecánica, que se desprende directamente de este método. En sus *Principios de Filosofía* (1644) mostró que la conexión lógica de las ideas claras y distintas conducían a la noción de que el universo era una enorme máquina, a la que Dios le había dado cuerda para moverse indefinidamente, y que consistía en dos entidades básicas: materia y movimiento. El espíritu, en la forma de Dios, permanece en la periferia de este universo de bolas de billar, pero no juega directamente en él. Eventualmente, todos los fenómenos no materiales tienen una base material. La acción de los imanes que se atraen a la distancia, puede parecer no material, dice Descartes, pero la aplicación del método puede, y eventualmente lo hará, conducir al descubrimiento de una base particulada en su comportamiento.

Lo que realmente hace Descartes es proveer al paradigma tecnológico de Bacon de una fuerte dentadura filosófica. La filosofía mecánica, el uso de las matemáticas y la aplicación formal de su método de cuatro pasos permiten que la manipulación del ambiente ocurra con algún tipo de regularidad lógica.

La identificación de la existencia humana con el raciocinio puro, la idea de que el hombre puede saber todo lo que le es dado saber por vía de su razón, incluyó para Descartes la suposición de que la mente y el cuerpo, sujeto y objeto, eran entidades radicalmente dispares. Al parecer, el pensar me separa del mundo que yo enfrento. Yo percibo mi cuerpo y sus funciones, pero "yo" no soy mi cuerpo. Puedo aprender acerca de la conducta (mecánica) de mi cuerpo aplicando el método cartesiano —y Descartes hace precisamente esto en su tratado *Sobre el Hombre* (1662)— pero siempre permanece como el objeto de mi percepción. Así entonces, Descartes visualizó la operación del cuerpo humano mediante una analogía con una fuente de agua, con una acción mecánica refleja que es el modelo de gran parte, si no de toda, la conducta humana. La mente, *res cogitans* ("substancia pensante"), está en una categoría completamente diferente del cuerpo, *res extensa* ("substancia extendida"), pero sí que tienen una interacción mecánica que podemos diagramar como en la Figura 3, abajo. Si la mano toca una llama, las partículas del fuego atacan al dedo, tirando de un hilo en el nervio tubular que libera los "espíritus animales" (concebidos como corpúsculos mecánicos) en el cerebro. Estos a su vez corren por el tubo y tiran de los músculos de la mano[11].

Existe, a mi parecer, una tenebrosa semejanza entre este diagrama y el "sistema del falso sí mismo" de Laing que aparece en la Introducción (ver Figura 2). Los esquizofrénicos típicamente consideran a sus cuerpos como "otro", como un "no yo". También, en el diagrama de Descartes, el cerebro (su interior mismo) es el observador separado de las partes del cuerpo; la interacción es mecánica, como si uno se viera a sí mismo comportándose como un robot, una percepción que es fácilmente aplicable al resto del mundo. Para Descartes, esta escisión mente-cuerpo era verdadera en *toda* percepción y conducta: en el acto de pensar uno se percibe a sí mismo como una entidad separada "aquí adentro" confrontando cosas "allá afuera". Esta dualidad esquizoide yace en el corazón del paradigma cartesiano.

El énfasis que hace Descartes sobre las ideas claras y distintas, y el basar su conocimiento en la geometría, también sirvió para reafirmar, si no realmente para canonizar, el principio aristotélico de no-contradicción. De acuerdo con este principio, una cosa no puede ser y no ser al mismo tiempo. Cuando golpeo la tecla "A" en mi máquina de escribir, obtengo una "A" en el papel (suponiendo que la máquina está funcionando bien), *no* una "B". La taza de café que está a mi derecha podría ponerse en una balanza y veríamos que pesa, digamos, 143 gramos, y este hecho significa que el objeto *no* pesa cinco kilos ni dos gramos. Dado que el paradigma cartesiano no reconoce auto-contradicciones en la lógica, y ya que la lógica (o geometría), de acuerdo con Descartes, es la forma en que se comporta la naturaleza y se nos da a conocer, el paradigma no permite auto-contradicciones en la naturaleza.

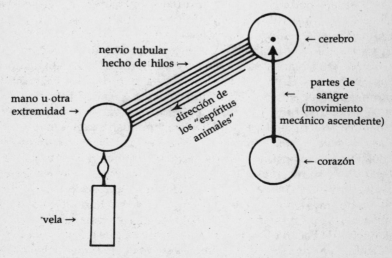

Figura 3. *La concepción de Descartes de la interacción mente-cuerpo.*

Los problemas que presenta el punto de vista de Descartes son tal vez obvios, pero por ahora bastará con hacer notar que la vida real opera dialécticamente, no críticamente[12]. Amamos y odiamos la misma cosa simultáneamente, tememos lo que más necesitamos, reconocemos la ambivalencia como una norma más que como una aberración. La devoción que Descartes profesaba a la razón crítica lo llevó a identificar los sueños, que son afirmaciones profundamente dialécticas, como el modelo del conocimiento no confiable. Los sueños, nos dice en las *Meditaciones sobre la Primera Filosofía*, no son claros ni distintos, sino invariablemente obscuros y confusos. Están llenos de frecuentes auto-contradicciones, y no poseen (desde el punto de vista de la razón crítica) una coherencia externa ni interna. Por ejemplo, puedo soñar que cierta persona que conozco es mi padre, o incluso que yo soy mi padre, y que estoy discutiendo con él. Pero este sueño es (desde el punto de vista cartesiano) internamente incoherente, porque simplemente no soy mi padre, ni él puede ser él mismo y a la vez alguien más; y es externamente incoherente, porque al despertar, no importa lo real que todo parezca por un momento, pronto me doy cuenta que mi padre está a tres mil millas de distancia y que la supuesta confrontación jamás se llevó a cabo. Para Descartes, los sueños no son de naturaleza material, no pueden medirse, y no son claros ni distintos. Por lo tanto, dados los criterios de Descartes, ellos no contienen ninguna información confiable.

Resumiendo entonces, el racionalismo y el empirismo, los dos polos del conocimiento tan fuertemente representados por Descartes y Bacon respectivamente, pueden considerarse complementarios en lugar de irrevocablemente conflictivos. Descartes, por ejemplo, apenas si se oponía al experimento cuando éste servía para discernir entre hipótesis rivales —un rol que mantiene hasta hoy en día. Y como he argumentado, su enfoque atomístico y su énfasis en la realidad material y su medición, fácilmente se prestaron al tipo de conocimiento y poder económico que Bacon visualizaba como factible para Inglaterra y Europa Occidental. De todas formas, esta síntesis de la razón y del empirismo carecía de una expresión concreta, una demostración clara de cómo podría funcionar en la práctica esta nueva metodología; el trabajo científico de Galileo y Newton suministró precisamente esta demostración. Estos hombres estaban ocupados no solamente del problema de la exposición metodológica (aunque ciertamente cada uno de ellos hizo sus propias contribuciones a ese tópico), sino que anhelaban ilustrar exactamente cómo podría la nueva metodología analizar los eventos más simples: la piedra que cae sobre la tierra, el rayo de luz que atraviesa un prisma. Fue mediante tales ejemplos específicos que los sueños de Bacon y Descartes se tradujeron a una realidad operante.

Galileo, en sus esmerados estudios sobre el movimiento llevados a cabo veinte años antes de la publicación del *New Organon*, ya había

explicitado aquello que Bacon únicamente sugería como una construcción artificial en sus generalizaciones acerca del método experimental[13]. Los planos sin roce, las roldanas sin masa, la caída libre sin
resistencia del aire, todos estos "tipos ideales", que forman los conjuntos básicos de problemas de física de los primeros años de universidad,
son el legado de ese genio italiano, Galileo Galilei. Se le recuerda
popularmente por un experimento que jamás realizó —lanzar pesas
desde la Torre Inclinada de Pisa— pero de hecho realizó un experimento mucho más ingenioso en cuerpos sometidos a caída libre, un experimento que ejemplifica muchos de los temas mayores de la búsqueda
científica moderna. La creencia de que los objetos grandes o densos
debieran llegar a la tierra antes que los más livianos es una consecuencia directa de la física teleológica de Aristóteles, que era ampliamente
aceptada durante la Edad Media. Si las cosas caen a la tierra porque
buscan su "lugar natural", el centro de la tierra, podemos ver por qué
acelerarían a medida que se acercan a ella. Están excitados, vienen de
vuelta a casa, y como todos nosotros, se apuran al llegar al último
tramo del viaje. Los objetos pesados caen a una determinada distancia
en un tiempo más corto que los livianos porque hay más materia para
excitarse, y así adquieren una velocidad mayor y llegan a la tierra
antes. El argumento de Galileo, el que un objeto muy grande y uno
muy pequeño deberían caer en el mismo intervalo de tiempo, se
basaba en una suposición que no podía ser probada ni invalidada: el
que los cuerpos que caen son inanimados y por lo tanto no tienen
metas ni objetivos. Según el esquema de pensamiento de Galileo, no
hay ningún "lugar natural" en el universo. Hay sólo materia y movimiento, y es lo único que podemos observar y medir. Entonces, el
tópico adecuado para la investigación de la naturaleza no es el por qué
cae un objeto —no hay un *por qué*— sino un *cómo*; en este caso, qué
distancia en cuánto tiempo.

Aunque las suposiciones de Galileo nos puedan parecer bastantes
obvias, debemos recordar cuán radicalmente violaban no sólo las suposiciones del sentido común del siglo XVI, sino también las observaciones basadas en el sentido común en general. Si miro a mi alrededor y
veo que estoy plantado en el suelo y que los objetos liberados en el aire
caen hacia él ¿no es acaso perfectamente razonable considerar "abajo"
como su movimiento natural, es decir, inherente? El sicólogo suizo
Jean Piaget descubrió, en sus estudios acerca de la cognición infantil,
que hasta la edad de siete años, los niños son naturalmente aristotélicos[14]. Cuando se les preguntaba por qué caen los objetos al suelo, los
sujetos de Piaget contestaban "porque es ahí donde pertenecen" (o
alguna variante de esta idea). Tal vez, la mayoría de los adultos también son emocionalmente aristotélicos. La proposición de Aristóteles
de que no hay movimiento sin un movedor, por ejemplo, parece
instintivamente correcta; y la mayoría de los adultos, cuando se les

Figura 4. *Experimento de Galileo para demostrar que un movimiento no requiere de un movedor.*

pide que reaccionen inmediatamente a esta noción, responderán afirmativamente. Galileo refutó esa suposición haciendo rodar una bola por dos planos inclinados, yuxtapuestos, como se ve en la Figura 4. La bola baja por el plano B y luego sube por el plano A, pero no alcanza la misma altura desde la que comenzó. Luego, rueda hacia abajo por A y hacia arriba por B, perdiendo nuevamente altura, atrás y adelante, atrás y adelante, hasta que finalmente la bola se sitúa en el "valle" y deja de moverse. Si pulimos los planos, haciéndolos cada vez más suaves, la bola se mantendría en movimiento por un tiempo mayor. En el caso límite, en que la fricción = 0, el movimiento seguiría para siempre: por ende, existiría movimiento sin un movedor. Pero hay un problema con el argumento de Galileo: *no existe el caso límite*. No *hay* planos sin fricción. La ley de la inercia puede estipular que un cuerpo continúa en movimiento o en estado de inmovilidad a menos que una fuerza actúe sobre él, pero de hecho, en el caso del movimiento, *siempre* hay una fuerza externa, aun cuando no sea más que la fricción entre el objeto y la superficie sobre la que se mueve[15].

El experimento que Galileo diseñó para medir la distancia en función del tiempo fue una obra maestra de la abstracción científica. El dejar caer pesas desde la Torre Inclinada, pensó Galileo, era completamente inútil. Simon Stevin, físico holandés, ya había ensayado los experimentos de caída libre en 1586 para aprender sólo que la velocidad adquirida por los cuerpos era demasiado grande como para ser medida. Por lo tanto, dijo Galileo, "diluiré" la gravedad dejando rodar una bola por un plano inclinado, haciéndolo lo más suave posible para medir la fricción. Si tuviéramos que hacer que la inclinación fuera mayor aumentando el ángulo α, como en la Figura 5, llegaría un momento en que alcanzaríamos la situación de caída libre que busca-

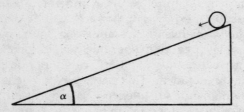

Figura 5. *El experimento de Galileo para deducir la ley de la caída libre.*

mos explorar en el caso límite, en el que α = 90 grados. Entonces,
tomemos un ángulo menor, digamos α = 10 grados, y dejemos que
sirva como una aproximación. Inicialmente Galileo utilizó su propio
pulso como medida de tiempo, y más tarde un balde con agua al que se
había hecho un orificio que permitía que el agua cayera a intervalos
regulares. Al hacer una serie de ensayos, finalmente pudo conseguir
una relación numérica: vio que la distancia es proporcional al cuadrado
del tiempo. En otras palabras, si un objeto —cualquier objeto, pesado o
liviano— cae una unidad de distancia en un segundo, caerá a una
distancia cuatro veces mayor en dos segundos, y nueve veces mayor
en tres segundos, y así sucesivamente. Utilizando la terminología
moderna, se diría que, $s = kt^2$, siendo s la distancia, t el tiempo y k una
constante.

Los dos experimentos de Galileo en que utiliza planos inclinados
ilustran la ingeniosísima combinación de racionalismo y empirismo
que fueron su característica. Consulte los datos, pero no permita que lo
confundan. Sepárese de la naturaleza de modo que, como más tarde
Descartes insistiría, pueda dividirla en sus partes más sencillas y
extraer su esencia, materia, movimiento, medición. En términos generales, la contribución de Galileo no fue enteramente nueva en la historia humana, como veremos en el Capítulo 3; pero sí representó el
estado final en el desarrollo de la conciencia no participativa, ese
estado mental en que uno conoce los fenómenos precisamente en el
acto de distanciarse de ellos. La noción de que la naturaleza está viva es
claramente un obstáculo en esta modalidad de entendimiento. Porque
cuando consideramos los objetos materiales como extensiones de nosotros mismos (vivos, provistos de un objetivo) y permitimos que los
detalles sensoriales de la naturaleza nos distraigan, nos tornamos
impotentes para controlarla y por lo tanto, desde el punto de vista de
Galileo, jamás podremos llegar a conocerla. La nueva ciencia nos invita
a dar un paso fuera de la naturaleza para materializarla, reducirla a
unidades cartesianas medibles. Unicamente entonces podremos llegar
a tener un conocimiento definitivo de ella. Como resultado —y Galileo
no estaba para nada interesado en la balística ni en la ciencia de los
materiales— podremos supuestamente manipularla en nuestro beneficio.

Era claro que la identificación de la verdad con la utilidad estaba
estrechamente unida al programa galileico de la conciencia no participativa y al cambio del "por qué" al "cómo". A diferencia de Bacon,
Galileo no explicitó esta identificación, pero una vez que los procesos
naturales son despojados de sus objetivos inmanentes, realmente no
les queda nada a los objetos excepto su valor para algo, a alguien. Max
Weber denominaba esta actitud mental *zweckrational*, es decir, intencionalmente racional o instrumentalmente racional. Incluido dentro
del programa científico está el concepto de la manipulación como

piedra de tope de la verdad. El conocer algo es controlarlo, un modo de cognición que llevó a Oskar Kokoschka a observar que ya en el siglo XX, la razón había sido reducida a una mera función[16]. En efecto, esta identificación hace que todas las cosas se presenten como sin significado, excepto en la medida que sean beneficiosas o sirvan para un objetivo y yace en el centro de la "distinción dato-valor", analizada brevemente en la Introducción. La síntesis medieval tomista (Cristiano-Aristotélica), que veía al bien y a la verdad como idénticas, fue irrevocablemente desmantelada en las primeras décadas del siglo XVII.

Desde luego, Galileo no consideró su método como meramente útil, o heurísticamente valioso, sino que peculiarmente verdadero, y fue esta posición epistemológica la que creó el pandemonio dentro de la iglesia. Para Galileo, la ciencia no era una herramienta, sino que el único camino hacia la verdad. Intentó mantener sus afirmaciones alejadas de aquellas de la religión, pero fracasó: el compromiso histórico de la iglesia con el aristotelismo demostró ser demasiado grande. Galileo, como buen católico, estaba comprensiblemente preocupado de que la iglesia, al insistir en su infalibilidad, inevitablemente se daría a sí misma un severo golpe. De hecho, la vida de Galileo es la historia de esta prolongada lucha y del fracaso de llevar a la iglesia a la causa de la ciencia; y en su drama *Galileo*, Bertold Brecht hace del tema de la irresistibilidad del método científico el centro de la historia. Hace que Galileo deambule a lo largo del drama llevando consigo una piedrecilla, que ocasionalmente deja caer para ilustrar la fuerza de la evidencia sensorial. "Si alguien dejara caer una piedra", le pregunta a su amigo Sagredo, "y dijera (a la gente) que no cayó, ¿crees tú que se quedarían callados? La evidencia de tus propios ojos resulta algo muy seductor. Tarde o temprano todo el mundo sucumbirá a ella". ¿Y cuál es la respuesta de Sagredo? "Galileo, cuando tú hablas quedo completamente indefenso"[17]. La lógica de la ciencia también tenía una lógica histórica. A su debido tiempo todas las metodologías alternativas —el animismo, el aristotelismo, o el argumento del mandato papal— sucumbieron ante la seducción de la búsqueda racional libre.

Las vidas de Newton y Galileo se extienden a lo largo de todo el siglo XVII, ya que el primero nació el mismo año que murió el último, 1642, y ambos abrazan una revolución en la conciencia humana. Ya en la época de la muerte de Newton en 1727, el europeo culto tenía una concepción del cosmos y de la naturaleza del "buen pensar" completamente distinta de su contrapartida de un siglo antes. Ahora consideraba que la tierra giraba alrededor del sol, y no lo opuesto[18]; creía que todos los fenómenos estaban constituidos por átomos o corpúsculos en movimiento y susceptibles a una descripción matemática; y veía el sistema solar como una gran máquina, sujeta por las fuerzas de la gravedad. Tenía una noción precisa del experimento (o al menos así lo decía), y una nueva noción de lo que constituía una evidencia aceptable y una explicación adecuada. Vivía en un mundo predecible, comprensible y sin embargo (en su propia mente) muy excitante, ya que en términos de control material, el mundo estaba comenzando a exhibir un horizonte infinito de interminables oportunidades.

Más que ningún otro individuo, Sir Isaac Newton está asociado con la visión científica del mundo de la Europa moderna. Al igual que Galileo, Newton combinó el racionalismo y el empirismo en un nuevo método; pero a diferencia de Galileo fue aclamado como un héroe por toda Europa, en lugar de tener que retractarse de sus puntos de vista y pasar su madurez bajo arresto domiciliario. Más importante aún, la combinación metodológica de razón y empirismo se convirtieron, en las manos de Newton, en una filosofía completa de la naturaleza, la cual (a diferencia de Galileo) tuvo gran éxito al conseguir dejarla en la conciencia occidental en toda su amplitud. Lo que ocurrió en el siglo XVIII, *el* siglo Newtoniano, fue la solución al problema del movimiento de los planetas, un problema que según la creencia común, ni siquiera los griegos habían podido resolver (nótese, eso sí, que los griegos tenían una opinión más positiva de sus propios logros). Bacon se había mofado de la sabiduría antigua, pero no hablaba en nombre de la mayoría de los europeos. El intenso resurgimiento de la sabiduría clásica en el siglo XVI, por ejemplo, reflejaba la creencia de que a pesar de los enormes problemas que tenía el modelo cosmológico griego, su época fue y seguiría siendo la verdadera Edad de Oro de la humanidad. La descripción matemática precisa de Newton de un sistema solar heliocéntrico cambiaba todo aquello, ya que no sólo sumaba a todo el universo en cuatro simples fórmulas algebraicas, sino que también daba cuenta de fenómenos hasta ahora inexplicados, hacía algunas predicciones precisas, clarificaba la relación entre teoría y experimento, e incluso aclaraba el rol que tendría Dios en el sistema total. El sistema de Newton era esencialmente atomístico: estando la tierra y el sol compuestos de átomos, éstos se comportaban del mismo modo que cualquier otro par de átomos, y viceversa. Por lo tanto, los objetos más pequeños y los más grandes del universo eran vistos como obedeciendo las mismas leyes. La relación de la luna con la tierra era la misma que aquélla de una manzana en caída libre. El misterio de casi dos mil años había terminado: uno podía estar seguro que los cielos que vemos en una noche estrellada no contienen más secretos que el de unos pocos granitos de arena escurriéndose a través de nuestros dedos.

La obra más popular de Newton, conocida también como el *Principia*, y que a la vez es su obra máxima, fue deliberadamente titulada por éste como *Los Principios Matemáticos de la Filosofía Natural* (1686)[19], donde los dos adjetivos sirven para enfatizar su rechazo a Descartes, cuyo *Principios de Filosofía* él consideraba como una colección de hipótesis no probadas. Paso a paso, él analizó las proposiciones de Descartes acerca del mundo natural y demostró su falsedad. Por ejemplo, Descartes consideraba que la materia del universo circulaba en torbellinos o vórtices. Newton fue capaz de mostrar que esta teoría contradecía el trabajo de Kepler, el cual parecía ser bastante confiable; y que si uno experimentaba con modelos de vórtices haciendo girar recipientes con fluidos (agua, aceite o brea), los contenidos eventualmente se detendrían dejando de girar, indicando con esto que, según la hipótesis de Descartes, el universo habría llegado a detenerse desde hacía mucho tiempo. A pesar de sus ataques en contra de los puntos de vista de Descartes, está claro, según investigaciones recientes, que Newton fue un cartesiano hasta la publicación del *Principia*; y cuando uno lee esa obra, llama la atención un hecho atemorizante: Newton consiguió que la visión cartesiana del mundo fuera sostenible falseando todos sus detalles. En otras palabras, a pesar de que los datos de Descartes eran equívocos y que sus teorías eran insostenibles, el punto de vista central cartesiano —que el mundo es una vasta máquina de materia y movimiento que obedece a leyes matemáticas— fue plenamente validado por el trabajo de Newton. A pesar de todo el brillo de Newton, el verdadero héroe (algunos dirían ánima) de la Revolución Científica, fue René Descartes.

Pero Newton no consiguió su triunfo tan fácilmente. Su visión completa del cosmos dependía de la ley sobre la gravitación universal, o de la gravedad, e incluso, cuando ya existía una formulación matemática exacta, nadie sabía realmente en qué consiste esta atracción. Los pensadores cartesianos indicaban que su mentor, se había restringido sabiamente al movimiento por impacto directo, y había descartado lo que los científicos más tarde llamarían acción a distancia. Newton, argüían, no había *explicado* la gravedad, sino que meramente había establecido sus efectos, y por lo tanto quedaba, en su propio sistema, como una cualidad oculta. ¿Dónde está esta "gravedad" por la cual él hace tanta algarabía? No puede ni ser vista, escuchada, sentida u olida. Es, en breve, una ficción como lo son los torbellinos de Descartes.

Newton agonizaba privadamente sobre estos juicios. Sentía que sus críticos estaban en lo correcto. Ya en 1692 ó 1693 le escribió a su amigo el Reverendo Richard Bentley la siguiente admisión:

El que la gravedad debiera ser innata, inherente y esencial a la materia, de modo que un cuerpo pueda actuar sobre otro a la distancia a través de un *vacío*, sin la mediación de ninguna otra cosa; que por y a través de él, la acción y fuerza de estos cuerpos pueda ser transmitida de uno a otro, es para mí un absurdo tan grande que no creo que ningún hombre que tenga cierta facultad de competencia en materias filosóficas del pensamiento pueda jamás caer en ello. La gravedad debe ser ocasionada por un agente que está actuando constantemente de acuerdo a ciertas leyes, pero el que este agente sea material o inmaterial lo he dejado a consideración de mis lectores[20].

Públicamente, sin embargo, Newton adoptó una postura que establecía, de una vez por todas, la relación filosófica entre la apariencia y la realidad, la hipótesis y el experimento. En una sección del *Principia* titulada "Dios y la Filosofía Natural", escribió:

> Hasta aquí hemos explicado los fenómenos de los cielos y de nuestro mar por el poder de la gravedad, pero aún no le hemos asignado la causa a este poder. Esto es cierto, que debe proceder de una causa que penetra hasta los mismos centros del sol y los planetas... Pero hasta aquí no he sido capaz de descubrir la causa de estas propiedades de la gravedad a partir de los fenómenos y no estoy planteando ninguna hipótesis; porque aquello que no se deduce de los fenómenos debe llamarse una hipótesis, y las hipótesis, sean éstas metafísicas o físicas, de cualidades ocultas o mecánicas, no tienen cabida en la filosofía experimental[21].

Newton estaba haciendo eco del tema central de la Revolución Científica: nuestro objetivo es el cómo, no el por qué. El que no pueda explicar la gravedad es irrelevante. La puedo medir, observar, hacer predicciones que se basen en ella, y esto es todo lo que un científico tiene que hacer. Si un fenómeno no se puede medir, puede "no tener cabida en la filosofía experimental". Esta postura filosófica, que en sus distintas formas es llamada "positivismo", ha sido la fachada pública de la ciencia moderna hasta nuestros días[22].

El segundo aspecto más importante del trabajo de Newton fue muy bien delineado en su *Opticks* (1704), donde fue capaz de unir el atomismo filosófico a la definición del experimento, que había llegado a ser claro y definitivo en las mentes de los científicos durante el transcurso del siglo anterior. Como resultado, las investigaciones de Newton sobre la luz y el color se convirtieron en el modelo del análisis correcto

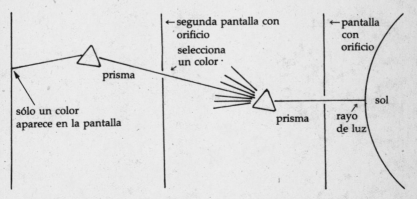

Figura 6. *La subdivisión de Newton de la luz blanca en rayos monocromáticos.*

de los fenómenos naturales. La pregunta era, ¿la luz es simple o compleja? Descartes, por su parte, la había considerado como simple, y veía los colores como el resultado de algún tipo de modificación de la luz. Newton creía que la luz blanca estaba de hecho compuesta de colores que de alguna manera se neutralizaban al combinarse para producir el efecto del blanco. ¿Cómo decidir entre ambas posiciones?

En el experimento ilustrado en la Figura 6, Newton tomó un haz de luz blanca, lo descompuso en sus partes con un prisma, seleccionó una de las partes, y mostró que no podía descomponerse más. Hizo esto con cada color, demostrando que la luz monocromática no podía ser subdividida. Luego, Newton hizo el experimento en la dirección opuesta: dividió el rayo de luz blanca en sus partes para después recombinarlas haciéndolas pasar por un lente convexo (ver Figura 7). El resultado fue luz blanca. Este enfoque atomístico, que sigue exactamente el método de cuatro etapas de Descartes, establece su tesis más allá de duda. Pero, al igual que en el caso de la gravedad, los cartesianos se pusieron a debatir con Newton. ¿Dónde, preguntaron, está su teoría de la luz y del color, dónde está su *explicación* de esta conducta? Y como en el caso anterior, Newton se retrajo tras la cortina de humo del positivismo. El respondió: "Estoy buscando leyes, o hechos ópticos, no hipótesis. Si ustedes me preguntan qué es el "rojo", yo sólo les puedo decir que es un número, un cierto grado de refractibilidad, y lo mismo es cierto para cada uno de los demás colores. Lo he medido; eso es suficiente".

Desde luego que en este caso también Newton lidió con las posibles explicaciones para la conducta de la luz, pero la combinación del atomismo (filosófico), del positivismo y del método experimental —en síntesis, la definición de la realidad— aún está hoy en día en gran

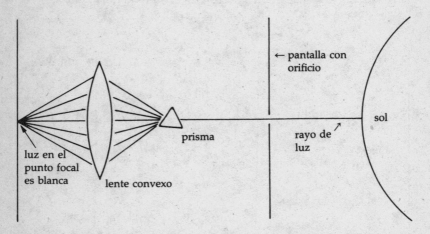

Figura 7. *La recombinación de Newton de los rayos de luz monocromáticos en luz blanca.*

medida con nosotros. El conocer algo es subdividirlo, cuantificarlo, y recombinarlo; es preguntarse "cómo" y jamás enredarse en la complicada maraña del "por qué". Conocer algo es, sobre todo, distanciarse de ello, como lo indicara Galileo; convertirlo en una abstracción. El poeta puede tornarse desmedidamente efusivo acerca de un haz rojo que cruza el cielo a medida que el sol se va poniendo, pero el científico no es engañado tan fácilmente: él sabe que sus emociones no le pueden enseñar nada substancial. El haz rojo es un número, y esa es la esencia del asunto.

Para resumir nuestra discusión sobre la Revolución Científica, es necesario hacer notar que en el curso del siglo XVII la Europa Occidental produjo con esfuerzo una nueva forma de percibir la realidad. El cambio más importante fue la modificación de la calidad por la cantidad, el paso del "por qué" al "cómo". El universo, antes visto como algo vivo, poseyendo sus propias metas y objetivos, ahora es visto como una colección de materia inerte que se mueve rápidamente sin fin ni significado, como así lo dijera Alfred North Whitehead[23]. Lo que constituye una explicación aceptable ha sido, por lo tanto, radicalmente alterado. La prueba concluyente del valor de la existencia es la cuantificabilidad y no hay más realidades básicas en un objeto que las partes en las cuales éste pueda ser descompuesto. Finalmente, el atomismo, la cuantificabilidad y el acto deliberado de visualizar la naturaleza como una abstracción desde la cual uno se puede distanciar —todo abre la posibilidad que Bacon proclamara como la verdadera meta de la ciencia: el control. El paradigma cartesiano o tecnológico es, como se estableció anteriormente, la igualdad de la verdad con la utilidad, con la manipulación del ambiente hecha con un objetivo. La visión holística del hombre como una parte de la naturaleza, sintiéndose en su hogar al estar en el cosmos, no es más que una trampa romántica. No al holismo, sí a la dominación de la naturaleza; no al ritmo eterno de la ecología, sí al manejo consciente del mundo; no (para llevar el proceso a su punto final lógico) "a la magia de la personalidad, sí al fetichismo de las comodidades"[24]. En el pensamiento de los siglos XVIII y XIX, el hombre (o la mujer) medieval había sido un espectador pasivo del mundo físico. Las nuevas herramientas mentales del siglo XVII hicieron posible que todo esto cambiara. Ahora estaba dentro de nuestras posibilidades el tener el cielo en la tierra; y el hecho de que fuera un cielo material apenas lo hizo menos valioso.

Sin embargo, fue la Revolución Industrial la que hizo que la Revolución Científica fuera reconocida en su verdadera magnitud. El sueño de Bacon de una sociedad tecnológica no se llevó a cabo en el siglo XVII ni en el XVIII, a pesar de que las cosas estaban empezando a cambiar ya por el año 1760. Las ideas, como ya hemos dicho, no existen en el vacío. La gente podía considerar el punto de vista mecánico del mundo como la verdadera filosofía sin sentirse obligado a transformar el mundo de acuerdo a sus dictámenes. La relación entre la ciencia y la tecnología es muy complicada y es de hecho en el siglo xx que el impacto pleno del paradigma cartesiano se ha dejado sentir con mayor intensidad. Para captar el significado de la Revolución Científica en la historia de Occidente debemos considerar el medio social y económico que sirviera para sustentar este nuevo modo de pensar. El sociólogo Peter Berger estaba en la razón cuando dijo que las ideas "no tienen éxito en la historia en virtud de su verdad, sino que en virtud de sus relaciones con procesos sociales específicos"[25]. Las ideas científicas no son la excepción.

2

La conciencia y la sociedad
a comienzos de la Europa moderna

De donde pueden surgir muchas excelentes ventajas, hacia el aumento del *Operative*, y del Conocimiento *Mechanick*, hacia el cual esta Epoca parece estar tan inclinada, porque quizás podamos estar incapacitados para discernir todos los ocultos trabajos de la Naturaleza, casi de la misma manera como lo hacemos con lo que son producciones del Arte, y que son manejados por Ruedas, y Máquinas y Resortes, que fueron desarrollados por el ingenio humano.

Robert Hook, *Micrographia* (1665)

E l colapso de una economía feudal, la emergencia del capitalismo a
gran escala y la profunda alteración en las relaciones sociales que
acompañaron a estos cambios, suministraron el contexto de la Revolución Científica en Europa Occidental. El igualar la verdad con la utilidad, o la cognición con la tecnología, fue una parte importante de este
proceso general. El experimento, la cuantificación, la predicción y el
control constituían los parámetros de una visión del mundo que no
tenía ningún sentido dentro del marco del orden social y económico
medieval. Las características discutidas en el Capítulo 1 no habrían
podido existir en una época más temprana; o, tal vez, más específicamente, habrían sido ignoradas, como lo fueron las ideas de Roger
Bacon y Robert Grosseteste, pioneros del método experimental en el
siglo XIII. Resumiendo, la ciencia moderna es el esquema mental de un
mundo definido por la acumulación de capital, y finalmente, citando a
Ernest Gellner, se convirtió en el "modo de cognición" de la sociedad
industrial[1].

No es mi intención argumentar que el capitalismo "dio origen" a la
ciencia moderna. La relación entre conciencia y sociedad siempre ha
sido problemática, ya que todas las actividades sociales son permea-
bles a las ideas y actitudes y no hay ninguna forma de analizar la

sociedad de un modo estrictamente funcional[2]. Por lo tanto, estamos confrontados con una totalidad estructural, o una gestalt histórica y mi énfasis en este capítulo estará en que la ciencia y el capitalismo forman precisamente tal unidad. La ciencia adquirió su poder explicativo y factual, sólo dentro de un contexto que era "congruente" con esas explicaciones y hechos. Por esta razón, será necesario considerar a la ciencia como un sistema de pensamiento adecuado a una cierta época histórica; tendremos que intentar separarnos de la impresión corriente de que es una verdad absoluta, transcultural[3].

Comencemos el examen de este tema comparando las visiones del mundo aristotélicas y del siglo XVII, y luego consideremos los cambios acaecidos debido a la Revolución Comercial de los siglos XV y XVI en el mundo social y económico del feudalismo (ver Cuadro 1).

El aspecto más llamativo de la visión del mundo medieval es su sentido de enclaustramiento, su totalidad. El hombre está al centro del universo que, a su vez, está cercado en su esfera más externa por Dios, el Movedor Inamovible. Dios es la entidad única que, en la terminología de Aristóteles, es pura realidad. Todas las demás entidades están provistas de un objetivo, siendo parcialmente reales y parcialmente potenciales. Por lo tanto, la meta del fuego es moverse hacia arriba, la de la tierra (materia) moverse hacia abajo y la de las especies, reproducirse. Todo se mueve y existe de acuerdo con un objetivo divino. Toda la naturaleza, las rocas así como también los árboles, es orgánica y se

Cuadro 1
COMPARACION DE LAS VISIONES DEL MUNDO

Visión del mundo de la E. Media	*Visión del mundo del s. XVII*
Universo: geocéntrico, la tierra al centro de una serie de esferas concéntricas y cristalinas. Universo cerrado, con Dios, el Movedor Inamovible, como la esfera más externa.	*Universo*: heliocéntrico; la tierra no tiene una posición especial, los planetas se mantienen en órbita por la gravedad del sol. El universo es infinito.
Explicación: en términos de causas formales y finales, teleológica. Todo menos Dios está en proceso de llegar a Ser; lugar natural, movimiento natural.	*Explicación*: estrictamente en términos de la materia y el movimiento, los cuales no tienen mayores propósitos. Atomística en el sentido material y filosófico.
Movimiento: forzado o natural, requiere de un movedor.	*Movimiento*: debe ser descrito, no explicado; ley de la inercia.
Materia: continua, no vacía.	*Materia*: atómica, lo que implica la presencia de vacío.
Tiempo: cíclico, estático.	*Tiempo*: lineal, progresivo.
Naturaleza: entendida por medio de lo concreto y lo cualitativo. La naturaleza es viva, orgánica; la observamos y hacemos deducciones de principios generales.	*Naturaleza*: entendida por medio de lo abstracto y lo cuantitativo. La naturaleza está muerta, es mecánica, y es conocida por medio de la manipulación (experimento) y de la abstracción matemática.

repite a sí misma en ciclos eternos de generación y deterioro. Como resultado, este mundo, a final de cuentas, es incambiable, pero al ser un enigma con un propósito, lo es excepcionalmente significativo. Hecho y valor, epistemología y ética, son idénticos. "¿Qué es lo que sé?" y "¿Cómo debo vivir?" son la misma pregunta.

Si nos abocamos a la visión del mundo del siglo XVII, posiblemente vamos a notar en primer lugar la ausencia de todo significado inmanente. Como lo describe E.A. Burtt, el siglo XVII, que comenzó con la búsqueda de Dios en el universo, terminó excluyéndolo por completo[4]. Las cosas no poseen objetivo, lo cual es una visión antropocéntrica, sino que solamente conducta, las que pueden (y deben) ser descritas en forma atomística, mecánica y cuantitativa. Como resultado, nuestra relación con la naturaleza está alterada fundamentalmente. A diferencia del hombre medieval, cuya relación con la naturaleza era vista como algo recíproco, el hombre moderno (el hombre existencial) se ve a sí mismo como un ser que tiene la habilidad para controlar y dominar la naturaleza, para utilizarla de acuerdo con sus propios objetivos. Al hombre medieval le fue asignada una posición con un fin determinado en el universo, que no requería de un acto de su voluntad. Por otra parte, el hombre moderno tiene el mandato de encontrar sus propios objetivos. Pero (por primera vez en la historia), qué es lo que son o debieran ser esos objetivos no puede ser deducido lógicamente. Dicho de otro modo, la ciencia moderna está basada en una distinción marcada entre hecho y valor; puede decirnos únicamente cómo hacer algo, no qué hacer o si debiéramos hacerlo o no.

La apertura que vemos como una característica de la conciencia del siglo XVII también es antitética de la visión del cosmos medieval. El universo ha llegado a ser infinito, el movimiento (cambio) es algo dado y el tiempo es lineal. La noción de progreso y el sentido de que la actividad es acumulativa caracterizan la visión del mundo a principios de la época de la Europa moderna.

Finalmente, aquello que "realmente" es real para el siglo XVII es lo abstracto. Los átomos son reales, pero invisibles; la gravedad es real, pero, como el momentum y la masa de inercia, sólo pueden ser medidos. En general, la cuantificación abstracta sirve como explicación. Fue esta pérdida de lo tangible y lo significativo lo que llevó a las mentes más sensibles de la época —Blaise Pascal y John Donne, por ejemplo— al borde de la desesperación. "La nueva Filosofía duda de todo", escribió este último en 1611; "Reducido todo a pedazos, toda coherencia se pierde". O en la frase de Pascal, "los silencios de los espacios infinitos me aterrorizan"[5].

La cultura que fue impregnada por la visión aristotélica del mundo se caracterizó, como ya sabemos, por una economía feudal y una forma de vida religiosa. En términos generales, los alimentos y las artesanías no fueron producidos para el mercado y la obtención de utilidades, sino que para el consumo y uso inmediato. A excepción de los artículos de lujo, el comercio sólo existía dentro de áreas locales, y se parecía más bien a la estructura de tributo del antiguo Imperio Romano (a partir de cuya desintegración surgió el feudalismo) que a nuestra noción moderna del intercambio comercial. Hasta fines del siglo xv casi todos los viajes por vía marítima eran costeros: las embarcaciones se mantenían cerca de tierra firme debido al temor de perderse. Las cofradías que producían para beneficio personal, ponían énfasis más bien en la calidad que en la cantidad y guardaban celosamente los secretos de su oficio. No existía la noción del trabajo en masa y había muy poca división del trabajo. La economía era, esencialmente, un sistema completo de retribuciones. No podría ser descrito en términos de "ir" en cierta dirección, y, en general, nuestras nociones de creci-miento y expansión tendrían poco sentido en este mundo estático y autosuficiente. En la Edad Media el significado estaba asegurado políti-ca y religiosamente. La iglesia era la última referencia cuando uno buscaba la explicación a un fenómeno, ocurriera éste en la naturaleza o en la vida humana. Más aún, el orden social cobraba sentido en una forma directa y personal. La justicia y el poder político eran administra-dos en términos de lealtad y apego —vasallo a un señor, siervo a la tierra, aprendiz a su maestro— y el sistema, como resultado, poseía pocas abstracciones. Si desde nuestro punto de vista, la Edad Media nos parece estar herméticamente sellada, ella tuvo la ventaja (a pesar de la inestabilidad extrema producida por las plagas y los desastres naturales) de ser psicológicamente tranquilizadora para sus habitan-tes[6].

Sin embargo, fue en la esfera económica que el sistema feudal se tornó cada vez menos viable. En términos de rendimiento económico, los límites del feudalismo se habían alcanzado ya en el siglo xiii. Debido a que no se producía una inversión significativa de capital en la agricul-tura, existía un límite tope en la productividad. Este límite a su vez ocasionó una tensión que comenzó a transformar las rebeliones de campesinos, que habían empezado a producirse en el siglo xiii, en una lucha de clases. En respuesta a esta amenaza surgió una enorme presión para expandir la base geográfica de las operaciones económi-cas. Nuevas áreas para el cultivo del azúcar y el trigo, acceso directo a las especias que disimularían el sabor de las carnes malas, nuevos recursos madereros y zonas más extensas para la pesca fueron vistos como necesarios para la supervivencia de la civilización europea. Ade-más, la caída de Constantinopla en 1453 le otorgó a los Turcos Otoma-nos la hegemonía sobre el intercambio comercial con el Oriente, crean-do la necesidad de un pasaje no mediterráneo hacia el Este. Todos estos factores contribuyeron a la rápida ascensión de un programa imperial de expansión, y con este interés llegaron una serie de inventos que hicieron posible tal programa. Surgió el barco con aparejo completo con mayor capacidad para aprovechar los vientos. En el siglo XVI los ingleses colocaron cañones en las troneras de sus barcos para una mejor maniobrabilidad. La pólvora, que los antiguos chinos habían inventado y usado en demostraciones de fuegos artificiales, se convirtió en la base de la industria de las armas de fuego. No fue una casualidad que Francis Bacon identificara el compás y la pólvora como las dos piezas claves de la hegemonía naval. Los primeros mapas diseñados con el conocimiento del compás —aquellos preciosos *portolani* que aún se conservan en las bibliotecas de las principales ciudades europeas— comenzaron a aparecer, como también lo hicieron nuevos modelos de la tierra. La imagen de los barcos abrazando la costa, casi una metáfora perfecta para el estrecho horizonte mental de la Edad Media, se derrumbaba. Había llegado la época de Magallanes, Colón y Vasco de Gama. La expansión de la conciencia y del territorio, hicieron que el cerrado cosmos medieval pareciera algo cada vez más pintoresco.

En forma concomitante y subsiguiente, se produjo la Revolución Comercial, consistente en una serie de acontecimientos que aplastaron al sistema feudal y establecieron el modo de producción capitalista en Europa Occidental. El comercio naturalmente comenzó a tener influencia sobre la industria. La Revolución Comercial, con el volumen de comercio a larga distancia abruptamente incrementado, destruyó la relación personal entre el maestro de un gremio y el cliente. Si el primero iba a vender a mercados alejados, necesitaba de la ayuda del comerciante y del crédito. Primero, el mercader obtuvo la entrega exclusiva de la producción del fabricante, y más tarde comenzó a adelantarle dinero al artesano para la materia prima. Eventualmente, el artesano se endeudó de tal manera que tuvo que entregarle su negocio al comerciante, que a su vez se convirtió en un comerciante-fabricante, o un empresario. El mismo proceso que destruyó al maestro de gremio y al jornalero, convirtió al campesino en un asalariado. En la Inglaterra del siglo XV, el surgimiento del sistema rural de "putting out" (industria doméstica)*, especialmente en la industria textil, marcó el comienzo de un traslado en la inversión de capitales fuera de las ciudades. Los campesinos empezaron a concentrar su energía en varios aspectos de la producción de telas, y como resultado, los gremios textiles comenzaron a derrumbarse.

La Revolución Comercial también generó utilidades a partir del comercio, las cuales pudieron ser invertidas en la agricultura y en la manufactura. Algunas industrias como la minería, la impresión de libros, la construcción de barcos (que actualmente emplea a miles de

---

*Sistema de venta donde la mercadería se exhibe afuera del domicilio del artesano (N. del T.).

personas) y la fabricación de cañones, necesitaban de una gran disponibilidad de capital desde el comienzo, y por lo tanto no podían existir dentro del estrecho mundo de la producción artesanal. En algunos casos, especialmente cuando el producto tenía uso militar, el Estado se convertía en el cliente principal. Los arsenales del Estado, tal como el gran arsenal de Venecia, escenario de gran parte de las investigaciones de Galileo, se convirtieron en grandes centros manufactureros. La industria militar tenía también estrecha relación con la minería y la metalurgia, las cuales se expandieron rápidamente a principios del período moderno. La utilización de la energía hidráulica en la minería, y la creación de nuevos tipos de forja, hicieron posible la fundición de armas. Una serie de innovaciones técnicas para bombear, ventilar y conducir mecanismos fueron desarrolladas —e ilustradas con profusión de detalles en libros como la *Pirotechnia*, de Biringuccio (1540) y la *De Re Metallica*, de Agricola (1556). Inglaterra, en particular, experimentó tanto un crecimiento industrial como una expansión comercial después de 1550. Comenzó a fundir cañones en fierro (desde que careció de bronce), a introducir industrias como la del papel, la pólvora, el alumbre, el latón y el salitre; sustituyendo el carbón por la madera; introduciendo nuevas técnicas en la minería y la metalurgia; y excluyendo a los comerciantes hanseáticos del mercado textil.

En realidad no había forma de que la síntesis cristiano-aristotélica pudiera haber resistido tales cambios revolucionarios, y si consideramos las características de la visión del mundo del siglo XVII nombradas anteriormente en este capítulo, encontraremos la contrapartida de las transformaciones económicas recién descritas. No sólo la heliocentricidad refleja la noción de que el universo es infinito, sino que también el descubrimiento europeo de otros mundos y la consecuente pérdida del sentido de la peculiaridad europea. En su libro *Sobre la Revolución de los Cuerpos Celestes* (1543), Copérnico cita el ensanchamiento de los horizontes geográficos como una de las mayores influencias en su pensamiento. Si nos abocamos a la categoría de las explicaciones, veremos que las explicaciones de los eventos se fundamentan en términos del movimiento de la materia inerte, mecánica y matemáticamente descriptible. La naturaleza (incluyendo los seres humanos) es considerada como substancia que ha de ser captada y moldeada. Nada puede tener un objetivo en sí mismo, y los valores —como diría Maquiavelo, quien fue uno de los primeros en argumentarlo— son únicamente sentimientos. La razón ahora es completamente (al menos en teoría) instrumental, *zweckrational*. Uno ya no puede preguntar, "¿Esto es bueno?", sino que solamente, "¿Esto funciona?", pregunta que refleja la mentalidad de la Revolución Comercial y el énfasis creciente en la producción, la predicción, y el control.

Debido a que nosotros mismos vivimos en una sociedad tan dominada por la economía del dinero, ya que el valor monetario de las cosas se ha convertido en su único valor, nos es difícil imaginarnos una época que no fuera gobernada por el dinero y resulta casi imposible entender la influencia formativa que tuvo la introducción de la economía monetaria sobre la conciencia de principios de la época de la Europa moderna. El súbito énfasis en el dinero y en el crédito fue el hecho más obvio de la vida económica durante el Renacimiento. La acumulación de vastas sumas de dinero en manos de individuos como los Médici, le otorgó al capital una cualidad mágica; más aún, la creciente venta popular de indulgencias conseguía una entrada al cielo mediante la influencia del dinero. La salvación había sido literalmente la meta de la vida cristiana; ahora, dado que podía ser comprada, era el dinero. Esta penetración de las finanzas en el núcleo mismo de la cristiandad no pudo evitar la ruptura de la síntesis tomista. El sociólogo alemán Georg Simmel sostenía que la economía del dinero "creaba el ideal cálculo numérico exacto", y que "la interpretación matemática exacta del cosmos" era "la contrapartida teórica de la economía del dinero". En una sociedad que estaba llegando a considerar al mundo como un gran problema matemático, la noción de que existía una relación sagrada entre el individuo y el cosmos aparecía cada vez más dudosa[7].

La capacidad aparentemente ilimitada del dinero de reproducirse a sí mismo, sustentó aún más la noción de un universo infinito, que era tan central para la nueva visión del mundo. Las utilidades, el enigma del sistema capitalista, son algo no resuelto. Una "economía capitalista y una ciencia moderna metódica", escribió el historiador Alfred von Martin,

> son la expresión de una urgencia de ir hacia lo que en principio es ilimitado y sin restricciones; son la expresión de un deseo dinámico de progresar *ad infinitum*. Tales eran las consecuencias inevitables de la ruptura de una comunidad cerrada tanto económica como intelectualmente. En lugar de una economía cerrada administrada en forma tradicional y por un grupo privilegiado mediante el monopolio, ahora encontramos un ciclo abierto y el correspondiente cambio de conciencia[8].

El énfasis sobre la voluntad individual que identificamos con el pensamiento renacentista, específicamente con la clase comercio-empresarial, también tenía una afinidad obvia con el nuevo *Weltanschauung* (cosmovisión) aritmético. La misma clase que llegó al poder mediante la nueva economía, que glorificaba el esfuerzo individual y que empezó a ver en el cálculo financiero un modo de comprender el cosmos en su totalidad, llegó a considerar la cuantificación como la clave del éxito personal porque la cuantificación sola, de por sí, era vista como capaz de permitir un dominio sobre la naturaleza mediante la comprensión racional de sus leyes. Tanto el dinero como el intelecto científico (especialmente en su identificación cartesiana con las matemáticas) tienen un aspecto puramente formal, y por lo tanto "neutro". No tienen un contenido tangible, sino que pueden ser desviados hacia cualquier objetivo. Finalmente, se convirtieron en el objetivo. Históricamente, el círculo estaba así completo, como lo ilustra la Figura 8.

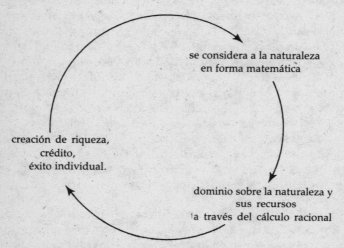

se considera a la naturaleza
en forma matemática

creación de riqueza,
crédito,
éxito individual.

dominio sobre la naturaleza y
sus recursos
la través del cálculo racional

Figura 8. *El nuevo ciclo de la vida económica/científica a principios de la Europa moderna.*

Por último, incluso la noción del tiempo —y pocas cosas son tan básicas para la conciencia humana como el modo en que se percibe el transcurso de los eventos— sufrió una transformación fundamental. Como lo indicara Mircea Eliade en *El Mito del Eterno Retorno*, la concepción premoderna del tiempo es cíclica. Para la gente de la Edad Media, las estaciones y los eventos de la vida se seguían unos a otros con una cómoda regularidad. La noción del tiempo como lineal era experimentalmente ajeno a este mundo, y la necesidad de medirlo correspondientemente nula. Pero en el siglo XIII esta situación estaba ya comenzando a cambiar. El tiempo, escribió Alfred von Martin,

se sentía como algo que se escapa continuamente... Después del siglo XIII los relojes de las ciudades italianas daban las veinticuatro horas del día. Se tomó por primera vez conciencia de que el tiempo siempre era escaso y, por lo tanto, valioso, y que era necesario cuidarlo y usarlo económicamente si se deseaba llegar a ser el "maestro de todas las cosas". Tal actitud era desconocida durante la Edad Media; en esa época el tiempo sobraba y no había necesidad de considerarlo como algo precioso[9].

La nueva preocupación de que el tiempo se acababa se puso en evidencia en el siglo XVI. La frase "el tiempo es oro" data de este período, como también la invención del reloj de bolsillo, en el cual el tiempo, al igual que el dinero, podía ser puesto en la mano o en el bolsillo. La mentalidad que busca captar y controlar el tiempo era la misma que produjo la cosmovisión de la ciencia moderna. Las naciones industriales occidentales han llevado este cambio de actitud a una situación casi absurda. Nuestras ciudades están plagadas de bancos que indican la hora con grandes luces electrónicas que minuto a minuto, y algunas veces, segundo a segundo, parpadean (hay uno en Picadilly Circus que incluso dice la hora en décimas de segundo). Desde el siglo XVII en adelante, el reloj se convirtió en una metáfora del universo mismo[10].

Claramente, entonces, uno puede hablar de una "congruencia" general entre la ciencia y el capitalismo a principios del período de la Europa moderna. El surgimiento del tiempo lineal y del pensamiento mecánico, el igualar el tiempo con el dinero y el reloj con el orden del mundo, eran parte de la misma transformación y cada parte ayudaba a reforzar a las demás. Pero ¿podemos poner más énfasis en nuestro caso? ¿Podemos ilustrar la interacción en términos de problemas escogidos, métodos usados, soluciones encontradas, en las carreras individuales de los científicos? En lo que sigue, voy a intentar demostrar cómo estas tendencias se cristalizaron dentro de la mente de Galileo, una figura tan importante de la Revolución Científica. Pero nuestra comprensión de Galileo depende en parte de nuestra toma de conciencia de aún otro aspecto de los cambios que hemos descrito anteriormente: la erosión de la barrera entre el estudioso y el artesano que ocurrió en el siglo XVI. Para muchos científicos, incluyendo Galileo, fue la disponibilidad de un nuevo tipo de entrada intelectual lo que permitió que sus pensamientos tomaran rumbos tan novedosos.

Se ha hecho mucha cuestión acerca del rechazo del Colegio de Cardenales a mirar a través del telescopio de Galileo, para ver las lunas de Júpiter y los cráteres en la superficie de la luna. De hecho, esta negación no puede adscribirse a una simple obstinación o a un miedo a la verdad. En el contexto de la época, el uso de un dispositivo desarrollado por artesanos para resolver una controversia científica (sin mencionar lo teológico), era considerado, especialmente en Italia, una incomprensible mezcla de categorías. Estas dos actividades, la búsqueda de la verdad y la fabricación de bienes, eran completamente distintas, particularmente en términos de la clase social relacionada con cada una de ellas. El argumento de Bacon para una relación entre oficio y cognición aún había ganado poco terreno incluso en Inglaterra, país que, comparado con Italia, había sufrido una enorme aceleración en la producción industrial. Galileo, quien estudió el movimiento de proyectiles en el arsenal de Venecia, realizaba estudios científicos en lo que de hecho era un taller, y sostenía que entendía mejor la astronomía por medio de un dispositivo manufacturado, lo que era una especie de anomalía a principios del siglo XVII en Italia. ¿De dónde provino tal persona?

No fue hasta finales del siglo XV que el poderoso prejuicio intelectual en contra de la actividad artesanal, con sus asociaciones en las clases bajas, empezó a derrumbarse. La crisis del sistema económico feudal fue acompañada de un aumento históricamente sin precedentes en la movilidad social de la clase artesanal (incluyendo marineros e ingenieros)[11]. Al mismo tiempo, los ataques de los eruditos a Aristóteles (y no eran representativos) obtuvieron municiones de la historia del progreso tecnológico, y al hacerlo alabaron copiosamente al ahora enaltecido artesano, "quien buscaba la verdad en la naturaleza, no en los libros"[12]. El resultado —y lo que comenzó por un goteo cerca de 1530 se convirtió en un torrente por el año 1600— fue una serie de trabajos técnicos dados a conocer por artesanos (una aberración en términos de la estructura de clases) y un aumento cada vez mayor de críticas metodológicas a la ciencia aristotélica-escolástica, con respecto a su completa pasividad en la relación frontal con la naturaleza. Esta nueva "literatura mecánica", que estaba escrita en lenguas vernaculares, se hizo popular entre los mercaderes y empresarios y se reimprimía con frecuencia. El historiador Paolo Rossi hace notar que la irrupción de artesanos, hombres de oficio, ingenieros y marineros en las filas de los editores y escolásticos "posibilitó la colaboración entre científicos y técnicos, y esa compenetración de la tecnología y la ciencia estuvo en la raíz de la gran revolución científica del siglo XVII"[13].

En términos generales, las clases artesanales simplemente estaban pidiendo que su trabajo fuera escuchado, no estaban buscando una teoría del conocimiento basada en la tecnología; y aquellos autores que de hecho sostenían que la actividad técnica constituía un modo de cognición (incluyendo a Bacon) estaban bastante perdidos en lo que se refiere a la tal mentada unión entre teoría y práctica. Sin embargo, el período entre 1550 y 1650, según Rossi, presenció "una discusión continua, con una insistencia que rayaba en la monotonía, acerca de una lógica de la invención...". Ciertamente[14], apenas podría decirse que la tecnología fuera nueva en el siglo XVI; sin embargo, el nivel de difusión y la insistencia en el planteamiento de que ésta es un modo de cognición sí eran novedosos. Así, estos eventos comenzaron, inevitablemente, a tener un impacto en los científicos y en los pensadores. Al no estar restringida a mecanismos como catapultas y molinos de agua, la tecnología se convirtió en un aspecto esencial del modo de producción y, como tal, comenzó a jugar un correspondiente rol en la conciencia humana. Una vez que la tecnología y la economía se relacionaron en la mente humana, ésta empezó a pensar en términos mecánicos, a ver el mecanismo en la naturaleza —como lo reconoció Robert Hook. Los procesos del pensamiento en sí mismo se estaban convirtiendo en algo mecánico-matemático-experimental, es decir, "científico". La coalición entre el escolástico y el artesano, la geometría y la tecnología, ahora estaba ocurriendo dentro de la mente humana individual.

El cambio de actitud hacia lo artesanal por parte de algunos estudiosos también llevó al redescubrimiento y a las reediciones, en el siglo XVI, de un gran número de obras técnicas clásicas, incluyendo aquellas de Euclides, Arquímedes, Herodes, Vitruvio, Apolonio, Diofante, Pappus y Aristarco. Mientras que gran parte de las matemáticas anteriores había sido concebida en términos de la numerología, del misticismo numérico pitagórico, o incluso de la aritmética común, ahora era cada vez más posible aproximarse a ella desde el punto de vista de un ingeniero. Este desarrollo iba a tener una enorme influencia en el trabajo de Galileo, entre otros.

Hemos visto que el método galileico incorporaba una negación de las explicaciones teleológicas (con un énfasis más bien en el cómo que en el por qué); la formulación de procesos físicos en términos de "tipos ideales", en que la realidad puede ser corroborada por un experimento; y la convicción de que las descripciones matemáticas del movimiento y otros procesos físicos son los garantes de la precisión, y por lo tanto de la verdad. También vimos que Galileo tuvo un enfoque muy práctico hacia tales investigaciones (realmente se trata de un enfoque ingenieril), y que su método involucraba explícitamente un distanciamiento de sí mismo con respecto a la naturaleza para poder captarla más cuidadosamente —un enfoque que yo he denominado la conciencia no-participativa. No es de sorprender, entonces, que el punto de vista particular de Galileo se haya originado a partir de influencias que provenían del exterior del marco académico tradicional. A pesar de sus distintas cátedras, él estaba directamente involucrado precisamente con aquellas facetas de la tradición tecnológica que chocaban directamente sobre ciertos académicos como resultado del colapso de la dicotomía entre el académico y el artesano. Rossi llama correctamente a Galileo el representante primero de las tradiciones académicas y tecnológicas, pero debiera enfatizarse esta última[15]. Con cátedras en Pisa y Padua, y contacto con los Papas, duques y la élite educada, Galileo estaba destinado desde un comienzo a una carrera académica; pero en términos de orientación él no calzaba cómodamente en tal contexto. Galileo tenía contacto directo con marineros, artilleros y artesanos. Dos de sus mentores (o héroes), Niccolò Tartaglia y Giovanni Benedetti, no tenían ninguna educación universitaria; otro de ellos, Guido Ubaldo, estudió matemáticas por su propia cuenta; y un cuarto, Ostilio Ricci, era profesor en la Accademia del Disegno (Escuela de Diseño) en Florencia, un lugar que estaba produciendo una nueva cepa de artista-ingeniero. Estos cuatro hombres estaban en la avanzada de la revitalización del Renacimiento de Arquímedes, quien había sido tanto un ingeniero como un matemático. Tartaglia y Benedetti también estaban muy comprometidos con el trabajo técnico en terreno. El primero fue el fundador de la ciencia de la balística, su libro *La Nueva Ciencia* (1537) surgió de problemas que él había encontrado con la artillería en Verona en 1531; y Benedetti, un copernicano temprano que había criticado vigorosamente a Aristóteles y sostenido que los cuerpos de densidad desigual caían con la misma velocidad, sirvió como ingeniero de la corte en Parma y Turín. En resumen, Galileo fue una personalidad única a principios del siglo XVII. Era heredero de la nueva mecánica que se había desarrollado por completo fuera de la universidad; pero significativamente, él mismo se había situado en un encuadre académico.

A pesar de que no es posible, en esta breve discusión, elaborar en mayor detalle los antecedentes intelectuales de Galileo, sería adecuado hacer algunos comentarios acerca de Tartaglia, ya que sus trabajos y estilo proporcionan una clave mayor a la metodología de Galileo. El libro *La Nueva Ciencia* fue el primer intento de aplicar las matemáticas a los proyectiles y trataba en extenso la trayectoria de las balas de cañón. Tartaglia fue el primero en romper con la noción aristotélica de las trayectorias discontinuas, afirmar que la trayectoria de un proyectil es curvilínea y demostrar que un proyectil alcanza la distancia máxima cuando la elevación del arma es de 45 grados. Al contradecir a Aristóteles, él sustentaba que el aire se resiste al movimiento, en lugar de ayudarlo. Entonces, entre las cubiertas de un libro sobre balística, Tartaglia adelantó un análisis teórico sobre el movimiento. Esta misma combinación aparecía en un libro que escribió en 1551 sobre el reflotamiento de barcos hundidos, tema de obvio interés para una república como Venecia. A este estudio agregó su traducción italiana del ensayo de Arquímedes *Sobre los Cuerpos en el Agua*. Nuevamente, el texto no sólo surgió como un tratado técnico, sino como el primer desafío abierto a la ley de Aristóteles sobre los cuerpos en caída libre, ya que utilizaba la teoría de Arquímedes sobre la flotabilidad y el medio circundante para argumentar en contra de la rígida distinción de Aristóteles entre arriba y abajo. Galileo siguió los pasos de Tartaglia, sustentando que no había un movimiento natural hacia arriba, utilizando a Arquímedes para destronar a Aristóteles; refinando la matemática del movimiento de los proyectiles; y conectando íntimamente, como lo había hecho Tartaglia en toda su obra, el trabajo técnico en terreno con las conclusiones teóricas.

El compromiso de Galileo en los problemas técnicos fue más intenso durante el tan nombrado período de Padua (1592-1610), cuando estaba involucrado en sus estudios del movimiento. Su propio laboratorio era como un taller, donde él mismo construía aparatos matemáticos. Galileo hacía tutorías privadas sobre mecánica e ingeniería; hizo investigaciones sobre bombas, la regulación de los ríos y construcción de fortalezas; y publicó su primer trabajo impreso, sobre el compás militar, o "sector", como se le llamaba. También inventó el "termobaroscopio" y se interesó en gran medida en el campo de la ingeniería (ahora denominada ciencia de los materiales) que trata con la resistencia de los materiales. A pesar de que Galileo hizo una distinción en su propia mente entre oficio y teoría, rompió con el punto de vista imperante que los veía completamente desconectados. No sólo fue un científico que circunstancialmente se interesó por la tecnología, sino que más bien usaba la tecnología —en espíritu y en método— como la fuente de la teoría. Su último trabajo, *Las Dos Nuevas Ciencias*, comienza con la siguiente conversación entre dos interlocutores imaginarios:

> Salviati: La constante actividad que ustedes los venecianos despliegan en su famoso arsenal sugiere a la mente estudiosa un gran campo de investigación, especialmente aquella parte del trabajo que tiene que ver con la mecánica; ya que en este departamento todos los tipos de instrumentos y máquinas están constantemente siendo construidas por muchos artesanos, entre los cuales debe haber algunos que, debido en parte a experiencia heredada y en parte por sus propias observaciones, han llegado a ser extremadamente expertos e inteligentes en explicaciones.
> Sagredo: Tienes razón. De hecho, yo mismo, siendo curioso por naturaleza, frecuentemente visito este lugar por el mero placer de observar el trabajo de aquéllos que, debido a su superioridad sobre otros artesanos, nosotros denominamos "hombres de primera fila". Conferenciar con ellos me ha ayudado, a menudo, en la investigación de ciertos efectos, incluyendo no sólo los más llamativos e interesantes, sino que también los más recónditos y casi increíbles[16].

El libro no contiene únicamente una discusión del movimiento de proyectiles, sino que también incluye una tabla de rangos de disparo. Galileo hace mucha cuestión sobre el valor de su teoría para los artilleros, pero en realidad, ellos hicieron mucho más por su ciencia que lo que él hizo por la de ellos.

¿Exactamente cómo surgió la tradición tecnológica en los estudios sobre el movimiento efectuados por Galileo? El no sólo estaba de acuerdo con la literatura de esta tradición, que plantea que la construcción es un modo de cognición y que la manipulación de la naturaleza es una llave para conocerla, sino que también mostró con precisión cómo debiera llevarse a cabo este tipo de investigación.

El análisis del movimiento de proyectiles, desde luego, derivó de un problema militar práctico, y constituyó, al mismo tiempo, un golpe crucial a la física aristotélica. Dado que Aristóteles dividía el movimiento en dos tipos, forzado y natural, él concluyó que el movimiento del proyectil (ver Figura 9) tenía que ser discontinuo, es decir, tenía que

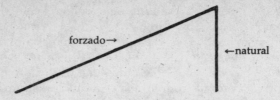

Figura 9. *Concepción aristotélica del movimiento de un proyectil.*

consistir de un movimiento forzado (lanzando el objeto al aire) y un movimiento natural (el descenso a la tierra):

Cuando la gente escucha por primera vez sobre esta teoría, se pregunta con frecuencia cómo es que hombres y mujeres inteligentes pudieron haber creído en ella, ya que basta con *mirar* un proyectil para comprender que la "curva" que aparece en la Figura 9, no corresponde a la realidad. De hecho, la aceptación de la teoría de Aristóteles es un buen ejemplo del principio gestáltico de encontrar lo que uno busca. Probablemente, la mayoría de los lectores no han observado un proyectil muy de cerca, y con certeza, pocos habrán marcado sobre un gráfico el punto exacto donde alcanza su máxima altura y qué sucede después. Más aún, desde el punto de vista del que lanza el proyectil, una piedra sí parece elevarse y luego caer verticalmente. Finalmente, sólo a fines del siglo XVI se comenzó a disparar los cañones a gran distancia, por lo que tal tipo de movimiento no era típicamente una parte del medio ambiente. Incluso en algunos textos publicados en 1561 (ver Grabado 1), se muestra el movimiento de la bala como discontinuo, mediante la superposición de gráficos sobre un cañón.

En un mundo en que la ciencia es cualitativa, la imagen aristotélica es aproximadamente "verdadera" en cuanto a que se trata de un aspecto aparente del movimiento de un proyectil. Unicamente con el surgimiento de los ejércitos profesionales y la concentración militar en la balística, nació algún interés en la descripción matemática precisa de la trayectoria de una bala de cañón, la cual en ningún caso es realmente parabólica (ver más abajo) debido a los efectos de la resistencia del aire. Así vemos cuán confuso, o complejo, puede ser un simple "hecho": parece estar formado por la pregunta que se está formulando.

De cualquier forma, la observación cada vez más detenida de los proyectiles hizo aún más difícil sostener la distinción aristotélica entre movimiento forzado y natural. Dado que es virtualmente imposible hacer un mapa que grafique todos los puntos del recorrido de un objeto lanzado al aire, Galileo nuevamente abstrajo los elementos esenciales de la situación y los adaptó a condiciones de laboratorio. El movimiento de un proyectil, él razonaba, es una situación de caída libre con un componente horizontal. A partir del punto máximo de la curva, el objeto comienza su descenso vertical debido a la fuerza de gravedad,

Grabado 1. *La teoría aristotélica del movimiento de un proyectil, tomado de* Problematum Astronomicorum *de Daniele Santbech (1561). Cortesía de la Biblioteca de Cuadros Ann Ronan.*

pero aún retiene algo del impulso que originalmente le fue dado. La trayectoria sería, por lo tanto, suave, no discontinua, como había sostenido Aristóteles; y en lugar de caer abruptamente a la tierra en forma absolutamente vertical, el objeto describiría una curva, una combinación ("resultante") de los componentes verticales y horizontales del movimiento. Los experimentos de Galileo para determinar matemáticamente esta curva involucraban el hacer rodar una esfera por un plano inclinado que tenía un deflector horizontal en su extremo inferior, y que estaba apoyado en el borde de una mesa. La esfera era lanzada desde distintos puntos a lo largo del plano y así, en cada lanzamiento, ésta golpeaba el piso en un punto correspondientemente distinto. Esto generó una cantidad de datos —en realidad un conjunto de curvas— que le permitió a Galileo, utilizando su ley de caída libre, derivar una descripción matemática de estas curvas como parabólicas. En un medio sin resistencia, concluyó, la trayectoria de un proyectil sería una parábola perfecta.

La significancia de esto no fue meramente la descripción matemática de una curva, sino que el desafío a la física aristotélica. Galileo no sólo consiguió debilitar la distinción entre movimiento forzado y natural sino que también puso en cuestionamiento la aseveración de Aristóteles de que el vacío no podía existir (dado que el movimiento de un proyectil era supuestamente mantenido mediante el rápido desplazamiento del aire para evitar que se formara un vacío), así como también todo el concepto del objetivo inmanente contenido en las doctrinas aristotélicas del movimiento natural y del lugar natural. El descubrimiento de Galileo sobre la independencia de los componentes horizontales y verticales del movimiento, que es otro aspecto de la investigación descrita arriba, lo llevó a la formulación de la composición y resolución de las fuerzas —lo que ahora llamamos mecánica de vectores. Aquí una vez más, la medición, más que cualquier otro tipo de objetivo, es vista yaciendo en el corazón de la explicación científica (si es que así puede llamarse). Vemos, entonces, que un problema militar, que había sido investigado por un ingeniero como Tartaglia, fue convertido en un experimento controlado de laboratorio para producir una expresión matemática y luego utilizado para rebatir varios postulados fundamentales de la cosmovisión aristotélica. Los estudios sobre balística hechos por Galileo no sólo sirvieron para refutar conceptos aristotélicos, sino que también comenzaron a delinear un nuevo método para explorar la realidad.

Todas las investigaciones de Galileo sirvieron como demostraciones vívidas de la relación entre la teoría y el experimento, que lentamente se estaba formando en las mentes de unos pocos pensadores europeos. Ellas también vindicaron la suposición no demostrada hecha por la literatura tecnológica del siglo XVI: *puede* haber una conexión fundamental entre la cognición y la manipulación, entre la explicación científica y el dominio del ambiente. La historia económica bosquejada en las primeras páginas de este capítulo es, por lo tanto, mucho más que un interesante telón de fondo para estos desarrollos en el aparentemente abstracto ámbito del pensamiento científico. La cognición, la realidad, y todo el método científico occidental están integralmente relacionados con el surgimiento del capitalismo a principios de la época de la Europa moderna.

Hemos hablado en términos de un principio gestáltico, de hechos que son plásticos, "creados" por constructos teóricos que a su vez están conectados al contexto socioeconómico; y de la Revolución Científica y su metodología como parte de un proceso histórico mayor. Así, nos vemos enfrentados con una pregunta inquietante: ¿Será que la realidad no es más que un artefacto cultural? ¿No son los descubrimientos de Galileo los datos sólidos de la ciencia, sino más bien productos de una visión del mundo que es un fenómeno más o menos localizado? Si, como lo sugiere el análisis anterior, la respuesta es afirmativa, entonces estamos a la deriva en un mar de relativismo radical. Luego, no hay Verdad, sino que meramente tu verdad, mi verdad, la verdad de este tiempo o ese lugar. Esta es la implicación de lo que corrientemente se denomina la sociología del conocimiento. La distinción entre conocimiento y opinión, entre ciencia e ideología, se viene abajo, y lo que es correcto llega a ser un asunto de la regla de las mayorías, o "sicología de masas"[17]. La ciencia moderna, la astrología, la brujería, el aristotelismo, el marxismo, o lo que fuera —todos llegan a ser igualmente verdaderos en ausencia de un conocimiento objetivo y del concepto de una realidad fija subyacente. ¿Será que no hay forma de protegernos de tal conclusión?

Mi respuesta es que el relativismo radical surge de la peculiar actitud que ha adoptado la ciencia moderna hacia la conciencia participativa, la cual analicé brevemente en la Introducción. Por lo tanto, será necesario, en primer lugar, analizar con cierto detalle la naturaleza de la conciencia participativa. Para hacerlo, debemos ahondar en la sociología del conocimiento para adentrarnos en un capítulo omitido en la historia de la Revolución Científica: el mundo de lo oculto.

3

El desencantamiento del Mundo (1)

> What appears a wonder is not a wonder*
>
> Simon Stevin

*(Juego de palabras intraducible - Lo que aparece como una maravilla no es una maravilla N. del T.).

L a frase es de Weber: *die Entzauberung der Welt*. Schiller, un siglo antes, ya había pronunciado igualmente una expresión para ella: *die Entgöterung der Natur*, el "desendiosamiento" de la naturaleza. La historia de Occidente, de acuerdo tanto con el sociólogo como con el poeta, es la remoción progresiva de la mente, o el espíritu, de las apariencias fenomenales.

El distintivo de la conciencia moderna es que no reconoce ningún elemento de mente en los así llamados objetos inertes que nos rodean. De hecho, toda la posición materialista supone la existencia de un mundo "allá afuera" independiente del pensamiento humano, que transcurre "aquí adentro". Y también presupone que la tierra, exceptuando ciertos cambios evolutivos lentos, ha sido, a grandes rasgos, la misma durante miles de años, mientras que las personas que están sobre esa tierra han considerado los invariables fenómenos que los rodean de formas diferentes en épocas distintas. De acuerdo con la ciencia moderna, mientras más atrás nos remontamos en el tiempo, más erróneas son las concepciones que tiene el hombre del mundo. Basándonos en este esquema, desde luego que nuestro propio conocimiento no es perfecto, pero rápidamente estamos eliminando los pocos errores que sí existen, y gradualmente llegaremos a un entendimiento plenamente preciso de la naturaleza, libre de presuposiciones animísticas o metafísicas. Así, la conciencia moderna considera al pensamiento de épocas anteriores, no sencillamente como otras formas legítimas de conciencia, sino que como visiones del mundo desviadas, las que felizmente hemos superado. Vale la pena recalcar que los hombres y mujeres de aquellas épocas *pensaban* que entendían la naturaleza, pero sin nuestra sofisticación científica sus creencias no podrían sino ser infantiles y animísticas. La "maduración" del intelecto humano a lo largo de las épocas, particularmente en este siglo, ha corregido (así se argumenta) casi completamente este acrecentamiento de la superstición y el pensamiento confuso[1].

Uno de los objetivos de este capítulo es demostrar que es esta actitud, en lugar del animismo, la desorientada; y que esta actitud surge, en parte, de nuestra incapacidad para introducirnos en la visión del mundo del hombre premoderno. Ya hemos establecido que la ciencia moderna y el capitalismo estaban, históricamente, intrincadamente entrelazados, y podemos apreciar que las percepciones e ideología de la ciencia moderna forman parte de desarrollos sociales y económicos a gran escala. Pero debido a que esta actitud científica es *nuestra* conciencia, es casi imposible abandonarla, incluso momentáneamente. De hecho, el hacerlo por lo general es considerado como una evidencia suficiente para diagnosticar (prima facie) insanidad mental. Ni siquiera el reconocimiento de la relatividad de nuestra propia conciencia, sirve, por sí misma, para ubicarnos al centro de una conciencia diferente. En resumen, es muy difícil formarse una impresión confiable de la conciencia de la sociedad premoderna.

Sin embargo, una cosa que *es* indudable acerca de la historia de la conciencia occidental es que el mundo, desde aproximadamente el año 2.000 A.C., ha sido progresivamente desencantado, o "desendiosado". Aun cuando el animismo sea válido o no lo sea, no hay duda de su eliminación gradual del pensamiento Occidental. Por razones que permanecen obscuras, dos culturas en particular, la judía y la griega, fueron las responsables de los comienzos de este desarrollo. A pesar de que el judaísmo poseía una fuerte herencia gnóstica (siendo la cábala su único sobreviviente), la tradición oficial rabínica (más tarde talmúdica) se basó precisamente en la extirpación de las creencias animísticas[2]. Yaveh es un Dios celoso: "No tendrás otros dioses más que yo"; y a lo largo de la historia judía, la prohibición en contra del totemismo —la adoración de ídolos ("imágenes esculpidas")— ha sido el tema central. El Antiguo Testamento es la historia del triunfo del monoteísmo sobre Astarte, Baal, el becerro de oro y los dioses de la naturaleza de pueblos vecinos "paganos". Aquí vemos los primeros destellos de lo que yo he llamado la conciencia no participativa: el conocimiento se adquiere mediante el reconocimiento de la *distancia* entre nosotros y la naturaleza. La unión extásica con la naturaleza se juzga no meramente como ignorancia, sino como idolatría. La Divinidad debe experimentarse dentro del corazón humano; Ella, definitivamente, no es inmanente a la naturaleza. El rechazo de la conciencia participativa, o lo que Owen Barfield denomina la "participación original", constituyó el obstáculo de la alianza entre los judíos y Yaveh. Y fue precisamente este contrato el que hizo que los judíos fueran los "elegidos" y les dio su misión histórica única[3].

El caso griego es más difícil de resumir. En algún momento entre la vida de Homero y Platón, hubo un quiebre violento en la epistemología griega de modo que se desvió de su participación y contribución original, por muy diversos motivos, hacia la desaparición gradual del animismo. Es difícil concebir una mentalidad que virtualmente no hacía ninguna distinción entre los procesos subjetivos del pensamiento y lo que llamamos los fenómenos externos, pero es probable que hasta la época de la *Ilíada* (cerca del año 900 al 850 A.C.) fuera ése el caso. La *Ilíada* no contiene ninguna palabra para los estados internos de la mente. Dada su utilización contextual en esta obra, la palabra griega *psyque*, por ejemplo, tendría que haber sido traducida como "sangre". Sin embargo, en la *Odisea* (un siglo, o más tarde), *psyque* claramente significa "alma". La separación de mente y cuerpo, sujeto y objeto, es discernible como una tendencia histórica alrededor del siglo VI antes de Cristo; y la mentalidad poética u homérica, en la cual el individuo está inmerso en un mar de experiencias contradictorias y aprende acerca del mundo mediante la identificación emocional con él (participación original), es precisamente lo que Platón y Sócrates intentaron destruir. En la *Apología*, Sócrates está asombrado de que los artesanos aprendan y prosigan con su oficio mediante "puro instinto", es decir por osmosis social e intuición personal. Como lo indicara Nietzsche, la frase "puro instinto", que pronunciada por Sócrates podría ser únicamente una expresión de desdén, epitomizaba la actitud del racionalismo griego hacia cualquier otro modo de cognición. Por esta razón, encontró que Sócrates (y de hecho toda la civilización occidental) estaba trágicamente equivocado. La persona creativa, escribió Nietzsche, trabaja por instinto y se revisa a sí misma mediante la razón; Sócrates hacía exactamente lo inverso. Y, según Nietzsche, fue la forma socrática del conocimiento racional (a pesar del juicio y la sentencia de Sócrates) la que se extendió a través de la fachada pública del helenismo después de su muerte[4].

Según Eric Havelock, Platón consideraba la conciencia participativa, ejemplificada por la tradición poética griega, como patológica[5]. Sin embargo, esta tradición había sido el modo principal de conciencia en Grecia hasta el siglo V o VI antes de Cristo, y durante ese período sirvió como único vehículo del aprendizaje y la educación. La poesía era un medio oral. Se recitaba ante grandes auditorios que memorizaban los versos en un estado de auto-hipnosis. Platón utilizaba el término *mimesis*, o identificación emocional activa, para describir la sumisión al hechizo del ejecutante, un proceso con efectos fisiológicos que eran tanto relajantes como eróticos, y que involucraban un sumergirse total de uno mismo en el otro. La vida griega pre-homérica, concluye Havelock, "era una vida sin auto-examen, pero como manipulación de los recursos del inconsciente en armonía con lo consciente, era imbatible".

Platón mismo representaba una tradición relativamente nueva, que buscaba analizar y clasificar los eventos en lugar de sólo experimentarlos o imitarlos. El hablaba en favor de la noción de que el sujeto no era objeto, y que la función propia del primero era inspeccionar y evaluar al último. Esta percepción jamás podría llevarse a cabo si el sujeto y el objeto estuvieran fusionados en el acto de conocer; o, para ser más preciso, si desde un comienzo nunca divergieron. En la tradición poética, el proceso básico de aprendizaje era una experiencia sensual. En contraste con ello, el mandato socrático "conócete a ti mismo" postulaba un tipo de conocimiento deliberadamente no-sensual.

Así, la obra de Platón equivale a la canonización de la distinción sujeto/objeto en Occidente. Cada vez más, el griego comenzó a considerarse como una personalidad autónoma apartada de sus actos; como una conciencia separada en lugar de una serie de estados de ánimo. La poesía, para Platón, hablaba de experiencias contradictorias, describía a un "hombre de muchos aspectos", de rasgos y percepciones inconsistentes. El propio ideal psicológico de Platón era el individuo organizado en torno a un centro (ego), utilizando su voluntad para controlar sus instintos y así, por lo tanto, unificar su psiquis. La razón, entonces, se convierte en la esencia de la personalidad, y se caracteriza por el distanciarse uno mismo de los fenómenos, manteniendo la propia identidad. La poesía, la *mimesis*, la tradición homérica, por otro lado, involucraba la identificación con las acciones de otras personas y cosas —la rendición de la identidad. Para Platón, sólo la abolición de esta tradición podía crear la situación en que un sujeto percibe mediante la confrontación de objetos separados. Mientras que los judíos veían la conciencia participativa como un pecado, Platón la veía como una patología, el enemigo acérrimo del intelecto. En el fondo, dice Havelock, el platonismo "es una llamada para sustituir un discurso conceptual por uno imaginístico"[6].

Desde luego, Platón no triunfó de la noche a la mañana. Como lo indica Owen Barfield, la participación original, el conocimiento vía la imaginación en lugar de los conceptos, sobrevivió en Occidente hasta la Revolución Científica. Durante la Edad Media, los hombres y mujeres seguían viendo el mundo principalmente como una indumentaria que vestían en lugar de una colección de distintos objetos que ellos confrontaban. Sin embargo, la tradición mimética fue severamente atenuada desde el tiempo de Platón en adelante, ya que ahora estaba presente algún tipo de objetividad; y era principalmente la tradición alquímica y mágica la que intentaba demostrar cuán limitada era esta objetividad.

La "sabiduría hermética", como ha sido denominada, estaba en efecto dedicada a la noción de que el conocimiento verdadero ocurría únicamente vía la unión del sujeto y el objeto, en una identificación psíquico-emocional con imágenes en lugar de la examinación puramente intelectual de los conceptos. Como se ha dicho, este punto de vista había sido la conciencia esencial de la Grecia homérica y pre-homérica. En el análisis siguiente, sobre las visiones del mundo del Renacimiento y la Edad Media, se entenderá, entonces, que la conciencia premoderna estaba, mentalmente hablando, localizada en algún punto entre la conciencia pre-homérica y la visión objetiva de la Europa del siglo XVII. Con la Revolución Científica, los considerables restos de la participación original fueron finalmente expulsados, y esta expulsión constituyó un episodio muy significativo en la historia de la conciencia occidental.

El siglo XVI fue un período muy poco usual en la historia intelectual europea; época que fue testigo de una revitalización o resurgimiento vigoroso de las ciencias ocultas, que la devoción aristotélica había conseguido mantener encubierta exitosamente durante la Edad Media. Sin embargo, a pesar de sus grandes diferencias con el aristotelismo medieval, la visión del mundo alquímica, de hecho, había invadido la conciencia medieval en un grado significativo. La doctrina aristotélica del lugar natural y del movimiento, por ejemplo, era parte de la doctrina mágica de la simpatía, que el igual conoce al igual; y la noción de que la excitación del "retorno al hogar" produce que un cuerpo en caída libre acelere a medida que se acerca a la tierra, es ciertamente una expresión de la conciencia participativa. Más aún, la naturaleza altamente repetitiva y meditativa de las operaciones alquímicas (moler, destilar, etc.), que inducían estados alterados de conciencia mediante una prolongada focalización de la atención, se vio multiplicada en cientos de técnicas artesanales medievales tales como el trabajo en vidrios coloreados, hilados, caligrafía, trabajo en metal y la iluminación de manuscritos. En general, la vida y el pensamiento medieval fueron significativamente afectados por las nociones animistas y herméticas, y hasta cierto punto pueden ser analizadas como una conciencia unificada[7].

¿Cuáles eran los denominadores comunes de tal conciencia? ¿En qué consistía el conocimiento, dado el encuadre epistemológico de la Europa del siglo XVI? En una palabra, en el reconocimiento de las semejanzas[8]. El mundo era visto como un vasto conglomerado de correspondencias. Todas las cosas están relacionadas con todas las demás, y estas relaciones son de simpatía y antipatía. Los hombres atraen a las mujeres, la magnetita atrae al fierro, el aceite repele el agua y los perros repelen a los gatos. Las cosas se mezclan y tocan en una cadena o cuerda infinita hecha vibrar (escribía Della Porta en *Magia Natural*) por la causa primera, Dios. Las cosas también son análogas al hombre en el famoso concepto alquímico del microcosmos y el macrocosmos: las rocas de la tierra son sus huesos, los ríos sus venas, los bosques su pelo y los cicádidos su caspa. El mundo se duplica y se refleja a sí mismo en una red interminable de semejanzas y diferencias. Es un sistema de jeroglíficos, un libro abierto "erizado con signos escritos".

¿Cómo sabe entonces uno qué cosa va con qué? La clave, como podría imaginarse, consiste en descifrar esos signos, y fue apropiadamente denominada la "doctrina de los símbolos". "¿No es acaso verdad", escribió el químico del siglo XVI Oswald Croll, "que todas las hierbas, plantas, árboles y otras cosas que surgen de las entrañas de la tierra son otros tantos libros y signos mágicos?". Mediante las estrellas, la Mente de Dios se imprimió a sí misma en el mundo de los fenómenos y, por lo tanto, el conocimiento tenía la estructura divina, o de augurio. La palabra "divinación" debiera tomarse en el sentido literal: encontrar lo Divino, participar en la Mente que está tras las apariencias. Croll nos da como ejemplo el "hecho" de que las nueces previenen males de la cabeza porque la nuez misma se asemeja en apariencia al cerebro. Del mismo modo, la cara y las manos de un hombre deben parecerse al alma a la cual están unidas, un concepto retenido en la quiromancia incluso en su práctica actual, y en el proverbio común (en muchos idiomas) que "los ojos son las ventanas del alma".

Una de las exposiciones más claras de la doctrina de las signaturas se encuentra en el trabajo del gran mago del Renacimiento Agrippa von Nettesheim, su *De Occulta Philosophia* de 1533[9]. En el capítulo 33 de este libro él escribe:

> Todas las estrellas tienen sus naturalezas, propiedades y condiciones peculiares, los Sellos y Caracteres que producen, mediante sus rayos, aun en estas cosas inferiores, es decir, en elementos, piedras, plantas, animales y sus miembros; dado que cada cosa natural recibe una disposición armoniosa y desde su estrella que brilla sobre ella, algún Sello particular, o Carácter, impreso sobre ella, tal Sello o Carácter es el significador de aquella estrella, o disposición armoniosa, conteniendo en ella una Virtud peculiar, que difiere de otras virtudes de la misma materia, tanto genérica, específica y numéricamente. Por lo tanto, cada cosa tiene su carácter impreso sobre ella por su estrella para algún efecto particular, especialmente por aquella estrella que la gobierna principalmente.

Dado este sistema de conocimiento, las distinciones modernas entre lo interno y lo externo, lo psíquico y lo orgánico (o físico) no existen. Si usted desea promover el amor, dice Agrippa, coma pichones; para obtener coraje, coma corazones de león. Una mujer licenciosa, o un hombre carismático, poseen la misma virtud de la magnetita, aquélla de la atracción[10]. Por otra parte, los diamantes debilitan la magnetita, y el topacio debilita la lujuria y el deseo. Todas las cosas, por lo tanto, llevan la marca del Creador, y el conocimiento, dice Agrippa, consiste en "una cierta participación", un compartir (sensual) de Su Divinidad. Este es un mundo traspasado por significado, ya que es de acuerdo a estos símbolos, que todas las cosas pertenecen, tienen un lugar. "No hay ninguna cosa en todo el mundo", escribe, "que no tenga una chispa de la virtud (del alma del mundo). Todas las cosas tienen su lugar determinado y particular en el mundo ejemplar".

Durante su vida, Agrippa fue considerado como un charlatán y conjurador, y como hemos notado, la magia y el hermetismo estaban en continuo conflicto con la iglesia. Este conflicto, así como la teoría del conocimiento que lo subyace, también tiene su origen en el reconocimiento de las semejanzas, ya que la iglesia medieval (como veremos más adelante) entronizaba prácticas mágicas y sacramentos a partir de los cuales derivaba su poder a nivel local.

Por consiguiente, no toleraría ninguna rivalidad en este ámbito[11]. Sin embargo, el punto importante es que todo el conocimiento premoderno tiene la misma estructura. Como dice Michel Foucault, la divinación "no es una forma rival de conocimiento; es parte del cuerpo central del conocimiento en sí mismo". La erudición y el hermetismo, Petrarca y Ficino habitaron, en última instancia, el mismo universo mental.

Es el colapso de este universo mental, que comenzó (si tal cosa puede ser fechada) a fines del siglo XVI, lo que delimita tan radicalmente el mundo medieval del mundo moderno; y en ninguna parte está esto tan claramente ejemplificado como en la obra épica de Cervantes, *Don Quijote*[12]. Las aventuras del Quijote son un intento de descifrar el mundo, transformar la realidad misma en un signo. Su viaje es una búsqueda de semejanzas en una sociedad que ha llegado a dudar de su significancia. Por lo tanto, esa sociedad lo juzga loco, "quijotesco". Donde él ve el Yelmo de Mambrino, Sancho Panza únicamente puede ver la jofaina del barbero; donde (para tomar el ejemplo más famoso) él percibe gigantes, Sancho sólo ve molinos de viento. De aquí viene el significado literal de *paranoia*: parecido al conocimiento. La división de lo psíquico y lo material, mente y cuerpo, lo simbólico y lo literal, finalmente ha ocurrido. El loco percibe semejanzas que no existen, que son vistas como significando absolutamente nada. Por el año 1600 él está "alienado en analogía", mientras que cuatro o cinco décadas antes era el típico europeo educado. Para el loco, la corona hace al rey, y Shakespeare captó el cambio en la definición de la realidad en su célebre frase "Todos los hábitos no hacen monjes". Dada la falta de significado de tales asociaciones, las prácticas como el conjurar ya no podían ser consideradas como efectivas. "Puedo llamar a los espíritus de las inmensas profundidades", dice Glendower a Hotspur en *Enrique IV, Parte I.* "Porque yo también puedo, o también puede cualquier hombre", contesta este último; "¿Pero vendrán cuando tú llames por ellos?".

Las palabras de Hotspur son los primeros pasos hacia una relación con el mundo con la cual estamos muy familiarizados. Por otra parte, Glendower hace sonar los últimos acordes de un mundo en gran medida perdido para nuestras imaginaciones; un mundo de resonancia, de parecidos y de increíble riqueza. Sin embargo, estos acordes, incluso hoy día, podrían vagamente hacer eco en nuestras mentes subconscientes. Antes de abocarnos a una discusión más extensa sobre el colapso de la participación original, valdrá la pena, entonces, quedarnos con ella un tiempo más, y ver si acaso no podemos tentar nuestro camino hacia esta manera de pensar.

La participación se identifica y no se identifica a sí misma en el momento de la experiencia. El griego pre-homérico, el inglés medieval (desde luego que en menor medida) y el hombre africano tribal contemporáneo conocen algo, precisamente en el acto de identificación, y esta identificación es tanto sensual como intelectual. Es una *totalidad* de experiencia: el "intelecto sensual", si el lector puede imaginar tal cosa. Hemos perdido tanto la habilidad para efectuar esta identificación, que hoy en día nos quedan sólo dos experiencias que consisten en la conciencia participativa: la lujuria y la ansiedad. Al hacerle el amor a mi pareja, a medida que me sumerjo en su cuerpo, me "abandono" cada vez más. En el momento del orgasmo yo "soy" el acto; ya no hay un "yo" que lo experimenta. El pánico tiene una dinámica (momentum) similar ya que si estoy lo suficientemente aterrorizado, no me puedo distanciar de lo que me está pasando a mí. En el episodio psicótico (o místico), mi piel no tiene límite. Estoy fuera de mi mente, me he convertido en mi ambiente. La esencia de la participación original es el sentir, es la percepción corporal de que detrás de los fenómenos hay un "representado" que tiene la misma naturaleza mía —el "mana", Dios, el espíritu del mundo, etc.[13]. Esta noción de que sujeto y objeto, el sí mismo y el otro, hombre y ambiente, son a final de cuentas idénticos, es lo que constituye la visión del mundo holística.

Desde luego que algunas veces experimentamos la participación en formas menos intensas, a pesar de que el deseo sexual y el pánico siguen siendo los mejores ejemplos. En honor a la verdad —y esto lo trataremos en detalle en el Capítulo 5— la participación es la regla en lugar de la excepción para el hombre moderno, aunque él está (a diferencia de su contrapartida premoderna) en gran medida inconsciente de ello. Así, a medida que escribía las primeras páginas de este capítulo, hasta esta página, por lo menos, estaba tan absorto en lo que hacía que no me sentía en absoluto a mí mismo. La misma experiencia me ocurre en el cine, en un concierto, o en una cancha de tenis. Sin embargo, la conciencia de la cultura oficial dictamina mi "reconocimiento" de que no soy, y jamás podré ser mis experiencias. Mientras que mi contrapartida premoderna sentía, y veía, que él era sus experiencias —que su conciencia no era una conciencia especial, independiente— yo clasifico mi propia participación como una forma de "re-creación", y veo la realidad en términos de la inspección y la evaluación que Platón había anhelado que los hombres lograran. Por lo tanto, me veo a mí mismo como una isla, mientras que mi predecesor medieval o antiguo se veía a sí mismo más como un embrión. Y a pesar de que no se puede volver al útero, por lo menos podemos apreciar cuán verdaderamente confortable y significativo era tal estado de mente y tal visión de la realidad.

¿Pero era esta visión del todo real? ¿Acaso no estaban mis predecesores simplemente viviendo en el mismo mundo que yo, pero que de alguna manera lo conceptualizaban en forma diferente (es decir, incorrectamente)? ¿Acaso la dicotomía sujeto/objeto no representa un avance significativo del conocimiento humano sobre esta identificación primitiva, e incluso, orgiástica del sí mismo y el otro? Todas estas preguntas, que esencialmente están inquiriendo la misma cosa, son las más cruciales en la historia de la conciencia, y requieren, por lo tanto, de un examen más profundo. La participación original fue el modo básico del conocimiento humano hasta el siglo xvi, a pesar de su atenuación gradual. Con respecto a este modo caben sólo dos posibilidades: o la participación original era un elaborado auto-engaño, o bien ésta existió efectivamente, constituyendo un hecho real[14]. Vamos a tratar de decidir entre estas dos alternativas por medio de un análisis del paradigma de la ciencia de la participación, la alquimia.

Si han de creerse los textos convencionales de historia, la alquimia fue un intento de encontrar una substancia que, cuando se agregara al plomo, transformaría a éste en oro. Alternativamente, era el intento de preparar un líquido, el *elixir vitae*, que prolongaría indefinidamente la vida humana. Dado que ninguno de estos objetivos se puede conseguir, la totalidad de la empresa alquímica es descartada como un episodio insensato (más de dos mil quinientos años) en la historia de la ciencia, una aventura que podría considerarse trágica si no fuera tan tonta en su contenido. A lo más, la ciencia moderna admite que los alquimistas sí descubrieron, en la búsqueda de sus fines espurios, varias substancias químicas y medicinales, como subproductos, que tienen algún valor utilitario.

Como es el caso con todos los clichés, éste contiene algo de verdad. La rápida producción del *lapis*, o la piedra filosofal, fuera en forma de oro o elixir, ciertamente era una meta irresistible para muchos alquimistas, y se utilizaba el término "puffer" ("inflado") para señalar al oportunista comercial y charlatán. "De todos los hombres", escribía Agrippa, "los alquimistas son los más perversos"[15]. Sin embargo, una detenida observación de los grabados sobre la alquimia de la Edad Media y del Renacimiento, tales como los coleccionados por Carl Jung, es suficiente para convencernos que esa charlatanería apenas si era la historia completa de la alquimia[16]. ¿Qué podrían significar aquellas extrañas imágenes (ver Grabados 2-6). Una serpiente verde y roja tragándose su cola; un "andrógino", o un hombre-mujer, unidos por la cintura con un águila que surge detrás de ellos y un montón de águilas muertas a sus pies; un león verde mordiendo el sol, con sangre (de hecho mercurio) goteando de la "herida" resultante; un esqueleto humano posado en un sol negro; el sol dando una larga sombra detrás de la tierra —éstas y otras imágenes son tan fantásticas como para desafiar toda comprensión. En todo caso, si sólo se hubiese deseado salud o riqueza, no habría sido necesaria la minuciosa confección de manuscritos elaboradamente ilustrados.

El trabajo de arte de la edad de los mitos, de este tipo, nos obliga a abandonar la interpretación simplista utilitaria de la alquimia e intentar, en lugar de eso, hacer un mapa del terreno completamente desconocido de la conciencia que representa esta imaginería bizarra.

Fue el logro de Carl Jung, quien primero descifró los símbolos de la alquimia por medio del material clínico suministrado por el análisis de los sueños, y luego sobre esta base formuló el argumento de que la alquimia era, en esencia, un mapa del inconsciente humano. Un concepto central de la psicología de Jung es el de la "individuación", proceso mediante el cual una persona descubre y desarrolla su Sí Mismo (Self), en oposición a su ego. El ego es un personaje, una máscara creada y exigida por la interacción cotidiana, y como tal, constituye el centro de nuestra vida consciente, nuestra comprensión de nosotros mismos a través de los ojos de otros.

Por otra parte, el Sí Mismo es nuestro verdadero centro, nuestro darnos cuenta de nosotros mismos sin interferencia externa, y se desarrolla armonizando las partes conscientes e inconscientes de nuestra mente. El análisis de los sueños es un modo de conseguir esta armonía. Podemos destrabar nuestros símbolos de los sueños y luego actuar sobre los mensajes de nuestros sueños en la vida en vigilia, lo que a su vez comienza a alterar nuestros sueños. ¿Pero cómo analizar nuestros sueños? Frecuentemente son crípticos, y tan a menudo violan la secuencia causal que bordean la jerigonza. Pero es precisamente aquí, descubrió Jung, donde la alquimia puede hacer una contribución crucial. De hecho, es mediante algo como la doctrina de los símbolos que podemos descifrar lo que significan nuestros propios sueños[17].

El lenguaje de la alquimia, como también el de los sueños, sigue un tipo de razonamiento que yo he denominado "dialéctico", o posición a la razón crítica, característica del pensamiento racional o científico[18].

Grabado 2. *El Ourobouros, símbolo de la integración. Synosius, Ms. grec 2327, f. 279. Phot. Bibl. nat. Paris.*

Como vimos anteriormente, Descartes consideraba los sueños como algo perverso porque violaban el principio de no-contradicción. Pero esta violación no es arbitraria; más bien surge de un paradigma propio, que bien podría ser llamado alquímico. Este paradigma tiene como dogma central la noción de que la realidad es paradójica, que las cosas y sus opuestos están muy relacionados, que el apego y la resistencia tienen la misma raíz. Esto ya lo sabemos a un nivel intuitivo, porque hablamos de las relaciones amor-odio, reconocemos que lo que nos atemoriza es lo más probable que nos libere, y sospechamos si alguien acusado de haber obrado mal clama por su inocencia demasiado acaloradamente. En resumen, una cosa *puede* ser y no ser al mismo tiempo, y como Jung, Freud, y aparentemente todos los alquimistas entendieron, por lo general es así.

Dentro del contexto del paradigma alquímico, es la razón crítica la que aparece sin significado, incluso un tanto estúpida, en su intento de robar imágenes significativas de su significado. Así, entonces, en el

Grabado 3. *El Andrógino alquímico. Aurora consurgens*, Ms. Rh 172, Zentralbibliothek Zürich.

Grabado 4. *El león verde tragándose al sol.* Arnold of Villanova, *Rosarium philosophorum* (1550), Ms. 394a, f. 97, Kantonsbibliothek (Vadiana), St. Gallen.

81

Grabado 5. *Sol niger: el nigredo*; de J.D. Mylius, *Philosophia reformata* (1622). Reproducido por C.G. Jung en *Gesammelte Werke*, publ. Walter-Verlag.

ejemplo dado en el Capítulo 1, si yo sueño que soy mi padre y que estoy discutiendo con él, es irrelevante que esto no sea lógica o empíricamente posible. Lo que *es* relevante es que yo despierte del sueño bañado en sudor frío y permanezca atribulado por el resto del día; que mi psiquis esté en un estado de guerra civil, desgarrada entre lo que deseo para mí mismo y lo que mi padre (introyectado) desea para mí. En la medida que este dilema se mantenga sin solución, estaré fragmentado, no entero; y dado que (así al menos lo creía Jung) el deseo de integridad es inherente a la psiquis, mi inconsciente enviará sueño tras sueño sobre este tema en particular hasta que yo dé algunos pasos concretos para resolver el conflicto. Y debido a que la vida es dialéctica, así también lo serán las imágenes de mis sueños. Ellas seguirán violando las secuencias lógicas de espacio y tiempo, y seguirán representando los conceptos opuestos que, en un examen más cercano probarán ser, en gran medida, la misma cosa.

La contribución específica de Jung, tanto a la historia de la alquimia como a la psicología profunda, fue el descubrimiento de que los pacientes sin conocimiento previo de alquimia tenían sueños que reproducían la imaginería de los textos alquímicos con una semejanza asombrosa. En su famoso ensayo "El Simbolismo Individual de los Sueños en Relación con la Alquimia", Jung registró una serie de sueños de un paciente y produjo para casi todos ellos un grabado alquímico que duplicaba el simbolismo de los sueños de un modo inequívoco[19]. En la medida que Jung sostuvo que otros habían producido un conjunto semejante de imágenes oníricas durante su proceso de individuación, se vio forzado a concluir que este proceso era inherente a la psiquis y que los alquimistas, sin saber exactamente lo que estaban haciendo, habían registrado las transformaciones de su propio inconsciente que luego proyectaban en el mundo material. Por lo tanto, el oro del cual

Grabado 6. *El sol y su sombra completan la obra*, de Michael Maier, *Scrutinium chymicum* (1687). Reproducido por C.G. Jung en Gesammelte Werke, publ. Walter-Verlag.

ellos hablaban, no era realmente oro, sino que un estado "áureo" de la mente, el estado alterado de la conciencia que supera a la persona en una experiencia tal como el *satori* del Zen o la experiencia mística de Dios registrada por místicos occidentales tales como Jacob Boehme (a su vez un alquimista), San Juan de la Cruz, o Santa Teresa de Avila. Lejos de ser algún tipo de pseudociencia o protoquímica, entonces, la alquimia era plenamente real —el último vestigio más importante de la iconografía sintética del inconsciente humano de Occidente. O, en los términos de Norman O. Brown, "el último esfuerzo del hombre occidental por producir una ciencia basada en un sentido erótico de la realidad"[20].

Según Jung, el rechazo de la alquimia como una ciencia coincidió con la represión de la característica inconsciente de Occidente desde la Revolución Científica —una represión que él consideró tendría trágicas consecuencias en la era moderna, incluyendo la expansión de enfermedades mentales y orgías de genocidio y barbarismo[21]. Por lo tanto, Jung creía que el fracaso de cada individuo para confrontar sus propios demonios psíquicos, aquella parte de su personalidad que odiaba y temía (lo que Jung denominaba la "sombra"), tendría inevitablemente, consecuencias desastrosas; y que la única esperanza, por lo menos a nivel individual, era emprender el viaje psíquico que de hecho era la esencia de la alquimia. En las palabras crípticas del alquimista y Rosacruz del siglo XVII, Michael Maier: *El sol y su sombra completan la obra* (ver Grabado 6)[22]. La creación del Sí Mismo no tiene su fundamento en la represión del inconsciente sino que en su reintroducción a la mente consciente.

Armado con este análisis, Jung encontró que la peculiar imaginería representada en los textos alquímicos súbitamente cobraba sentido. El "Ourobouros" del Grabado 2, por ejemplo, es un símbolo que aparece (en una u otra forma) en casi todas las culturas. Representa el logro de la integración psíquica, la unificación de los opuestos. El verde es el color de una etapa temprana del proceso alquímico, mientras que el rojo (el *rubedo*, como se le llamaba) lo es de una más tardía. Por lo tanto, comienzo y final, cabeza y cola, alfa y omega, están unidos. El oro, o el Sí Mismo, inherente desde el comienzo, finalmente se separa. El mundo es lo mismo, pero la persona ha cambiado. Como lo dijo T.S. Eliot en su "Little Gidding":

No cesaremos de explorar
Y el final de toda nuestra exploración
Será llegar donde comenzamos
Y conocer el lugar por primera vez

La naturaleza dialéctica de la realidad que estaba incluida en la teoría de la semejanza, fue captada en la alquimia mediante las imágenes de los andróginos (ver Grabado 3), hermafroditas y las uniones sexuales o matrimonios entre hermano y hermana. La conjunción de opuestos ocurre en el alambique alquímico, donde el plomo es visto como oro *in potentia*, el mercurio es tanto líquido como metal, lo que es volátil (representado por el águila que alza el vuelo) se torna fijo, y lo que es fijo (las águilas muertas en el fondo) se torna volátil.

El Grabado 4 ilustra el peligro del trabajo alquímico donde se ve a un león verde que intenta comerse o tragarse al sol. Como ya lo indicamos, el verde es una etapa temprana del proceso, donde es liberada la fuerza cruda, vegetativa del inconsciente, y la mente consciente se siente a sí misma en peligro de ser devorada. El slogan alquímico, "No usar fuegos de alto grado", resulta adecuado en este punto. El ciclo de sublimación y destilación es lento e infinitamente tedioso, como lo son todas las operaciones alquímicas, y cualquier intento por acelerar el proceso sólo resultará abortivo. El peligro de hurgar en el inconsciente es que uno tendrá más de una sorpresa desagradable; que el inconsciente reprimido inundará el consciente a medida que se abre un orificio en el dique que los separa. Este fenómeno es bien conocido para muchos psiquiatras, así como también para muchas personas que han estudiado yoga, meditación, o han experimentado con drogas psicodélicas ("fuegos de alto grado")[23]. La persona que busca la integración puede estar permanentemente atemorizada, o forzada a asumir su búsqueda desde el comienzo. En el peor de los casos, la erupción de la información inconsciente puede desmembrar el alma, dando como resultado una psicosis[24]. Con frecuencia el proceso alquímico es resumido en la frase *solve et coagula*; la persona es disuelta (a nivel psíquico) de modo de permitir al verdadero Sí Mismo coagularse, o integrarse. Pero como lo indica R.D. Laing en *La Política de la Experiencia*, no hay garantía de que el Sí Mismo vaya a coagularse; de hecho, tal resultado puede ser particularmente improbable en una cultura aterrorizada por el inconsciente y que se apresura a drogar al individuo para producir su vuelta a lo que ella misma define como realidad[25]. Incluso la cultura relativamente alquímica de la Edad Media estaba agudamente consciente de tal peligro, como lo indica el Grabado 4, y era parte del opus alquímico para "domar" al león verde, o "cortar sus patas" —un acto que (en términos materiales, desde nuestro punto de vista) consistía en tocar el azufre con mercurio o hervirlo en ácido por un día completo. Si no se lleva a cabo esta domadura, la apertura del inconsciente, la disolución del ego, el colapso de la distinción sujeto/objeto, la súbita convicción de que hay una Mente detrás de las apariencias fenomenales —este único, unificado destello de luz podría catapultar a su practicante al cielo o al infierno, dependiendo de su constitución y sus circunstancias particulares. De aquí, surge otro slogan alquímico crucial: *Nonnulli perierunt in opere nostro*— "no pocos han perecido en nuestro trabajo".

Finalmente, el Grabado 5 representa la primera fase del trabajo, el *nigredo*, en el cual el plomo es disuelto y la solución se torna negra. Esta es la "noche obscura del alma", "el punto en que la persona se ha disuelto y el Sí Mismo aún no ha aparecido en el horizonte. De aquí que el esqueleto, la muerte del ego y el sol negro (*sol niger*), representen la depresión aguda. La "sombra" ahora ha eclipsado completamente al ego consciente. En *El Yo Dividido*, Laing cita los escritos de una paciente esquizofrénica quien, sin ningún conocimiento previo de la alquimia, utiliza la frase "sol negro" para describir su modo de experimentar el mundo. Pero en forma dialéctica, el plomo contiene la pepita de oro, y el alquimista experto puede llevar a cabo la transmutación mediante la atención cuidadosa de sus experimentos. De ahí la frase que concluye el libro de Laing: "Si uno pudiera penetrar en las profundidades de la obscura tierra uno descubriría 'el oro brillante', o si uno pudiera descender hasta las profundidades uno descubriría 'la perla en el fondo del mar' "[26].

El análisis que Jung hace sobre la alquimia es brillante, y suministra una evidencia provocativa en cuanto a que los alquimistas eran bastante deliberados acerca del aspecto psíquico de su trabajo. Ellos escriben *aurum nostrum non est aurum vulgi*; "nuestro oro no es el oro común (es decir, comercial)". *Tam ethice quam physice*; "tan moral como material". O como lo decía cándidamente un alquimista, Gerhard Dorn: "¡Transfórmense en piedras filosofales vivientes!". Así, Jung fue capaz de sostener que lo que "realmente" ocurría en el laboratorio del alquimista era el proceso psíquico de la autoconciencia, que luego era proyectado en los contenidos del hornillo o del alambique. El alquimista *pensaba* que hacía oro, pero desde luego que no lo hacía; más bien, hacía algún preparado que, dado su estado alterado de conciencia, él denominaba "oro".

Esta hipótesis es muy atractiva, especialmente debido a que sabemos que en el curso de su trabajo los alquimistas practicaban una serie de técnicas que pueden producir estos estados psíquicos alterados: meditación, ayuno, respiración yóguica o "embriónica", y algunas veces el cántico de mantras. Estas técnicas han sido practicadas durante miles de años, especialmente en Asia, con el propósito expreso (en nuestros términos) de disolver la división entre las partes conscientes e inconscientes de la mente. Ellas despojan a la persona de los deseos mundanos, permitiéndole penetrar en otra dimensión de la realidad; y, como la ciencia occidental recién está empezando a descubrir, son muy eficaces en términos fisiológicos, especialmente si adoptamos la posición (para mí, bastante razonable) de que el alma es otro nombre para lo que el cuerpo hace. Es fácil dar por sentado que el aspecto psíquico es la realidad y que el aspecto material es ilusorio o irrelevante.

Desafortunadamente, la interpretación de Jung no nos dice nada acerca de lo que el alquimista realmente hacía con sus morteros y alambiques. Más bien, extrae de su actividad la parte que encontramos comprensible y descarta el resto. Tal interpretación es, en resumen, el producto de una conciencia científica moderna que supone, como lo hace, que la materia era siempre la misma y que únicamente la mente (los conceptos de la materia) cambiaba. Pero la visión alquímica del mundo, sencillamente no construía la realidad en nuestros términos. Para comenzar, la distinción sujeto/objeto ya era bastante borrosa, y, por lo tanto, esa interpretación de la realidad no tenía sentido, porque la "proyección" presupone una aguda dicotomía que el alquimista no hacía. Obviamente, el alquimista estaba haciendo *algo*; pero el argumento de proyección, a pesar de constituir un avance con respecto a la versión corriente de los textos, aún lo considera en forma menos que seria. El objetivo de la práctica mágica era llegar a ser un practicante hábil, no un ser autorrealizado. Las citas tomadas de Dorn y otros alquimistas citados arriba, no son las típicas, y datan de los siglos xvi y xvii, cuando la Revolución Científica introducía inexorablemente su cuña entre la materia y la conciencia. Durante gran parte de su historia, la alquimia había sido considerada una ciencia exacta y no una forma de metáfora espiritual. Si sucumbimos a la formulación de Jung, lo hacemos desde nuestra incapacidad para lograr una conciencia en que lo técnico y lo divino sean una sola cosa, una conciencia en la cual encontrar una ciencia de la materia sea equivalente a participar en Dios. Por lo tanto, la formulación de Jung supone que es verdad lo que está en cuestión, ya que es esta misma conciencia la que intentamos penetrar. La modernidad misma de este concepto de la proyección impide esta posibilidad. El problema puede ser resuelto (si es que del todo) únicamente intentando recrear los procedimientos reales de la disciplina, y aprender acerca de lo que el alquimista estaba haciendo en términos materiales.

La alquimia era en primer lugar y antes que nada, un oficio, un "misterio" de acuerdo a la terminología medieval, y todos los oficios, desde los tiempos más antiguos, eran considerados como actividades sagradas. Como nos lo dice el Génesis, la creación o modificación de la materia, el meollo de todos los oficios, es la primerísima función de Dios. Intencionalmente, se comparaba la metalurgia con la obstetricia: se consideraba que los minerales crecían en el útero de la tierra como un embrión. El papel del minero o del trabajador de metales era ayudar a que la naturaleza acelerara su tempo infinitamente lento cambiando la modalidad de la materia. Pero hacer eso era interferir, entrar en un territorio sagrado, y por lo tanto, hasta el siglo xv, la apertura de una nueva mina era acompañada de ceremonias religiosas, durante las cuales los mineros ayunaban, rezaban, y observaban una serie particular de ritos. De una forma semejante, el laboratorio alquímico era visto como un útero artificial en el cual el mineral podía completar su gestación en un tiempo relativamente corto (comparado con la acción de la tierra). La alquimia y la minería compartían la noción, entonces, de que el hombre podía intervenir en el ritmo cósmico, y el artesano, escribe Mircea Eliade, era visto como "un conocedor de secretos, un mago...". Por esta razón, todos los oficios incluían "algún tipo de iniciación y (eran) transmitidas por una tradición oculta. Aquél que 'hace' cosas verdaderas es aquél que *conoce* el secreto para hacerlas"[27].

A partir de estas fuentes antiguas brotó la noción central de la alquimia: que todos los metales están en el proceso de convertirse en oro, que ellos son oro *in potentia*, y que el hombre puede desarrollar un conjunto de procedimientos para acelerar su evolución. La práctica de la alquimia, por lo tanto, no es realmente jugar a ser Dios —a pesar de que esta noción ciertamente está latente en la tradición hermética— sino que es continuar la metáfora obstétrica, un tipo de partería. El conjunto de procedimientos llegó a ser denominado el "arte espagírico", el separar lo grueso de lo sutil para ayudar en la evolución y obtener el oro que yace en la profundidad del plomo. "El cobre está inquieto hasta que se convierte en oro", escribió el místico del siglo XIII, Meister Eckhart[28]; y a pesar de que Eckhart pudo haber tenido en mente algo más junguiano que metalúrgico, el alquimista no hacía tales distinciones, sino que (en nuestros términos) se concentraba en sus reactivos y le permitía a la naturaleza (tanto humana como inorgánica) seguir su curso.

¿Cuáles eran entonces estos procedimientos? Al leer los textos alquímicos, lo primero que uno descubre es que las opiniones sobre el tema no eran unánimes. La transmutación consistía en un conjunto de operaciones: purificación, solución, putrefacción, destilación, sublimación, calcinación y coagulación. Sin embargo, su orden y contenido era poco claro, y no todos los alquimistas empleaban todas las técnicas. Las circunstancias, especialmente la naturaleza de los minerales, siempre parecían alterar los métodos. De aquí que, con respecto a los procedimientos, los acuerdos existentes sean muy generales, cubriendo únicamente los lineamientos básicos. El mercurio es el disolvente, el principio activo de las cosas, y de hecho había sido usado desde los tiempos más antiguos como un baño para la extracción de oro de otros minerales. El azufre (también llamado el león verde) es un coagulante, el creador de una nueva forma. Uno debe primero efectuar la disolución del metal a *materia prima* y luego recristalizar, o coagular, esta substancia sin forma. Si es hecho correctamente, el resultado será oro. *Solve et coagula* significaba la reducción al caos —una solución acuosa, un estado prístino— seguido por la fijación en una nueva configuración.

De hecho, pocas veces el proceso era así de directo y simple. La misma delicadeza del procedimiento significaba que podía fracasar debido al más mínimo error. Más aún, era un elemento central de la tradición que cada alumno aprendiera este complejo procedimiento por sí mismo. No había una receta normalizada que pudiera enseñarse, sino más bien una práctica elaborada que requería un profundo compromiso. Por lo tanto, los factores variables eran muchísimos; el fracaso y no el éxito era la regla. Normalmente tenía que seguirse una serie de pasos intermedios como la putrefacción, la destilación, la sublimación y la calcinación, y era obvio que la concisa fórmula *solve et coagula* expresaba tan sólo un ideal.

A veces, primero había que conseguir una descomposición, o putrefacción del metal. El hedor de este proceso provenía del ácido sulfhídrico (olor a huevos podridos), que se preparaba y luego se pasaba por soluciones metálicas para obtener diversos colores (en la Edad Media, los colores y los olores eran entidades substanciales, no cualidades secundarias). O bien, una substancia evaporable tendría que ser extraída de su mezcla para poder obtenerla en estado puro. El azufre, en particular, se obtenía de esta forma. De aquí, entonces, el largo y preciso proceso de la sublimación que a su vez necesitaba el proceso complementario de la destilación, o filtrado. Finalmente, si el metal no se disolvía, se utilizaba la calcinación para convertirlo en un óxido soluble, con el objeto de llevar a efecto el proceso de solución y separación[29].

Quizás sea obvio el que hayan varios correlativos psicoanalíticos y religiosos para estos procedimientos. En una interpretación espiritual, todas las personalidades (metales, minerales) son potencialmente divinas (doradas), y están tratando de encontrar su verdadera naturaleza, intentando trascender el peso de su pasado (plomo). Se me descompone una vieja realidad, huelo mal y me siento podrido, pero este cambio en la materia finalmente resulta bueno, porque es un cambio en lo que importa. Las viejas realidades mueren, las cosas nuevas se convierten en mi realidad. Se disuelve la rigidez de mi personalidad, lentamente se permite que cristalice un nuevo modelo. El feroz deseo de moldearme se apacigua, y empiezo a considerar mi modelo anterior sólo como una de las tantas posibilidades. Me torno menos rígido, más tolerante. Veo que todo lo que realmente existe es la capacidad de fundirse y la creatividad, representadas por el mercurio. El mercurio, o Hermes, el mensajero de los dioses, actúa aquí como un "embustero", aun cuando se le llame "psychopomp", guía del alma. Como Freud lo descubriera, tenemos que ser engañados hacia la conciencia para ver nuestra verdadera naturaleza casi por accidente; por ejemplo, mediante chistes o lapsus linguae. También, se asoció al mercurio con el vidrio, aquel receptáculo que nos permite ver dentro de él. El recipiente de mis problemas es transparente: llego a ver que mis problemas no sólo tienen la solución, ellos *son* la solución. Así es como R.D. Laing dice:

"La Vida que estoy tratando de captar es el yo que está tratando de captarla".

El alquimista es por lo tanto como un minero que prueba vetas cada vez más y más profundas del mineral. Una veta conduce a la otra, no hay ninguna respuesta correcta. La vida y la personalidad humana, son inherentemente desquiciadas, multifacéticas; la neurosis es la incapacidad de aceptar este hecho. El modelo tradicional del alma sana exige que impongamos un orden o identidad en todos estos aspectos, pero la tradición alquímica ve el resultado como un metal abortado que el azufre fijó muy rápidamente. *Solve et coagula* dice el alquimista; abandona esta persona prematuramente congelada que te obliga a una conducta predecible y a una vida programada de locura institucionalizada. Si quieres tener verdadero control sobre tu vida, dice la tradición, abandona tu control artificial, tu "identidad", ese frágil ego que desesperadamente sientes que debes poseer para sobrevivir. La verdadera supervivencia, el oro, consiste en vivir de acuerdo a lo que dicta tu propia naturaleza, y eso no puede lograrse hasta que se confronte directamente el riesgo de la muerte psíquica. Esto, en la visión alquímica, es el significado de la Pasión. Cuando Cristo dijo "yo soy el Camino", quiso decir, "tú mismo debes sufrir mi prueba". Nadie puede enfrentar tus demonios por ti; nadie puede darte tu verdadero Sí Mismo[30].

La conclusión parece inevitable, entonces: la alquimia corresponde a un sustrato primario del inconsciente, y tanto R.D. Laing como el analista jungiano John Perry han notado la imaginería idéntica lanzada por la psiquis torturada durante la experiencia psicótica —imaginería que claramente es de naturaleza alquímica[31]. Pero aún así, el alquimista no se consideraba como un chamán o un yogui, sino que como un experto en la naturaleza de la materia. Dada la descripción de los procedimientos de laboratorio arriba descritos, ¿qué hemos aprendido acerca del aspecto material del trabajo? Esencialmente, nada. No hay ninguna duda de que el alquimista tomaba su trabajo y la manufactura del oro muy en serio. ¿Pero qué era lo que realmente estaba *haciendo* en su laboratorio?

Con esta pregunta llegamos a un impasse total. La literatura de la alquimia registra que realmente se llegó a producir oro, y el testimonio no puede ser descartado tan fácilmente. En un caso, Helvetius (Johann Friedrich Schweitzer), médico del Príncipe de Orange, fue testigo, en 1666, de una transmutación. Una serie de testigos la verificaron, incluyendo un analista de metales y renombrado platero holandés. El mismo Spinoza se involucró en el caso, y escribió sobre el testimonio sin cuestionarlo[32]. A final de cuentas, la respuesta a nuestra pregunta puede depender únicamente de si uno cree o no que tal transmutación metalúrgica sea posible.

Sin embargo, me parece que podemos llevar este problema un paso más allá. Dado que los mundos construidos por la conciencia participativa y no-participativa no son mutuamente traducibles, la pregunta "¿Qué es lo que realmente estaba haciendo el alquimista?" se convierte en algo irrelevante cuando examinamos lo que queremos decir con la palabra "realmente". Lo que queremos decir es aquello que *nosotros* estaríamos haciendo, o lo que un químico moderno estaría haciendo, si es que nosotros o él pudiéramos ser transportados hacia atrás en el tiempo y el espacio hasta el laboratorio de un alquimista. Pero lo que "realmente" estaba ocurriendo era lo que el *alquimista* estaba haciendo, no aquello que nosotros, los modernos, con nuestra conciencia no-participativa, haríamos si pudiéramos ser transportados al siglo xiv. Si hubiéramos pertenecido a esa era habríamos poseído una conciencia participativa y necesariamente habríamos estado haciendo lo que el alquimista estaba haciendo. Por lo tanto, la pregunta "¿Qué es lo que realmente estaba haciendo el alquimista?" no puede tener una respuesta significativa en términos modernos.

Permítanme decirlo de otro modo. El mundo en que se practicaba la alquimia no reconocía grandes diferencias entre los acontecimientos mentales y materiales. En ese contexto, no había tal cosa como el "simbolismo" porque todo (en nuestros términos) era simbólico, es decir, todos los acontecimientos materiales y los procesos tenían equivalentes y representaciones psíquicas. Entonces, la alquimia era —desde nuestro punto de vista— un conjunto de actividades diferentes. Era la ciencia de la materia, el intento de revelar los secretos de la naturaleza; una serie de procedimientos empleados en la minería, en los teñidos de telas, en la manufactura de vidrios y en la preparación de medicinas; y, simultáneamente, un tipo de yoga, una ciencia de la transformación psíquica[33]. Debido a que la materia poseía conciencia, la habilidad para transformar la primera automáticamente significaba que uno era hábil para trabajar con la última —una tradición que sólo perdura hasta el día de hoy en áreas tales como el arte, la poesía o la artesanía, en donde tendemos (correcta o incorrectamente) a considerar la habilidad para crear cosas de gran belleza como un reflejo de la personalidad del creador. Decimos, entonces, que el talento del alquimista en su laboratorio dependía de su relación con su propio inconsciente, pero al decirlo en esa forma estamos indicando, al mismo tiempo, los límites de nuestro entendimiento. La palabra "inconsciente", ya fuera usada por Jung o por cualquiera otra persona, es el lenguaje del intelecto moderno desencarnado. Para el alquimista era un todo: no *había* ningún "inconsciente". La mente moderna no puede sino considerar a las ciencias ocultas como un gran torbellino de confusión acerca de la naturaleza del mundo material, ya que en gran medida la mente moderna no sustenta la noción de que la conciencia con la cual el alquimista confrontaba la materia era tan distinta de la actual. Sin embargo, si es que se puede imaginar tal estado de la mente, podemos decir que el alquimista no *confrontaba* la materia; la *penetraba*.

Por lo tanto, es dudoso que el alquimista pudiera habernos descrito a nosotros o a un químico moderno lo que estaba haciendo (transportándonos al siglo XIV), incluso si hubiese deseado hacerlo. Su disciplina era (desde nuestro punto de vista) en parte, una disciplina psíquica, que ningún método no-psíquico (salvo el bombardeo de neutrones en un reactor nuclear) puede lograr. La fabricación del oro no era cosa de repetir una fórmula material. De hecho, su manufactura era parte de un trabajo mucho más vasto, y nuestro intento de extraer la esencia material de un proceso holístico indica cuán estrecho se ha tornado nuestro conocimiento del mundo. No podemos conocer el proceso alquímico para hacer oro hasta que conozcamos la "personalidad" de éste. Nosotros, aquí y ahora, no tenemos una identidad simpática real con el proceso de tornarse dorado; no podemos comprender en profundidad la relación entre tornarse dorado y fabricar oro. Por otro lado, el alquimista medieval era completado por el proceso; la síntesis del oro era también su propia síntesis.

En consecuencia, solamente puedo llegar a una conclusión que probablemente impactará a la mayoría de los lectores, por ser en extremo radical. El análisis efectuado anteriormente me obliga a concluir que no se trata de que en aquellos días los hombres concibieran la materia como algo que poseía mente, sino que en esa época, la materia *sí* poseía mente, "realmente" así era. Ante la obvia objeción de que la visión del mundo mecánico debe ser verdadera, porque de hecho somos capaces de enviar a un hombre a la luna o de inventar tecnologías que evidentemente funcionan, sólo puedo responder que la visión del mundo animista, que duró miles de años, también era plenamente eficaz ante los ojos de sus creyentes. En otras palabras, nuestros antecesores construyeron la realidad de un modo que típicamente producía resultados verificables, y ésta es la razón por la cual la teoría de la proyección de Jung está equivocada. Si fuera a ocurrir otro quiebre en la conciencia de la misma magnitud que el representado por la Revolución Científica, aquéllos que están al otro lado de la vertiente podrían concluir que nuestra epistemología de alguna manera "proyectó" el mecanismo sobre la naturaleza. Pero, la ciencia moderna, con la significativa excepción de la mecánica cuántica, no considera la gestalt de la materia/movimiento/experimento/cuantificación como una *metáfora* de la realidad; la considera como la *piedra de toque* de la realidad. Y si el criterio va a ser la eficacia, podemos tan sólo notar que nuestra propia visión del mundo tiene anomalías pragmáticas que son tan extensas como aquéllas de la visión mágica o aristotélica del mundo. Por ejemplo, mediante el paradigma actual, no somos capaces de explicar la psicoquinesis, los fenómenos extra sensoriales, la curación psíquica, o una serie de otros fenómenos "paranormales". Sobre una base pragmática, no hay forma de hacer un juicio en términos de alguna superioridad epistemológica, y de hecho, en términos de su aporte a un mundo comprensible, la participación original incluso podría salir ganando. La participación constituye una barrera histórica insuperable a menos que consintamos en regenerar una pauta evolutiva muerta —acción que nos regresaría a una visión del mundo en la cual no tendría significado el preguntar: ¿Cuál epistemología es superior? Al regenerar esta pauta, habríamos regresado por la cueva del conejo de donde vinimos originalmente. En tal mundo, la transformación material del plomo al oro bien pudiera ocurrir, pero no podemos saber eso ahora, ni podemos saberlo para la Edad Media.

Pocas veces se expone la ilusión del pensamiento moderno acerca de las realidades alternativas. La mayoría de los estudios históricos y antropológicos sobre la brujería, por ejemplo, jamás especulan acerca de que los juicios masivos por brujería que ocurrieron durante el siglo XVI, pudieran haber sido ocasionados por otro motivo que histeria colectiva. (Nos preguntamos: ¿considerarán nuestros descendientes el compromiso que tenemos con la ciencia y la tecnología como histeria colectiva, o más correctamente se darán cuenta de que fue un estilo de vida?). El número de trabajos que ilustran la conciencia participativa desde adentro, tal como la descripción de Chinua Achebe sobre la vida en pueblos de Nigeria en el libro *Things Fall Apart*, es muy pequeño; y sé únicamente de un escritor que ha podido entrar a ese mundo y articular su epistemología en términos modernos —se trata de Carlos Castaneda[34]. Más adelante discutiré en este libro las realidades alternativas en mayor detalle. Por ahora, el lector debiera tener presente cuán adusta es la opción. O bien, tales realidades fueron alucinaciones en masa que transcurrieron durante siglos, o fueron en verdad realidades, aunque no conmensurables con la nuestra. En su crítica a la obra de Castaneda, el antropólogo Paul Riesman confronta el asunto directamente, a pesar de que el lector debiera tomar en cuenta que Riesman no representa la corriente principal de pensamiento sobre el tema:

> Nuestras ciencias sociales (escribe) generalmente tratan la cultura y el conocimiento de otros pueblos como formas y estructuras necesarias para la vida humana que ellos han desarrollado y han sacado provecho de una realidad que conocemos —o por lo menos que nuestros científicos conocen— mejor que ellos. Por lo tanto, podemos estudiar aquellas formas de relación con la "realidad" y medir cuan bien o mal adaptadas están a ella. En sus estudios de las culturas de otro pueblo, incluso esos antropólogos que sinceramente aman al pueblo que estudian, casi nunca piensan que están aprendiendo algo acerca de la forma cómo el mundo realmente es. Más bien, consideran que ellos están averiguando cuáles son las *concepciones* del mundo de otro pueblo[35].

También, en el caso de la historia de la alquimia, o del pensamiento premoderno en general, hemos cometido precisamente este error. Buscamos describir lo que el alquimista *pensaba* que estaba haciendo; y jamás captamos que lo que "realmente" él estaba haciendo era real. Más aún, pocas veces aplicamos esta metodología a nuestra propia metodología; nunca vemos *nuestra* cultura y conocimiento, tal como existe en las sociedades industriales de Occidente, como "formas y estructuras necesarias para la vida humana".

La verdad es que siempre podemos encontrar las visiones del mundo previas a nosotros carentes de algo, si las juzgamos en nuestros términos. Sin embargo, el precio pagado es que lo que realmente aprendemos acerca de ellas es muy limitado incluso antes de que comience la investigación. La conciencia no-participativa no puede "ver" a la conciencia participativa más de lo que el análisis cartesiano puede "ver" a la belleza artística. Tal vez, fue Heráclito quien mejor lo dijo, ya en el siglo VI A.C. cuando escribió, "Lo que es divino escapa a la atención de los hombres debido a su incredulidad"[36].

Finalmente, esto nos lleva a la pregunta de los valores, una pregunta que es especialmente relevante debido al rol que tienen los valores en amoldar nuestras percepciones. Nuestro objetivo con respecto al oro no es muy distinto de aquel del Rey Midas. Buscamos saber cómo "lo hacía" el alquimista porque vemos al oro como un vehículo para obtener otras cosas. Para el verdadero alquimista, el oro era un fin, no un medio. La manufactura del oro era la culminación de su propia, larga evolución espiritual, y ésta era la razón de su silencio. El historiador Sherwood Taylor escribe: El objetivo material de los alquimistas,

> la transmutación de los metales, ahora ha sido logrado por la ciencia, y el recipiente alquímico es la pila de uranio. Su éxito precisamente ha tenido el resultado que los alquimistas temían y evitaban que se produjera, el colocar el poder gigantesco en manos de aquéllos a los que no se les ha dado una preparación espiritual para recibirlo. Si la ciencia, la filosofía y la religión se hubieran mantenido asociadas como lo estuvieron en la alquimia, tal vez no estaríamos hoy enfrentados a este terrible problema[37].

Por el año 1700, la alquimia había sido significativamente desacreditada o sepultada por la visión del mundo mecánica, convirtiéndose en parte de la ideología de los tan nombrados grupos oscurantistas: rosacruces, francmasones y otros. Ahora bien, en términos de la cultura dominante, su último gran desempeño tuvo lugar durante la Guerra Civil Inglesa y el período del Commonwealth (1642-60), y su último gran practicante fue Isaac Newton, aunque él sabiamente lo mantuvo como un asunto privado[38]. Sin embargo, dado que la alquimia (y todas las ciencias ocultas) representa un mapa del inconsciente, porque aparentemente corresponde a un substrato psíquico que es transhistórico, ella aún está con nosotros, tanto privada como públicamente, y es dudoso que la razón dialéctica pueda llegar a ser completamente extirpada. Como lo hemos visto, sobrevive privadamente en los sueños y también en la psicosis[39]. Públicamente, sobrevive sólo en un dominio —el mundo del arte surrealista. El expreso propósito del Movimiento Surrealista durante la primera mitad del siglo XX fue liberar a los hombres y mujeres mediante la liberación de las imágenes del inconsciente, haciendo tales imágenes conscientes deliberadamente. Como resultado, hay una ligazón visual peculiar entre los grabados alquímicos, los sueños y el arte surrealista, el cual parece ir más hacia lo profundo que lo que parece. Los tres usan la alegoría y la yuxtaposición incongruente de objetos, y los tres violan los principios de la causalidad y no-contradicción científica. Sin embargo, ellos crean un mensaje logrando, de alguna forma, reflejar o evocar ciertos estados de la mente que nos son familiares. Estos mensajes que son intuitivos, incluso divinos, en lugar de cognitivo-racionales, de alguna manera nos dejan "saber" lo que están diciendo. Sus reglas son las de la lógica premoderna, de la conciencia participativa, de semejanza y de "una afinidad secreta entre ciertas imágenes". "Uno no puede hablar acerca del misterio", escribió René Magritte; "uno debe ser cautivado por él"[40]. De aquí entonces la naturaleza altamente alquímica de un cuadro como *La Explicación* (Ilustración 7), donde una zanahoria y una botella se ven razonablemente distintas, y no menos razonablemente fundidas en un único objeto. *La Persistencia de la Memoria* (Ilustración 8), de Salvador Dalí, tiene la misma cualidad de sueño, donde el tiempo lineal, mecánico ha empezado a marchitarse y fluir en el árido desierto del siglo XX. Ambos cuadros emplean el mismo tipo de lógica e imaginería que observamos en los Grabados 2-6.

Más adelante en este trabajo, tendremos que examinar más detenidamente lo que podría llegar a significar el renacimiento público de la alquimia en el siglo XX. Sin embargo, nuestra tarea ahora es tratar de resolver el enigma de por qué, en primer lugar, se perdió. A pesar de que hemos logrado sumergirnos en esa visión del mundo, aún no nos hemos abocado a la pregunta de cómo la ciencia moderna se las arregló para rebatirla. El marco conceptual holístico de las ciencias ocultas duró milenios, pero a la Europa Occidental le tomó sólo doscientos años —más o menos entre 1500 y 1700— desmembrarlo, revelando que la tradición hermética era, a pesar de su larga estadía en la faz de la tierra, más bien frágil.

El problema yace (desde nuestro punto de vista) en su naturaleza inherentemente dualística. La magia era a la vez espiritual y manipuladora, o, en la terminología de D.P. Walker, subjetiva y transitiva a la vez[41]. Cada una de las ciencias ocultas, incluyendo la alquimia, la astrología y la cábala apuntaban a la adquisición de objetivos prácticos,

Grabado 7. *René Magritte*, La Explicación (1952). Copyright © by A.D.A.G.P., Paris, 1981.

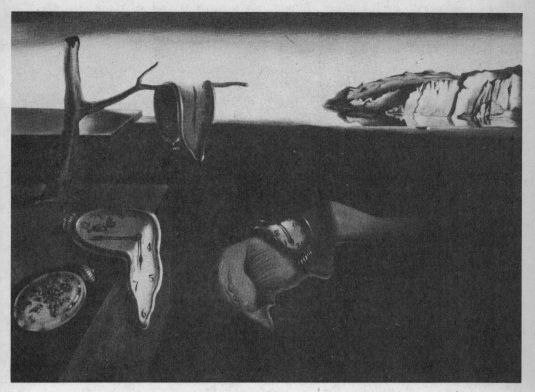

Grabado 8. *Salvador Dalí*, La Persistencia de la Memoria (1931). Oleo en tela 9½" × 13". De la colección del Museo de Arte Moderno, New York.

mundanos, y a la unión con la Divinidad. Siempre había una tensión entre ambas metas (que no es lo mismo que un antagonismo) porque constituían un marco conceptual ecológico más bien delicado. Si, por ejemplo, yo estoy actuando como "partero" de la naturaleza, acelerando su tempo al alterar la naturaleza de la materia, es claro que estoy interfiriendo en su ritmo natural. Cualquier tipo de acción humana sobre el ambiente puede ser visto en estos términos. Pero, el punto es que tal interferencia siempre se reconoció conscientemente. Se santificó mediante el ritual, por miedo de que la tierra le devolviera el golpe al hombre por esta incursión en sus entrañas. Esta interferencia se llevó a efecto en el contexto de una mentalidad y de una economía (estado-estacionario) que buscaba una suerte de *armonía* con la naturaleza, y donde la noción de dominio de la naturaleza habría sido considerada como una proposición que se contradice a sí misma. Sin embargo, la distinción finalmente involucraba una diferencia de grado en lugar de clase, porque ¿en qué momento de nuestra aceleración del tiempo de la naturaleza se puede decir que hemos cruzado la línea que separa el ser partero de un nacimiento inducido, o incluso un aborto? ¿Qué grado de interferencia inclina la balanza desde lo que sería una armonía hasta un dominio deliberado? En el contexto feudal de una economía de subsistencia y de una tecnología muy poco difundida, en el contexto religioso que consideraba a la naturaleza como algo vivo y nuestra relación con ella como de participación, era muy difícil que surgiera tal pregunta, y en este sentido la tradición alquímica no era en absoluto tan frágil. Pero con los cambios sociales y económicos ocurridos en el curso de los siglos XVI y XVII, lo sagrado y lo manipulador fue escindido por la mitad. Este último aspecto podría fácilmente sobrevivir en un contexto de lucro de una tecnología en expansión y de la salvación secular; de hecho, el aspecto manipulador, desarraigado de su base religiosa, consistía precisamente en eso. Así, Eliade se refiere en forma correcta a la ciencia moderna como la versión secular del sueño del alquimista, ya que está latente dentro del sueño "el patético programa de las sociedades industriales cuyo objetivo es la transmutación total de la Naturaleza, su transformación en 'energía' "[42]. El aspecto sagrado del arte llegó a ser, para la cultura dominante, ineficaz y eventualmente sin significado. En otras palabras, la dominación de la naturaleza estuvo siempre acechando como una posibilidad dentro de la tradición hermética, pero no fue vista como separable de su marco referencial esotérico hasta el renacimiento. En esa separación eventual yace la visión del mundo de la modernidad: lo tecnológico, o lo *zweckrational*, como un principio racional del universo (logos).

Lo que es quizás más notable, desde el punto de vista moderno, es que la magia pudo haber servido realmente como una matriz para la Revolución Científica. Como lo explicamos en el Capítulo 2, la tecnología no tenía una base teórica o ideológica, por lo menos hasta Francis Bacon. Incluso hasta la época de Leonardo da Vinci, se tendía a considerar las máquinas como juguetes, mientras que el concepto de fuerza estaba relacionado con el tema hermético de la animación universal[43]. En resumen, la tecnología no podía ser un rival del aristotelismo debido a que no era una *filosofía* acerca de cómo funcionaba el universo. La magia sí lo era. Desde luego, habían muchos tipos de magia y muchas filosofías mágicas, pero todas ellas, en marcado contraste con el aristotelismo eclesiástico, incitaban al practicante a operar sobre la naturaleza, a alterarla, a no permanecer pasivo. En este sentido, la supremacía de las doctrinas y técnicas mágicas en el siglo XVI, era completamente congruente con las fases tempranas del capitalismo, y Keith Thomas ha registrado (por lo menos para Inglaterra) cuan extensiva e intensa fue la actividad oculta durante esa época[44]. La idea de dominar a la naturaleza surgió de la tradición mágica. Tal vez la primera proposición explícita de esta noción apareció en un trabajo de Francesco Giorgio en 1525 (*De Harmonia Mundi*), el cual no trata de tecnología, sino que —de todas las cosas— trata de numerología. Este arte, dice, le conferirá al hombre con respecto a su ambiente *vis operandi et dominandi*, "el poder de operar y dominar". No debiera sorprendernos, entonces que, en el siglo XVI este concepto se extendiera con facilidad de la numerología a la contabilidad e ingeniería.

La numerología nos provee un ejemplo muy instructivo sobre la división entre las tradiciones esotérica y exotérica de las ciencias ocultas. Por ejemplo, en el corazón de la cábala yace la noción de un "código digital". En el alfabeto hebreo, las letras también son números, y por lo tanto se puede establecer una equivalencia entre palabras en absoluto relacionadas basándose en el hecho de que "suman" la misma cantidad. Se creía que la combinación correcta pondría al adepto en contacto con Dios. Por ejemplo, Pico della Mirandola se fascinó con el éxtasis místico producido por la meditación numérica, un trance en que se decía que ocurría la comunicación con la Divinidad (desde luego que la meditación puede producir el éxtasis al concentrarse la atención, como en el yoga)[45]. Al mismo tiempo, técnicas similares formaron la base de una cábala práctica que el adepto podía utilizar para obtener amor, riqueza, influencia y otras cosas por el estilo.

Bajo la presión de los cambios técnicos y económicos acaecidos en el siglo XVI, la búsqueda de Dios o la armonía del mundo comenzó a parecer cada vez más como un proyecto un tanto pintoresco, y el énfasis sobre la tradición práctica o exotérica tuvo como resultado un uso puramente representacional del alfabeto hebreo. Podemos ver este cambio en libros publicados con sólo una década de diferencia entre sí por Robert Fludd y Joseph Solomon Delmedigo. En el Dibujo 9, ilustración de Fludd sobre el universo tolomeico (1619), las letras hebreas significan las "inteligencias espirituales" que gobiernan cada una de las veintidós esferas, desde la Mente del Mundo ("Mens") hasta la esfera de la tierra. (Este mismo tipo de clasificación ocurre en las ilustraciones cabalísticas del cuerpo humano, donde las letras hebreas sirven para identificar las inteligencias espirituales que gobiernan cada parte en particular). Fludd fue un importante proponente del punto de vista de que las letras hebreas, en el diagrama, correspondían a algo real: ellas identificaban concretamente los arquetipos que gobernaban cada región, y esta información podría ser conectada a ciertos tipos de "ecuaciones" cabalísticas que generasen resultados significativos para el practicante. Apenas sí constituía un problema el hecho de que las letras no correspondieran a nada material o substancial de la naturaleza.

En la Ilustración 10 se representa un uso muy diferente del alfabeto hebreo; se trata de un diseño ingenieril del libro *Elim* (1629) de Jospeh Solomon Delmedigo. Aquí, las letras son utilizadas para denominar un conjunto de engranajes en un diagrama que ilustra cómo se puede multiplicar la fuerza de modo que, en la forma arquimidiana, un individuo con un punto de apoyo pueda mover un buen pedazo de la tierra. No es casualidad que el Rabino Delmedigo haya sido estudiante

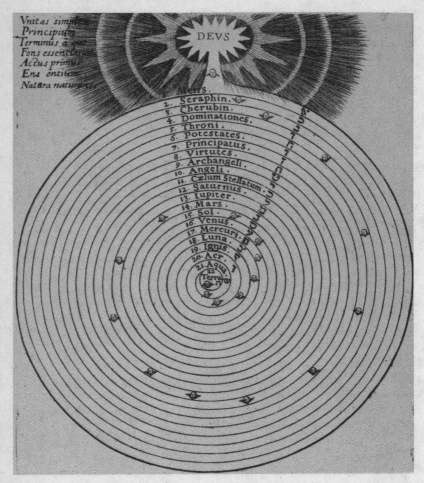

Grabado 9. *El universo tolomeico de acuerdo con Robert Fludd, 1619.* Cortesía de la Biblioteca de Bancroft, Universidad de California, Berkeley.

de Galileo en Padua, que fuera un vehemente copernicano, el primer estudioso judío que utilizara logaritmos, y finalmente uno de los principales hombres en lo que se refiere a la popularización del conocimiento científico. Sin embargo, las denominaciones tienen una significancia aún más compleja. *Elim* significa "potencias" o "fuerzas", y su implicación puede ser tanto sagrada como secular. Jehovah es llamado *El* en la liturgia hebrea; y más generalmente, un *El* puede ser una potencia que lleva la esencia ("inteligencia espiritual") de Dios. Pero *El* también puede significar una fuerza puramente material, como la fuerza desarrollada por un tren de engranajes. Esta ambigüedad se refleja en el libro, que trata tanto de materias religiosas como científi-

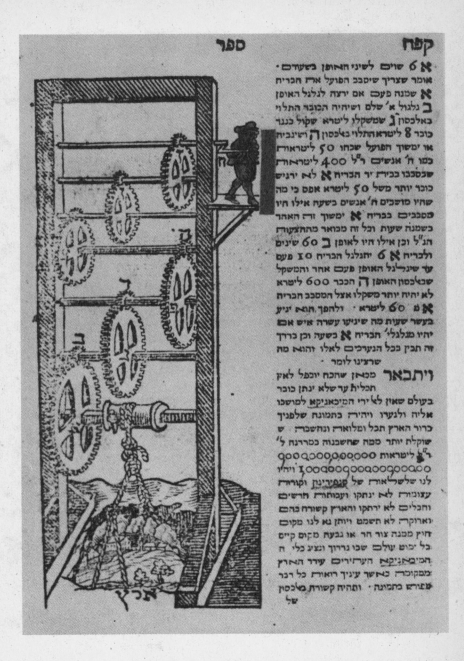

Grabado 10. La ilustración ingenieril *Elim*, por Joseph Solomon Delmedigo, 1629.

cas, y en la actitud del autor hacia la cábala —una actitud que fue tan ambigua que los estudiosos judíos actuales aún no están seguros si acaso Delmedigo era un crítico o un proponente. Durante un tiempo, concepciones dispares del número pudieron existir lado a lado, incluso dentro de una sola mente, pero finalmente, la tradición esotérica fue incapaz de sustentarse. Bajo las presiones de una nueva economía, el aspecto espiritual de la cábala, junto con la potencia evocativa de la palabra hebrea hablada, se hicieron cada vez más irrelevantes. No se trataba de que la cábala estuviera "equivocada", sino de que la tecnología y el capital mercantil no requerían la utilización de las matemáticas religiosas[46].

En todas las ciencias ocultas del siglo XVI y principios del XVII ocurrió una transición similar, con la posible excepción de la brujería, que fue (a mi entender) puramente transitiva y sin un aspecto subjetivo, o auto-transformador. Lo que la ciencia (o más bien, lo que eventualmente llegaba a ser ciencia) conseguía era la adopción del marco referencial epistemológico y la ideología total de la tradición exotérica. Todos los "magos naturales" del siglo XVI, tales como Agrippa, Della Porta, Campanella, John Dee y Paracelso, hasta Francis Bacon, se basaban tanto en la tradición tecnológica como en la hermética para la frase "evocando las fuerzas de la naturaleza". Ambas tradiciones comenzaron a fusionarse en esa época y a formar la base de la experimentación científica moderna. Ambas eran formas *activas* de enfrentarse a la realidad, en franco contraste con la naturaleza estática de la ciencia griega y el verbalismo rígido de la disputa escolástica del medioevo. La identidad del conocimiento y la construcción que discutimos en el Capítulo 2, "la fabricación que es ella misma un conocimiento", que recibió su más clara expresión en el trabajo de Bacon, se derivó de los numerosos escritos sobre magia y alquimia que aparecieron en Europa durante el siglo XVI[47]. Della Porta denominó cándidamente magia a la "parte práctica de la ciencia natural", y hombres como Dee, Campanella y Agrippa tendieron a borronear (desde nuestro punto de vista) el control del ambiente mediante el arte de la navegación con el control del ambiente mediante la astrología[48]. Previo a y durante la Guerra Civil Inglesa, John Aubrey hizo notar en su *Vidas Breves* (*Brief Lives*), que el "astrólogo, el matemático, y el conjurador eran considerados la misma cosa"[49]. Sólo después que la magia le hubo provisto a la tecnología de un programa metodológico, es que esta última estuvo en posición de rechazar a la primera. Pero la pérdida de la tradición esotérica se debió más a la fusión de ambas que a su separación subsiguiente.

Con facilidad se pueden multiplicar ejemplos de este tipo. La tradición esotérica en la astrología, por ejemplo, representada por el estudioso florentino Marsilio Ficino (1433-99), que tradujo todo el corpus hermético para Cosimo de Medici entre 1462 y 1484, buscaba condicionar el cuerpo y el espíritu a través de la música o el encantamiento, para alterar la personalidad ("recibir la influencia celestial"). Bacon mismo aprobaba este aspecto del arte, llamándolo "astrología sana", y D.P. Walker ha dicho lo mismo cuando ha denominado al sistema de Ficino "sicoterapia astrológica"[50]. Pero el legado final de la tradición, incluso entre los astrólogos de la actualidad que se consideran estudiosos serios, es en su mayor parte manipulador y mundano, y la columna del horóscopo en los periódicos actuales representa el resultado patético de lo que una vez fue el magnífico edificio de pensamiento dialéctico.

En el caso de la alquimia, las causas de esta escisión exotérica-esotérica fueron tecnológicas, particularmente debido a la antigua relación de la alquimia con la minería, la metalurgia y numerosos oficios y manufacturas. El siglo XVI vió la aparición de un grupo de artesanos que denunciaban a los alquimistas. Esta actitud se expresaba claramente en obras tales como la *Pirotechnia* de Biringuccio y la *De Re Metallica* de Agricola[51]. La división es al mismo tiempo una respuesta a las relaciones económicas cambiantes, en particular, al colapso de las cofradías. Una economía cada vez más liberal desafiaba tanto a la noción feudal de mantener el secreto acerca de las técnicas del oficio como a la tradición oral que había sido la base de la iniciación en estos "misterios". La presión por revelar estos secretos, por hacerlos accesibles a todos mediante el tipo impreso de Gütenberg, llevó a la publicación de manuales de oficios (como los de Biringuccio y Agricola) que suministraron relatos detallados de procesos e ilustraciones de las prácticas de las cofradías (ver Ilustración 11). Estas obras, cuya aparición habría sido vista con horror en la Edad Media, ahora servían a los intereses de una clase social grande y amorfa. Los procesos de los oficios en sí mismos se habían convertido en bienes transables; y el secreto, el conocimiento revelado y las analogías microcosmos/macrocosmos eran consideradas superfluas e incluso enemigas, por una artesanía cada vez más involucrada en una economía de mercado. Por lo tanto, cuando el cirujano Ambroise Paré (1510-90) fue acusado de haber revelado secretos de la cofradía, se sintió confiado al responder que no era uno de esos hombres que "hacen una cábala del arte"[52]. De hecho, toda la noción de la organización científica que fue preconizada por Bacon en su *New Atlantis* era completamente incompatible con el ideal medieval del secreto deliberado.

La ideología tras este ataque era de naturaleza intensamente lingüística. Una vez que la idea de un paisaje psíquico interno (en nuestros términos), o la participación original, se perdió parcialmente, la tecnología fue capaz de juzgar a la tradición alquímica desde el punto de vista de la claridad y la precisión técnica y, desde luego, considerarla muy deficiente en estos aspectos. Como hemos visto, el lenguaje de la alquimia es como de sueños, simbólico, imaginario, pero este mundo de semejanza se estaba desintegrando. Las zanahorias no eran botellas, los leones ya no devoraban al sol, los andróginos eran invenciones

Grabado 11. Separando el oro de la plata, de *De Re Metallica* (1556). Cortesía de la Biblioteca de Bancroft, Universidad de California, Berkeley.

de la misma categoría que los unicornios. Las frases crípticas tales como "el sol y su sombra completan la obra" no conseguían enlozar las ollas o extraer el estaño, y los nombres para substancias como "mantequilla de antimonio" o "flores de arsénico" (que, sin embargo, perduraron hasta fines del siglo XVIII) ahora eran vistos como torpes e ineficientes. La totalidad de la imaginería alquímica, de las cosas siendo ellas mismas y sus opuestos, o poseyendo una ambigüedad inherente, ahora era considerada estúpida, incomprensible, un obstáculo que debería ser eliminado de raíz. Biringuccio, Bacon, Agricola, Lazarus Ercker y muchos otros, se dispusieron deliberadamente en contra de la tradición de asombro ante la naturaleza, de la credulidad acerca de bestias, plantas y piedras fabulosas —una tradición que había caracterizado a la literatura medieval desde Pliny hasta Agrippa. La noción de *satsang* aún presente en las disciplinas esotéricas como el Zen y el yoga, de que la verdad es milagrosamente comunicable a través de la relación con un maestro, era para estos hombres un anatema. Ellos veían correctamente que el intento de dominación de la naturaleza dependía de la claridad cognitiva. El colapso de una orientación ecológica u holística hacia la naturaleza, iba de la mano con el rechazo de la razón dialéctica[53].

El segundo factor que contribuyó a la escisión entre las tradiciones esotéricas y exotéricas fue la religión organizada, tanto la católica como la protestante. Era la intimidad entre la magia y el Catolicismo la que llevó a un énfasis exagerado de los aspectos esotéricos de la alquimia (antes de esto, no se consideraba que la alquimia poseyera "aspectos"), un énfasis que sirvió para agudizar la distinción entre la tradición esotérica y el cuerpo creciente de estudios tecnológicos que estaban rechazando esa tradición en primer lugar. Esta misma intimidad también dejó a la magia extremadamente vulnerable al racionalismo protestante, tanto durante como después de la Reforma.

De acuerdo a Keith Thomas, durante la Edad Media la iglesia estuvo muy comprometida en prácticas mágicas a nivel local. De hecho, sin su red de rituales y sacramentos es dudoso que la iglesia pudiera haber tenido la influencia que tuvo. La liturgia de la época incluía rituales para bendecir casas, herramientas, cosechas y personas que se disponían a viajar; rituales para asegurar la fertilidad; y rituales de exorcismo. En la mente popular, el sacerdote tenía poderes especiales. En torno a la ceremonia de la Misa surgieron una serie de creencias o supersticiones. Así por ejemplo, se consideraba que la hostia era capaz de curar a los ciegos, y también podía ser molida y esparcida en el jardín para eliminar a las orugas. Al mismo tiempo, la iglesia deliberadamente no hacía clara la distinción entre las oraciones, que eran llamados por ayuda sobrenatural, y las herramientas de la magia, tales como amuletos o maldiciones, que supuestamente funcionaban automáticamente. La iglesia recomendaba el uso de las oraciones cuando se recolectaban hierbas medicinales; y la repetición de *ave marias* o *pater nosters* fomentaban la noción de que estos "encantamientos" latinos tenían una eficacia mecánica. En todo caso, a pesar de la oposición de la iglesia a la magia a nivel oficial, aparecía ante el populacho "como una vasta reserva de poder mágico, capaz de ser desplegada para una serie de propósitos seculares"[54].

En lo que a la alquimia se refiere, su relación con la iglesia, al menos durante la Edad Media, fue prácticamente herética, ya que ocasionalmente reclamaba para sí el haberle dado contenido interno a la Cristiandad, lo que ninguna religión organizada podría hacer[55]. Así, a menudo sustentaba una analogía entre Cristo y el trabajo alquímico en sí mismo, el así llamado paralelo lapis-Cristo. Esta analogía y la afirmación de la transformación material tuvo como resultado varias encíclicas y bulas papales en contra del arte. Pero como la estructura social de la iglesia empezó a desmoronarse en el siglo xv, la alquimia y la religión llegaron a entreverarse de una manera muy poco usual. En particular, el aspecto soteriológico (salvacionista) del arte empezó a recibir más atención a medida que los "farsantes" y charlatanes eran objeto de ataques cada vez mayores. Este desarrollo fue otra faceta de la escisión esotérica-exotérica. Sir George Ripley (1415-90), canónigo de Bridlington y alquimista también, afirmaba francamente que el propósito de la alquimia era la unión del alma con el cuerpo. Ya por el siglo XVI, la iglesia había redactado un documento que establecía las correspondencias entre los diversos procesos alquímicos y los sacramentos de la iglesia. Así entonces, la putrefacción era la extremaunción; la destilación, la ordenación; la calcinación, el arrepentimiento; la coagulación, el matrimonio; la solución, el bautismo; la sublimación, la confirmación; y desde luego, la transmutación, la Misa[56]. De estas correspondencias podríamos inferir que el colapso de la magia de la iglesia bajo la presión de sectas herejes, y más tarde, la Reforma Protestante, condujo a un sobreénfasis de la dimensión religiosa de la alquimia. Esto, adicionado al ataque montado por la creciente literatura tecnológica, finalmente sirvió para apartarla definitivamente de la tradición exotérica.

Fue durante el Renacimiento que el aspecto soteriológico de la alquimia fue llevado a su extremo, convirtiéndose en las palabras de Jung, "en una corriente subterránea de la Cristiandad que gobernaba en la superficie". Además del paralelo lapis-Cristo, algunos textos se referían al mercurio como la Virgen María, y al espíritu del mercurio como el Espíritu Santo. Sir George Ripley constantemente mezclaba los símbolos cristianos con los símbolos alquímicos de un modo que se convertían en una parodia no intencional del Catolicismo. Por ejemplo, en uno de sus dibujos, el león verde yace sangrando en la falda de la virgen, una caricatura obvia de la Pietá[57]. La actitud cristiana hacia la alquimia en esta época también es revelada en la elección de animales utilizados como metáforas de Hermes, los cuales eran los mismos que habían sido usados para Cristo en la literatura patrística: el dragón, el pez, el unicornio, el águila, el león y la serpiente. La transubstanciación era considerada, en esencia, un proceso alquímico. Ripley y otros ensalzaban el considerar la piedra como la Segunda Venida, lo cual, como hace notar Jung, "suena muy extraño en la boca de un eclesiástico del medioevo". En verdad, lo que vemos es una distorsión no intencional de la Cristiandad, una apoteosis que al mismo tiempo estaba llegando a su fin. La síntesis cristiana medieval fue así refundida en términos alquímicos, y esta tendencia logró su clímax al final del siglo XVI con el ascenso de los Rosacruces, una hermandad semisecreta, oculta, que existe hasta el día de hoy.

Ya a fines del siglo XVI, la relación íntima entre la magia y la iglesia se había convertido en un blanco tan obvio de la Reforma que las prácticas mágicas de todo tipo comenzaron a ser atacadas tanto por el Catolicismo como por el Protestantismo. La historia es un tanto complicada, las relaciones católico-protestantes eran en sí mismas muy complejas, y el ataque sobre la magia era parte de un sanguinario fuego cruzado que no es fácil de desenredar. La oposición del catolicismo a la magia fue facilitada por un compromiso protestante con la tradición hermética por parte de aquéllos que, como sugiere Jung, veían a esa tradición (tal vez inconscientemente) como un modo de seguir siendo católicos. Por lo tanto, hacia fines del siglo XVI en Alemania, un grupo de practicantes ocultos comenzaron a plantearse abiertamente en favor del hermetismo argumentando que éste era el camino hacia la iluminación divina y estableciendo en forma explícita el paralelo lapis-Cristo[58]. Este movimiento empezó a tener un fuerte impacto en los círculos luteranos y se agrupó en torno a las fuerzas protestantes que podían protegerlo del largo y temible brazo de la Inquisición. Así, el movimiento adquirió un tinte político, que surgió en manifiestos anónimos de 1614-15 que defendían el rosacrucismo y las ciencias ocultas.

Europa pronto se vio envuelta en un frenesí sobre el rosacrucismo y sus implicaciones herejes. La religión ortodoxa estaba convencida de la existencia de algo que se acercaba a una conspiración mundial, un cargo explícitamente negado por el alquimista Michael Maier en su *Leyes de la Fraternidad de los Rosacruces* (*Laws of the Fraternity of the Rossie Cross*) (edición latina de 1618) —un libro que sin embargo afirmaba la existencia de una hermandad secreta de místicos iluminados dedicados al mejoramiento de la humanidad. Dos años antes de esto, el médico y alquimista inglés Robert Fludd publicó su propia defensa de la hermandad (*Apologia Compendaria Fraternitatem de Rosea Cruce*), la cual siguió con una serie de volúmenes publicados entre 1617 y 1621. Fludd argumentaba en favor del contenido interno de las ciencias ocultas, de una interpretación alquímica de la Biblia (por ejemplo, considerar la creación como una separación química divina) y de la visión de la naturaleza como un vasto proceso alquímico.

Desde luego que el surgimiento de una fraternidad de alquímicos que argumentaban en favor de ella como también de las publicaciones que defendían a este grupo, probablemente no reflejaba la fortaleza de la tradición sino el hecho de que estaba moribunda. Por muy atemorizante que fuera para la iglesia una defensa de la alquimia religiosa, es claro, retrospectivamente, que ocurrió en parte como un intento de algunos por mantener y preservar lo que consideraban el contenido espiritual genuino del catolicismo. Sin embargo, en el contexto de esa época, el que la alquimia se atribuyera la única verdadera salvación no podía ser considerado sino como una herejía perniciosa. Así entonces en 1623, apareció en París una proclama que anunciaba la llegada de la hermandad, donde se declaraba que permanecería invisible pero que conduciría a la gente hacia el verdadero camino. Al año siguiente, se convocó a una reunión abierta para defender las tesis alquímicas, la cual fue disuelta por orden del Parlamento, y su orador principal (un tal Estienne de Clave) fue arrestado. En ese contexto, el fraile Minorita

Marin Mersenne se lanzó en una campaña para salvar tanto a la iglesia como al estado y también a la filosofía de este peligroso vuelco de los eventos. Este ataque fue creciendo en tal forma, como una bola de nieve que rueda, enrolando en su camino a las mejores mentes de Europa, lo que ha sido correctamente considerado el toque de difuntos del animismo de Occidente. No sólo significó un extenso rechazo a la alquimia esotérica, sino que posiblemente es el primer enunciado claro de la distinción hecho-valor y de la concepción positivista de la ciencia.

Como hombre profundamente interesado en la religión y en la filosofía natural, Mersenne no sólo se alarmó por el fenómeno rosacrucista sino también por el hecho de que la creciente aversión de los estudiosos al aristotelismo los había conducido al hermetismo, el cual ofrecía un enfoque más activo y experimental de la naturaleza. Comprendió que sería necesario no tan sólo refutar a Fludd, sino que formular una versión cristianizada del racionalismo aristotélico que simultáneamente facilitara un enfoque más dinámico del mundo natural. En obras extensas escritas y publicadas durante el período de 1623-25, Mersenne denunció a Fludd como un "mago maligno" y atacó a la alquimia como un intento de ofrecer salvación sin fe, es decir, erigirse a sí misma en una contra-iglesia. Al atribuirle poder a la materia, la tradición hermética había negado el poder de Dios, quien debería ser visto correctamente como gobernador del mundo, no inmanente a él. Sin embargo, en lugar de defender la abolición de la alquimia exotérica, Mersenne propuso algo que finalmente resultó ser mucho más efectivo en este aspecto: que el estado fundara academias alquímicas para vigilar de cerca a los charlatanes. Estas academias limpiarían el lenguaje de la alquimia, sustituyéndolo por una terminología clara basada en las operaciones químicas observables. Ellas también evitarían toda discusión sobre religión y filosofía. En efecto, propuso el divorcio deliberado entre el hecho y el valor, lo cual pronto se convertiría en el distintivo de la ciencia moderna.

En el curso de su ataque a Fludd, Mersenne consiguió la ayuda de su colega Minorita Pierre Gassendi. Siendo profesor en Aix-en-Provence, Gassendi se trasladó a París en 1624, convirtiéndose (gracias a la influencia del Cardenal Richelieu), eventualmente, en Rector de la Catedral de Digne y Profesor de Matemáticas en el Collège Royale. Su ataque a Fludd fue, como el de Mersenne, religioso, acusando al inglés de tratar de hacer de la alquimia "la única religión de la humanidad"; pero también fue una crítica científica, arguyendo que las nociones centrales de Fludd no podían ser demostradas empíricamente. Por ejemplo, no había forma de probar que todas las almas humanas tuvieran una parte de Dios, o que un alma del mundo realmente existiera. En efecto, el ataque de Gassendi sobre Fludd puede haber sido la declaración más temprana del positivismo científico. Este igualar lo medible con lo real era otra versión de la postura pública que adoptó Newton cuando se desafió al concepto de la gravedad como una causa oculta.

Sin embargo, el ataque de Gassendi fue mucho más que una crítica. En el curso de los años 1630 elaboró una visión del mundo de la materia y del movimiento que, a pesar de sus diferencias con las ideas de Hobbes y Descartes, equivalía a una concepción del universo al estilo de una bola de billar. El cambio era externo, ocurría mediante la causa física, y no por medio de los principios internos (dialécticos) sostenidos por los alquimistas. Todo lo que podemos conocer, argüía, son las apariencias, no las cosas en sí mismas. La materia, de la misma manera que la tierra, está efectivamente muerta; y Dios no es un alma del mundo, sino que un director del mundo[59].

Las semejanzas que el lector puede haber notado entre la física cartesiana y los puntos de vista de Mersenne y Gassendi no son accidentales. Descartes también estaba cerca de Mersenne, trasladándose a París en 1623 y contribuyendo al esfuerzo común de suministrar un atomismo cristianizado que preservaría la estabilidad religiosa y política. En su *Principios de la Filosofía* (Principles of Philosophy), el espíritu del mundo de los alquimistas se había convertido en un mecanismo del mundo (el éter moviéndose en vórtices), con la mente expurgada de la materia y Dios relegado a la periferia. La destrucción de la conciencia participativa, y el rol de Dios como un director externo, eran apenas características de poca importancia del sistema. Ambos suministraban sanciones "científicas" en contra del pensamiento independiente, religioso o político. En 1630 Descartes le escribió a Mersenne lo suguiente: "Dios establece las leyes matemáticas en la naturaleza, como un rey establece las leyes en su reino".

El colapso de la alquimia fue el resultado no sólo de las publicaciones eruditas, sino que de la organización misma de la ciencia. La célula monástica de Mersenne se convirtió en el centro virtual y neurálgico de la ciencia europea. El dirigía reuniones semanales y mantenía una intensa correspondencia con científicos de todos los países, que presentaban sus trabajos entre ellos y al público educado. Los proponentes del mecanicismo, tales como Galileo, fueron traducidos y enseñados. Se contrataron hombres que más tarde serían figuras claves en la Sociedad Real de Londres, y estos lazos fueron fortalecidos cuando algunos de ellos se asilaron en París durante la Guerra Civil. Walter Charleton introdujo las ideas de Gassendi en Inglaterra en 1654, y poco tiempo después Robert Boyle comenzó una serie de publicaciones que atacaban a la alquimia y que argumentaban en favor de la visión del mundo mecánica, la que él había intentado demostrar mediante experimentos de acuerdo con la experiencia real. Las doctrinas alquímicas fueron "quimicalizadas" por un proceso de clarificación lingüística y de traducción en términos estrictamente exotéricos. La filosofía mecánica, y el divorcio del hecho del valor, fueron incluidos directamente en las líneas centrales del pensamiento de la Sociedad Real.

Después de la muerte de Mersenne, Gassendi presidió las reuniones semanales, que ahora se llevaban a cabo en la casa de un hombre muy rico, Habert de Montmor. Esta casa llegó a ser en 1657, la Academia Montmor y a sus reuniones asistían secretarios de estado, varios abates de la nobleza y otros oficiales de alto rango. La Academia se convirtió en la campeona de la filosofía mecánica y mantuvo fuertes lazos con la Royal Society. En 1666, el ministro de Luis XIV, Colbert, reorganizó la Academia como la Academia Francesa de Ciencias. Como fue el caso con la Royal Society, la noción de una ciencia libre de valores era parte de una campaña política y religiosa para crear un orden social y eclesiástico estable a lo largo de toda Europa. Lo que la ciencia moderna llegó a considerar verdades abstractas, como la separación radical entre la materia y el espíritu, o la mente y el cuerpo, fueron centrales para esta campaña. El éxito de la visión del mundo mecánica no puede ser atribuido a la validez inherente que pudiera poseer, sino que (parcialmente) al poderoso ataque político y religioso hecho a la tradición hermética por las élites europeas reinantes[60].

Al igual que la oposición mantenida por los círculos de Mersenne al hermetismo, que tomaba la forma de un ataque a las afiliaciones ocultas del protestantismo, una parte integral de su oposición al catolicismo fue el ataque protestante a la magia. Ya hemos visto cuán íntimas eran las ligazones entre la magia y la iglesia a nivel local, y cuán esenciales eran para mantener su autoridad. No nos debiera sorprender, entonces, descubrir que la Reforma adoptara un frente deliberadamente racional. Todos los sacramentos fueron examinados en busca de sus afiliaciones mágicas. Se compilaron y circularon listas de los papas que habían sido conjuradores en forma declarada e incluso tales prácticas como decir "Dios te bendiga" cuando una persona estornudaba, fueron atacadas por ser una trampa supersticiosa. Finalmente, el ataque tuvo éxito. Por el año 1600 la idea de que Dios no podía ser conjurado y que las ceremonias rituales (tales como la transubstanciación) no podían tener eficacia material, estaba ganando terreno. La idea de que los objetos físicos tenían Mente, o *mana* tras ellos, y que podían ser alterados por procedimientos exorcistas o alquímicos, comenzó a ser seriamente atenuada[61].

Además, el protestantismo fue capaz de debilitar las proclamas soteriológicas del hermetismo con el concepto de la salvación secular. Es interesante que este concepto adoptara en forma exacta la estructura de la práctica mágica. Como ya hemos notado, la eficacia del practicante era considerada una función de su pureza o virtud interna. Del mismo modo la evidencia de gracia en, por ejemplo, el Calvinismo, era el éxito mundano. Como lo describiera Weber in extenso, el dinero era ahora considerado la manifestación de la salvación, la piedra de toque de la verdadera devoción. Y en el contexto del capitalismo naciente, el concepto de la salvación personal mediante la regeneración psíquica interna, ahora abiertamente propugnada por grupos como los rosacruces, sencillamente no podía competir. Para las clases media y alta, al menos, el vacío dejado por el ataque protestante a lo sobrenatural podría ser llenado por medio de la oración y el éxito mundano. Pero, dado que la salvación secular era tan obviamente una filosofía del "triunfador", el protestantismo estuvo en la posición de imponer una doctrina a un populacho acostumbrado, desde largo tiempo, a otro tipo de explicaciones[62].

A lo largo de la Europa del Norte, tanto la noción de la salvación secular como la filosofía mecánica informaban sobre la visión del mundo de la burguesía naciente; sólo serían satisfechas sus necesidades espirituales. La imposición de esta nueva doctrina no involucraba únicamente la opresión de otras, sino también la represión del sí-mismo. Los valores puritanos de la competitividad, el orden y el auto-control llegaron para tipificar un mundo que previamente había considerado tal conducta aberrante; o, como en el caso de Isaac Newton, francamente patológica[63]. Como lo dice Christopher Hill, los "predicadores sabían lo que estaban haciendo... estaban enfrentados con el 'hombre natural'. El modo de pensamiento, sentimiento y represión que ellos deseaban imponer era totalmente antinatural"[64]. Hoy día, tenemos que vivir con las consecuencias de su éxito, y considerarlo, junto a la visión mecánica del mundo, como algo "normal". Pero si el hermetismo de hecho corresponde a un substrato arcaico en la psiquis humana, como parece indicar la obra de Jung, y si la creatividad y la individuación son motivaciones inherentes a la naturaleza humana, entonces nuestra visión moderna de la realidad fue adquirida a un precio demasiado alto. Porque lo que finalmente se creó mediante el cambio del animismo al mecanicismo no fue meramente una nueva ciencia, sino que una nueva personalidad que debía ir junto a ella; e Isaac Newton puede ser considerado correctamente como un microcosmos, o un epítome, de estos cambios. Deseo, entonces, completar este recorrido del colapso de la conciencia participativa con un examen separado de la vida y el trabajo de Newton en relación con los acontecimientos políticos y religiosos de su época. Sólo entonces estaremos preparados para evaluar el costo de la pérdida del holismo en Occidente y preguntarnos qué es aún posible para aquéllos de nosotros que somos, filosófica y psicológicamente, los herederos de la síntesis newtoniana.

4

El desencantamiento
del Mundo (2)

Porque la naturaleza es un trabajador circulatorio perpetuo, que genera fluidos a partir de sólidos, y sólidos a partir de fluidos; cosas fijas de lo volátil, y lo volátil de lo fijo; lo sutil a partir de lo grosero, y lo grosero a partir de lo sutil; hace que algunas cosas asciendan para así hacer los fluidos terrestres superiores, los ríos y la atmósfera, y por consecuencia hace que otros desciendan como una contrapartida de lo anterior.

Isaac Newton, de una carta
a Henry Oldenberg, enero 25 de 1675/6

A mí me parece probable que Dios, en un comienzo, haya formado la materia como partículas sólidas, macizas, duras, impenetrables, movibles, de tales formas y tamaños, y con tales otras propiedades y en una proporción con el espacio tal que cada una llegó al final para el cual él las había formado... Y por lo tanto, esa naturaleza puede perdurar, los cambios de las cosas corpóreas deben ser colocadas sólo en las distintas separaciones y en las nuevas asociaciones y movimientos de estas partículas permanentes...

Isaac Newton, Pregunta 31
del *Opticks*, 4ª edición, 1730

I saac Newton es el símbolo de la ciencia occidental, y el *Principia* puede considerarse justificadamente como el punto donde gravita el pensamiento moderno científico. Como vimos en el Capítulo 1, Newton definió el método de la ciencia en sí misma, las nociones de hipótesis y experimento, y las técnicas que iban a hacer del manejo racional del ambiente un programa intelectual viable. A través de la postura pública adoptada por Newton y su discípulo Roger Cotes, el concepto positivista de la verdad, adelantado primero por Mersenne fue estampado en la mente europea. Y a pesar de que la física del siglo xx ha modificado significativamente los detalles de la síntesis newtoniana, todo el pensamiento científico, si no el carácter mismo del pensamiento empírico racional contemporáneo en general, permanece, en esencia, profundamente newtoniano.

Fue así que con cierto asombro, cuando se remataron cantidades de los manuscritos de Newton por sus descendientes en la Casa Sotheby en 1936, el economista británico John Maynard Keines tuvo la oportunidad de leerlos y descubrió que Newton había estado sumido, sino obsesionado, en las ciencias ocultas, particularmente en la alquimia[1]. Como resultado, Keynes no pudo dejar de hacer el siguiente juicio:

Newton no fue el primero de la edad de la razón. Fue el último de los magos... El observaba la totalidad del universo y todo lo que está dentro de él *como un enigma*, como un secreto que podía ser leído aplicando el pensamiento puro a ciertas evidencias, a ciertas claves místicas que Dios había esparcido por el mundo para permitirle a la hermandad esotérica una especie de búsqueda del tesoro del filósofo. Creía que estas claves se iban a encontrar parcialmente en la evidencia de los cielos y en la constitución de los elementos (y esto es lo que proporciona la falsa sugerencia de que hubiera sido un filósofo natural experimental), pero también parcialmente en ciertos escritos y tradiciones transmitidos por los hermanos en una cadena continua desde la revelación críptica original en Babilonia. Consideraba al universo como un criptograma armado por el Todopoderoso[2].

Keynes llegó a la conclusión de que el siglo XVIII había esencialmente "limpiado" la imagen de Newton para su exposición pública; que el *Principia* y el *Opticks* no eran más que la parte publicada de una búsqueda mucho más amplia que tenía más en común con la visión del mundo de, digamos, Robert Fludd que con la de un físico del siglo XIX. Pero la reciente biografía de Newton de Frank Manuel, y el brillante estudio de Newton y su contexto cultural de David Kubrin, han mostrado, en gran medida, que Newton se había limpiado a sí mismo también[3]. Para encontrar la respuesta al enigma de la gravedad a nivel de las partículas, Newton se abocó a la tradición hermética; y llegó a considerarse a sí mismo, como lo sugiere Keynes, como el representante contemporáneo, de hecho incluso como el heredero escogido por Dios, de esa tradición. Pero tanto por razones psicológicas como políticas, Newton encontró que era necesario reprimir esa parte de su personalidad y su filosofía, y presentar una cara sobria, positivista. De maneras significativas, la evolución de la conciencia de Newton refleja no tan sólo el destino de la tradición alquímica en la Inglaterra de la Restauración, sino que también la evolución de la conciencia occidental en general. Incluso, Manuel ha sugerido que su personalidad y su punto de vista no eran más que expresiones extremas de la época[4].

La niñez de Newton se caracterizó por una gran dosis de angustia de separación, que es parte de todas nuestras vidas tempranas y que luego sirve como modelo para la sensación de respuestas corporales que ocurren cada vez que nos enfrentamos a la pérdida de un objeto. El padre de Newton murió tres meses antes que éste naciera, y su madre se volvió a casar cuando tenía aproximadamente tres años. Ella se fue a vivir a tres kms. de distancia con su nuevo marido, el Reverendo Barnabás Smith, dejando a Isaac con su abuela en Woolsthorpe, Lincolnshire, lugar de su nacimiento. Regresó a Woolsthorpe únicamente cuando murió su segundo marido, época en la cual Newton tenía aproximadamente once años. De aquí se desprende que Newton fue literalmente abandonado durante un período crucialmente formativo, después de un período en que su madre había sido su único padre. "Como resultado", escribe Manuel,

> su fijación sobre ella era absoluta. El trauma de su separación original, la negación de su amor, generaron angustia, agresividad y temor. Después de la posesión total —no perturbada por un rival, ni siquiera por un padre, como si hubiera nacido de una virgen— ella se alejó y él fue abandonado.

"La pérdida de su madre en favor de otro hombre", continúa Manuel, "fue un evento traumático en la vida de Newton, del cual nunca se sobrepuso". Newton registró en uno de sus cuadernos de adolescente algunos "pecados" tales como "amenazar a mi madre y a mi padre Smith con quemar la casa con ellos adentro" y "desear la propia muerte y la de otros".

Debiera hacerse notar también que la creencia de Newton de que él era parte del *aurea catena*, la "cadena dorada" de los Magos, o figuras únicas designadas por Dios en cada época para recibir la antigua sabiduría hermética, se vio reforzada por las circunstancias de su nacimiento. Newton nació prematuramente, el día de Navidad de 1642, y no se esperaba que sobreviviera. De hecho, esa aldea en particular tenía una alta tasa de mortalidad infantil, y más tarde Newton llegó a creer que su sobrevivencia (como así también el haber escapado de las devastaciones de la plaga cuando aún era un joven) era el fruto de una intervención divina. La misma aldea, de acuerdo a Manuel, también daba crédito a cierta creencia bastante difundida de que un hijo varón nacido luego de la muerte del padre está dotado de poderes extraordinarios. Esta actitud, combinada con el gran temor de Newton a la pérdida de objetos, produjo su peculiar actitud con respecto a los pensadores del pasado y del presente. Moisés, Tot, Tales, Hermes, Pitágoras y otros por el estilo disfrutaban de sus alabanzas; mientras que los científicos contemporáneos eran en gran medida una amenaza. Newton se sumía en profundas iras al argumentar sobre su prioridad ante hombres como Hooke y Leibniz, y consideraba el sistema del mundo descrito en el *Principia* como de su propiedad personal. Estaba seguro de que "Dios se revelaba a sí mismo únicamente ante un profeta en cada generación, y esto hacía que los descubrimientos paralelos fueran improbables". Al pie de uno de sus cuadernos sobre alquimia Newton inscribió, como un anagrama de su nombre en latín, Isaacus Neuutonus, la frase: *Jeova sanctus unus* —Jehová el sagrado.

Junto con estos rasgos psicológicos, Newton manifestaba aquéllos propios de la moralidad puritana: austeridad, disciplina, y sobre todo, culpa y vergüenza. "Tenía un censor interno", dice Manuel, "y vivía bajo el ojo del Prefecto...". Tales conclusiones surgen de un estudio de los cuadernos de ejercicios de Newton de cuando era aún adolescente, que incluyen frases escogidas para ser traducidas al latín a la manera de la asociación libre —frases en las cuales el miedo, el auto-desprecio y la soledad abundan como temas. He aquí un ejemplo:

Un tipo pequeño.	A little fellow.
Es pálido.	He is paile.
No hay un lugar donde sentarme.	There is noe roome for mee to sit.
¿Para qué empleo sirve él?	What imployment is he fit for?
¿Qué puede hacer bien?	What is hee good for?
Está quebrado.	He is broken.
El barco se hunde	There ship sinketh.
Hay una cosa que me aproblema.	There is a thing which trobeleth mee.
El debería haber sido castigado.	He should have been punished.
Ningún hombre me entiende.	No man understands mee.
¿Qué será de mí?	What will become of me.
Haré un fin.	I will make an end.
No puedo llorar.	I cannot weepe.
No sé qué hacer.	I know not what to doe.

Estas son frases realmente notables para ser escogidas por un joven para sus ejercicios de latín; en efecto, la selección es casi increíble. "En todos estos escritos juveniles", escribe Manuel,

> hay una asombrosa ausencia de sentimientos positivos. Jamás aparece la palabra *amor*, y las expresiones de alegría y deseo son escasas... Casi todas las afirmaciones son negaciones, amonestaciones, prohibiciones. El clima de la vida es hostil y punitivo.

Si la historia no hubiera sabido nada más de Isaac Newton, estas anotaciones serían sólo una curiosidad psiquiátrica. Pero, ocurre que estamos hablando acerca del creador de la visión científica moderna, y esa visión, la insistencia de que todo sea totalmente predecible y racionalmente calculable ("aniquila a cualquier cosa que se mueva", como lo dice Philip Slater) no puede ser separada de su base patológica. "Una de las fuentes principales del deseo de Newton por saber", escribe Manuel, "fue su ansiedad anterior y su temor a lo desconocido. El conocimiento que podía ser matematizado terminó con sus inquietudes... (El hecho) de que el mundo obedeciera a una ley matemática era su seguridad".

> El forzar todas las cosas en los cielos y sobre la tierra dentro de una armazón rígida, bien armada, desde donde el detalle más minúsculo no pudiera escapar y ser presa del azar, era una necesidad subyacente de este hombre sobrepasado por la ansiedad. Y con raras excepciones, su

deseo fantasioso fue satisfecho durante el curso de su vida. El sistema era completo tanto en sus dimensiones físicas como históricas. Una estructuración del mundo de una manera tan absoluta que cada acontecimiento, el más cercano y el más remoto, calce ordenadamente en un sistema imaginario ha sido llamada un síntoma de una enfermedad, especialmente cuando otros se niegan a unirse al gran designio obsesivo. Fue la suerte de Newton que una gran parte de su sistema total fuera aceptable para la sociedad europea como una representación perfecta de la realidad, y así su nombre fue adherido a esta época[5].

"El esquizofrénico", escribe el antropólogo Géza Róheim: "es el mago que ha fracasado"[6]. A pesar de su eventual quiebre mental, Newton no era psicótico; pero no cabe duda que bordeaba algún tipo de locura, y que la apaciguó con su visión tanática de la naturaleza. Sin embargo, lo que es significativo no es la visión de la naturaleza en sí misma, sino que el amplio acuerdo que encontró y el entusiasmo que generó. Newton fue el mago que triunfó. En lugar de permanecer como un tipo aislado, fue capaz de conseguir que toda Europa "se uniera al gran designio obsesivo", llegando a presidente de la Royal Society y ser enterrado, en 1727, en medio de gran pompa y gloria en Westminster Abbey, lo que fue literalmente un acontecimiento internacional. Con la aceptación de la visión newtoniana del mundo, podría argüirse, Europa perdió la razón colectivamente.

¿Qué cabida tiene en todo esto el hermetismo de Newton? Ya hemos visto que él se consideraba a sí mismo como el heredero de una tradición arcaica, lo que D.P. Walker ha denominado la *prisca theologia* (teología antigua), una colección de textos relacionados con la iglesia que se creía, durante el Renacimiento, habían sido inspirados por el conocimiento que databa de la época de Moisés y que contenían los secretos de la materia y el universo[7]. De hecho, la biblioteca alquímica de Newton era vasta, y sus experimentos alquímicos fueron un rasgo fundamental de su vida hasta 1696, cuando se trasladó a Londres para convertirse en maestro de la Casa de Moneda (the Mint). Newton estaba conectado a la alquimia por algo integralmente relacionado con su megalomanía acerca de su creencia de haber heredado la tradición sagrada: su convicción de que la materia no era inerte sino que precisaba de un principio activo, o hilárquico, para su movimiento. Newton esperaba encontrar en la alquimia la correlación microcósmica con la atracción gravitacional, que ya había establecido en el nivel macrocósmico. Como lo ha señalado justamente Gregory Bateson, Newton no descubrió la gravedad; la *inventó*[8]. Sin embargo, esta invención fue parte de una búsqueda mucho más amplia: la búsqueda de Newton del sistema del mundo, el secreto del universo —un antiguo enigma que databa, como dijo Keynes, desde la época de los babilonios. La tradición hermética fue así el marco referencial del pensamiento newtonia no temprano, y la gravedad era meramente un nombre para el principio hilárquico que estaba seguro tenía que existir[9]. Newton fue antes que nada, el alquimista que Keynes vio en él. Sin embargo, a lo largo de los años, como resultado de la fuerte auto-represión con su importante motivación política subyacente, gradualmente se convirtió en un filósofo mecánico.

El interés inglés por la alquimia, y el misticismo en general, se tornó muy intenso durante el período de la niñez de Newton, de la Guerra Civil y la época posterior a ésta. Se tradujeron más textos alquímicos y astrológicos al inglés desde 1650 a 1660 que en todo el siglo anterior[10]. Las razones de este incremento del interés fueron fundamentalmente políticas. Incluso hoy día, el punto de vista sobre la materia y la fuerza es inevitablemente una cuestión religiosa; y en el contexto del siglo XVII, las cuestiones religiosas eran típicamente también asuntos políticos. A un nivel, la Guerra Civil significó el quiebre de la economía feudal y la oposición de la nueva burguesía, con su perspectiva de laissez-faire, a las prácticas monopólicas de la corona. Esta lucha económica se reflejaba políticamente en el conflicto entre los realistas (Royalists) y los parlamentaristas (Parliamentarians), y en forma religiosa en el triunfo del puritanismo. Pero la guerra aún tenía otra dimensión, ahora recuperada en el trabajo de Christopher Hill: el intento, por parte de un vasto número de sectas, de luchar en contra de la corona, y más tarde en contra de los parlamentaristas, con la ideología del comunismo, o lo que Engels denominó como socialismo utópico, y de argumentar en favor de un conocimiento directo de Dios en oposición a la salvación, ya sea mediante las obras o la fe ciega[11]. La religión de estos numerosos grupos —Levellers, Diggers, Muggletonians, Familists, Behmenists, Fifth Monarchy Men, Ranters, Seekers— era en muchos casos una combinación de hermetismo, paracelsismo, o alquimia soteriológica, y por lo tanto, muy a menudo eran relacionados en la mente pública con lo que se denominaba "entusiasmo", es decir, inmoderación en las creencias religiosas, incluyendo estados de posesión por Dios o frenesí profético. Naturalmente, todas las experiencias místicas caben bajo este rótulo, y muchos de los radicales claramente habían tenido tales introspecciones extáticas[12]. "Fue entre las sectas místicas", escribe Keith Thomas, "que la alquimia estableció algunas de sus raíces más profundas"[13]. Mientras que no han habido estudios que demuestren la real extensión de tales creencias entre las clases más bajas y los grupos radicales, constituye un problema menor el demostrar que se hizo tal asociación en la mente pública de la época (especialmente en las clases medias). Al centro de estas creencias estaba una visión de la naturaleza directamente opuesta a la nueva ciencia: la noción de que Dios estaba presente en todas las cosas, de que la materia estaba viva (el panteísmo); de que el cambio ocurría por medio del conflicto interno (la razón dialéctica) en lugar de un reordenamiento de las partes; y de que —en contraste con las visiones jerárquicas de la Iglesia de Inglaterra— cualquier individuo podía lograr la iluminación y tener experiencia directa de la Divinidad (Godhead) (alquimia soteriológica). El intento de las clases inferiores de aferrarse a las nociones herméticas reflejaba la división de clases descrita por Keith Thomas, quien observó que el ataque protestante/racionalista sobre la magia dejó a la clase media con la salvación secular, y a las clases más bajas (en un contexto de encierro y pobreza creciente) con nada. Entonces, durante este período el hermetismo tuvo un tinte inconfundiblemente socialista[14].

Sin embargo, la amenaza política inherente a la visión del mundo oculto fue mucho más allá del ataque sobre la propiedad y el privilegio preconizado por la mayoría de estas sectas radicales. Incluía: un ateísmo declarado; rechazo de la monogamia y una afirmación de los placeres del cuerpo; exigencias de tolerancia religiosa, así como también de la abolición del diezmo (tithe) y de la iglesia estatal; desprecio por el clérigo regular; y rechazo de cualquier noción de jerarquía, como asimismo del concepto de pecado. Las ligazones entre el pensamiento oculto y el revolucionario pueden ser vistas a través de todo un espectro conformado por los más prominentes radicales, pero, como ya hemos notado, la impresión popular de que el comunismo, el libertinaje, la herejía y el hermetismo eran parte de una vasta conspiración, está ampliamente documentada en las numerosas afirmaciones hechas al respecto por el clero[15]. Este intenso fermento político/oculto y el miedo que a éste se le tenía, tuvo su expresión plena en la década de 1640. Sin embargo, en la década de 1650 la marea empezó a cambiar; y después de la Restauración, la filosofía mecánica fue considerada por las élites reinantes como el sobrio antídoto para el entusiamo de las últimas dos décadas. Desde 1655 en adelante hubo una serie de conversiones a la filosofía mecánica de hombres que previamente habían sido simpatizantes de la alquimia.

Estas conversiones fueron, por lo tanto, parte de la reacción en contra del entusiasmo que tuvieron las clases propietarias y los miembros líderes de la Iglesia de Inglaterra, grupos que se coalicionaban en la misma Royal Society. Thomas Sprat, en la historia de los comienzos de la Sociedad (1667), visualizaba a la filosofía mecánica como ayudando a infundir respeto por la ley y el orden, y proclamaba que era tarea de la ciencia y de la Royal Society oponerse al entusiasmo. Hombres como Charleton y Boyle, figuras claves de la conversión al mecanicismo, se preocuparon por la influencia de un alquimista como Jacob Boehme entre los radicales ingleses. Ellos temían que la proliferación de las religiones basadas en la introspección mística o en la conciencia individual terminarían siendo ninguna religión. "La elevación de la filosofía mecánica sobre la ciencia dialéctica de los 'entusiastas' radicales", escribe Christopher Hill, "ayudó en forma recíproca a socavar tales creencias"[16].

Como el lector puede imaginar, Newton, quien tuvo sus introspecciones más brillantes con respecto al sistema del mundo en 1666, estaba en un dilema. Tiene que haber sido evidente para él, como para cualquier estudiante de Cambridge durante la Restauración, escribe Kubrin, "que el conocimiento hermético era ampliamente considerado por sus contemporáneos como un aliciente del entusiasmo, y que debiera tenerse extrema cautela con respecto a tales ideas". Al mismo tiempo, él se veía a sí mismo como el heredero de la tradición sagrada, y estaba convencido de que la respuesta al enigma del sistema del mundo estaba encerrada en ella. Entonces, lo que hizo Newton fue sumirse profundamente dentro de la sabiduría hermética en busca de sus respuestas, mientras que las expresaba en el lenguaje de la filosofía mecánica.

La pieza central del sistema newtoniano, la atracción gravitacional, de hecho era un principio hermético de fuerzas simpatizantes, las cuales Newton veía como un principio creativo, como una fuente de energía divina en el universo. Aunque él presentaba esta idea en términos mecánicos, sus escritos *inéditos* revelan su compromiso con la piedra angular de todos los sistemas ocultos: la noción de que existe mente en la materia y que la puede controlar (participación original). En su carta a Henry Oldenburg, secretario de la Royal Society, citado en el epígrafe de este capítulo, Newton afirma que "la naturaleza es un trabajador circulatorio perpetuo", y luego proporciona una descripción del modo de funcionamiento de la naturaleza —separando lo grosero de lo sutil, lo volátil de lo fijo, y así sucesivamente—, lo cual es alquimia en su forma más pura y simple. Las versiones en borrador de la obra publicada contienen afirmaciones sobre las cuales no se supo públicamente en Occidente, en la época moderna, hasta Lamarck y Blake: "Toda la materia debidamente formada va acompañada de signos de vida"; "la naturaleza se deleita con las transformaciones"; el mundo es "el sensorio de Dios", etc. Sus escritos abundan en nociones alquímicas, tales como la fermentación y la putrefacción, o la "sociabilidad" e "insociabilidad" de varias substancias entre sí; y algunas de estas afirmaciones incluso llevaron a la famosa trigésimo primera Pregunta del *Opticks*[17]. Como lo dice R.S. Westfall, la alquimia fue la pasión más duradera de Newton, y su *Principia* algo así como una interrupción en su búsqueda mayor[18].

Incluso parte de la obra publicada de Newton (como la trigésimo primera Pregunta) revela su intenso interés en lo oculto. El lector puede sorprenderse al saber que Newton escribió sobre el antiguo templo del Rey Salomón y especuló acerca del tamaño de aquella antigua medida, el codo (cubit)[19]. La noción de que los secretos del universo estaban contenidos en las relaciones matemáticas incluidas en la estructura de

antiguas construcciones sagradas era una parte de la tradición hermética, que en la actualidad está haciendo algo así como un regreso exitoso
con el interés actual por el "poder de la pirámide". De hecho, Newton
tenía un interés semejante en la Gran Pirámide de Keops, y como con
su intento de utilizar los experimentos alquímicos para validar la teoría
de la gravedad, este interés era algo más que un pasatiempo sin
relación alguna con nada. Newton más tarde iba a afirmar que los
sacerdotes egipcios conocían los secretos mismos del cosmos, que él
había revelado en el *Principia*.

La retractación de Newton de estos puntos de vista, como lo puede
mostrar Kubrin, ocurrió en el contexto del resurgimiento de las ideas
herméticas a fines de la década de 1670 y durante la de 1680, años que
condujeron a la Revolución Gloriosa[20]. Una vez más emergieron sentimientos "Levellers" y republicanos, y un líder proponente del nuevo
hermetismo, especialmente en la década de 1690, fue un tal John
Toland, quien había estudiado con el maestro newtoniano David Gregory. Toland vio las nociones animísticas escondidas en la obra de
Newton y apuntó hacia ellas en sus propias publicaciones, declarando
que la naturaleza era transformativa e infinitamente fecunda, y haciendo una analogía con la arena de la política. El dilema de Newton era
que él secretamente estaba de acuerdo con la teoría de Toland acerca de
la materia y la fuerza, y de hecho había sostenido estos puntos de vista
por décadas. Por lo tanto, disociarse de estas ideas se convirtió en un
imperativo para él; pero esto significaba necesariamente cambiar su
punto de vista acerca de ellas, lo que equivalía a una rigurosa autocen-
sura. A su discípulo Samuel Clarke se le había encomendado la tarea
de atacar a Toland en un conjunto de sermones publicados en 1704, y
cuando Clarke tradujo el *Opticks* al latín dos años más tarde, la frase "el
mundo es el sensorio de Dios", fue alterada para ser leída así: "el
mundo es como el sensorio de Dios"[21]. Afirmaciones tales como "no
podemos decir que toda la Naturaleza no está viva" fueron eliminadas
antes de que se imprimieran las publicaciones; y más importante aún,
Newton adoptó la posición de que la materia era inerte, de que no
cambiaba en forma dialéctica (es decir, internamente) sino que únicamente mediante una nueva disposición. Así, en la cita del *Opticks*
anotada al comienzo de este capítulo, Newton propone como su objetivo "que la naturaleza pueda perdurar"; en otras palabras, que pueda
ser estable, predecible, regular —como debiera ser el orden social. De
joven, a Newton le había fascinado la fecundidad de la naturaleza.
Ahora, su supuesta rigidez era de alguna manera lo más importante.

En el sentido empírico moderno, no había nada "científico" en este
cambio del hermetismo al mecanicismo. El cambio no fue el resultado
de una serie de experimentos cuidadosamente efectuados sobre la
naturaleza de la materia, y, en efecto, no es más difícil visualizar la

tierra como un organismo vivo que verla como un objeto inerte, mecánico[22]. Corriendo el riesgo de alargarnos un tanto, me parece, siguiendo el argumento de Kubrin, que deben hacerse notar dos cosas acerca de esta transformación, además de su carácter marcadamente no científico. En primer lugar, las fuerzas que triunfaron en la segunda mitad del siglo XVII fueron las de la ideología burguesa y del capitalismo "laissez-faire". Para esos grupos la idea de la materia viviente no constituía tan sólo una herejía, sino que también era inconveniente desde el punto de vista económico. Una tierra inanimada rompe el delicado equilibrio ecológico que se mantenía en la tradición alquímica, pero si la naturaleza es algo muerto, entonces no hay restricciones para explotarla en beneficio propio. El cultivo amoroso se convierte en una violación; y eso, para mí, es lo que la sociedad industrial en general (no sólo el capitalismo) representa con mayor claridad. El que el colapso actual de tales sociedades, al menos en Occidente, se acompañe de una revitalización de lo oculto, con todos sus aspectos malos y buenos, apenas ha de sorprendernos.

En segundo lugar, el triunfo del punto de vista puritano de la vida, que junto con la energía sexual reprimida y su sublimación en un trabajo brutalizador[23], ayudaron a crear la así llamada "personalidad modal" de nuestro tiempo —una personalidad que es dócil y subyugada ante la autoridad, pero ferozmente agresiva hacia los competidores y los subordinados. Como lo hiciera notar Blake, el severamente reprimido Newton era un hombre común; y varios cuadros de Newton realizados durante el período que abarca desde 1689 a 1726 (Ilustraciones 12-15) revelan un incremento de lo que Wilhelm Reich brillantemente denominó la "armadura del carácter". En el primer cuadro, el Newton "hermético" retiene (a pesar de su corta edad) una cualidad gentil, etérea, que el artista captó en forma muy hermosa. Sin embargo, al final vemos la rigidez de la visión mecánica del mundo, el Newton que negó sus propios principios internos —lo que Rilke denominó las "líneas no vividas de nuestros cuerpos"[24]— en virtud de la aprobación social y la conformidad externa. Vemos, en efecto, la tragedia del hombre moderno[25].

Finalmente, como lo han indicado una serie de escritores, precisamente cuando las clases más bajas eran reprimidas a nivel de trabajo y oficio, así también las clases media y más alta se mantuvieron controladas a nivel de la actividad literaria e intelectual. El ataque sobre el entusiasmo tuvo un sorprendente éxito, y se refleja en la poesía del siglo XVIII (las cuidadosamente elaboradas coplas de Dryden y Pope) como así también en la noción misma de la escolaridad clásica. "¡Los clásicos!", exclamó Blake. "Son los clásicos y no los bárbaros (Goths) ni los monjes los que devastan Europa con guerras"[26]. En su cuadro de Newton, donde se le ve tallando el mundo con un compás (Ilustración 16), Blake intentó mostrar la ceguera de esta orientación hacia la

Grabado 12. *Isaac Newton, 1689. Retrato de Godfrey Kneller. Lord Portsmouth y el Consejo de la Fundación Portsmouth.*

Grabado 13. *Isaac Newton, 1702. Retrato de Godfrey Kneller. Cortesía, National Portrait Gallery, Londres.*

Grabado 14. *Isaac Newton, aproximadamente 1710. Retrato de James Thornhill. Por permiso del Master and Fellows of Trinity College, Cambridge.*

Grabado 15. *Isaac Newton, 1726, el año antes de su muerte. Mezzotinta de John Faber, después de haber sido pintado por John Vanderbank. Cortesía, Prints Division, The New York Public Library, Astor, Lenox and Tilden Foundations.*

naturaleza; y en ningún lugar lo dijo mejor que en su carta en verso a
Thomas Butts (1802):

> Ahora una visión cuádruple veo,
> Y una visión cuádruple me es otorgada;
> Es cuádruple en mi deleite supremo
> Y triple en la suave noche de Beulah
> Y doble siempre. ¡Que Dios nos libre
> de la visión única y del sopor de Newton![27]

Newton está pintado en el cuadro de Blake sentado en el fondo del Mar
del Espacio y el Tiempo. El pólipo cerca de su pie izquierdo simboliza,
en la mitología de Blake, "el cáncer de la religión estatal y la política del
poder", mientras que Newton contempla su diagrama "con la fijeza
catatónica de la 'visión única'..."[28].

El ataque que hace Blake sobre la cosmovisión newtoniana hace

Grabado 16. *William Blake, Newton (1795). Galería Tate, Londres.*

surgir la pregunta que Hill ha tomado como tema de su libro *El Mundo Trastornado*: ¿Cómo podemos estar tan seguros de que la forma en que las cosas están dispuestas, con la parte de arriba hacia arriba, es la correcta?". La sociedad burguesa", hace notar, "fue una civilización poderosa, que produjo grandes intelectos en el molde newtoniano y lockeano. Pero", agrega, "fue

> el mundo en que los poetas enloquecieron, en que Locke tenía miedo de la música y la poesía, y en que Newton mantenía pensamientos secretos, irracionales, que no osaba publicar...
>
> Blake puede haber tenido razón al considerar a Locke y a Newton como símbolos de la represión. La personalidad retorcida y cerrada de Sir Isaac puede ayudarnos a captar qué es lo que andaba mal en la sociedad que lo deificaba... Esta sociedad, que en la superficie aparecía tan racional, tan relajada, tal vez habría sido más sana si no hubiera sido tan prolija, si no hubiera ocultado todas sus contradicciones bajo la alfombra: donde no se vieran, fuera de la mente consciente... Qué es lo que se escondió, sólo lo podemos adivinar. Unos pocos poetas tuvieron ideas románticas que desentonaban con su mundo; pero nadie necesitaba tomarlas muy en serio. La auto-censura significaba la auto-verificación"[29].

"A pesar de lo grandioso de los logros de la filosofía mecánica", escribe Hill en otro momento, "se perdió un elemento dialéctico en el pensamiento científico, un reconocimiento de lo 'irracional' (en el sentido de lo mecánicamente inexplicable) cuando ésta triunfó, y está siendo dolorosamente recuperado en nuestro propio siglo"[30].

El énfasis está aquí en la palabra "dolorosamente". En el Capítulo 3, analicé el rol del arte surrealista en su intento de liberar al inconsciente. Pero debido a que el inconsciente está tan reprimido, su gran vocero en la Europa y América de postguerra no ha sido el arte, sino la locura y la enajenación. Sin entrar en demasiados detalles, es necesario indicar que una buena parte de la experiencia psicótica es el retorno a la percepción del mundo en términos herméticos. Yo tiendo a dudar de que la locura sea la mejor ruta hacia esta percepción; pero el hecho de que la locura incite a la epistemología premoderna de semejanzas, sugiere que los locos están en algo que nosotros, los 'sanos', hemos olvidado, y que (cf. Nietzsche, Laing, Novalis, Hölderlin, Reich...) nuestra cordura no es más que una locura colectiva.

Aunque sería necesario realizar extensos estudios clínicos sobre la locura para establecer dicho argumento, una somera revisión de los casos descritos por Laing en *El Yo Dividido* tiende a validarlo. En general, dice Laing, el tener un sí mismo descorporalizado origina un sentido de fusión o confusión en la interfase entre lo interno y lo externo. Al igual que en la alquimia sotereológica o en la experiencia mística, la distinción sujeto/objeto se hace borrosa; el cuerpo no se siente como algo separado de otras cosas o personas. Una de las pacientes de Laing, por ejemplo, no distinguía entre la lluvia sobre sus mejillas y las lágrimas. Ella también estaba preocupada de que era destructiva, en el sentido de que si tocaba cualquier cosa, literalmente la dañaría (teoría de la antipatía). Ocasionalmente, los esquizofrénicos demuestran una creencia de que los objetos inanimados tienen poderes extraordinarios, y Laing describe el caso de un hombre que, mientras estaba en un picnic, se desvistió y caminó hacia un río cercano, declarando que jamás había amado a su esposa y a sus hijos, al mismo tiempo que se echaba agua encima repetidamente, rehusando abandonar el río hasta haber sido "purificado". Aquí tenemos la noción original del bautismo, la creencia de que el agua conlleva la virtud impresa de Dios (doctrina de las signaturas), y que por lo tanto tiene poderes curativos. Otra paciente practicó varias técnicas para "recapturar la realidad", tales como repetir una y otra vez frases que consideraba como reales, con la esperanza de que su "realidad" se le traspasaría a ella (teoría de la simpatía, noción de *mana*). Finalmente, como indiqué en el Capítulo 3, el propio método de Laing es alquímico en el sentido que sigue la noción de la conciencia participativa, o teoría de la simpatía. Todas las terapias humanistas, de hecho, están cimentadas en la participación original. El uso del arte, la danza, el psicodrama, la meditación, el trabajo corporal y cosas semejantes, finalmente van a una fusión del sujeto y el objeto, un retorno a la imaginación poética o a la identificación sensual con el ambiente. En último análisis, un buen terapeuta no es más que el maestro alquímico para sus pacientes, y la terapia efectiva es esencialmente un retorno al orden inherente, orgánico, representado por la magia. Los esquemas de clasificación de la ciencia moderna, su orden y precisión linnaeanos, dan a entender que surgen del ego solo, que son completamente empírico-racionales. Por lo tanto, representan un orden lógico que es *impuesto* sobre la naturaleza y la psiquis humana. Como resultado, violan algo que la magia, con todas sus limitaciones tecnológicas, tuvo la sabiduría instintiva de conservar.

A final de cuentas, la locura es una afirmación acerca de categorías lógicas, y su reversión a la estructura del pensamiento premoderno representa una rebelión en contra del principio de realidad, que ve como aplastando al espíritu humano. El aumento de la incidencia de las enfermedades mentales en nuestro tiempo refleja la necesidad desesperada de recuperar la razón dialéctica. ¿Es la alquimia o la tecnología la que representa el estado alterado de la conciencia? ¿Es acaso la producción material o la auto-realización humana la que está en conformidad con las verdaderas necesidades del hombre? ¿Es la subyugación de la tierra o la armonía con ella la mejor forma de proceder? Yo me permitiría decir que hay sólo una respuesta a estas preguntas, y solamente una conclusión a nuestro repaso del desencantamiento del mundo: en el siglo XVII, lanzamos al bebé junto al agua de la bañera. Descartamos todo un paisaje de la realidad interna porque no se adecuaba al programa de explotación industrial o mercantil y a las directivas de la religión organizada. Hoy en día, el vacío espiritual que resulta de nuestra pérdida de la razón dialéctica está siendo rellenado por toda clase de dudosos movimientos místicos y ocultos, una tendencia peligrosa que de hecho ha sido estimulada por el ideal del intelecto descorporalizado y el escolasticismo clásico que Blake, con toda razón, encontraba deleznable. La ciencia y la tecnología moderna no sólo se basan en una actitud hostil hacia el ambiente, sino que también en la represión del cuerpo y del inconsciente; y a menos que éstos puedan recuperarse, a menos que la conciencia participativa pueda ser restaurada de un modo que sea científicamente (o al menos racionalmente) creíble y no meramente una recaída en un animismo ingenuo, entonces el significado de lo que es ser una creatura humana se habrá perdido para siempre.

Lo que resta de este libro será destinado a una exploración de tales opciones.

Prolegómenos a
cualquier Metafísica futura[1]

Tal vez tendremos que ser mucho más radicales en las hipótesis
explicativas ya consideradas de lo que nos hemos permitido hasta
aquí. Posiblemente el mundo de los hechos externos es mucho más
fértil y plástico de lo que nos hemos aventurado a suponer; pudiera
ser que todas estas cosmologías y muchos otros análisis y clasifica-
ciones son modos genuinos de arreglar lo que la naturaleza le
ofrece a nuestro entendimiento, y que la principal condición que
determina nuestra selección entre ellas es más bien algo que está
dentro de nosotros y no algo en el mundo externo.

—E.A. Burtt, *The Metaphysical Foundations of Modern Science.*

E n los capítulos anteriores hemos analizado el punto de vista científico moderno, hemos demostrado su relación con ciertos avances sociales y económicos, y hemos examinado también el paraje psicológico que ha conseguido destruir. Este análisis sugiere que el mundo occidental ha pagado un alto precio por los triunfos del paradigma cartesiano y que éste tiene severos límites en términos de conveniencia humana. De hecho, incluso su precisión objetiva puede ser discutida ya que, como hemos visto, su triunfo sobre la metafísica de la conciencia participativa no fue un proceso científico sino más bien un proceso político; la conciencia participativa fue rechazada, no refutada. Como resultado, nos hemos visto forzados a considerar la posibilidad de que la ciencia moderna pueda no ser superior, epistemológicamente, a la visión del mundo ocultista y que una metafísica de la participación puede de hecho ser más precisa que la metafísica del cartesianismo. Una serie de pensadores científicos, incluyendo a Alfred North Whitehead, han sostenido esta tesis de una forma u otra y, ya en 1923, el psicólogo Sándor Ferenczi clamó por el "restablecimiento de un animismo ya no más antropomórfico"[2]. Sin embargo, nuestra cultura se aferra al mecanicismo, y a todos los problemas y errores que involucra, porque no hay un retorno al hermetismo y —aparentemente— tampoco una evolución hacia alguna otra cosa.

He prometido destinar la segunda mitad de este libro a "alguna otra cosa", y en los capítulos siguientes voy a extenderme sobre lo que podría servir como una cosmovisión post-cartesiana. Sin embargo, antes de contemplar una alternativa, es necesario elaborar sobre una de las debilidades claves en la epistemología de la ciencia moderna: el hecho de que contiene conciencia participativa aun cuando la niega. Es esta negación la que ha creado las paradojas características del pensamiento científico, notablemente su relativismo radical, y la que también ha hecho imposible que el pensamiento científico ortodoxo evolucione hacia direcciones nuevas, tales como las sugeridas por la mecánica cuántica. Sostengo que una comprensión de la testaruda persistencia de la conciencia participativa puede ayudarnos a resolver el problema del relativismo radical y también a sugerir algunos cimientos teóricos para una ciencia post-cartesiana. Los argumentos que voy a proponer, entonces, son los siguientes:

1) A pesar de que la negación de la participación yace en el corazón de la ciencia moderna, el paradigma cartesiano, en la práctica real, está impregnado de conciencia participativa.

2) La inclusión deliberada de la participación en nuestra epistemología actual crearía una nueva epistemología, cuyos contornos empiezan recién a vislumbrarse.

3) El problema del relativismo radical desaparece una vez que se reconoce a la participación como un componente de toda percepción, cognición y conocimiento del mundo.

Afortunadamente para esta discusión, el punto 1) es el foco central de dos brillantes críticas recientes sobre la ciencia moderna: *Personal Knowledge*, de Michael Polanyi, y *Saving the Appearances*[3], de Owen Barfield. La tesis fundamental de Polanyi es que al atribuirle verdad a cualquier metodología, estamos tomando un compromiso no racional; en efecto, estamos ejecutando un acto de fe. El demuestra que la coherencia poseída por cualquier sistema de pensamiento no es un criterio de verdad, sino que sólo un criterio de *estabilidad*. "Puede (él continúa) igualmente estabilizar una concepción errónea o verdadera del universo. La atribución de verdad a cualquier alternativa estable en particular, es un acto fiduciario que no puede ser analizado en términos no comprometidos"[4]. De acuerdo con Polanyi, la fe involucrada surge de una red de pedacitos de información inconscientes tomados del medio ambiente, que forman la base de lo que él denomina el "conocimiento tácito". ¿Qué es lo que significa exactamente este concepto?

Ya nos hemos referido a la noción de la percepción gestáltica de la realidad, de encontrar en la naturaleza lo que uno busca. El filósofo

Norwood Russell Hanson utilizaba las ilustraciones que aparecen en las Figuras 10 y 11 para demostrar este punto[5]:

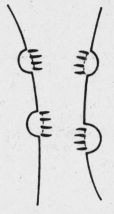

Figura 10. Ilustración de N.R. Hanson de la percepción de una gestalt: árbol con nudos vs. oso trepando por un tronco (de Hanson, *Patterns of Discovery*, p. 12).

Figura 11. Ilustración de N.R. Hanson de la percepción de una gestalt: bandada de pájaros vs. una manada de antílopes (de Hanson, *Patterns of Discovery*, p. 13).

En la Figura 10, ¿qué ve Ud.? ¿Un oso trepando por el otro lado de un árbol, o un tronco con nudos? ¿En la Figura 11, ve una bandada de pájaros o una manada de antílopes? Las personas que jamás hubieran visto antílopes, sino únicamente pájaros, ¿serían capaces de considerar la Figura 11 como un dibujo de antílopes? La idea central de Polanyi es que a muy temprana edad aprendemos, o somos entrenados, a conformar la realidad de ciertas maneras (usando la terminología de Barfield, a "figurarla"), y que la indoctrinación no es meramente cultural sino que también biológica. Así, a un nivel consciente, ocupamos gran parte de nuestras vidas en averiguar lo que ya sabemos a un nivel inconsciente. Las realidades alternativas son filtradas por un proceso que el psiquiatra norteamericano Harry Stack Sullivan, solía denominar "desatención selectiva", y que desde entonces ha sido re-bautizado como "disonancia cognitiva". Por lo tanto, la gente "antílope" presumiblemente encontraría a la gente "pájaro" incomprensible. De hecho, cualquier visión del mundo enunciada es el resultado de factores inconscientes que han sido filtrados e influenciados culturalmente, y es así, en cierta medida, radicalmente diferente de cualquier otra visión del mundo.

La pregunta que nos concierne aquí es cómo somos entrenados en una modalidad determinada de ver. Polanyi indica que el científico aprende su oficio de la misma forma en que un niño aprende un lenguaje. Los niños nacen políglotas: tienen en forma natural los guturales alemanes, los nasales franceses, los palatales rusos y los tonales chinos. Sin embargo, no pueden permanecer así por mucho tiempo, ya que aprender un idioma en particular implica simultáneamente desaprender los sonidos que no son usuales para ese lenguaje. Por ejemplo, el inglés no tiene el sonido palatal propio del ruso, y el niño anglo-parlante finalmente pierde la habilidad para pronunciar palabras de un modo genuinamente ruso. La percepción aquí es subsidiaria, o incluso subliminal. Como al andar en bicicleta, también al hablar aprendemos a hacer algo sin realmente analizarlo o darnos cuenta qué es lo que estamos aprendiendo. La ciencia tiene, en forma similar, una base inefable; también es aprendida por osmosis[6].

El mejor ejemplo de Polanyi de este proceso, tomado quizás de su propia experiencia, es aquel del estudiante de medicina ante la patología de rayos X, y vale la pena citarlo en su totalidad.

> Pensemos (escribe) en un estudiante de medicina que asiste a un curso de diagnóstico radiológico de enfermedades pulmonares. El observa en una sala oscura trazos sombríos sobre una pantalla fluorescente adosada al pecho del paciente, y escucha al radiólogo haciendo comentarios a sus ayudantes, en un lenguaje técnico, sobre los rasgos significativos de estas sombras. Al principio el estudiante está completamente perplejo. Porque él puede ver en la imagen radiológica de un pecho únicamente las sombras del corazón y las costillas, con unas pocas manchas en forma de araña entre ellos. Los expertos parecen estar figurando productos de la imaginación; él no puede ver nada de lo que ellos están hablando. Así, entonces, a medida que sigue escuchando durante unas semanas, observando cuidadosamente imágenes siempre nuevas de diferentes casos, empezará a tener una comprensión tentativa; gradualmente se olvidará de las costillas y empezará a ver los pulmones. Y, eventualmente, si persevera en forma inteligente, se le revelará un rico panorama de detalles significativos: variaciones fisiológicas y cambios patológicos, cicatrices, infecciones crónicas y signos de enfermedad aguda. Ha entrado en un mundo nuevo. Sin embargo, sólo ve aún una fracción de lo que los expertos pueden ver, pero ahora definitivamente las imágenes cobran sentido y también la mayoría de los comentarios que se hacen sobre ellas. Está a punto de captar lo que se le está enseñando; ha hecho"click"[7].

"Ha entrado en un mundo nuevo". Polanyi describe con esto un proceso que no es realmente racional sino existencial, un andar a tientas en la oscuridad luego de la caída en la cueva del conejo de Alicia. Aquí no hay ninguna *lógica* de un descubrimiento científico, sino más bien un acto de fe en cuanto a que el proceso llevará al aprendizaje, y en base al compromiso del alumno, sucede.

Vale la pena recalcar, en este ejemplo, que el proceso real de aprendizaje viola el modelo platónico/occidental de conocimiento, que insiste en que el conocimiento se obtiene en el acto de distanciarse uno mismo de la experiencia. Nuestro hipotético estudiante de medicina no sabía absolutamente nada cuando se mantenía aparte de los procedimientos. Unicamente con su sumersión en la experiencia, las radiografías empezaron a cobrar sentido. A medida que se olvidaba de él mismo, a medida que el "conocedor" independiente se disolvía en las manchas de las radiografías, descubrió que comenzaban a ser significativas. El meollo de tal aprendizaje es el concepto griego de *mimesis*, de identificación visceral/poética/erótica. Incluso a partir de la descripción verbal de Polanyi, podemos casi tocar las sinuosas manchas en el negativo aún tibio, oler el revelador fotográfico en el cuarto oscuro cercano. Este conocimiento fue claramente participado.

Como resultado, la racionalidad comienza a jugar un rol sólo *después* que el conocimiento ha sido obtenido visceralmente. Una vez que el terreno es familiar, reflexionamos acerca de cómo hemos obtenido los datos y establecemos las categorías metodológicas. Pero estas categorías surgen de una red tácita, un proceso gradual de comprensión tan básico que no son reconocidas como "categorías". Como lo dijera una vez Marshall McLuhan, el agua es la última cosa que el pez identificaría como parte de su ambiente, si pudiera hablar. De hecho, las categorías comienzan a hacerse borrosas con el proceso mismo de aprendizaje; se convierten en la "Realidad", y el hecho de que la existencia de otras realidades pueda ser tan posible como la existencia de otros lenguajes generalmente escapa de nuestra atención. El sistema de realidad de cualquier sociedad, por lo tanto, es generado por un proceso biológico y social inconsciente, en el cual están inmersos los aprendices de esa sociedad. Estas circunstancias, dice Polanyi, demuestran "la participación penetrante de la persona conocedora en el acto de conocer en virtud de un arte que es esencialmente inarticulado". Puedo hablar de este conocimiento, pero no puedo hacerlo en forma adecuada[8].

Entonces, para Polanyi una frase como "impersonal" o "conocimiento objetivo" es una contradicción. El sostiene que todo conocimiento se produce en términos de significado, y por lo tanto, el conocedor está siempre implicado en lo conocido. A esto yo agregaría que lo que constituye el conocimiento, entonces, está compuesto meramente por los descubrimientos de una metodología sobre la que se está de acuerdo, y los hechos que la ciencia encuentra son sencillamente eso —hechos que la *ciencia* encuentra; ellos en sí mismos y de sí mismos no poseen significado. La ciencia es generada a partir del conocimiento tácito y la percepción subsidiaria característicos de la cultura occidental, y procede a construir el mundo en esos mismos términos particulares. Si es verdad que creamos nuestra realidad, ella es, sin embargo, una creación que procede en concordancia con reglas muy definidas —reglas que están en gran medida fuera del alcance de la conciencia.

La conciencia participativa es aún más penetrante de lo que sugiere el ejemplo que da Polanyi del estudiante de radiología. Para ver esto, sigamos a Barfield y definamos el proceso de *figuración* (figuration) como representación, que es el acto mediante el cual transformamos las sensaciones en imágenes mentales[9]. El proceso de pensar acerca de estas "cosas", estas imágenes, y sus relaciones entre sí (un proceso comúnmente denominado conceptualización) puede ser definido como *pensamiento alfa*. En el proceso de aprendizaje, la figuración gradualmente se convierte en pensamiento alfa; en otras palabras, nuestros conceptos son realmente hábitos. Nuestro estudiante de rayos X en un primer momento formó imágenes mentales de las manchas o sombras que veía sobre la pantalla, luego aprendió a identificar el cáncer y la tuberculosis. Sin embargo, sus profesores inmediatamente y sin pensar vieron cáncer y TB, sin experimentar las manchas de la misma manera que él lo hizo. En forma similar, cuando escucho a un pájaro cantando, me hago una especie de imagen mental del sonido y trato de clasificarlo. Mi amigo, un ornitólogo profesional, no atraviesa por este mismo proceso. Apenas si escucha las notas. Lo que viene a su mente en forma muy automática es "golondrina". Así, entonces, por lo menos en su capacidad profesional, él está haciendo pensamiento alfa todo el tiempo. El está más allá de la figuración, mientras yo aún estoy luchando con ella. Sería más correcto decir que él figura en términos de concepto en lugar de sensaciones y datos primarios. Entonces, el sí participa del mundo (o al menos del mundo de los pájaros), pero en la mayoría de los casos como una colección de abstracciones.

Ahora, el meollo del asunto es éste: en términos del sistema dominante de realidad, somos todos ornitólogos. Experimentamos un conjunto de pensamientos alfa sobre los cuales hay acuerdo, o lo que Talcott Parsons denomina "oropel", en lugar de los eventos reales. En resumen, continuamos el proceso de figuración que comenzó en las etapas de aprendizaje, pero que se hace automático y conceptual en vez de dinámico y concreto.

Peter Achinstein nos da un buen ejemplo de este fenómeno en su libro *Concepts of Science*. Digamos que Ud. y yo una noche de verano, estamos sentados en los escalones de una vieja casa de campo, mirando el camino polvoriento que conduce hasta la casa. Sentados ahí, vemos un par de luces que se acercan por el camino. Al no tener nada más profundo en mente en ese momento, me dirijo a Ud. y le digo, "Ahí viene un auto por el camino". Ud. se queda en silencio por un momento y luego me pregunta, "¿Cómo sabe que es un auto? Mal que mal podrían ser dos motocicletas". Al reflexionar sobre esto decido entonces modificar mi afirmación original. "Tiene razón. Podría ser un auto que viene por el camino, o dos motocicletas que van lado a lado y a la misma velocidad". "Aguarde un poco", replica Ud. "Eso tampoco necesariamente tiene que ser así. Podrían ser dos conjuntos grandes de luciérnagas". En este momento, puedo desear establecer los límites. Después de todo, podríamos seguir haciendo esto toda la noche. El asunto es que en nuestra cultura, dos luces paralelas que se mueven a la misma velocidad por un camino en la noche, invariablemente indican que se trata de un automóvil. Realmente no experimentamos (figuramos) las luces en ningún detalle; más bien figuramos el concepto "automóvil". Unicamente un niño (o un poeta, o un pintor) podría figurar la experiencia en la rica posibilidad de sus detalles; sólo un estudiante figura las imágenes de los rayos X[10]. Cada cultura, cada subcultura (la ornitología, la patología de rayos X) tiene una red de tales pensamientos alfa, porque si tuviéramos que figurar todo, jamás podríamos construir una ciencia, ni tampoco un modelo de la realidad. Pero tal red es un *modelo*, y tendemos a olvidar esto. Lo señala el famoso aforismo de Alfred Korzybski (Science and Sanity, 1933), "el mapa no es el territorio". Mal que mal, ¿y si las luces realmente *fueran* luciérnagas?[11].

Esta confusión entre mapa y territorio es lo que hemos denominado la conciencia no-participativa. El pensamiento alfa necesariamente involucra la ausencia de participación, ya que cuando pensamos en algo (excepto en las etapas iniciales del aprendizaje) estamos conscientes de nuestro alejamiento de la cosa en que estamos pensando. "La historia del pensamiento alfa", escribe Barfield, "incluye concordantemente también a la historia de la ciencia, como ha sido entendido el término hasta ahora, y alcanza su culminación en un sistema de pensamiento que se interesa en los fenómenos únicamente en la medida que puedan ser captados como independientes de la conciencia".

Como vimos en el Capítulo 3, este distanciamiento de la mente del objeto de la percepción fue precisamente el proyecto histórico de los judíos y los griegos. La Revolución Científica fue la etapa final del proceso, y por lo tanto, todas las representaciones en el sistema de realidad occidental se convirtieron en lo que Barfield denomina como "mecanomórfico". Sin embargo, el construir la realidad en forma mecánica es un modo de participar en el mundo, pero es un modo muy extraño, ya que nuestro sistema de realidad niega oficialmente que exista tal participación. ¿Entonces qué es lo que ocurre? "Deja de ser consciente porque ya no tenemos que ocuparnos de ella", escribe Barfield, "pero no por eso deja de existir". Sin embargo, deja de ser lo que hemos denominado la participación *original*. El hacer una abstracción de la naturaleza es un modo particular de participar en ella. Así como dos ex amantes que se niegan a tener algo que ver el uno con el otro está demostrando un tipo de relación bastante poderosa, también la insistencia en que sujeto y objeto son radicalmente diferentes, es meramente otra forma de relacionar a ambos. El problema, la rareza, yace en la negación del rol de la participación, no tan sólo porque el proceso de aprendizaje en sí mismo necesariamente involucre la *mime-*

sis, sino porque en tanto haya una mente humana, habrá un conocimiento tácito y una percepción subliminal.

Podría argumentarse que los miembros de las tribus africanas (por ejemplo) están tan comprometidos en el pensamiento alfa como lo estamos nosotros. Una vez concluido su aprendizaje, el médico brujo ocupa gran parte de su tiempo en identificar a los distintos miembros del mundo de los espíritus de acuerdo a una fórmula. A pesar de esto, el "primitivo" se desliza con bastante naturalidad entre la figuración y el pensamiento alfa, o usando nuestra propia terminología, entre la mente inconsciente y consciente; y posiblemente pasa gran parte de su tiempo vivenciando, experimentando, en lugar de abstrayendo. Aun cuando deseara dejar afuera al inconsciente, no le sería posible, porque para él los espíritus son reales y (a pesar de cualquier sistema ritualizado) frecuentemente vivenciados a un nivel visceral. Su experiencia de la naturaleza constantemente produce goce, ansiedad, o alguna reacción corporal intermedia; jamás llega a ser un proceso estrictamente cerebral. Con frecuencia puede verse atemorizado por su ambiente o por cosas en él, pero nunca se ve alienado por él. En esas culturas no hay más Sartres o Kafkas que los que hubieron en la Europa medieval. El "primitivo" está, por lo tanto, en contacto con aquello que Kant denominó el *Ding an sich*, la cosa en sí misma, de la misma manera que lo estuvo el ciudadano de la Grecia antigua o (en un grado menor) de la Europa medieval. Por otro lado, nosotros, al negar tanto la existencia de los espíritus como el rol de nuestro propio espíritu en la figuración que hacemos de la realidad, no estamos en contacto con ella. Sin embargo, como lo hace notar Barfield, el caso es que en cualquier cultura "el mundo de los fenómenos surge de la relación entre un consciente y un inconsciente y que la evolución es la historia de los cambios que esa relación ha experimentado y está experimentando". El negar que el inconsciente juega un rol en nuestra conceptualización de la realidad puede ser una manera extraña de relacionarse con él, pero de todas formas es un modo de relacionarse, y no borra el conocimiento tácito. Los textos modernos aún proyectan la imagen de un "método científico" formalmente aplicado, un método en el cual cualquier noción de la conciencia participativa sería equivalente a la herejía. Sin embargo, la disparidad entre la imagen oficial y la práctica real es enorme; y, como la ciencia tal vez se ha percatado vagamente, la excomunión de la herejía derrumbaría al resto de la iglesia a su paso.

Las dimensiones de esta paradoja se ponen en evidencia cuando reflexionamos sobre el resurgimiento inesperado de la conciencia participativa en la física moderna de los años 20. Me refiero a la aparición de la mecánica cuántica, cuya base teórica involucra un quiebre a gran escala con la epistemología de la ciencia occidental. Ya que el surgimiento de la mecánica cuántica es análoga a la astronomía ptolomeica súbitamente encontrando a Copérnico en su campo, no nos debiera sorprender que el establecimiento científico se las haya arreglado para ignorar al embarazoso intruso durante más de cinco décadas. Sin embargo, existe vasta literatura sobre el tema, demasiado extensa para discutirla en profundidad aquí. En lugar de eso, deseo resumir brevemente las implicaciones filosóficas que pueden y han sido extraídas de esta rama de la física[12].

Hay dos conceptos que son absolutamente esenciales para la epistemología de la física clásica (incluyendo a la física einsteiniana). El primero es la noción de que toda realidad es, a final de cuentas, descriptible en términos de materia y movimiento; que la posición de las partículas materiales, y su momento (masa por velocidad), es la realidad básica del mundo de los fenómenos. El segundo punto es que la nuestra es una conciencia no-participativa: los fenómenos del mundo permanecen igual ya sea que estemos presentes para observarlos o no; nuestras mentes de ninguna manera alteran ese fundamento de realidad. El primero de estos conceptos es la base de la causalidad estricta, o el determinismo, y tal vez fue mejor expresado por el matemático francés Pierre Simon de Laplace en 1812. El decía que nuestra física es tal, que si fuera posible conocer la posición y el momento de todas las partículas en el universo en un determinado tiempo, entonces podríamos calcular su posición y momento en cualquier otro tiempo, pasado o futuro. El segundo concepto, la convicción de que el experimentador no es parte de su experimento, sustenta el materialismo del primer punto, y también garantiza que los experimentos sean formalmente repetibles. Por ejemplo, si un científico sostuviera que simplemente por el hecho de concentrarse mentalmente en unos cubos (digamos; unos dados) que han sido lanzados mecánicamente por una pasarela, podría influenciar su disposición espacial, y si su afirmación resultara ser válida, entonces no sólo habría refutado el contenido de este aspecto de la física, sino que habría destruido la base teórica de la física en sí misma. No tan sólo habría llegado al punto en que la conciencia se convirtiera en parte del mundo de "allá afuera", regresando nuestra ciencia a algún tipo de status alquímico, sino que la premisa de la predictibilidad sería invalidada (al menos teóricamente).

La principal implicación filosófica de la mecánica cuántica es que no hay tal cosa como un observador independiente. Uno de sus fundadores, Werner Heisenberg, resumió este punto en forma popular en 1927 cuando formuló su Principio de Incertidumbre. Imaginemos, decía él, un microscopio lo suficientemente poderoso como para observar una partícula atómica, por ejemplo un electrón. Hacemos brillar una luz a través del instrumento de manera de posibilitar la observación, sólo para descubrir que la luz posee la energía suficiente como para sacar al electrón de su posición. Puede que nunca veamos a ese electrón en particular, porque el mismo experimento altera sus propios resultados. Nuestra conciencia, nuestra conducta, se convierte en parte del experimento, y no hay ningún límite claro aquí entre sujeto y objeto. Somos participantes sensitivos en el mismo mundo que buscamos describir.

En términos más técnicos, Heisenberg había descubierto que la posición y el momento son entidades complementarias. Uno puede determinar la posición exacta de una partícula solamente si abandona el intento de saber cualquier cosa acerca de su movimiento (velocidad), y viceversa. Este descubrimiento significa que el programa laplaciano es una ilusión. Las partículas atómicas o subatómicas no pueden localizarse precisamente en el tiempo y en el espacio; y en una epistemología que iguala lo real con lo material, la definición de la palabra "real" es de pronto materia de cuestionamiento. Nótese que el Principio de Incertidumbre *no* se refiere a un margen de error, aquél que está presente en todo experimento científico y que refleja la precisión de la verificación de la predicción que se hizo. Más bien, Heisenberg está hablando de una probabilidad que entra en la definición misma del estado del sistema físico. El dice, en efecto, que la conciencia es parte de la medición y que por lo tanto la realidad (como ha sido definida en Occidente durante casi cuatro siglos) es, en forma inherente, borrosa o indeterminada[13]. Heisenberg escribió en 1958: "El cambio en el concepto de la realidad que se manifiesta en la teoría cuántica no es simplemente una continuación del pasado; parece ser un verdadero quiebre en la estructura de la ciencia moderna". "La tan nombrada curva de probabilidad de la mecánica cuántica", continúa él, "era una versión cuantitativa del antiguo concepto de 'potencia' (potentia) de la filosofía aristotélica. Introdujo algo que se puso en el medio del camino entre la idea de un evento y el evento real, un extraño tipo de realidad física justo en el medio entre la posibilidad y la realidad". Desde luego, el quiebre yace en la distinción misma sujeto/objeto; el "extraño tipo de realidad física" es la conciencia, que ahora vemos tiene consecuencias materiales. "Lo que observamos", decía Heisenberg, "no es la naturaleza en sí misma sino que la naturaleza expuesta a nuestro método de cuestionamiento". Este era precisamente el punto de Polanyi acerca del conocimiento tácito. La gran ironía de la mecánica cuántica es que en la forma clásica del *yin* que finalmente se convierte en *yang*, el intento cartesiano de encontrar la entidad material última, por lo tanto "explicando" la realidad y dejando afuera la subjetividad de una vez por todas, tuvo como resultado descubrimientos que se mofaban de las suposiciones cartesianas y establecían la subjetividad como la piedra angular del conocimiento "objetivo"[14].

La enorme resistencia que han demostrado los científicos hacia las implicaciones filosóficas de la mecánica cuántica es plenamente comprensible, ya que una vez que estas implicaciones son completamente aceptadas, se hace poco claro qué es lo que significa "hacer ciencia". O bien volvemos a la "potencia" aristotélica (o al alambique alquímico), o nos sentamos en un estadio repleto observando demostraciones de telekinesis realizadas por charlatanes (pero ¿lo son realmente? ¡Ese es el punto!). Aparentemente, los cubos que caen pueden ser influenciados por la concentración mental, y no hay ninguna forma de que tal información pueda ser acomodada dentro del paradigma cartesiano[15]. En forma alternativa, la mecánica cuántica apunta hacia el budismo y el misticismo en su esquema general del mundo, algo que fue primeramente señalado por Joseph Needham en *Science and Civilization in China*, y desde entonces elaborado por varios escritores[16]. El animismo implícito en la mecánica cuántica ha sido explorado *matemáticamente* por el físico Evan Harris Walker, quien sostiene que cada partícula en el universo posee conciencia[17]. Por lo menos, nos vemos obligados a concluir que el "mundo" no es independiente de "nosotros". No está compuesto de ladrillos de materia, y de hecho, qué es lo que es exactamente la materia se ha convertido en algo tremendamente problemático. Todo parece estar relacionado con todo lo demás. La "lección de la física moderna es que el sujeto (el aparato receptor) y el objeto (la realidad medida) forman una totalidad sin costuras"[18]. *Panta rhei*, decía Heráclito; todo fluye, sólo el proceso es real.

La mecánica cuántica, por lo tanto, nos deja dar un vistazo a una nueva conciencia participativa, una que no es una simple vuelta al animismo ingenuo. A medida que consideramos las implicaciones de la mecánica cuántica, se hace más claro que la alteración más significativa de nuestra visión científica del mundo surgiría de la inclusión deliberada en nuestro pensamiento científico de la noción de que participamos de la realidad. Históricamente, nos hemos limitado a una opción entre dos posibilidades. O bien uno afirmaba la existencia de un intelecto descorporalizado, como lo hemos hecho desde el año 1600 d.C.; o argumentaba (contrariamente a lo que percibimos en forma manifiesta con nuestra conciencia presente) que las piedras, las casas, el amoblado, las nubes, este libro y la tinta en él están vivos, que poseen un espíritu inmanente —como sí lo creyeron los hombres y mujeres antes de la Revolución Científica. De lo que se ha dicho arriba debiera quedar en claro que, sin importar cuánto tiempo la cultura dominante nos obligue a mantenernos aferrados a la primera opción, esa opción no tiene futuro filosófico. Ambos, los descubrimientos de la mecánica cuántica y el análisis Polanyi/Barfield demuestran que la totalidad de la conciencia humana, incluyendo el conocimiento tácito y la información almacenada en el inconsciente, es un factor significativo en nuestra percepción y construcción de la realidad. Al igual que nuestro estudiante de radiología o el ornitólogo, nosotros participamos subliminalmente de esa realidad en el proceso de aprendizaje, y más tarde ésta se endurece en fórmulas que luego figuramos como entidades abstractas. No hay ninguna necesidad de convertir este proceso en un misterio externo, pero es un misterio interno, por lo menos en este punto de nuestro entendimiento del funcionamiento de la mente humana. Sólo tenemos la noción más vaga de cómo funciona la interface consciente/inconsciente, o cómo nos lleva a conclusiones acerca de la "realidad". Pero ya que esta cosa, esta configuración conductual de las neuronas, opera parcialmente de maneras no empíricas (por ejemplo, los sueños, el conocimiento corporal), nos vemos obligados a concluir que la visión empírica/racional/mecánica de la naturaleza, negando la realidad no empírica aun cuando depende de ella, se limita a descripciones de pensamientos alfa y de constructos conscientes. Tal visión es por lo tanto auto-contradictoria y errónea. Debe ser suplementada para incluir nuestro inconsciente, para incluir la realidad no empírica y el tipo de razonamiento dialéctico discutido y analizado en el Capítulo 3. Pero "suplementada" sugiere la adición no integrada de un ítem menor y por lo tanto es una palabra potencialmente desorientadora. Tal vez la relación que estoy sugiriendo pueda ser mejor expresada mediante la metáfora de un núcleo incluido en una célula. El ego está incluido en una conciencia mayor en la cual participamos, y actúa como el organizador de la vida, y al igual que en la célula, la relación adecuada entre ambas modalidades es osmótica. La ciencia moderna, por otro lado, identifica al conocimiento del ego con la totalidad del conocimiento; trata de hacer de la membrana algo rígido e impermeable. Como resultado, este tipo de conciencia empieza a sofocarse y a morir.

De hecho, varios pensadores están empezando a argumentar que el intelecto, o la mente consciente, es un subsistema de un sistema mayor que podríamos llamar La Mente con m mayúscula. Esta Mente de hecho es el "extraño tipo de realidad física" sobre la cual Heisenberg habló (arriba), suspendido entre la posibilidad y la realidad. Como lo ha dicho Gregory Bateson:

> La mente individual es inmanente pero no sólo en el cuerpo. También es inmanente en las vías y mensajes fuera del cuerpo; y hay una Mente mayor de la cual la mente individual es únicamente un subsistema. Esta Mente mayor es comparable a Dios y es quizás a lo que algunas personas se refieren cuando hablan de "Dios", pero incluso es inmanente en el sistema social total interconectado y en la ecología planetaria[19].

En este esquema conceptual no hay ninguna "trascendencia"; no hay un "Dios" presente en el sentido usual del término. No es el *mana* el que altera (o penetra) la materia, sino que el inconsciente humano, o en forma más comprensible, La Mente. No hay espíritus allí dentro de las rocas o los árboles, pero tampoco mi relación con esos "objetos" es la de un intelecto descorporalizado que se confronta con los objetos inertes. Mi relación con esos "objetos" es sistemática, ecológica en el más amplio sentido. La realidad yace en mi relación con ellos. De la misma forma en que dos amantes crean una relación que es en sí misma una entidad particular (un proceso), así también el trabajar ante mi máquina de escribir constituye una entidad (un proceso) que es más extensa que una realidad llamada Berman u Olympia Portátil. Mi máquina de escribir no está viva, no hay participación *original* aquí, pero estoy comprometido con ella en un proceso —de hecho, escribir este libro— que es su propia realidad, y que es más vasta que yo mismo o la máquina de escribir. La máquina y yo formamos un sistema en tanto yo me involucro con su uso o presto atención a su existencia. Como resultado, la percepción habitual de mi piel como un límite bien definido entre yo mismo y el resto del mundo comienza a debilitarse, pero sin convertirme en un esquizofrénico o en un niño pre-consciente[20]. Una ciencia que preste atención a tales relaciones en lugar de a las tan nombradas entidades discretas sería una ciencia de lo que ha sido denominado "observación participativa", y es este tipo de pensamiento holístico el que quizás tenga la clave de la evolución humana del futuro. Tal vez este enfoque se pueda calificar, en las palabras de Ferenczi, como un "animismo ya no antropomórfico".

Debiera quedar en claro que hay una enorme semejanza entre lo que está sugiriendo Bateson y la visión de la naturaleza que surge de la mecánica cuántica. Ambas estipulan que es inherente a la configura-ción de la relación entre nosotros mismos y la naturaleza (para utilizar el lenguaje desorientador de la dicotomía cartesiana) el que jamás podamos obtener más que una descripción parcial de la realidad, o incluso de nuestras mentes. La mecánica cuántica implica que la natu-raleza es *fundamentalmente* indeterminística, que las partículas elemen-tales están *ontológicamente* siempre en estados parcialmente definidos[21]. Desde este punto de vista, se puede obtener una correla-ción directa entre la dicotomía mente/cuerpo y el programa freudiano de intentar convertir lo inconsciente en consciente. Bateson sustenta la imposibilidad de lo que quiso hacer Freud cuando lo compara con el intento de construir "un aparato de televisión que mostraría en su pantalla *todo* el funcionamiento y operaciones de sus propios compo-nentes, incluyendo especialmente aquellas partes involucradas en este mostrar"[22]. Resulta que la distinción sujeto/objeto de la ciencia moder-na, la dicotomía mente/cuerpo de Descartes y la distinción consciente/inconsciente hecha por Freud, son todos aspectos del mismo paradig-ma; todos involucran el intento de saber lo que, en principio, no puede saberse, de conocer lo que, en principio, no puede ser conocido. Por otro lado, la fusión sujeto/objeto intrínseca a la mecánica cuántica es parte de un paradigma muy distinto que involucra una nueva relación mente/cuerpo, consciente/inconsciente. Este esquema mental, como lo captaron Bateson y Wilhelm Reich sin hacerlo explícito, es semejante a aquél de la mecánica cuántica en que concibe la relación entre la mente y el cuerpo como un campo, alternadamente diáfano y sólido. En los términos de Wolfgang Pauli, "sería la solución más satisfactoria si mente y cuerpo pudieran interpretarse como aspectos complementarios de la misma realidad"[23]. "No hay un límite específico en el que la mente se convierte en materia", escribe el filósofo Peter Koestenbaum; el "área de conexión es más bien como una neblina cada vez más espesa". No hay ningún objeto que exista por sí mismo; cada objeto tiene un flujo de conciencia, o lo que hemos denominado Mente, adherido a él[24].

Esta discusión, finalmente, nos lleva al *Ding an sich* de Kant, el substrato material inaccesible que supuestamente subyace a todas las apariencias fenoménicas. Como lo ha indicado correctamente Norman O. Brown, la falla en el sistema de Kant, y en todo razonamiento de este tipo, consiste en igualar las categorías de pensamiento (espacio, tiempo, origen) con la racionalidad humana —una ecuación que conduce a la convicción de que La Mente y el intelecto son una y la misma cosa. Dada la ligazón entre "nosotros" y la "naturaleza", que discutimos anteriormente, resulta que el *Ding an sich* es la mente inconsciente[25]. Como lo reconoció Freud, es esta mente la que subyace a todos los procesos de toma de conciencia conscientes (valga la redundancia), y que se abre camino hacia la conciencia cuando conseguimos relajar nuestra represión siempre vigilante. Una vez que reconocemos esta situación, debemos aceptar que el asunto del *Ding an sich* en la naturaleza es irrelevante, exactamente como lo fue la pregunta "¿Qué era lo que estaba haciendo realmente el alquimista?". Sería inútil negar que estamos en una relación sistémica y ecológica con ese algo y que, sin darnos cuenta, lo penetramos y alteramos con nuestro propio inconsciente. Inútil, también, sería negar que por esa razón encontramos lo que buscamos en ello. El futuro de la "naturaleza" en sí misma, entonces, depende del reconocimiento de la relación entre nuestras propias mentes conscientes e inconscientes, y de qué hacemos con ese reconocimiento[26]. En un modo de pensar postcartesiano, "aquí adentro" y "allá afuera" dejarán de ser categorías separadas y por lo tanto, como en el contexto alquímico, dejarán de tener sentido. Si estamos en una relación ecológica, sistemática, permeable con el "mundo natural", entonces necesariamente investigamos "ese mundo" cuando exploramos lo que está en el "inconsciente humano" y vice versa[27]. El *Ding an sich* de Kant ya no es inconocible. Sin embargo, jamás es *plenamente* conocible, no es *inmediatamente* conocible y de todas maneras cambia con el tiempo. Nótese que esta posición conceptual no restablece el animismo ingenuo y tampoco acaba con la empresa de la ciencia por seguir una corriente en boga o por ser anti-intelectual. Más bien, abre la posibilidad de una nueva ciencia, más amplia, una perspectiva que, como la visión contemporánea del universo, es a la vez delimitada pero infinita[28].

Resumiendo el punto 2, un enfoque sistémico o ecológico de la naturaleza tendría como premisa la inclusión del conocedor en lo conocido. Implicaría un rechazo oficial de la ideología actual no-participativa y una aceptación de la noción de que investigamos no una colección de entidades discretas enfrentándose a nuestras mentes (Mentes), sino que la relación entre los que hasta ahora han sido denominados "sujeto" y "objeto". Se puede hacer una analogía entre esta noción y el concepto de campo en electrodinámica, donde la materia y la fuerza son vistas como un sistema, y donde la energía reside en el campo. Una ciencia neo-holística nos incluiría a nosotros dentro del campo de fuerza. En esta visión del mundo, la "energía" residiría en la relación, o en la ecología formal (dinámica) de la estructura en sí misma. El estudio de la "naturaleza" sería entonces el estudio de "nosotros mismos", y también sería el estudio de ese campo de fuerza. Las piedras no caen a la tierra por un objetivo inmanente, y de seguro su grado de aceleración puede ser medido por métodos newtonianos o galileicos; pero esa conducta (es decir, nuestra medición de ella) está condicionada por varias formas de conocimiento tácito. La piedra que cae, la tierra y la Mente que da cuenta de este evento generan una relación, y ésta, no algún "espíritu" en la piedra o algún "grado de aceleración", sería el tema de la investigación científica.

Aboquémonos finalmente al punto 3), el problema del relativismo radical, que puede ser resumido de la siguiente manera: al parecer el método científico descubre leyes y datos que son indiscutibles —la gravedad, las ecuaciones que gobiernan el movimiento de proyectiles, las órbitas elípticas de los planetas. Sin embargo, un análisis histórico revela que el método, y por lo tanto sus hallazgos, constituye el aspecto ideológico de un proceso social y económico característico de comienzos de la Europa moderna. Si, como lo ha sostenido Karl Mannheim, todo conocimiento es "situación-límite", se hace difícil para cualquier sistema conceptual, incluyendo la ciencia, argumentar que posee una superioridad epistemológica sobre cualquier otro sistema semejante. Así es como yo sostuve en el Capítulo 2 que debemos intentar ver a la ciencia como un sistema de pensamiento adecuado a una cierta época histórica, y tratar de alejarnos de la impresión corriente de que es algún tipo de verdad absoluta, transcultural. La implicación es que no hay ninguna realidad fija, ninguna verdad subyacente, sino únicamente verdad relativa, conocimiento adecuado a las circunstancias que lo generaron. Vemos, entonces, que un análisis de la ciencia en sí misma, utilizando el método de las ciencias históricas o sociales, pone a la validez de la empresa científica en un pie muy inseguro. Para empeorar las cosas, incluso socava el análisis histórico que precipitó esta conclusión.

¿Cómo puede *algún* sistema conceptual evitar ese resultado paradójico e incluso auto-destructivo? Me parece que para hacerlo, una epistemología exitosa tendría que ser capaz de demostrar la existencia de una verdad inherente, o un orden inherente en la conjunción entre el hombre y la naturaleza, y de sobrevivir a la prueba del auto-análisis.

En otras palabras, la aplicación de su método al método mismo no atenuaría su validez.

Al visualizar el relativismo radical como lo acabamos de hacer, nos vemos confrontados a una realidad notable: éste resulta ser un problema únicamente para la epistemología científica moderna. El relativismo radical *nació* con el método científico; no existe en ninguna cultura o contexto no-científico. No hay tal cosa como un análisis teleológico del aristotelismo, o un análisis hermético de la alquimia, o un análisis mecánico-cuántico de la mecánica cuántica, o un análisis artístico del arte (las críticas artísticas y literarias son un modo de explicación científica, no son en sí mismas arte o ficción). Un análisis artístico del arte, por ejemplo, podría únicamente involucrar una parodia deliberada: Dada, Andy Warhol, el *nouveau roman* o la "anti-novela", etc., pero hay límites muy marcados entre estos géneros, en realidad son curiosidades, y tienden a tener historias relativamente cortas. Sólo la ciencia moderna y sus derivados sociales y conductuales tienen esta peculiar estructura "plisada" o "díptica", donde la disciplina se repliega en sí misma. Uno puede colocar a Freud en el diván del analista, o discutir una modalidad de análisis sociológico como siendo esto el producto de ciertas condiciones sociales, pero uno posiblemente no puede interpretar al corpus aristotélico como convirtiéndose potencialmente en realidad, o colocar al alquimista en su propio alambique (en forma ideal él ya estaba allí). Esta situación no debería ser confundida con la habilidad "auto-correctiva" de la ciencia moderna, que, como lo demuestra Polanyi en otras partes de su libro, de todas maneras no existe en la realidad[29]. Como Karl Mannheim valientemente intentó no ver durante toda su vida, esta estructura "díptica" no es auto-corrección, sino auto-destrucción. Conduce a paradojas filosóficas que ciertamente eran conocidas en la antigüedad, pero formuladas en el espíritu de acertijos o rompecabezas. En los tiempos modernos, la sociología del conocimiento, *a fortiori* las paradojas a las cuales conduce, coloca a la ciencia y sus derivados sobre una base temblorosa —como lo descubrió Kurt Gödel, el descubridor de la paradoja más famosa de la ciencia[30].

¿Por qué debiera ser este el caso? ¿De qué carece la ciencia que cae presa de este problema? En una palabra, carece de participación, o más bien, la admisión de que sí involucra conciencia participativa. No sé de ninguna forma *lógica* que permita demostrar que la negación de la participación sea la causa del relativismo radical, y no estoy adelantando un argumento causal de ese tipo; pero sí que parecen exhibir una pauta observable de interdependencia. La ciencia moderna en particular niega la participación y es la única que tiene el problema del relativismo radical, y me parece que sería difícil tener a una sin la otra. Nuestro análisis anterior sugiere que la participación es la "verdad o el orden inherente en la conjunción entre el hombre y la naturaleza", y por lo tanto que la negación de la participación debe ir de la mano con pautas de pensamiento muy complicadas. Como lo muestra el caso de la mecánica cuántica, la epistemología moderna está literalmente desbordándose de aquello que ha tratado de empujar fuera de la percepción consciente. El intento de igualar la conciencia, la realidad empírica con la totalidad de la realidad es una tarea fútil, ya que el inconsciente no será acallado. Una vez que la subjetividad humana, el conocimiento tácito, la figuración, o como desee uno llamar a la participación no-animística, se incluye en la cosa conocida, el problema desaparece. Cualquier sistema que reconoce a la conciencia participativa pierde el "poder" de analizarse a sí mismo, porque la participación de cualquier tipo es la inclusión del conocedor en lo conocido. Efectivamente, entonces, el sistema ya incluye al auto-análisis como parte de su método. Sólo si uno empuja al sí-mismo, al participante, fuera del cuadro es que uno se encuentra en la posición un tanto extraña de tener esa entidad subjetiva, en una forma esquizofrénica, flotando fuera de la creación e indicando que el cuadro tiene una grave falla.

La ciencia, escribió Nietzsche en *El Nacimiento de la Tragedia*,

> empujada por sus nociones energéticas, se acerca irresistiblemente a los límites externos donde el optimismo implícito en la lógica debe derrumbarse… Cuando el investigador, habiendo sido empujado hacia la periferia, se da cuenta de cómo la lógica en ese lugar se enrosca sobre sí misma y se muerde su propia cola, él se ve golpeado por una nueva percepción: una percepción trágica[31].

O, como lo dice en otra parte del mismo ensayo, "una cultura construida sobre principios científicos debe perecer una vez que admite su ilógica…". Personalmente, no creo que una cultura científica como la nuestra, habiendo recorrido su curso, habiéndose analizado a sí misma y descubierto sus limitaciones, tenga sólo a la tragedia o la destrucción por delante. Es inevitable que haya algún colapso, pero esto no quiere decir que la destrucción sea necesariamente el punto final de todo. Es igualmente posible enfrentar el error de la conciencia no-participativa, y empezar a trabajar en la creación de una nueva cultura, una cultura basada en una nueva visión de la naturaleza y en una pregunta científica también nueva. Nietzsche tuvo la desgracia de llegar a sus conclusiones en una época donde no habían alternativas respetables posibles al materialismo científico, y es únicamente bajo tales condiciones que la tragedia o el colapso se hace inevitable. Nosotros no estamos tan delimitados. El próximo paso en la creación de un paradigma post-cartesiano, pareciera, es colocar a la conciencia participativa en una firme base biológica, es decir, demostrar en términos fisiológicos la existencia de una "verdad u orden inherente en la conjunción entre hombre y naturaleza".

Hemos visto que sólo la ciencia clama para sí el ser libre de valores incluso mientras se adhiere a la "objetividad" como un valor; que la separación intentada del dato y el valor que caracterizó la época cartesiana jamás puede ser una posibilidad filosófica seria. Sin embargo hasta este punto, nuestra discusión ha sido en sí misma puramente abstracta, descorporalizada. Si existe un orden inherente, tiene que ser afectivo, porque el hombre es tanto una entidad emocional como una ideacional. Todo esto sugiere que una visión correcta del mundo tendría que ser, de raíz, visceral/mimética/sensual. Después de cuatro siglos de represión, Eros está finalmente entrando de nuevo por la puerta de atrás.

Eros Recobrado

La flauta del tiempo interior es tocada la escuchemos o no.
Lo que queremos decir por "amor" es su sonido entrando.
Cuando el amor golpea el borde más lejano del exceso, alcanza la sabiduría.
¡Y qué fragancia tiene ese conocimiento!
Penetra nuestros gruesos cuerpos, traspasa las paredes.
Su red de notas tiene una estructura como si millones de soles estuvieran dispuestos en el interior.
Esta melodía contiene verdad.
¿En qué otro lugar has escuchado un sonido así?

—Kabir, siglo xv, versión de Robert Bly

La Energía es la única vida y es del Cuerpo, y la Razón es el límite o la circunferencia externa de la Energía... La Energía es Deleite Eterno.

—William Blake, *El Matrimonio del Cielo
y el Infierno* (1793)

Hay otro mundo, pero está en éste.

—Paul Eluard

H ay algo, entonces, que falta en el análisis presentado en el capítulo anterior. Polanyi sólo insinúa la importancia del cuerpo en la configuración del conocimiento tácito. El dice que este último es de naturaleza biológica, y que tiene continuidad con el conocimiento poseído por los niños y los animales. Sin embargo nunca se desarrolla este tema. Atrapado en el cartesianismo que rechaza, Polanyi no es capaz de establecer firmemente el nexo entre lo visceral y lo cerebral. Para poder hacerlo uno debe tener mucha claridad acerca de rechazar el paradigma cartesiano al mismo tiempo que aceptar las consecuencias que tal rechazo implica. Más significativamente, uno debe estar dispuesto a *vivir* estas consecuencias; y en una cultura cartesiana, esto no resulta una tarea fácil.

Hasta hace poco tiempo, sólo dos figuras científicas mayores habían enfrentado este desafío, y tal vez no es por accidente que ambos fueran psiquiatras, sumidos en el problema de cómo varios individuos negocian el límite entre "aquí adentro" y "allí afuera". Ya hemos discutido el primero, Carl Jung, en algún detalle. Como vimos, Jung rompió con el cientificismo, pero al hacerlo se trasladó hacia atrás en el tiempo. En la alquimia medieval y renacentista él reconoció una totalidad que penetraba la psiquis de la Edad Media y que aún estaba presente en la vida humana de los sueños. Claramente, el análisis de los sueños tiene una importancia independiente del tiempo, pero cualquier ciencia construida sobre las premisas jungianas sería necesariamente una revitalización directa de la visión del mundo oculto y por lo tanto una vuelta al animismo ingenuo. Jung nos muestra el camino hacia una visión del mundo no-cartesiana, pero sus premisas no pueden ser la base de un paradigma post-cartesiano, que es lo que este libro intenta definir.

La segunda figura mayor de la ciencia que vivió las consecuencias del rechazo al cartesianismo fue Wilhelm Reich, y a pesar de sus inciertas declaraciones y del cientificismo declarado de sus últimos años, el trabajo de Reich es un adelanto mayor en nuestro conocimiento de la relación mente/cuerpo y una enorme contribución a cualquiera epistemología post-cartesiana. Puesto que Reich, a diferencia de Jung, miraba hacia el futuro (es decir, era contemporáneo y políticamente progresista) en lugar de tener una visión medieval, la reacción general que se produjo en torno suyo no puede limitarse simplemente a ponerle una etiqueta de oscurantista. Que Reich sea (a mi entender) el único pensador que ha tenido la distinción de ver sus obras quemadas por el FBI, sugiere que realmente tocó un nervio muy profundo y tiende, de hecho, a validar su propio argumento acerca de la añoranza dialéctica y el odio a los instintos reprimidos en la sociedad industrial de Occidente. Reich intentó reintroducir a Dionisio en una cultura desquiciada por Apolo, pero la verdadera importancia de su trabajo es que muestra la primacía del entendimiento visceral: el reconocimiento de que el intelecto está basado en el afecto, y que la contención de esa represión instintiva no solamente es poco sana, sino que llega eventualmente a producir una visión del mundo que de hecho es inexacta. Para nuestros objetivos, el trabajo de Reich, específicamente su comprensión del inconsciente humano, le imprime cuerpo y alma al concepto del conocimiento tácito, y al hacerlo, hace posible la participación no-animística. Con el descubrimiento científico de que el cuerpo y el inconsciente son uno, y el reconocimiento concomitante de una relación cercana entre lo inconsciente y el conocimiento tácito, se derrumba la distinción sujeto/objeto, ya que el conocimiento corporal (conocimiento sensual) se torna entonces parte de toda cognición. El divorcio entre Logos y Eros puede haber sido relativamente breve, y es posible que estas pautas tradicionales en la búsqueda de la verdad estén comenzando a renegociar su relación en estos momentos.

El descubrimiento de Reich tiene implicaciones notables para todo el asunto de la conciencia participativa. Desde el siglo XVII sólo el pensamiento científico ha sido considerado como verdaderamente cognitivo; otros tipos de entendimiento son "meramente" emoción. La identidad de lo sensual y lo intelectual fue, como lo he mostrado, el meollo de la tradición mimética, y es tal vez mejor ilustrado por el uso decididamente no-metafórico de la palabra "conocer" (know) en la Biblia: "Y

Abraham conoció a su esposa Sara". En la época moderna, la relación entre la ciencia y otras formas de conocimiento o creencia sigue siendo muy problemática. Todas las filosofías serias que han hecho concesiones al pensamiento no-discursivo, dice Susanne Langer, se han convertido, tarde o temprano, en una u otra forma de misticismo o irracionalismo, es decir, "se las han arreglado muy bien sin el pensamiento"[1]. Si Eros pudiera resucitar tendría que ser mediante la aceptación de que Eros es una forma completamente articulada de conocer el mundo, la ignorancia de lo cual ha tenido como resultado una mutilación intelectual. Es precisamente esto lo que Reich, y sus seguidores, han sostenido.

En este capítulo espero demostrar, primero, que la unión de Eros y Logos es un hecho científico que tiene sus raíces en la experiencia de la infancia pre-consciente, y por lo tanto que la visión holística del mundo, o la conciencia participativa, tiene una base fisiológica. En segundo lugar, deseo desarrollar la ecuación de Reich del cuerpo con el inconsciente y aplicarla al concepto del conocimiento tácito, recalcando sí el punto de que la experiencia holística de la infancia sigue invadiendo e influenciando la cognición y el entendimiento adulto del mundo. Tomados en conjunto, estos dos puntos sustentan el análisis del Capítulo 5 de un modo biológico; cierran el paradigma cartesiano como una forma legítima de conocer la realidad; y abren la puerta a una exploración de lo que podría constituir una ciencia neo-holística.

Desde la primera formulación que hizo Freud sobre el tema, los estudiosos del desarrollo infantil han estado en general de acuerdo en que los primeros tres meses de vida constituyen un período de "narcisismo primario", o en la terminología de Erich Neumann, la "fase cósmico-anónima". El niño es un Inconsciente (proceso primario) durante esta época, su vida es esencialmente una continuación del período intrauterino. Se comporta como si él y su madre fueran una unidad dual, con un límite común, y vive tan fácilmente en otros como en sí mismo. Las sensaciones externas, incluyendo los pechos de la madre, son percibidas como provenientes desde adentro. El mundo es explorado, en gran medida, por medio de la boca y las manos. "El niño", escribe Sam Keen en *Apology for Wonder*,

es, al comienzo, una boca, y su incorporación oral del pecho de la madre y de otros objetos del ambiente forma su modo inicial de relacionarse con el mundo exterior. En un sentido bastante literal, el niño saborea la realidad y la prueba para ver si es agradable. Aquello que promete cierto deleite a las papilas gustativas —sea éste el pecho, el pulgar, o algún juguete cercano— él busca incorporarlo, intuirlo, llevarlo a su interior.

Para el niño pequeño, sujeto y objeto están casi completamente indiferenciados, hecho que llevó a Freud a sostener que era esta percepción particular la que irrumpía en la conciencia dualística del adulto en la experiencia mística (Romain Rolland, en una carta escrita a Freud en 1927, denominó a este fenómeno "sentimiento oceánico"). A esta altura, el placer de la realidad es idéntico al conocimiento de la realidad; hecho y valor son uno y la misma cosa. "La superficie del cuerpo con sus zonas erógenas", escribe Erich Neumann, "es la principal escena en la experiencia del niño tanto de sí mismo como de los demás; es decir, el niño pequeño aún experimenta todo en su propia piel"[2].

Entre esta etapa y el tercer año del niño, una serie gradual de desarrollos finalmente produce una discontinuidad que constituye la cristalización del ego. Sin embargo, a pesar del trauma del nacimiento, la rudeza comparativa de las prácticas modernas de crianza de niños, y las inevitables frustraciones del ambiente, el término "anonimato cósmico" no es una descripción inadecuada de *todo* lo que tiene que ver con los dos primeros años post-natales, que son virtualmente un paraíso en comparación con lo que viene después. Desde el período fetal en adelante, el cuerpo infantil, o el inconsciente, está sujeto al constante mensaje de la unión sujeto/objeto, de la falta de tensiones (y por lo tanto distinciones) entre el sí mismo y lo demás. La fuerza enorme de este mensaje, que es el fundamento de toda la cognición holística, se pone de manifiesto cuando la traducimos a términos fisiológicos. Significa que la existencia total del niño es sensual, infinitamente más sensual de lo que jamás será en el futuro. En la famosa formulación de Freud, el niño pre-consciente es "polimórficamente perverso". Más precisamente, se trata de una totalidad polimorfa. Toda la superficie de su cuerpo es un agente del sentido, y su relación con el ambiente es casi completamente táctil. Su cuerpo entero, y por lo tanto su mundo entero, se torna sensual. Durante más de dos años completos, entonces, se mantiene en el cuerpo, o en la mente inconsciente de todos nosotros, una verificación fundamental, una base que jamás puede ser extirpada: *Yo soy mi ambiente*. De aquí la frase "proceso *primario*": el conocimiento inconsciente del mundo, con su estructura de razonamiento y cognición al estilo de los sueños, viene primero. El ego, sostenía Freud, es un fenómeno secundario; es una estructura que cristaliza *fuera del* anonimato cósmico[3].

Esta situación hace surgir una pregunta obvia: ¿Por qué hemos de abandonar jamás el Paraíso? ¿Por qué ocurre, en primer lugar, la cristalización del ego? Los psicólogos del ego tales como Margaret Mahler, Edith Jacobson y Jean Piaget han tratado este desarrollo como si fuera un proceso inherente y universal. Freud, con su aguda percepción histórica, no fue tan fácilmente engañado. Como lo revelan nuestras discusiones anteriores sobre la historia de la conciencia, hubo una época en la historia humana en la que el ego no cristalizaba. El hombre pre-homérico era completamente, o casi completamente, proceso primario, y su correspondiente modo de conocer era mimético. A lo largo de la Edad Media la gente se veía a sí misma, en cierta medida, como una continuación del ambiente, siendo los alquimistas los voceros principales de esta percepción. Como hemos visto, el quiebre final ocurrió sólo a fines del siglo xvi; de esto se trata realmente *El Quijote*. Teniendo conciencia de que la percepción de la cristalización del ego era un desarrollo relativamente reciente, Freud resolvió el problema de su aparición en el individuo con el argumento de la filogenia y ontogenia de que el crecimiento del niño moderno recapitulaba la totalidad de la historia de la raza. Pero si aceptamos esta formulación y no vemos el desarrollo del ego como al menos parcialmente innato, entonces debemos argüir (como lo hizo Freud durante casi toda su carrera) que el ego se ve obligado a cristalizar como resultado del frustrante impacto de la realidad (es decir, el ambiente). De ahí su expresión "principio de la realidad", y su famoso aforismo, "Donde está el ello, ahí estará también el ego". Pero esta afirmación, si es verdadera, implica que la realidad, especialmente en la forma de prácticas de crianza infantil, tiene que haberse tornado cada vez más frustrante con el paso de los siglos, y debió haber habido algún tipo de punto de inflexión a fines de la Edad Media, cuando la fortaleza del ego hizo su aparición en forma más abierta. De hecho el desarrollo del ego sí tiene sus aspectos innatos, pero también es un artefacto cultural: en efecto parece haber una historia de alienación cada vez en aumento que tuvo su clímax en la víspera de la Revolución Científica.

Sin embargo, antes de discutir los aspectos innatos y aprendidos (históricos) del desarrollo del ego, deseo enfatizar las abrumadoras implicaciones del párrafo anterior. Si la línea de razonamiento de Freud es correcta, entonces el ego, que nosotros damos por sentado como algo normal en la vida humana, no es únicamente un artefacto cultural, sino que —en su forma contemporánea, al menos— es de hecho un producto de la época capitalista o industrial. La cualidad de fortaleza del ego, que la sociedad moderna considera como la vara con que se mide la salud mental, es un modo de estar en el mundo que resulta plenamente natural sólo a partir del Renacimiento. En realidad, es meramente adaptable, una herramienta necesaria para funcionar en una sociedad manipuladora y reificadora (es decir, que niega la vida). Esta naturaleza históricamente condicionada del ego también sugiere que si la sociedad moderna en su forma presente desapareciera, el "hombre" como lo entendemos en la actualidad también se desvanecería —una conclusión un tanto tétrica que Michel Foucault fue incapaz de evitar en las páginas finales de su libro *The Order of Things*. En otras palabras, un modo distinto de vida tal vez no signifique tan sólo el fin de la fortaleza del ego como una virtud, sino que también la fortaleza del ego como una forma de existir, y por lo tanto del "hombre", como se le concibe en la actualidad. Igualmente sorprendente (quizás) es la implicación de que lo que consideramos como rasgos de personalidad sana son el producto de actitudes hacia los niños, y de prácticas de crianza de niños que son desesperanzadamente neuróticas —una tesis central de la psicología reichiana[4].

Entonces, si nos abocamos en primer lugar al tópico sobre el desarrollo del ego, investigaciones recientes han demostrado que los primeros dos años de vida, incluso los primeros tres meses, no son tan anónimos o inconscientes como Freud y Neumann creían. Los recién nacidos pueden localizar un tacto sobre la piel, o una fuente de sonido, aunque no con gran precisión. Ellos pueden ubicar la posición de un objeto en el espacio, y empiezan a imitar a los seis días de edad. Si la madre saca la lengua, igual cosa hará el bebé, y como lo indica Thomas Bower, éste es un logro complejo. El bebé reconoce que su propia lengua (que sólo puede conocer por su sensación) se asemeja a la lengua de su madre, la que él puede ver. Esta identificación de las partes de su propio cuerpo con las de otros es una forma primitiva de la correlación sujeto/objeto[5].

Más o menos a los 4 ó 5 meses de edad, la característica inespecífica de la sonrisa de los 3 primeros meses se convierte en una respuesta particular hacia la madre. El niño adquiere una nueva fisonomía de alerta y atención; ya no está a la deriva. Para Margaret Mahler, este cambio en la percepción es el inicio de la formación del ego corporal. A los 6 meses de edad, el bebé empieza a experimentar, tirando del pelo o de la cara de la madre, colocando comida dentro de su boca (la de la madre), apartándose de ella para verla mejor. A los 7 u 8 meses, comienza la pauta de un barrido comparativo con los ojos. El niño aparta la mirada de la madre para luego volver a acercarla, comparando lo familiar con lo no familiar. A los 8 meses, el niño empieza a distinguir entre objetos distintos, entre padre y madre, por ejemplo, y también a responder a indicadores faciales de estados de ánimo. A los 9 meses de edad los niños ya no agarran automáticamente cualquier cosa que se les presente, sino que primero se detienen a observar lo que se les ofrece. La creencia de la constancia del objeto, de que un objeto sigue existiendo aun cuando no esté a la vista, se desarrolla dentro de los 3 meses siguientes[6].

Otros aspectos del desarrollo del ego pueden ser vistos si uno hace un diagrama de la conducta de un niño en frente de un espejo. La primera percepción de la propia imagen corporal en el espejo ocurre más o menos a los 6 meses, época en la cual el niño sonríe ante la imagen de otro. Desde los 6 a los 8 meses, empieza a hacer en forma más lenta sus movimientos al frente del espejo y comienza a relacionarlos con el movimiento de la imagen, mostrándose pensativo a medida que lo hace. Entre los 9 y los 10 meses, hace movimientos deliberados mientras observa su imagen, realmente experimentando con la relación entre sí mismo y la imagen. A los 12 meses de edad, el niño reconoce que la imagen es un símbolo, pero la comprensión de ese hecho permanece durante un tiempo en forma bastante precaria, y por lo tanto sigue jugando con su reflejo, en algunos casos hasta los 31 meses de edad[7].

Desde los 10-12 meses hasta los 16-18 meses, el niño comienza a practicar con un ambiente más amplio. Se aleja físicamente de la madre gateando (pero aún sujetándose, si bien ocasionalmente); en algún momento se hace diestro en la locomoción bípeda. El niño empieza ahora a percibir a la madre desde una distancia mayor y a familiarizarse con un segmento más amplio del mundo. Desde los 15 a los 24 meses la "unidad cósmica" original comienza realmente a venirse abajo. El niño empieza a balancear la separación y la reunión siguiendo a la madre como si fuera su sombra (observándola también), para luego arrancarse, esperando ser perseguido y recogido. Existe en ese momento tanto un deseo de reunión como un temor a una reabsorción. La madre es ahora en su mente una persona, y no sólo el puerto seguro. El niño o la niña pequeña empieza a traer cosas de vuelta del mundo exterior para mostrárselas a su madre. El o ella comienza a experimentar el cuerpo como una posesión personal, que no desea que sea manipulada. El niño aprende a arreglárselas sin la presencia de su madre y desarrolla juegos de desaparición/reaparición. Practicará en forma deliberada escondiendo juguetes y luego encontrándolos, o parándose al frente de un espejo y súbitamente apartándose de su imagen. A la madre o al padre se les ordenará que se cubran sus ojos ("no me ves") y luego abruptamente que se los descubran ("me ves"), o se les dirá que finjan que no ven al niño y que repentinamente lo "descubran" con una alegría exagerada. El lenguaje se desarrolla en el segundo año de edad, a partir de una etapa de "balbuceo" durante la cual el niño emite todo tipo de sonidos, tanto inventados como imitados. El uso del pronombre "yo" ocurre más o menos a los 21 meses de edad[8].

Todas estas acciones parecen ser tan innatas que sería imposible argumentar por un período de 2 años durante el cual el proceso primario sea el dominante. El ego naciente parece estar presente y en crecimiento desde el nacimiento. Sin embargo, tenemos que preguntarnos qué es lo que queremos decir por ego, o conciencia del ego. Claramente, los griegos pre-homéricos, quienes no poseían tal conciencia, vivenciaron muchos de los procesos recién descritos, incluso la evolución de un sistema lingüístico brillantemente sofisticado. Todos estos desarrollos tal vez sean condiciones necesarias para la cristalización del ego, pero no son suficientes. La conciencia del ego de hecho puede compararse con el embarazo. Ella puede tener distintos grados, pero (citando un viejo adagio) una no puede estar "sólo un poquito embarazada". Como un salto cuántico, la conciencia del ego involucra un tipo específico de discontinuidad, y en el niño moderno ocurre más o menos a los dos años y medio de edad, cuando un día él tiene el sorprendente pensamiento: "Yo soy yo". Deberíamos agregar que unos cuantos meses antes de este evento el niño empieza a usar el pronombre "yo", por lo que no es ninguna sorpresa que éste exista en el griego pre-homérico y en todas las lenguas antiguas. Pero esto no es lo mismo que tener el pensamiento, "Yo soy yo". Esto último expresa un nivel de existencia completamente diferente, que involucra el reconocimiento de que, en última instancia, uno no puede ser conocido por los otros y que está radicalmente separado de los otros. Este reconocimiento ocurre más o menos en la misma época en que el niño se convence de lo que representa su imagen en el espejo, y es, como lo indica Merleau-Ponty, el comienzo de la alienación. Desde aquí en adelante el niño comienza a reconocer que es visible para los demás, y que hay un conflicto entre el "yo" que él siente y el "yo" que los otros ven. Ahora el niño se da cuenta de que el mundo exterior puede interpretarlo de una forma que niega su propia experiencia de sí mismo. El tercer año de vida (al menos en las culturas occidentales modernas) es, por lo tanto, un período fatigoso para los padres puesto que el niño anda por ahí estableciendo su identidad con una obstinación muy decidida. De hecho, el que un niño no logre ser un "niño (o una niña) malo" en este momento puede tener como resultado una eventual psicosis, donde el temor clave es el de ser totalmente transparente para los demás, es decir, el que uno no es nada más que lo que los demás interpretan de uno. El niño sano rechaza ser observado en esta época, ya que ahora entiende que su identidad va más allá de los roles o de la situación en que está, de que es un "yo", un ego que está en confrontación (en alguna medida) con el mundo y con la interpretación que el mundo podría hacer de él. Ahora, la conciencia dualística es un hecho irrevocable[9].

Por lo tanto, no debiéramos confundir las habilidades motoras y de la percepción con la cristalización del ego per se, porque como vimos en el Capítulo 3 (siguiendo el análisis que hace Julian Jaynes), se puede construir civilizaciones enteras sin la ventaja de éste. Es posible generar gobiernos y guerras, construir el zigurat o el Código de la Hammurabi e incluso predecir eclipses, sin la ventaja de un ego. Para llevar a cabo estos proyectos ciertamente uno tiene que ser capaz de imitar, captar y ubicar los objetos en el espacio, pero no requiere de ninguna búsqueda interior o conciencia de sí mismo. Hago hincapié en este punto porque es tan difícil para nosotros, con nuestra propia conciencia del ego, comprender que la cristalización del ego es un desarrollo comparativamente reciente; que uno puede pasar por casi todas las etapas del desarrollo motor y perceptual, descrito más arriba, sin que ocurra una discontinuidad del ego. Entonces, a lo más, uno puede decir que el desarrollo del ego es parcialmente innato, pero que aparentemente requiere de ciertos gatillos culturales para que "salte", es decir, para inclinar la balanza en la otra dirección. Mientras que la cristalización del ego puede ser algo natural, no es necesariamente verdad que sea inevitable. Más aún, los distintos rangos de fortaleza del ego presentes en el mundo actual, especialmente entre una cultura y otra, así como también el gradual endurecimiento que ocurrió entre la Grecia de Platón y la Revolución Científica (con su posterior intensificación), indican que incluso dentro del contexto de la discontinuidad del ego una gran variedad de conductas son posibles. Por lo tanto, toda la evidencia apunta hacia los límites de la psicología del ego, la que, mediante sus experimentos de laboratorio con niños, intenta establecer una causa para lo innato y universal de la cristalización del ego.

Entonces, ¿qué *es* exactamente el ego? A pesar de que no son lo mismo, el ego y el lenguaje poseen semejanzas estructurales importantes. Como lo indican Daniel Yankelovich y William Barret en su pionero estudio, *Ego and Instinct*, el ego y el lenguaje son el producto conjunto de la evolución y la cultura, y su desarrollo no se llevará a cabo si la sociedad no suministra las experiencias críticas en el momento adecuado. Si la fase "balbuceo" del lenguaje no ocurre en un contexto social, el niño no aprenderá a hablar —como ha sido documentado en los pocos casos en que se han descubierto niños criados por alguna especie animal. Tanto los lenguajes, como el ego, pueden ser considerados como "estructuras psíquicas incompletas", o lo que los autores denominan desarrollos (developmentals)*: "estructuras que sólo crecen cuando los factores filogenéticos interactúan con la experiencia crítica individual en etapas específicas del ciclo vital". Sin embargo, tal experiencia individual es realmente de naturaleza social, y varía significativamente de cultura en cultura y entre diferentes épocas históricas[10].

El reconocimiento de que los factores intelectuales son importantes para la cristalización del ego, de hecho aparece escondido en la investigación (presentada arriba) del desarrollo del ego supuestamente innato. Como lo indica Thomas Bower, ciertas percepciones son innatas y algunas otras son adquiridas[11]. No todas las culturas creen en la constancia o en la solidez del objeto, por ejemplo, ni tampoco es claro que los niños de cada cultura practiquen juegos de "shadowing" (seguir a la madre como si fueran su sombra), o juegos de escondidas "me ves"/"no me ves", o aquéllos propios del tercer año sobre la comprobación de la identidad. Es posible que en épocas anteriores estos juegos estuvieran totalmente ausentes. La fortaleza del ego es mucho más suave en culturas no-industriales que en la nuestra, y los desarrollos del ego son probablemente más débiles en forma correspondiente. Tales estudios como el de Gregory Bateson y el de Margaret Mead en Bali, por ejemplo, revelan pautas de crianza de niños que

---

*Hemos adoptado el término "desarrollante" para diferenciarlo del concepto "desarrollo", introducido en psicopatología por K. Jasper (N. del T.).

tienen poco en común con las nuestras (véase Capítulo 7). En una forma de pensamiento similar, la objeción a la manipulación corporal que actualmente ocurre alrededor de los 18 meses de edad no estuvo presente durante la Edad Media y aparentemente aún está ausente en muchas culturas del Tercer Mundo[12].

En contraste con esto, descubrimos que algunas de las madres en el estudio de Margaret Mahler (véase nota 2) estaban intensamente motivadas por el prestigio que significaba el ser parte de una unidad de investigación en el master Children's Center de Nueva York y, como resultado, frecuentemente se orientaron hacia los logros con respecto a sus hijos, queriendo que fueran lo más precoces posible en su desarrollo sensomotor. Tanto los investigadores como las madres esperaban ansiosamente que se registraran señales de desarrollo del ego (o lo que ellas consideraban como signos de ese desarrollo). Si es que éstos no hubieran surgido en un niño en particular, seguramente habría sido etiquetado como autista. Sin embargo, en algún momento de la historia de la raza, todos éramos "autistas", y era al desarrollo del ego al que se veía con alarma. El intenso sesgo contemporáneo en favor del desarrollo del ego no puede sino perjudicar su estudio "científico". La unidad de investigación en el Masters fue, de hecho, un espejo perfecto del ethos norteamericano. El clásico chiste judío, "mi hijo el doctor" (6 meses de edad), no es tan sólo un chiste *judío*; es la norma para las sociedades industriales de Occidente, las cuales producen, con violencia, estructuras del ego rígidas. Se hace difícil demarcar los límites entre lo innato y lo adquirido cuando el niño es sujeto a un proceso de socialización que comienza con su primer hálito[13].

A pesar de que el asunto sobre cuál es el factor cultural que suscita la cristalización del ego es inmensamente complejo, y (dado que el ego es erróneamente considerado como una característica humana universal) muy escasamente investigado, al menos un factor puede ser señalado con algún grado de certeza. Es bastante claro que la historia del incremento del desarrollo del ego en Occidente también es la historia del incremento de la represión y la privación erótica, manifestada durante los siglos por una disminución del contacto corporal y del placer sensorial que normalmente ocurre durante los dos primeros años de vida. El desarrollo del ego no se logra meramente a expensas del placer sensual (la teoría clásica de la sublimación); más significativamente tiene como condición necesaria la represión (es decir, la alienación sexual) —y posiblemente sea la única condición necesaria— para su desarrollo. En resumen, una represión suficiente puede inclinar la balanza e "impregnar" la psiquis. Veamos brevemente la evidencia para esta tesis.

Antes del surgimiento de la civilización agrícola (es decir, antes del año 8.000 a.C., aproximadamente), el hombre vivía como un cazador-recolector. Por necesidad, las madres llevaban a sus bebés sobre el cuerpo la mayor parte del tiempo. La madre y el hijo no eran separados después del nacimiento. Dormían juntos, y la madre amamantaba a su hijo durante casi 4 años. Esta alimentación de pecho dependía del hambre espontánea, en lugar de horarios preestablecidos[14].

Gran parte de esta práctica se mantuvo durante los milenios siguientes. La lactancia en la antigua Judea, por ejemplo, promediaba entre 2 y 3 años, y los bebés aún se llevaban a cuestas, en lugar de ponerlos en una cuna o dejarlos solos. Los niños mayores eran llevados sobre los hombros o a horcajadas en el costado, como aún se acostumbra en las culturas del Tercer Mundo. Los griegos típicamente trasladaban al recién nacido a un recipiente con agua tibia, de manera de continuar la experiencia intrauterina. En el siglo XI d.C. el gran médico árabe Avicenna recomendó la lactancia durante 2 años e instó a un destete gradual en lugar de uno repentino —advertencias que pueden sugerir la existencia de un distanciamiento de la costumbre de la lactancia prolongada[15].

El significado de la lactancia, curiosamente, radica menos en el valor químico de la leche materna que en la estimulación cutánea suministrada por el contacto materno-infantil. En su libro: *El Sentido del Tacto* (*Touching: The Human Significance of the Skin*), Ashley Montagu reunió gran cantidad de evidencias para demostrar que en todas las especies mamíferas ocurre que no es posible una vida adulta sana sin una gran cantidad de estimulación táctil durante los primeros años, y especialmente durante los primeros meses, después del nacimiento. De hecho, el desarrollo adecuado del sistema nervioso, incluyendo la mielinización (formación de la vaina de substancia grasa que protege al tejido nervioso), depende de ello. A pesar de que la cantidad de estimulación táctil en los niños ha disminuido a través del tiempo, ésta se mantuvo en gran medida hasta el siglo XVI (1500 d.C.). Ya sea mediante el acarreo directo, una lactancia prolongada o incluso una manipulación suave de los genitales del niño, la estimulación corporal constituía gran parte de la vida temprana, y todas estas prácticas aún se mantienen en aquellas partes del mundo que todavía no se ven afectadas por la modernización[16].

No se pueden hacer correlaciones directas, pero las prácticas de crianza de niños entre las culturas contemporáneas no-occidentales pueden ser un indicador de lo que era típico en Occidente hasta principios del Renacimiento. Por ejemplo, en Bali, el niño es llevado a horcajadas en la cadera o en una especie de mochila, en contacto casi constante con la madre durante los dos primeros años de vida. Durante los primeros 6 meses jamás deja de estar en los brazos de alguien, excepto cuando lo bañan, y típicamente los padres juegan con los genitales del niño cuando está en el baño. Se ha reunido información semejante sobre una serie de sociedades contemporáneas "primitivas", y el asunto de jugar con los genitales de los niños fue seleccionado como punto de comparación por Philippe Ariès en su libro *Centuries of Chilhood*. En la Edad Media, nos dice, el contacto físico público con las partes privadas de los niños era una especie de juego divertido, prohibido únicamente cuando el niño llegaba a la pubertad. Esta actitud cambió drásticamente durante el Renacimiento, pero como lo indica Ariès, aún es una práctica muy difundida en las culturas islámicas. Es bastante interesante notar que prácticas tales como colocar al recién nacido en agua tibia, y la estimulación de la sexualidad infantil, están volviendo lentamente a nuestra cultura. La base lógica de todo esto es que tales prácticas conducen a una vida sexual menos ansiosa y más sana[17].

Ariès también proporciona un estudio detallado de las actitudes hacia los niños a fines del medievo, las cuales implican que éste fue un período de prácticas cambiantes en asuntos de contacto corporal[18]. De hecho, el tema más importante en su libro es la separación, la disociación. Ariès es capaz de demostrar que antes de que terminara el siglo XVI, no existían como *conceptos* ni la familia nuclear ni el niño. Hasta el siglo XII, el arte no retrataba la morfología de la niñez, y de hecho casi no existieron retratos de niños hasta fines del siglo XVI. Literalmente, el siglo XVII "descubrió" la niñez, y se interesó en demarcar sus límites como una etapa en una serie de fases distintas de la vida. Sin embargo, lejos de implicar un mayor cuidado de los niños, esta demarcación involucró una mayor separación y alienación de ellos. Los niños comenzaron a usar ropa especial para hacer notar las distintas etapas de crecimiento y a fines del siglo XVI, súbitamente surgió una gran preocupación por los supuestos peligros del tacto y el contacto corporal. Se les enseñó a los niños a esconder sus cuerpos de los demás. Además, surgió la creencia de que jamás se debía dejar a los niños solos. El resultado fue que el adulto se convirtió en una especie de perro guardián psíquico, siempre supervisando al niño pero nunca haciéndole cariño —una práctica que en realidad es el prototipo de la observación y la experimentación científica.

Estas mismas pautas fueron institucionalizadas en las universidades y colegios de fines de la Edad Media, donde tomaron la forma de una supervisión constante, un sistema de informar (es decir, espionaje) y la aplicación extensiva del castigo corporal. La vara reemplazó a las multas como castigo predominante y los estudiantes eran frecuentemente azotados en público hasta sangrar. Ya en el siglo XVIII, los azotes ocurrían a diario en Inglaterra, donde eran considerados como una forma de enseñar el auto-control a los niños y a los adolescentes.

De esa manera, a fines de la Edad Media se produjo un abrupto cambio de énfasis en las prácticas de crianza, un cambio desde el cuidado hasta el completo dominio, lo que es un aspecto de la aparición de una civilización marcada por la categorización y el control. Como lo indican las prácticas de crianza, la sociedad occidental aun estuvo fuertemente sexualizada hasta el siglo XVI. Como lo dice Ariès, fue "la civilización esencialmente masculina de los tiempos modernos", la que desincentivó aquellas prácticas de crianza. El surgimiento de la familia nuclear, con el hombre a la cabeza, logró su máxima expresión en el siglo XVII, mientras que la unidad crucial había sido previamente la "línea", es decir, la familia extendida de descendientes a partir de un único antecesor. Con la evolución de la unidad nuclear, la suave heterogeneidad de la vida en comunidad empezó a desaparecer. Se hicieron distinciones dentro de la familia y entre las familias. El hogar medieval, que podía contener hasta 30 miembros de la familia extendida, comenzó a contraerse y uniformarse. Las camas, que antiguamente habían estado dispersas por todas partes en la casa, fueron confinadas a una pieza especial. Lo que nosotros podríamos llamar caos era en efecto la multiplicidad de realidades, una "mezcla de colores", como dice Ariès, y aún se puede observar en las calles de (digamos) Delhi o Benares, donde se puede ver 8 tipos de transporte y 40 tipos distintos de personas en una sola calle angosta, o en las multitudes de personas que atestan las calles de las ciudades del Mediterráneo después de la puesta de sol. La civilización "masculina", con su deseo de tener todo ordenado, limpio y uniforme, surgió con toda su fuerza en la víspera de la Revolución Científica. A partir del siglo XIII en adelante, el poder de la esposa declinó constantemente, siendo la ley de la primogenitura (el hijo mayor tiene el derecho exclusivo de la herencia) uno de los primeros ejemplos de esto. Hasta mediados del siglo XVI, a ningún hombre, salvo al ocasional astrólogo se le permitía estar presente durante un parto. Ya por el año 1700, un gran porcentaje de las "parteras" eran hombres. La civilización "profesional", el mundo de la categorización y el control, es un mundo de poder y dominio masculino.

La desensualización de la niñez y la inclusión de la crianza de niños bajo el control masculino y la administración científica, alcanzaron su apogeo en el siglo XX. Desde luego que este desarrollo no es del todo carente de consecuencias positivas. No podemos ignorar, por ejemplo, la intensa baja en la tasa de mortalidad infantil. Pero el costo psíquico que acompaña a esta desensualización puede llevarnos a la pregunta de cuánto se ha ganado en realidad. No estoy refiriéndome aquí a los casos de *maltrato* de niños, lo que aparentemente ha declinado con el transcurso de los siglos, sino que a la desexualización, el alejamiento, el estar "fuera de contacto", que es una condición que surge cuando el padre se relaciona con el niño con una deliberada falta de interés sensible. El trato abusivo puede ser tan sexual como el trato amoroso y es cualquier cosa menos desinteresado[19]. Puede crear adultos resentidos, pero no conduce en sí mismo a una angustia existencial. Es esta última condición la que comprende el quehacer diario del adulto de hoy en día; y es crucial percatarse que esta misma angustia existencial caracteriza la conciencia de la personalidad esquizoide, que, de acuerdo a Ashley Montagu, puede ser en sí misma un resultado de la falta de estimulación táctil durante la infancia[20]. Y dado el carácter de la línea de montaje de la obstetricia moderna, esta situación tal vez no es ninguna sorpresa. ¿Cómo es que entra el niño al mundo en las sociedades industriales de Occidente? "Apenas nace", escribe Montagu,

> se le corta o se le oblitera el cordón umbilical, el niño es enseñado a su madre, y luego es llevado por la enfermera a una sala de bebés llamada "guardería" (nursery) denominada así presumiblemente porque la única cosa que no se hace ahí, es amamantar al bebé. Aquí se le pesa, mide y se registran sus características físicas y otros rasgos, se le coloca un número en la muñeca y se deja en su cuna para que aúlle hasta el cansancio.

Luego se somete al niño a un esquema fijo de alimentación, que es mantenido durante meses y que tiene poca relación con sus propias manifestaciones de hambre. La medicina moderna estimula un destete temprano, si es que el niño ha tenido la suerte de ser amamantado.

No es difícil demostrar que la estimulación cutánea es fundamental para la salud, si no lo es para la vida misma. Durante el siglo XIX más de la mitad de los niños en los Estados Unidos murieron en el primer año de vida debido a una condición llamada marasmo, palabra que literalmente significa "consumirse". Tan tarde como en 1920, la tasa de mortalidad de los niños de esta edad en las instituciones para niños huérfanos y/o abandonados, donde no se producía ningún contacto corporal, era *cercana* al 100%. Como lo explica Montagu, el cuidado de los niños norteamericanos estaba bajo la influencia de Luther Emmett Holt Senior, profesor de pediatría, y el Dr. Spock, de su generación, cuyos libros de gran difusión instaban a establecer horarios fijos de alimentación, la abolición de la cuna y un mínimo de cariño físico. Por aquel entonces, J.B. Watson, fundador de la psicología conductual, también tuvo gran influencia, e instaba a las madres a mantener una distancia emocional de sus hijos. Específicamente establecía que tal tratamiento, junto con los horarios de alimentación fijos, los regímenes estrictos y el entrenamiento de esfínteres, moldearían las capacidades del niño de tal manera que se facilitaría su conquista del mundo. El objetivo, decía él, era conseguir que el niño fuera "en la mayor medida posible, libre de la sensibilidad a las personas" —una meta que ha llegado a fructificar a fines del siglo XX con un "éxito" impresionante[21].

A pesar de que puede ser difícil proporcionar un argumento causal estricto aquí (hecho que sigue molestando a la antropología moderna[22]), vale la pena hacer notar que el deshacerse de la cuna, el abandono del cariño físico y el surgimiento de las prácticas de crianza mecanicistas, han ganado terreno en aquellos países tercermundistas que han abrazado el desarrollo industrial y la occidentalización como su objetivo manifiesto. De alguna manera se entiende que tanto la ciencia como el "progreso" y las prácticas deshumanizadas de crianza de niños vayan de la mano. Al dar vuelta lo que dijo E.M. Foster, la fórmula se convierte en, "basta con desconectar".

Marshall Klaus y John Kennell del Case Western Reserve School of Medicine en Cleveland, han suministrado más evidencias acerca de las influencias destructivas de las prácticas modernas de crianza de niños. Sus estudios revelan que cuando el nacimiento es natural y no hay interferencia por parte de la institución, existe una pauta común para la unión madre-hijo. Los primeros 60 a 90 minutos de vida son un período extraordinario, durante el cual el recién nacido está inusualmente alerta y se compromete con la madre en una especie de "danza" unificadora primitiva, donde ambos se tocan, se hacen cariño y se miran profundamente a los ojos. Sin embargo, el hospital moderno no permite que ocurra esta interacción. A la madre generalmente se le dan analgésicos y tranquilizantes con lo cual se aminora su percepción, y hay un tipo de medicación que rutinariamente es aplicada a los ojos del recién nacido, con lo cual su visión se hace borrosa. De hecho estas prácticas no hacen ninguna gran diferencia, ya que los hospitales separan a la madre y al niño inmediatamente, con efectos bastante notables. En un experimento, Klaus y Kennell compararon un grupo de parejas madre-niño a las que se les permitió 16 horas de contacto inmediato, a diferencia de las de un grupo control a las cuales no se les permitió esto. Dos años más tarde, las madres del primer grupo se relacionaban con sus hijos de un modo relajado, usando más preguntas y adjetivos y menos órdenes en su lenguaje. El segundo grupo (el grupo control) fue sorprendido en retos, inhibiciones y dando órdenes frecuentes. Aparentemente, las 16 horas de cariño físico tuvieron un efecto que al menos duró dos años. Klaus y Kennell también visitaron guarderías infantiles en Guatemala, donde hay un intenso y prolongado contacto corporal temprano entre las madres y los niños, y pudieron observar que habían mucho menos quejas y llantos de parte de los niños. Similares variaciones de la conducta fueron observadas por Louis Sander y sus colegas en el Boston University Medical Center. Ellos encontraron que los bebés atendidos por enfermeras eran afectados en forma adversa si la orientación de las enfermeras era marcadamente "profesional", es decir, dirigida más bien hacia el personal del hospital, que a los niños[23].

¿Qué implicaciones puede tener esta revisión de las prácticas de crianza de niños para la cristalización del ego? A pesar de que no se puede aseverar confiablemente que existen conexiones causales, parece que hay una gestalt histórica en funcionamiento. Dicho en forma sencilla, las culturas "primitivas" contemporáneas, semejantes a las de Occidente antes de 1600, tienen estructuras del ego mucho más tenues que nosotros, y se caracterizan por un estilo de vida más comunitario y heterogéneo, mucho menos ansiedad y locura, y distinciones mucho más suaves entre sujeto y objeto. En general, dice Montagu, las personalidades adultas en culturas donde hay contacto corporal intenso y prolongado son menos competitivas; y aquellas pocas sociedades "primitivas" que no tienen tal contacto, como los Mundugumor de Nueva Guinea estudiados por Margaret Mead, producen adultos irritables y angustiados[24]. Estos hallazgos apenas sí son sorprendentes. La crianza de niños en la cultura industrial occidental es tan rígida que no es difícil entender su importancia en la mantención, si no en la génesis, de la anonimia moderna. El sadomasoquismo descrito por Reich, la personalidad esquizoide de Laing, la náusea de Sartre, son condiciones que únicamente han podido prosperar en un contexto desexualizado.

Desde luego, el ego tiene sus aspectos positivos también. Con toda seguridad existió en Occidente desde más o menos el año 800 a. C. al año 1600 d. C. sin que como corolario sobreviniera una alienación masiva, pero es difícil evitar la conclusión de que en su forma moderna el ego es producto y expresión de patología. Específicamente, parece ser (repito, en su forma moderna) una estructura que evolucionó para obtener amor por medio del dominio en un mundo sin amor. Pero como lo indicara Reich, el amor y el dominio son fisiológicamente metas incompatibles. Buscamos desesperadamente el amor y la autenticidad, pero en el contexto de un mundo que nos ha enseñado a temer precisamente estas cosas. Los resultados son, inevitablemente, neurosis masiva y gratificación substitutiva (véase Ilustración 17). En una curiosa parodia del Principio de Incertidumbre, la precisión misma del ego moderno ha creado una especie de parataxis en nuestras relaciones sociales, mediante la cual éstas parecen ser nebulosas, desconectadas e incluso autísticas. Este es el trágico mensaje de los Beatles en su álbum *Sargento Pepper*, lanzado en 1967, esencialmente un conjunto de alusiones acerca de la disociación humana. "¿Me necesitarás, me alimentarás (Will you still need me, will you still feed me,)/(Cuando tenga 64 años?" (/When I'm sixty four") bien podría ser el "himno nacional" del mundo industrializado[25].

La enfermedad de la vida contemporánea, invadida como está con el intenso uso de drogas y el alcoholismo, surge del intento inútil de la cultura científica de erradicar la percepción holística. Pero la cognición holística es una percepción primaria, ecológica, de la naturaleza, enraizada en un substrato biológico y presente incluso antes del surgimiento del ego. La historia del hombre arcaico y la fase cósmico-anónima de la niñez, atestiguan claramente la existencia de este substrato primitivo de material de proceso primario. Este estrato alcanza a ser un "desarrollo"; es la base de nuestro ser, y a diferencia del ego, no necesita ser gatillado por factores culturales. Ninguna cantidad de civilización puede erradicarlo y el intento científico de hacerlo sólo podrá empujarnos a la bebida. Jamás escapamos del impacto de la fase cósmico-anónima;

Ilustración 17: Luis Jiménez, Jr., *The American Dream* (1969/76). Fibra de vidrio y epoxy, 20" × 35" × 30". Con permiso del artista.

la participación sigue siendo la base de nuestra percepción a lo largo de nuestras vidas. Erich Neumann escribe en *The Child*: "La realidad primaria unitaria no es meramente algo que preceda a nuestra experiencia; sigue siendo el cimiento de nuestra existencia, incluso después de que nuestra conciencia, que se ha hecho independiente con la separación de los sistemas, ha comenzado a elaborar su visión científicamente objetiva del mundo"[26].

El holismo persigue al hombre moderno, tira sin piedad de su conciencia. A pesar del modo en que éste se ve forzado a vivir, aún escucha ese eco pre-consciente que dice: "Yo soy mi ambiente". Se le entrena en el ascetismo, escribe Norman O. Brown, se le entrena en una postura de un distanciamiento analítico de la naturaleza, sin embargo, él sigue sin convencerse, "porque en su infancia probó la fruta del árbol de la vida, y sabe que es buena, y jamás olvida"[27]. Como lo percibiera Reich, este recuerdo es almacenado en el cuerpo, y ya sea expresado en términos de la participación original (la visión ocultista del mundo), o mediante la resexualización deliberada de la vida (que Reich valerosamente intentó efectuar), no hay forma de escapar de ello[28]. Es por esta razón que el material de proceso primario está en las raíces de todas las epistemologías pre-modernas, que las pautas de pensamiento de los niños son en gran medida de estructura mágica hasta más o menos los 7 años, y que la conciencia participativa sobrevive, incluso en la epistemología científica moderna. Lo que sabe el niño, el "primitivo" y el loco, y por lo que lucha el hombre adulto promedio para mantener alejado de su percepción consciente, es que la piel es un límite artificial; que el sí mismo y el otro realmente se fusionan en alguna forma no especificada. En el último análisis, no podemos evitar la convicción de que en realidad todo *está* relacionado con todo lo demás.

En efecto, fue esta continuidad de la percepción holística la que Reich intentó demostrar en términos científicos (y más tarde, cientísticos). Para hacer esto, uno tiene que mostrar que el conocimiento inconsciente es esencialmente conocimiento corporal o, en forma más sencilla, que el cuerpo y el inconsciente son uno y la misma cosa, y ésta fue precisamente la mayor contribución de Reich al psicoanálisis. Un breve bosquejo de su obra nos ayudará a sustentar nuestro argumento por la continuidad de la conciencia holística.

Como es bien sabido, Freud adhirió religiosamente al paradigma cartesiano. Para él, como para Descartes, todo efecto, en última instancia, estaba enraizado en la disposición mecánica de corpúsculos (o neuronas), creencia que hizo explícita en su inédito "Proyecto Científico" de 1895 y conservada por la medicina occidental hasta ahora. La mente y el cuerpo, o el ego y el instinto, son entidades rígidamente distintas, y todos los procesos intrapsíquicos (como todo lo demás) son de naturaleza esencialmente mecánica. A partir de este análisis estrictamente materialista, con su elaboración en términos de transferencias de energía termodinámica e hidráulica (conversión, catexis, resistencia, etc.), se concluía que los síntomas neuróticos eran adventicios o mecánicamente separables. En otras palabras, una neurosis era un elemento foráneo en un organismo, por lo demás, sano. La neurosis se formaba reprimiendo un hecho doloroso y, por lo tanto, alejándolo de la percepción consciente; la neurosis en sí misma podía ser eliminada por técnicas (fundamentalmente la asociación libre) diseñadas para tornar conscientes los recuerdos inconscientes.

Como lo han captado miles de analistas y analizados freudianos, este enfoque razonable, intelectual, sencillamente no funciona. Freud mismo estaba consciente de sus limitaciones y sí ponía énfasis en que la sesión de terapia debía liberar, o "abreaccionar", la emoción que acompañaba a la represión original. Sin embargo, en última instancia, su compromiso era con el poder supuestamente curativo del intelecto. En una oportunidad le dijo ingenuamente a Jung: "me pregunto qué es lo que harán los neuróticos en el futuro, cuando todos sus símbolos hayan sido desenmascarados. Entonces será imposible tener una neurosis"[29]. El que la cognición analítica tuviera poco que ver con el afecto, o que la *mimesis* pudiera ser conocimiento, eran nociones que Freud estaba tan poco dispuesto a aceptar como Platón en su época. Tampoco llegó a captar cuán apasionadamente, incluso eróticamente, unido estaba al concepto del conocimiento intelectual.

Reich, como Jung, estaba profundamente consciente de las limitaciones de este enfoque. Su argumento central era que lo que nosotros denominamos "personalidad" o "carácter", es en sí mismo una neurosis; o, como lo ha dicho el psiquiatra John Bowlby, una actitud de defensa en contra de la amenaza de pérdida de un objeto. Contrario a la teoría mecanicista de Freud, con su idea de partes separables, Reich adelantó una teoría holística: *"no puede haber un síntoma neurótico"*, escribió, *"sin una perturbación del carácter como totalidad.* Los síntomas son meramente las cumbres de la cadena montañosa que es lo que el carácter neurótico representa"[30].

La "cadena montañosa" a la que se refiere Reich es la estructura específica de la personalidad, la cual tiene un aspecto psíquico, la neurosis, y uno muscular, la armadura del carácter. A una edad temprana en la vida, sostenía, la naturaleza espontánea del niño se ve sujeta a una represión severa por parte de sus padres, quienes temen dicha espontaneidad (en particular, la falta de inhibición sexual y sensual) y mediante la socialización consiguen eliminarlo del niño, como ocurrió con ellos mucho tiempo atrás. Ya a la edad de 4 ó 5 años, los instintos han sido aplastados o rodeados por una estructura psíquica de defensa que trae aparejada una rigidez muscular. Lo que se pierde es la habilidad de sucumbir a la experiencia involuntaria, abandonar el control y perderse en una actividad; se pierde la habilidad para obtener lo que Reich denominaba (tal vez en una forma engañosa) la "gratificación orgástica". La persona no gratificada orgásticamente desarrolla un carácter artificial y un miedo a la espontaneidad. Mientras que el carácter sano tiene control sobre su armadura, el carácter neurótico es controlado *por* ella. Las emociones de este último, incluyendo la ira, la angustia, el deseo sexual, o lo que sea, son sujetadas y contenidas rígidamente por esta tensión muscular, y el resultado es la postura rígida (o colapsada) y la articulación mecánica del cuerpo, lo que es observable en casi todas partes en nuestra sociedad. Este carácter neurótico, o "personalidad modal"[31], encerrado en la armadura del carácter, bien podría se comparado con un crustáceo. La totalidad de su carácter está diseñada para cumplir la función de defensa y protección o, en forma alternativa, la adquisición y el engrandecimiento. Se mueve de crisis en crisis, llevado por un deseo de éxito y orgulloso de su habilidad para soportar la tensión. Su armadura no es meramente una defensa en contra de los demás, sino que en contra de su propio inconsciente, su propio cuerpo. La armadura puede proteger del dolor y de la ira, pero también protege de todo lo demás. Estas emociones son reprimidas por valores trastocados, tales como una moralidad compulsiva y los "buenos modales" exigidos por la sociedad —el barniz de la civilización. La personalidad modal es, por lo tanto, una mezcla de conformidad externa y rebelión interna. Reproduce, como una oveja, la ideología de la sociedad que la moldeó, en primer lugar, y de esa manera su ideología (independientemente de su política) es esencialmente negadora de la vida. Al reproducir tal ideología, el carácter neurótico genera su propia supresión. La neurosis no es alguna acreción adventicia, una mosca en la miel. Según Reich, es un ícono de la personalidad y la cultura como totalidad.

Ya nos hemos encontrado con la personalidad modal de la era moderna en Isaac Newton, y hemos notado la relación entre su auto-represión y su sistema del mundo. También hemos argumentado que tal persona fue el producto del surgimiento del capitalismo y la mentalidad prusiana que lo acompañó. En uno de sus primeros estudios, Erich Fromm demostró en forma bastante convincente la conexión entre el así llamado tipo anal, con su preocupación por el orden, y la tipología social del capitalista, descrito por Werner Sombart y Max Weber. "La estructura del carácter", escribió Reich, "es el proceso sociológico congelado de una determinada época". Como Reich lo captó, tal tipo no es prerrogativa de la sociedad capitalista, puesto que existe en todas las sociedades industriales, en todas las sociedades que se basan en la producción y en la eficiencia en lugar del goce y la autenticidad[32].

¿Cómo se puede curar a una persona así; es decir, a la mayoría de nosotros? Reich tenía una fuerte orientación política y no creía que las curas individuales pudieran tener éxito sin que se llevaran a cabo profundos cambios sociales. Pero el proyecto de integrar al individuo con el cambio social lo eludió (como lo ha hecho con todos los políticos teóricos), y él no fue capaz de dejar en claro cómo se podría forjar un programa político a partir de la autenticidad o de la auto-realización. A un nivel individual, sin embargo, no tenía dudas: la autenticidad significaba, específicamente, autenticidad corporal, el sentimiento de la continuidad de la conciencia con el cuerpo, lo que Descartes negaba como posibilidad. "El cimiento filosófico de la autenticidad corporal", escribe Peter Koestenbaum, "es que el cuerpo es una metáfora de la estructura fundamental de ser sí mismo —una posición, incidentalmente, con la cual ningún alquimista que se respetara a sí mismo estaría en desacuerdo[33]. Así, no era probable que se lograra la restauración de la autenticidad, del sentido de ser auténtico en el mundo, a través del intelecto; situación ésta, que para Reich explicaba el fracaso general del análisis freudiano. El modo reichiano específico de terapia iba de la mano con su entendimiento de que Descartes estaba sencillamente equivocado, de que la dicotomía mente/cuerpo era un constructo artificial. Toda la teoría de la armadura del carácter, que Reich creía era validada cada vez que un paciente entraba en su oficina, demostraba que "las actitudes musculares y las del carácter tienen la misma función en el mecanismo psíquico". El psiquiatra en realidad podría tener más éxito para llegar al inconsciente mediante la manipulación del cuerpo del paciente que por la técnica de la asociación libre. Esta manipulación soltaba la armadura, produciendo no tan sólo una serie de contracciones y sensaciones, sino también emociones primitivas y un recuerdo del evento durante el cual estas emociones (instintos) fueron originalmente reprimidas. Estas emociones y recuerdos no eran, en la formulación cartesiana, causas o resultados de fenómenos corporales, sino que más bien, "ellos sencillamente eran estos fenómenos en sí mismos en el ámbito somático". La rigidez somática, escribía Reich, "representa la parte más esencial en el proceso de represión", y cada rigidez *contiene la historia y el significado de su origen*". En resumen, la armadura es la forma en la cual se recuerda y se preserva la experiencia del funcionamiento impedido. Reich no sólo concluyó que la tradicional dicotomía mente/cuerpo era un error, sino también que Freud estaba equivocado al sostener que el inconsciente, como el *Ding an sich*, de Kant, no era tangible. *Pongan sus manos sobre el cuerpo*, decía Reich, *y habrán puesto sus manos en el inconsciente*. La irrupción de antiguos recuerdos infantiles y su acompañamiento afectivo en cientos de pacientes le demostró que el inconsciente puede ser contactado directamente en la forma de la energía biológica del cuerpo y los distintos quiebres y vueltas que lo han bloqueado y distorsionado.

La identidad del cuerpo y el inconsciente, que Reich fue capaz de demostrar clínicamente, es algo de lo cual todos estamos intuitivamente conscientes, y que puede ser explorado sin someterse a un análisis reichiano. Por ejemplo, todos hemos tenido la experiencia de despertar y olvidar lo que recién estábamos soñando. Podemos entonces cambiar lentamente nuestra posición en la cama, para que retorne únicamente una parte o todo el sueño; y las diferentes posiciones nos harán recordar las distintas escenas del sueño. Al soñar, aparentemente, se libera cierta imaginería a partir de los tejidos corporales a medida que nos movemos mientras dormimos; o alternativamente, se podría decir que estas imágenes se "fijaron" en el cuerpo mientras estaba en ciertas posturas. Por lo tanto, el recuperar una imagen en particular a menudo depende del asumir la configuración corporal que estaba presente durante la secuencia original del sueño.

Los puntos de vista de Reich tienen profundas implicaciones para la epistomología. El diagrama mostrado en el Capítulo 1 sobre la división cartesiana mente/cuerpo, es en realidad el esquema de la personalidad esquizoide moderna. Esta personalidad también puede ser esquematizada como en la Figura 12. Lo que tomamos como normal es, por lo tanto, una distorsión de una relación muy distinta, no-cartesiana que una persona puede y debería tener consigo misma, como está ilustrado en la Figura 13.

Dado que la personalidad cartesiana o newtoniana ve *únicamente* la dualidad, *únicamente* la distinción sujeto/objeto, la etapa de unidad

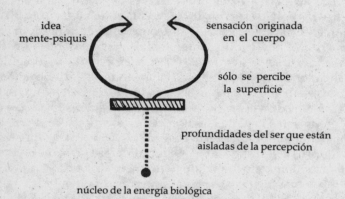

Figura 12. Esquema de Wilhelm Reich de la personalidad neurótica (tomado de *Depression and the Body*, pág. 304, por Alexander Lowen).

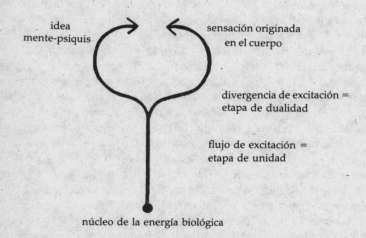

Figura 13. Esquema de Wilhelm Reich de la personalidad sana (tomado de *Depression and the Body*, pág. 303, por Alexander Lowen).

indicada en la Figura 13, le es inaccesible en forma permanente a la persona. Pero como hemos visto, esta unidad es la realidad primaria de todo ser humano y cognición, y por lo tanto, no estar en contacto con ella significa padecer de una severa distorsión interna. El asunto es que la personalidad modal, al tener distorsionada su relación interna, necesariamente tiene que tener distorsionada una externa. La persona verá al mundo en la forma que lo vio Newton en sus últimos años. Las apariencias de la superficie serán confundidas con la cosa real. Una percepción verdaderamente precisa depende del mantener contacto con el núcleo biológico, porque únicamente entonces, podremos volver a ello a voluntad, es decir, abandonar el control y unirnos con el objeto. Y es esta capacidad de abandonar el control, de obtener la "gratificación orgástica", o a lo que yo me he referido como la experiencia mimética, la que Reich definió como la capacidad de amar. Por lo tanto, la suspensión del ego yace en el núcleo del amor, y toda experiencia verdadera de la naturaleza depende de ello.

El "secreto" que yace en el corazón de la visión del mundo oculto, con su sentido de que todo está vivo e interrelacionado, es que el mundo es sensual en su núcleo; que ésta es la esencia de la realidad. La experiencia táctil puede ser tomada como la raíz de la metáfora de la *mimesis* en general. Cuando el indio hace la danza de la lluvia, por ejemplo, él no está asumiendo una respuesta automática. Aquí no hay ninguna tecnología fallida, más bien, él está invitando a las nubes a que se le unan, para que respondan a la invocación. En efecto, les está pidiendo que hagan el amor con él, y como cualquier amante normal puede que estén o no dispuestas a ello. Esta es la forma en que funciona la naturaleza. Mediante este enfoque, el nativo aprende acerca de la realidad de la situación, los estados de ánimo de la tierra y los cielos. El se rinde: *mimesis*, participación orgástica. Por otra parte, la tecnología occidental siembra las nubes desde aviones. Toma a la naturaleza a la fuerza, la "domina", no tiene tiempo para estados de ánimo o sutilezas, y por lo tanto, junto con la lluvia, obtenemos ruido, polución y la potencial ruptura de la capa de ozono. En lugar de colocarnos en armonía con la naturaleza, buscamos conquistarla, y el resultado es la destrucción ecológica. Entonces, ¿quién sabe más acerca de la naturaleza, acerca de la "realidad"? ¿La persona que le hace cariño o la que la toma a la fuerza, que la veja, como lo instaba Bacon con vehemencia? El corolario epistemológico de la obra de Reich es que el tener certeza acerca de la realidad depende del amor —un tipo de conclusión bastante notable. Por el contrario, la percepción basada en la causalidad mecánica y la dicotomía mente/cuerpo cabe mejor bajo el rótulo "prueba de la realidad impedida", que es la definición clínica de la locura.

No quiero decir con esto que el proceso primario es de alguna manera "bueno" y la conciencia del ego correspondientemente "mala", o que son entidades distintas, no relacionadas. Desgraciadamente, esa implicación sí está al acecho en los escritos de Reich. Al parecer, él sí creía, como Rousseau, que bajo el hombre social estaba escondido el hombre natural. El problema es que a pesar de que el proceso primario sea el substrato, la base del ser, parece estar suficientemente claro que una vez que el ego es gatillado, es, como un árbol, tan real como la tierra desde la cual creció. Como en el caso del lenguaje, los aspectos aprendidos e instintivos forman aquí una pauta complicada e interrelacionada. La posición de Reich debe, por lo tanto, ser modificada para calzar con la teoría de los "desarrollos", que correctamente proporciona argumentos contrarios a las distinciones arbitrarias entre lo instintivo y lo adquirido.

De acuerdo con Yankelovich y Barrett, un gran número de etologistas han concluido que a pesar de que ciertos tipos de conducta —respirar, chupar, comer, la actividad sexual— se desarrollan independientemente de cualquier cultura, no hay ninguna conducta que no manifieste algunos aspectos del aprendizaje. Ni siquiera las células se desarrollan en forma independiente, sino que atraviesan por cadenas de reacciones ambientales con las células vecinas. No hay ninguna instancia de conducta que haya permitido decir a un científico, "esto es puro instinto", sin que otro investigador eventualmente pudiera demostrar trazas de aprendizaje en el mismo caso. Dado que no tenemos reglas infalibles para distinguir entre lo innato y lo adquirido, el mejor modo de visualizar a los "desarrollos", dicen los autores, es como entidades o (procesos) donde la experiencia y el instinto son "considerados como aspectos inseparables de un único evento unificado"[34].

A pesar de que el proceso primario es, como lo indica la frase, primario, nos vemos obligados a concluir de que *tanto la mimesis (identificación), como el análisis (discriminación) están presentes dentro del sistema de respuestas fisiológicas del organismo humano*. Dado que esta conclusión es válida aun cuando un elemento o proceso sea más fundamental que otro, mi crítica del ego no ha sido dirigida en contra del ego per se, sino que en contra de la forma particularmente virulenta que, desde 1600, ha insistido en la rígida dicotomía mente/cuerpo, sujeto/objeto. Antes del Renacimiento, el ego coexistía con la participación más que buscar, negarla, y esta actitud es lo que hizo de él una estructura viable durante tantos siglos. Sin embargo, al negar la participación, el ego niega su propia fuente, ya que tanto Reich como Freud (durante gran parte de su vida) sostenían que el ego no tiene reservas de energía propias. El inconsciente es la base de su ser. Como el núcleo de una célula, el ego es un punto contráctil dentro de la Mente, y la Mente es la suma del conocimiento obtenido por *todo* el cuerpo, por todos los sentidos. Al reconocer esta posición del cerebro dentro de la Mente, un ingeniero biomédico ha sugerido que el cerebro no es la fuente del pensamiento sino que un amplificador del pensamiento; que el conocimiento no se origina en el cerebro sino que en el cuerpo, y que el cerebro simplemente lo magnifica y lo organiza. Esta tesis no significa que la función procesadora del cerebro sea de alguna manera ajena al sistema de respuestas fisiológicas, más de lo que el núcleo pueda ser considerado como un elemento foráneo dentro de la célula[35]. Por lo tanto, el asunto no es si la *mimesis* es buena y el análisis malo, sino cómo y en qué medida una determinada cultura gatilla a este último, es decir, qué es lo que produce como la ecología de su personalidad típica. La cultura del hombre arcaico, a través de las actitudes sociales, el contacto corporal, la alimentación espontánea, etc., apenas gatillaba el ego, *si* es que lo hacía; aparentemente las sociedades industriales "avanzadas" no gatillan ninguna otra cosa. Puede ser el caso, como lo sugiere Foucault, que invertiremos esa tendencia y eventualmente regresaremos a un estado completamente mimético; pero no es una afirmación mía (como puede haber sido la de Reich) la de que tal conciencia sea lo mejor que le podría pasar a la raza humana, y, en cualquier caso, apenas es una opción sobre la cual podemos actuar. Mucho más que la ciencia moderna, el ego es parte de nuestro bagaje cultural, tanto así que el hablar de "erradicarlo" en forma deliberada no tiene mucho sentido. En este momento, nuestra única opción visible es modificarlo, y así superarlo.

Ahora estamos en posición de darle al análisis del conocimiento de Polanyi una base biológica. A partir de la identificación clínica que hace Reich del cuerpo con el inconsciente, nuestra discusión de la participación, la figuración y el "conocimiento tácito" de Polanyi cobra una dimensión completamente nueva. A pesar de que Polanyi sostenía, en su *Personal Knowledge*, que tal conocimiento era fisiológico, jamás pudo probar su aseveración, no logró establecer esa conexión. *Reich suministra el eslabón faltante*, ya que si el cuerpo y el inconsciente son la misma cosa, la penetración de la naturaleza por parte de este último, explica por qué aún existe la participación, por qué el conocimiento sensual es parte de toda cognición, y por qué la admisión de esta situación no es un retorno al animismo primitivo. También explica por qué no existe el conocimiento "objetivo", y por qué todo conocimiento verdadero (como lo sostuviera Polanyi) constituye un compromiso. Tomados en conjunto, Reich y Polanyi indican el modo de salir del paradigma cartesiano, y de entrar al "sentido erótico de la realidad" de Ferenczi.

Permítaseme establecer esto de otra manera, antes de elaborar el argumento. El que el conocimiento no-discursivo tenga contenido cognitivo puede ser un hecho poco conocido en nuestra cultura, pero apenas es un hecho *desconocido*. Si el lector tomara una copia de *El Análisis del Carácter*, de Reich, o del *How Behavior Means*, de Albert Scheflen, o de *Visual Thinking*, de Rudolf Arnheim, o de *Feeling and Form*, de Susanne Langer, o de *Ecstasy: A Way of Knowing*, de Andrew Greeley, o de cualquiera de las obras de Freud o de Jung sobre el simbolismo de los sueños, descubriría, en esencia, un tema común. Tampoco es el caso de que estas pocas obras, seleccionadas más o menos al azar, agoten el tópico. Ya desde fines del siglo XIX, un número significativo de intelectuales occidentales han abordado las limitaciones del conocimiento verbal-racional y han dedicado sus vidas a demostrar los distintos esquemas cognitivos presentes en el arte, en los sueños, en el cuerpo, en la fantasía y en la ilusión. En lo que *no* han tenido éxito es en mostrar la relación entre estas dos formas de conocimiento. Como resultado, ellos han exacerbado, sin saberlo, la división entre las "dos culturas", tendencia que actualmente está siendo reforzada por la popular dicotomía entre el pensamiento del "cerebro derecho" y del "cerebro izquierdo"[36]. Si alguna vez nos vamos a liberar del paradigma cartesiano, tenemos que hacer más que simplemente delinear los contornos del pensamiento no-discursivo; debemos mostrar cómo se relacionan entre sí las dos formas de conocimiento. Mientras sigan siendo dos culturas, o dos cerebros, la cultura o el hemisferio cerebral dominante puede seguir tomándose en serio mientras que se falsea al otro en forma santurrona. El trabajo de Reich, como el de Polanyi y el de Barfield, da el primer paso hacia una síntesis, ya que demuestra que el paradigma cartesiano es de hecho un fraude: *no hay* tal cosa como el pensamiento puramente discursivo, y la enfermedad de nuestro tiempo no es la ausencia de participación sino que la testaruda negación de que existe —la negación del cuerpo y su rol en nuestra cognición de la realidad.

Entonces, ¿cuál es ese rol? ¿Cómo se vería una interpretación reichiana de Polanyi, modificada por la teoría de los desarrollantes? En primer lugar, Polanyi argumentaba que el atribuirle verdad a cualquier metodología, científica o de otro tipo, es un compromiso no-racional, un acto de fe, una afirmación afectiva. En segundo lugar, demostró que gran parte del conocimiento que nosotros adquirimos es de hecho inconsciente, o lo que él denomina "tácito". El aprendizaje se lleva a cabo mediante la acción, ya se trate de andar en bicicleta, adquirir un lenguaje o conocer la patología de rayos X. Nuestro darnos cuenta de las reglas que subyacen es subliminal, es adquirido por osmosis. No hay nada que inicialmente sea cognitivo o analítico acerca del proceso de aprendizaje, a pesar de lo que nos guste pensar. Desde un punto de vista reichiano, el asunto crucial es que el compromiso y la comprensión no-cognitiva de la realidad son miméticos; surgen por medio de la identificación, o del colapso de la distinción sujeto/objeto. El caso del paradigma de Polanyi, el ejemplo de la patología de rayos X, demostró este punto en forma bastante dramática. Los rayos X comenzaron a cobrar sentido a medida que el estudiante se olvidaba de su sí mismo y se sumergía con todo su ser en la experiencia.

Lo que Reich argumentaría aquí, desde luego, es que el conocimiento participado es sensual. Es el *cuerpo* el que está haciendo su compromiso en este estudio de los rayos X, el que está absorbiendo las diversas imágenes, sonidos y olores. El cuerpo ya ha incorporado las reglas de la cultura en general y ahora está haciendo lo mismo con la subcultura de la patología de rayos X. Literalmente hemos vuelto al niño pre-consciente que conoce al mundo poniéndoselo en la boca. La realidad que no es "degustada" no nos parece real. Para hacer que las cosas se conviertan en reales, debemos ir hacia ellas con nuestros cuerpos y absorberlas con nuestros cuerpos, ya que (como lo escribiera una vez Hobbes) "no hay ninguna concepción en la mente del hombre que no hubiera sido primero captada por los órganos de los Sentidos". Es únicamente *después* de que esto ocurre, como lo mostré en el Capítulo 5, que empieza a funcionar la racionalidad, reflexionando sobre la información y estableciendo las categorías de pensamiento. Es en el crepúsculo, escribió Hegel, que la Lechuza de Minerva empieza su vuelo, y es por ello, excepto en el caso de una revolución científica, que terminamos verificando el paradigma, descubriendo lo que de alguna forma sabíamos todo el tiempo.

El caso de la revolución científica, donde (como lo argumentara T.S. Kuhn) las anomalías se apilan como para generar una crisis, es también más comprensible según una interpretación reichiana que una estrictamente intelectual. Si las anomalías no fueran más que contradicciones lógicas o empíricas, jamás nos sentiríamos amenazados por ellas. Pero cuando nuestra visión del mundo es puesta en duda, sentimos angustia y la angustia es una reacción visceral. Como lo muestra Peter Marris en su libro *Loss and Change*, toda pérdida real involucra pesar y duelo, y la pérdida de un paradigma es, a menudo, una catástrofe emocional. Marris, como Reich, proporciona la comprensión visceral carente en Polanyi. El conocimiento es aprendido y generado, primero y fundamentalmente por el cuerpo, y es el cuerpo el que sufre cuando se requieren cambios serios[37].

En términos reichianos, el conocimiento tácito de Polanyi puede reformularse de la siguiente manera. El *Ding an sich* es el *Ding an sich* dentro de nosotros mismos, principalmente nuestros cuerpos, o nuestras mentes inconscientes, que jamás pueden ser plenamente conocidos. En tanto sigamos teniendo cuerpos, habrá conocimiento tácito. Ese conocimiento penetra la naturaleza y nuestra cognición de ella; la unidad de realidad primaria de la infancia pre-consciente nunca se abandona, y representa el orden inherente en la conjunción del hombre y la naturaleza. El conocedor es, por lo tanto, completamente incluido en lo conocido. Cuando llegamos a las partículas más pequeñas del universo, descubrimos nuestras propias mentes en ellas, o detrás de ellas.

Más aún, a medida que nos convertimos en adultos, nuestros cuerpos se convierten en algo más que sólo un proceso primario. El inconsciente no es una "cosa" estática, no cambiante. El paradigma cultural de la época es alimentado dentro de nuestro conocimiento tácito y luego moldea nuestro conocimiento consciente. La decisión gradual de considerar al movimiento de proyectiles como parabólico, por ejemplo, vino muchas décadas después de que los cañones y los disparos a larga distancia se habían convertido en elementos estables del ambiente, junto con el clima cada vez más utilitario generado por el advenimiento de la contabilidad, la topografía y la ingeniería. Galileo aprendió acerca de los proyectiles de la misma manera que el estudiante de medicina citado por Polanyi aprendió acerca de la patología de rayos X, pero su inconsciente ya llevaba consigo la gestalt de una nueva época que se había estado construyendo durante casi tres siglos. Entonces, reconocemos que existe una estrecha relación entre lo cultural y lo biológico. El aprender a figurar la realidad de acuerdo a las reglas de una cultura parecería ser un proceso intensamente biológico, porque la visión del mundo aparentemente se entierra en los tejidos del cuerpo junto con la unidad de realidad primaria. De hecho, esta estrecha relación entre lo cultural y lo biológico puede ser parte de la razón de que la forma del cuerpo humano ha ido cambiando con los siglos. Una conciencia diferente debe significar un cuerpo diferente, o como lo hubiera dicho Reich (con más precisión), una conciencia diferente *es* un cuerpo diferente[38].

Finalmente, podemos traducir la discusión de la Mente proporcionada en el Capítulo 5 en términos viscerales, porque lo que yo quiero decir por "Mente" es la conjunción del mundo y el cuerpo —incluyendo *todas* las funciones del cuerpo, del cerebro y del ego. Cuando reconocemos que la Mente definida así es el modo como confrontamos el mundo, nos damos cuenta de que ya no lo "confrontamos". Como el alquimista, lo penetramos, porque reconocemos que estamos en continuidad con él. Unicamente un intelecto descorporalizado puede confrontar la "materia", los "datos" o los "fenómenos" —términos cargados que utiliza la cultura occidental para mantener la distinción sujeto/objeto. Una vez que hemos descartado este último paradigma, entramos al mundo de la ciencia sensual, y dejamos de una vez por todas a Descartes. Mientras que una negación medieval de la conciencia participativa hubiera llegado a ser una negación de los fantasmas y las hadas, la negación cartesiana de ella es simplemente una negación del cuerpo, una negación de que incluso poseemos un cuerpo. Pero una vez que se entiende al cuerpo como un instrumento de conocimiento y que su negación es vista como algo que constituye un error, tanto como cualquiera de los famosos "Idolos" de Bacon, hemos hecho posible teóricamente la ciencia sensual o afectiva[39].

En el Capítulo 5, sugerí que la visión sistémica de la naturaleza no hacía claudicar la empresa de la ciencia sino que de hecho la abría, creando todo un nuevo conjunto de aspectos por explorar. Me parece que la noción de Mente, o sistema, analizada en ese capítulo, e interpretada en términos de lo que hemos dicho en este capítulo, proporciona el fundamento para una realidad participada no-animística. Sin embargo, debemos profundizar algo más esta noción, formulando varias preguntas que nos ayudarán a captarla en mayor detalle. Por ejemplo, ¿en qué consistiría un experimento holístico? ¿Qué tipos de respuestas nos podría proporcionar una ciencia holística?

"En el último análisis", escribía E.A. Burtt en *The Metaphysical Foundations of Modern Science*, "es la imagen esencial que una época forma de la naturaleza de su mundo, que es su posesión más fundamental. Es el factor último que controla absolutamente todo el pensamiento". Susanne Langer, en su libro *Philosophy in a New Key*, elabora este tema estableciendo que los cambios cruciales en la filosofía no son cambios en las respuestas a preguntas tradicionales, sino que cambios en las preguntas que son formuladas. "Es el modo de manejar los problemas, en lugar de acerca de qué se tratan, el que los asigna a una época". Una clave nueva en la filosofía no resuelve las viejas preguntas; las *rechaza*. Las ideas generativas del siglo XVII, dice ella, en forma notable la dicotomía sujeto/objeto de Descartes, han cumplido su objetivo, y ahora sus paradojas atiborran nuestro pensamiento. "Si fuéramos a tener un nuevo conocimiento", concluye, "tenemos que armarnos de todo un mundo de nuevas preguntas"[40].

Langer ha enunciado la esencia de nuestro problema. No necesitamos una nueva solución al problema mente/cuerpo, o un nuevo modo de visualizar la relación sujeto/objeto. Necesitamos negar que tales distinciones existen, y una vez hecho esto, formular un nuevo conjunto de preguntas científicas basadas en una nueva modalidad. Cuando yo estudié física en la universidad, por ejemplo, se destinaba una unidad al calor, luego una a la luz, luego a la electricidad y al magnetismo, y así sucesivamente. El proyecto involucrado en cada unidad, la "idea generativa", era, en efecto, determinar la naturaleza de la luz, del calor, del electromagnetismo, etc. En este currículum podemos ver la fuerte mano del paradigma cartesiano. Cincuenta años después de la formulación de la mecánica cuántica, estos tópicos aún son enseñados como si se pudieran conocer en forma independiente del observador humano. Quiero reiterar que no estoy tomando una posición berkeleyana: el que estas cosas existan independientemente de nuestra observación de ellas no es algo que yo considere como una línea fructífera de investigación. Lo que sí *está* en juego es la noción de que la observación no hace ninguna diferencia para lo que aprendemos acerca de la cosa que está siendo investigada. Ya a esta altura está bastante claro que somos parte de cualquier experimento, que el acto de investigación altera el conocimiento obtenido, y que dada esta situación, cualquier intento de conocer toda la naturaleza mediante un análisis unidad por unidad de sus "componentes" es en gran medida una ilusión. Una pregunta tal como "¿Qué es la luz?" puede tener sólo una respuesta en el mundo post-cartesiano: "Esa pregunta no tiene sentido".

¿Cómo debiéramos estudiar (es decir, participar) a la naturaleza? ¿Qué preguntas *debiéramos* formular? El lector estará consciente de que no soy un científico y probablemente no soy la persona adecuada para intentar responder estas preguntas. Pero habiendo iniciado la discusión, me veo obligado a hacer algún intento de concluirla, esperando suministrar algunas sugerencias de valor que otros podrían desarrollar en mayor profundidad. Ya que con anterioridad he tratado en forma extensa el estudio de la luz, permítaseme organizar la discusión en torno a este problema. Desde luego, mi elección no es arbitraria, puesto que el estudio sobre la naturaleza de la luz, que hizo Newton, se convirtió en el paradigma atomista, el modelo de cómo debieran examinarse todos los fenómenos. Así, estoy intentando captar, trabajando con un ejemplo arquetípico, qué podría llegar a ser una ciencia sensual u holística; qué podría significar el reconocimiento de la participación mediante la inclusión deliberada del conocedor en lo conocido[41].

En el Capítulo 1 vimos que Newton, en sus experimentos con los prismas, fue capaz de mostrar que un haz de luz blanca estaba compuesto por siete rayos monocromáticos, y que cada color podía ser identificado por un número, el que significaba su grado de refractibilidad. Hoy en día, se considera la longitud de onda o la frecuencia como el número significativo, pero la definición newtoniana del color como número ha sido conservada plenamente. El rojo, por ejemplo, es la sensación provocada por una cierta medida de longitud de onda de la luz en el ojo de un observador estándar.

La teoría del color de Newton recibió un duro golpe en los años 50 a raíz del trabajo de Edwin Land, el inventor de la cámara Polaroid. Land fue capaz de demostrar que los colores no son simplemente un asunto de longitud de onda, sino que su percepción depende en gran medida de los objetos o imágenes que ellos representan; en resumen, dependen de su contexto y de su interpretación (humana). Un jarrón blanco bañado en luz azul es visto blanco porque la mente (Mente) acepta como blanca cualquiera sea la iluminación general que haya. El mismo fenómeno puede verse en el caso de las luces amarillas de los autos o de la llama de una vela, que comúnmente son percibidas como blancas. Land descubrió que incluso dos longitudes de onda de luz muy cercanas entre sí, por ejemplo dos tonalidades distintas de rojo, pueden generar un completo rango de color en el ojo del observador.

Al tratar de encontrarle sentido a esta clara refutación de la teoría clásica de la luz y del color, Land llegó a una explicación que era un eco de la crítica que hizo Goethe a Newton en su muy ridiculizado libro *Farbenlehre* (Sobre la Teoría de los Colores, 1810). "La respuesta", escribió Land, "es que su trabajo (es decir, el trabajo de Newton y de sus seguidores) tenía muy poco que ver con el color como nosotros normalmente lo vemos" (La frase de Goethe era: "A los fenómenos derivados no se les debiera dar el primer lugar"). En otras palabras, los rayos superpuestos de luz monocromática son aislados en forma artificial en el laboratorio, y a pesar de que nadie está negando su importancia en (por ejemplo) la tecnología del láser, sencillamente no ocurren en la naturaleza. En sus propios experimentos, Land descubrió que la disposición característica de los colores era de hecho un espectro, pero uno que iba de cálido a frío —cosa que los artistas han sabido durante siglos. "La escala visual importante", concluyó, "no es el espectro newtoniano. Sin perjuicio de su belleza, el espectro (newtoniano) es simplemente la consecuencia accidental de disponer los estímulos en orden de acuerdo a su longitud de onda".

Desde luego, no hay nada accidental en relación a esta disposición. El sistema de valores de la Europa de Newton consideraba sensato el identificar los colores con números u ordenarlos de acuerdo a su longitud de onda. La percepción de los colores en términos atomísticos, cuantificables, fue posible gracias a la cultura industrial occidental y finalmente le devolvió a esta cultura artefactos tecnológicos, como la lámpara de vapor de sodio o el espectroscopio, que "verificaron" esta percepción de un modo hermosamente circular. Pero es más significativo aquí el hecho de que los experimentos de Land demuestran que el espectro newtoniano es *un modo* de observar la luz y el color, y no hay nada sagrado en relación a él. Más aún, las conclusiones de Land revelan la represión implícita en la ciencia newtoniana, incluso en este caso en especial, ya que el hablar de colores cálidos versus colores fríos nos lanza directamente hacia el afecto y dentro de la interpretación subjetiva humana. Los grados de refractibilidad están supuestamente "allá afuera", son eternos, no precisan de un observador humano para establecer su validez. Sin embargo, lo caliente y lo frío están tanto "aquí adentro" como "allá afuera"; necesitan de un *participante* humano, en particular, uno que tenga un cuerpo con sus correspondientes emociones. Los grados de refractibilidad tampoco son muy estimulantes desde el punto de vista emocional. La cuantificación del color representa un estrechamiento dramático de la respuesta emocional. El lingüista Benjamín Lee Whorf gozaba apuntando al hecho de que los esquimales tienen trece palabras distintas para denotar el color blanco, y que algunas tribus africanas tienen hasta noventa palabras para el verde. En contraste, los lenguajes europeos reducen un completo rango de emoción y observación a tres o cuatro palabras: por ejemplo, verde, azul-verde, calipso, turquesa. Empezamos así a comprender lo que quería decir Lao-tzu cuando dijo, "los cinco colores cegarán la visión de un hombre".

Entonces, en cualquier experimento holístico con luz y color, lo importante es que el afecto y el análisis no sean diferenciados. Si el experimento no incluye las respuestas emocionales/viscerales, no es científico, y por lo tanto no tiene sentido. Este enfoque *no* descarta la teoría newtoniana del color. La "validez" de la teoría clásica del color, sin embargo, no yace en algo inherente a la naturaleza sino que en nuestra apreciación y goce de ello; y desde luego que uno puede disfrutar de los láseres, los espectroscopios y los juegos con prismas. Pero si esta teoría va a agotar la investigación del tema, entonces no es científica debido a la omisión. El trabajo de Land puede ser visto como el comienzo de un paradigma para la investigación holística de la luz y el color. En la misma línea, la investigación sobre la psicología del color había demostrado que un rectángulo rojo de hecho se siente más cálido y más grande que un rectángulo azul del mismo tamaño. Ciertas combinaciones de colores nos hacen sentirnos tristes, eufóricos, mareados o claustrofóbicos. Recientemente, varias prisiones en los Estados Unidos han instalado una "pieza rosada", donde el enclaustramiento durante sólo unos quince minutos reduce a la víctima, al estilo de *La Naranja Mecánica,* a una pasividad completa[42]. Frases como "me siento azul" ("I feel blue") o "eso me hace ver rojo" ("that makes me see red") no son meras metáforas, y ha surgido últimamente toda una disciplina, denominada "cromoterapia" por los que la practican, en torno al reconocimiento intuitivo de que ciertos colores tienen cualidades curativas. Ahora también sabemos que hay un campo de colores, llamado "aura", que rodea a todas las cosas vivientes, y que los niños lo perciben hasta cierta edad. Es probable que las auras aún sean percibidas corrientemente en las culturas no-industriales, y es posible que las aureolas amarillas que se pintaron alrededor de la cabeza de varios santos en el arte medieval hubieran sido algo realmente visto y no según una formulación moderna) una metáfora de la santidad añadida para lograr un efecto religioso.

Todo esto es a modo de sugerencia. Yo no puedo formular un paradigma nuevo, completamente enunciado, pero puedo adelantar que la exploración holística de tales temas inagotables como el color, el calor, la electricidad, nos proporcionará —como ha manifestado Susanne Langer con vehemencia— todo un mundo nuevo de preguntas. La pregunta científica clave debe dejar de ser "¿Qué es la luz?", "¿Qué es la electricidad?", y convertirse más bien en, "¿Cuál es la *experiencia humana* de la luz?" "¿Cuál es la *experiencia humana* de la electricidad?" El punto no es descartar en forma simplista el conocimiento actual sobre estos temas. Las ecuaciones de Maxwell y el espectro newtoniano son claramente parte de la experiencia humana. El asunto es más bien reconocer el error que surge cuando la experiencia humana es definida como lo que ocurre desde el cuello hacia arriba —podríamos denominarlo el "Idolo de la Cabeza". Es la calidad de incompleta de la ciencia cartesiana la que ha hecho que su interpretación de la naturaleza sea tan imprecisa. El grito de batalla de una nueva subje/objetividad deberá ser: "¿Cuál es la experiencia humana de la naturaleza?"[43].

Es posible que la última parte del siglo XX sea una época difícil de vivir, pero no por eso deja de tener sus aspectos estimulantes. En el preciso momento en que la filosofía mecánica haya jugado todas sus cartas y en que el paradigma cartesiano, en su intento de conocerlo todo, haya extinguido, irónicamente, el modo mismo de conocer que representa, se abrirá lentamente la puerta hacia un mundo y un estilo de vida por completo nuevos. Lo que se está disolviendo no es el ego en sí mismo, sino que la rigidez del ego de la era moderna, la "civilización masculina" identificada por Ariès, o lo que el poeta Robert Bly llama la "conciencia paterna". Estamos siendo testigos de la modificación de esta entidad por medio de una "conciencia materna" que está reemergiendo, la visión mimético/erótica de la naturaleza (véase Ilustración 18). "Escribo sobre la conciencia materna", declara Bly en su impresionante ensayo, "Salí de la Madre Desnudo",

> Utilizando una gran cantidad de conciencia paterna. La conciencia paterna de un hombre no puede ser erradicada. Si él intenta eso, perderá todo.

Ilustración 18: *Donald Brodeur, Eros Regained (1975). Con permiso del artista.*

A lo más que puede aspirar es a unir su conciencia paterna y su conciencia materna para poder vivenciar lo que hay más allá del velo del padre.

En este momento añoramos decir que la conciencia de padre es mala, y
que la conciencia de madre es buena. Pero sabemos que es la conciencia
de padre la que dice eso; insiste en rotular las cosas. Ambas son buenas.
Los griegos y los judíos tuvieron razón al separarse de la Madre y
sumirse en la conciencia de padre; y su impulso hacia adelante le dio a
ambas culturas una luminosidad maravillosa. Pero ahora ha llegado el
turno...[44].

Vale la pena señalar que Bly le da crédito a la conciencia no-participativa de los griegos y los judíos como culturas productoras de una
"luminosidad maravillosa", porque al hacerlo está amonestando a
todos los reichianos a ultranza. Bien pudiera ser que la cultura de
Europa desde el Renacimiento hasta ahora haya estado basada en la
represión sensual; y Reich bien pudo haber tenido razón en creer (a
diferencia de Freud) que la cultura per se no *tenía* que depender de la
represión; pero sea cual fuere la energía que la alimentó, no puede
dudarse del brillo de la cultura moderna de Europa. La Edad Media
entera no produjo un escultor como Miguel Angel, un pintor como
Rembrandt, un dramaturgo como Shakespeare o un científico como
Galileo; y en meros términos de volumen de creatividad, la comparación resulta aún más dramática. Sin embargo, el punto crucial según
Bly es que la "maravillosa luminosidad" ha llegado a sus límites. Se ha
convertido en un resplandor hostil, en una bola de fuego quemante
que, como lo intentó sugerir Dalí, incluso derrite los relojes en un árido
paisaje desértico. Sus vanguardias más creativas son ahora auto-críti-
cas, análisis de la cultura que se revisa a sí misma; la mecánica cuántica,
el arte surrealista, las obras de James Joyce, T.S. Eliot y Claude Lévi-
Strauss. Hay una posibilidad, como lo sugiere Bly, de que haya una
cultura más luminosa que "está más allá del velo del padre", una
cultura que pueda entibiar y nutrir en lugar de quemar y disecar.
Ciertamente, como acto de fe, estoy convencido de ello. Pero por
ahora, es claro que el intenso dualismo sujeto/objeto de la ciencia
moderna, y la cultura tecnológica que se adhiere religiosamente a ella,
están fundamentadas en un "desarrollo" descarriado. El dualismo
cartesiano y la ciencia erigida sobre sus falsas premisas son, en términos generales, la expresión cognitiva de una profunda perturbación
biopsíquica. Llevados a sus conclusiones lógicas, ellos han llegado,
finalmente, a representar la cultura y el tipo de personalidad más
anti-ecológico y auto-destructivo que el mundo jamás haya visto. Las
ideas del dominio sobre la naturaleza y de la racionalidad económica
no son más que impulsos parciales en el ser humano, que en los
tiempos modernos se han convertido en los organizadores de toda la

vida humana[45]. El recuperar nuestra salud, y desarrollar una epistemología más precisa, no es cuestión de intentar destruir la conciencia del ego, sino más bien, como lo sugiere Bly, un proceso que debe involucrar la fusión de la conciencia de madre y padre, o más precisamente, del conocimiento mimético y cognitivo. Es por esta razón que considero los intentos contemporáneos por crear una ciencia holística como el gran proyecto, y el gran drama, de fines del siglo xx.

La Metafísica del mañana (1)

Permítaseme formular mi creencia de que tales materias como la simetría bilateral de un animal, la organizada disposición de las hojas en una planta, la escalada de una carrera armamentista, el proceso de cortejeo, la naturaleza del juego, la gramática de una oración, el misterio de la evolución biológica y la crisis contemporánea en la relación del hombre con su ambiente sólo pueden ser entendidas en términos de una ecología de las ideas como la que yo estoy proponiendo.

—Gregory Bateson, Introducción
a *Pasos hacia una Ecología de la Mente (1972)*

H emos recorrido un largo camino desde nuestra revisión de la ciencia del siglo XVII y nuestro análisis del cambio del feudalismo al capitalismo que acompañó el surgimiento del paradigma cartesiano como la visión del mundo predominante en Occidente. He sostenido que la ciencia se convirtió en la mitología integradora de la sociedad industrial, y que debido a los errores fundamentales de esa epistemología, el sistema entero se ha tornado disfuncional, sólo dos siglos después de su implementación. Una visión de la realidad estructurada sobre lo que es únicamente consciente y empírico, y que excluye al conocimiento tácito del cual depende, de hecho, cualquier percepción, nos ha hecho desembocar en una impasse de proporciones. He sugerido que la división entre análisis y afecto que caracteriza a la ciencia moderna no puede continuar sin el virtual exterminio de la raza humana, y que nuestra única esperanza es el advenimiento de un tipo muy distinto de mitología integradora.

Al final del Capítulo 6 hice algunas sugerencias acerca de cómo hecho y valor podrían reunirse una vez más —sugerencias que posiblemente podrían convertirse en parte de una nueva epistemología, pero que no constituyen de por sí y en sí mismas un sistema coherente. Existen, sin embargo, una serie de disciplinas que afirman unir hecho y valor, y algunas de ellas, tales como el yoga, el Zen, las artes marciales de Oriente y varios tipos de meditación están ganando popularidad rápidamente en Occidente. Además, un número de filosofías bien enunciadas, tales como las de George Gurdjieff y de Rudolf Steiner, ofrecen formas coherentes, monistas de entender al mundo. ¿Por qué no adoptar una de éstas? ¿Por qué no abandonar al cartesianismo y abrazar una perspectiva que sea declaradamente mística y cuasi religiosa, que conserve la visión interna monista superior de la cual el cartesianismo carece? ¿Por qué no regresar deliberadamente a la alquimia, al animismo o al misticismo del número? Max Weber en una oportunidad dijo que si la realidad te asusta, siempre está allí la religión de tus padres para acogerte de vuelta en sus brazos amorosos.

El problema con estas filosofías místicas y ocultas es que comparten lo que Susanne Langer ha citado como el problema clave de todos los sistemas de pensamiento no-discursivos: terminan renunciando al pensamiento en su totalidad. Sin embargo, esto no es negar su sabiduría. Tales filosofías contienen la pepita de oro de la conciencia participativa y pueden hacerla real para cualquier devoto serio, y sólo por esa razón, las prácticas como el Zen y el yoga realmente valen la pena. Mi pregunta es que una vez que se obtiene esta percepción interna, ¿entonces qué? Estos sistemas son, como los sueños, un camino real hacia el inconsciente, y eso está muy bien; pero ¿y qué hay con la naturaleza y nuestra relación con ella? ¿Qué pasa con la sociedad y nuestra relación entre nosotros? Si nuestro objetivo no es más ambicioso que calmar nuestras angustias y apagar nuestras mentes —como es típicamente el caso cuando un imperio o una cosmovisión mayor se derrumba— entonces podemos simplemente convertir la filosofía en psicoterapia y deshacernos de todas estas complejidades tan incómodas. Desde el punto de vista intelectual, este enfoque no es muy interesante, y psicológicamente, a mí me parece que es una colosal falta de coraje. De hecho, no es sino el otro lado de la cara del cartesianismo; mientras que este último ignora el valor, el primero se las arregla sin el hecho. Me parece que debiéramos ser capaces de hacer algo mejor que meramente alternar entre estos dos extremos.

En términos más amplios, el problema puede reformularse de la siguiente manera: estamos en un punto de cruce en la evolución de la conciencia occidental. Uno de los caminos retiene todas las suposiciones de la Revolución Industrial y nos llevaría hacia la salvación a través de la ciencia y la tecnología; en resumen, sostiene que el mismo paradigma que nos llevó a la encrucijada nos puede sacar de ella. Sus proponentes (que generalmente incluyen también a los estados socialistas modernos) visualizan una economía expansiva, mayor urbanización y homogeneidad cultural siguiendo el modelo occidental como algo bueno e inevitable. El otro camino nos conduce a un futuro que aún es un tanto oscuro. Sus simpatizantes son una masa amorfa de

Luddites, ecólogos, separatistas regionales, economistas de estado estacionario, místicos ocultistas y románticos pastorales. Su objetivo es la preservación (o resucitación) de cosas tales como el ambiente natural, la cultura regional, formas arcaicas de pensamiento, estructuras comunitarias orgánicas y una autonomía política altamente descentralizada. El primer camino conduce claramente a un callejón sin salida o al Mundo Feliz (The Brave New World). El segundo camino, por otro lado, frecuentemente aparece como un ingenuo intento de dar vuelta y regresar al lugar de donde vinimos; retornar a la seguridad de una época feudal ya desaparecida. Pero debe introducirse una distinción crucial aquí: el recapturar una realidad no es lo mismo que volver a ella. Mi discusión sobre la alquimia intentó clarificar cuánto perdimos cuando se descartó esa tradición. En el Capítulo 6 traté de demostrar que si uno igualaba el conocimiento corporal con el conocimiento inconsciente, la visión del mundo hermética se tornaba fisiológica en lugar de oculta. Pero en ningún momento sugerí que pudiéramos resolver nuestros dilemas intentando volver al mundo pre-moderno. Más bien, mi posición era que mientras soñáramos y mientras tuviéramos cuerpos, la percepción interna de la realidad, que los alquimistas, Jung y Reich obtuvieron, seguirá siendo indispensable, y de hecho debe convertirse en una parte fundamental de nuestra visión de la realidad. Lo mismo puede decirse del intento de vivir en armonía con el ambiente, o de tener un sentido de intimidad y comunidad. Tales cosas siempre serán la realidad básica de una vida humana sana, y una visión del mundo que las ignora en el nombre del "progreso" es en sí misma una ilusión precaria. "Todos los errores y locuras de la magia, la religión y las tradiciones místicas", escribe Philip Slater en *Earthwalk*, "son contrarrestadas por la gran sabiduría que contienen —la percepción de la inclusión orgánica de la humanidad en un sistema complejo y natural"[1]. El recapturar esta sabiduría no es lo mismo que abolir la modernidad —a pesar de que tal vez nos pueda ayudar a trascenderla.

Desde luego, la dificultad real es descubrir cómo recobrar esta sabiduría en una forma madura. Las obras de Jung y Reich son hitos que marcan los intentos de hacer esto, pero su enfoque tiende a ser anti-intelectual. El conocimiento de los sueños y del cuerpo será inevitablemente uno de los componentes cruciales de la nueva metafísica, pero dudo que los trabajos de Jung y Reich lleguen alguna vez a servir como su armazón.

De hecho, conozco sólo un intento de reunir hecho y valor al que considero como un andamiaje que podría sustentar una nueva metafísica, y ésa es la asombrosa síntesis proporcionada por el antropólogo cultural Gregory Bateson. Hasta donde yo sé, su trabajo representa la única ciencia holística plenamente articulada existente hoy en día; es a la vez científica y está basada en el conocimiento inconsciente. El trabajo de Bateson es, además, más amplio que el de Jung o Reich, ya que pone un fuerte énfasis en el ambiente social y natural, además de la mente inconsciente. Nos sitúa *en* el mundo, mientras que la auto-realización jungiana o reichiana muchas veces se convierte en un intento de evitarlo.

Bateson aún no es ampliamente conocido, pero sospecho que los historiadores del futuro llegarán a considerarlo como el pensador más germinal del siglo xx. La "síntesis batesoniana" —que podría denominarse la "metáfora cibernética/biológica"— no proviene únicamente del trabajo de Bateson; pero la síntesis de las ideas es suya, como lo es la extracción del concepto de Mente de su contexto tradicionalmente religioso, y la demostración de que es un elemento inherente al mundo real. Con el trabajo de Bateson, la Mente (que también incluye al valor) se convierte en una realidad concreta y en un concepto científico funcional. La fusión resultante de hecho y valor representa un desafío enorme para el espíritu humano, y no solamente un modo de aplacar sus temores[2].

Sin embargo, al comenzar nuestra discusión sobre Bateson valdría la pena hacer una advertencia desde el comienzo. La ciencia moderna se metió en problemas al decir que era la única descripción verdadera de la realidad. En este sentido tiene mucho en común con su predecesora, la visión medieval católica del mundo, y no viene al caso repetir deliberadamente este error. No estoy sugiriendo, entonces, que el trabajo de Bateson no tenga límites o problemas, o que la crisis de nuestra época pueda resolverse simplemente adoptándolo en forma acrítica y aplicándolo a todos nuestros dilemas. En todo caso, las crisis no se resuelven de esa manera. Lo que sí creo es que el trabajo de Bateson representa la recuperación de la visión del mundo alquímica en una forma creíble, científica; que convierte a la dialéctica consciente/inconsciente en un método creativo para investigar la realidad; y que si la visión del mundo de una Nueva Era (no-distópica) (nondystopian) no surge directamente de su trabajo, inevitablemente contendrá algunos de sus rasgos más sobresalientes.

A pesar de que la síntesis batesoniana tiene notables semejanzas con el pensamiento oriental y parece ser epistemológicamente distinta de toda la metodología científica occidental, salvo la mecánica cuántica y la teoría de la información, su verdadera inspiración fue el trabajo de William Bateson, el padre de Gregory, el notable biólogo de comienzos de siglo que acuñó el término "genética" en 1906. Por esa razón, se hace indispensable una breve exposición de la carrera científica de William Bateson, no solamente para entender los orígenes del pensamiento de Gregory Bateson, sino también para captar plenamente su contenido[3].

William Bateson vivió durante el apogeo del materialismo científico británico. El gran físico James Clerck Maxwell (1831-79) había publicado su última afirmación sobre la realidad *Matter and Motion* (*Materia y Movimiento*), hacia el final de su vida, y Thomas Henry Huxley había pasado gran parte de su carrera popularizando ese modo de pensamiento en su "campaña" ideológica en favor de la ciencia física y de la teoría darwiniana de la selección natural. Bateson, quien había recibido su propio entrenamiento del famoso pensador anti-darwiniano Samuel Butler fue, a pesar de su sofisticación científica, parte de una tradición científica no profesional más antigua, aquélla de los "caballeros amateur", un tipo social muy cercano a la aristocracia británica[4]. El veía al materialismo, al utilitarismo y a la apreciación experta como valores de mal gusto de una clase media burguesa. Su propio énfasis estaba en la sensibilidad estética. Hablaba de la verdadera educación como "el despertar al éxtasis" (una idea mantenida por Gregory en su propia teoría del aprendizaje), no como la tediosa preparación para una carrera mundana. Sostenía que el trabajo científico logra su punto álgido cuando aspira al arte. Como estudiante de post-grado de Cambridge defendió la mantención del griego clásico como ramo obligatorio, ya que suministraba un "oasis de reverencia" en lo que de otra manera sería la árida mente del típico estudiante de ciencias, y en un panfleto de 1891 sobre el tema, él escribió:

Si no hubieran habido poetas, entonces no hubieran habido problemas, porque con toda seguridad el iletrado científico de hoy en día jamás los habría encontrado. *Para él es más fácil resolver una dificultad que sentirla.* (La letra cursiva es mía).

El crear una ciencia a partir de cómo se "sienten" las cosas demostró ser algo que eludió a William Bateson. Su propia carrera constituye una encarnación de la agonizante escisión entre la ciencia y el arte, cuya curación se convirtió en el proyecto central de la vida de Gregory Bateson. Estaba convencido desde un comienzo que la emoción, como la razón, tenía algoritmos precisos, y una de las citas favoritas de Gregory fue tomada del archirrival de Descartes, Blaise Pascal: "El corazón tiene sus *razones* que la razón no logra percibir".

El intento de William Bateson de crear una ciencia de la forma y el patrón y las actitudes estéticas y políticas que constituyeron la base de su intento, han sido brillantemente analizadas por el historiador de la biología William Coleman. Coleman muestra cómo este intento y estas actitudes emergieron en el contexto de la oposición de Bateson a la teoría de los cromosomas, que había sido desarrollada en 1925. La teoría sostenía, y todavía sostiene, que todos los fenómenos hereditarios pueden ser atribuidos a una partícula material, conocida como el gen, que está alojada en el cromosoma. Este enfoque atomístico, newtoniano, ve al gen como el único elemento hereditario estable, que persiste a pesar de todos los cambios. Para Bateson tal enfoque equivalía a comenzar en el extremo equivocado del problema. Lo que persiste, como le habían dicho Samuel Butler y el vecino de Bateson, Alfred North Whitehead, no es la materia sino que la *forma*; lo que más tarde Gregory llegaría a llamar "Mente". Por lo tanto, él se dispuso a descubrir el patrón y el proceso de la evolución mediante un análisis de la herencia y la variación, y para hacer esto no se centró en las regularidades, sino que en las desviaciones de la norma. En una oportunidad le dijo a un incipiente científico: "atesora tus excepciones"; y la elucidación de la anatomía "normal" mediante el estudio de las anomalías de la naturaleza se convirtió en el aspecto central de su enfoque.

Examinaba las desviaciones, o las roturas morfológicas, para descubrir cómo se adaptaba el organismo en cuestión, cómo lograba *no* hacerse añicos. (Años después, Gregory Bateson llegaría a sus propias formulaciones sobre la típica interacción humana mediante el estudio de alcohólicos y esquizofrénicos). Así, en su *Materials for the Study of Variation* (1894), un libro guía de teratología animal, Bateson declaró que el objetivo era determinar las leyes que gobiernan la forma[5]. El origen de la variación, sostenía, tenía que ser buscado en la cosa viva en sí misma, no, como lo había sostenido Darwin, en el ambiente. A pesar de que no era lamarckiano, William Bateson, como el temprano Newton alquímico, vio que el principio de la transformación era un principio interno. Sin embargo, localizar el origen de la variación en el gen y luego combinar esto con una teoría de la variación fortuita, era equivalente a cometer un error newtoniano tardío: sostener que de alguna manera podría surgir un orden a partir de las colisiones al azar de las partículas materiales. La doctrina posterior de Newton acerca del cambio mediante la redisposición de los corpúsculos impenetrables fue para Bateson un anatema, es decir, una no-explicación.

Para Bateson, entonces, no era el gen, sino que el patrón o forma de un organismo lo que constituía el elemento crucial en la herencia; y de ser así, entonces la simetría debía ser la llave de la cerradura. Los datos básicos de su estudio surgieron del examen de la segmentación, como la que ocurre en el gusano de tierra. Los biólogos llaman a este fenómeno "diferenciación merística", la repetición de partes a lo largo del eje del animal. Esta simetría axial es distinta al tipo de simetría radial manifestada por las estrellas de mar y las medusas. Ambos tipos de simetría muestran la continuidad de las generaciones y conductas celulares que denominamos "hereditarias". Pero mientras que los segmentos de los animales radialmente simétricos por lo general son todos parecidos, las criaturas segmentadas transversalmente son capaces de una asimetría dinámica entre los segmentos sucesivos —lo que se llama "metamerismo". En otras palabras, las anomalías del merismo son el resultado de la alteración del funcionamiento normal, y esto conduce a la variación; pero este proceso es en sí mismo normal. La segmentación no repetitiva, como la que ocurre en el desarrollo de la pata de la langosta, cae dentro de esta categoría. Para William Bateson el estudio del metamerismo le abrió la puerta a una demostración concreta de la primacía de la forma sobre la materia, y le permitió alcanzar una comprensión sistémica de la herencia y la variación. Como tal, su trabajo constituyó el primer paso en el desarrollo de una alternativa a la teoría de los cromosomas. Eventualmente llegó a sostener que lo que se transmitía en la herencia no era una substancia objetiva, sino que la potencia o la facultad de ser capaz de *reproducir* una substancia: tendencia, disposición, era lo que se traspasaba de una generación a otra[6].

Sin embargo, Bateson tomó una idea de la física victoriana, que a su vez estaba teniendo sus propias tribulaciones al tratar de reconciliar la materia y la fuerza. Una serie de físicos, incluyendo a Maxwell, habían sugerido que únicamente con objetivos heurísticos, el átomo no debiera ser visto como una bola de billar newtoniana, sino que como un anillo de humo, o un vórtice. Las ventajas eran obvias. El así llamado átomo vórtice posibilitó una explicación del universo que no era completamente determinista. La imagen incluía la unificación de la materia y la fuerza, como lo declaró Sir Joseph Larmor, su exponente principal, y además le permitía a uno hablar de fuerza y cambio sin confiar totalmente en el reordenamiento newtoniano. Así como un anillo de humo, el átomo vórtice (vortex) era visto como capaz de doblarse y dividirse, produciendo nuevos ciclos; y a pesar de que Bateson no discutió explícitamente el átomo vórtice, sí puso énfasis en la división espontánea como la clave característica de la materia viva. Su propia visión de la materia viviente, que derivaba en parte de ideas ya conocidas en los círculos zoológicos de Cambridge, sostenía que un organismo era un "vórtice de vida". En 1907 escribió que los animales y las plantas no eran sencillamente materia, sino que sistemas a través de los cuales pasaba la materia. Dejando la conciencia aparte, decía William Bateson, cualquier entidad que, como un anillo de humo, pudiera espontáneamente dividirse tendría que ser considerada como una entidad viviente. No hay vitalismo en su trabajo, ni una suposición de "Dios" o de un *élan vital*. Pero su explicación tiene poco en común con la física tradicional, y de hecho tiene mucho más en común con la alquimia. En ambas —como así también en lo que más tarde se convertiría en la teoría de la información— la naturaleza es en primer lugar y fundamentalmente "un trabajador circular perpetuo"[7].

La imagen del vórtice —lo que más tarde sería denominado, en la terminología cibernética, el concepto del circuito— fue, como el argumento de la primacía de la forma sobre la materia, esencial para el repudio que hiciera Bateson de la teoría de los cromosomas. Si un organismo es una totalidad integral, un sistema, en lugar de un mero ordenamiento de "caracteres", la variación es un fenómeno que tiene consecuencias muy serias, ya que debe precipitar un cambio coordina-do a lo largo de todo el organismo. En el siglo XIX, el fisiólogo francés Claude Bernard había hablado sobre el *milieu intérieur* (el medio am-biente interno) de un organismo —un ambiente que Walter Cannon, en *The Wisdom of the Body* (1932), veía como mantenido por un proceso que él denominó "homeostasis". Esta noción era el principio holístico central de William Bateson. A su hermana Anna le escribió en 1888:

> Ahora he llegado a creer que es una verdad axiomática el que ninguna variación, por pequeña que sea, pueda ocurrir en una parte sin que ocurra otra variación en correlación a ésta en las demás partes; o más bien, que ningún sistema en el que hubiera ocurrido una variación de una parte sin tal variación correlacionada en todas las demás partes, podría continuar siendo un sistema.

Así, la variación inicial actúa como un cambio ambiental, produciendo una reacción en cadena a través del "circuito" o "vórtice". Tiene que pasar un tiempo antes de que el organismo sea una vez más un sistema. Como argumentaría Gregory Bateson años más tarde, cual-quier sistema, sea una sociedad, una cultura, un organismo o un ecosistema, que logre mantenerse a sí mismo es racional desde su propio punto de vista; incluso la locura obedece a una determinada "lógica" de autoconservación. Al pasar los años, William Bateson se fue convenciendo cada vez más de que las interrelaciones de las partes de un sistema estaban sujetas al control geométrico, de la misma forma en que lo están las ondas u olas concéntricas en una piscina, y que la clave para las leyes de la forma involucraban el hallazgo del "mecanis-mo acomodaticio", o principio homeostático. Más aún, aventuró que este "mecanismo", que creía que coordinaba al organismo como una totalidad, sería un fenómeno periódico, como una ola u onda. Durante la mitad de los años 20, el padre comenzó a introducir al hijo en sus investigaciones. Ellos fueron co-autores de un artículo donde esta "hipótesis ondulatoria" se extendía al estudio de las perdices en un intento de explicar cómo se desarrolla y se extiende por el organismo el bandeo rítmico, incluso hasta el extremo de las plumas. La "analogía con la propagación del movimiento de las olas debe, en parte al menos", escribieron los autores, "ser una guía verdadera"[8]. Sea esta hipótesis válida o no, es claro que los conceptos y la metodología desarrollados por su padre formaron la matriz de la experiencia cientí-fica temprana de Gregory. "Adquirí una vaga sensación mística", escribía este último en 1940,

> de que debemos buscar el mismo tipo de procesos en todos los campos de los fenómenos naturales —que podríamos esperar encontrar el mis-

mo tipo de leyes funcionando en la estructura de un cristal como en la estructura de la sociedad, o que la segmentación de un gusano de tierra podría ser realmente comparable al proceso mediante el cual se forman los pilares de basalto.

Por sobre todo, fue la actitud de William Bateson hacia la razón misma la que moldeó gran parte de la conciencia científica y emocional de Gregory. Para William, la razón, escribe Coleman, no era el mero barajar newtoniano de las impresiones sensoriales atómicas sino que "la captación intuitiva de relaciones esenciales". El consideraba al átomo vórtice, o a cualquier otro modelo científico, de la misma manera como contemplaba una reproducción oriental. Tenía una totalidad conceptual. Inspiraba a la imaginación hacia una comprensión no accesible mediante el cálculo racional. William Bateson veía a este tipo de introvisión intuitiva como evidencia del punto de vista de que había un límite para la verdad de cualquiera explicación científica, y de que había un nivel más profundo de realidad (Mente) que está más allá del alcance de la racionalidad científica. Esta noción de una necesaria incompletitud epistemológica, que la Mente jamás puede llegar a conocerse a sí misma, es tal vez el meollo de toda la metafísica de Gregory Bateson. Y si es ésta la roca sobre la cual la ciencia moderna finalmente se ha estrellado, también ha demostrado ser, en manos de Gregory Bateson, el fundamento sobre el cual se podría construir una nueva ciencia[9].

Si nos abocamos a la obra de Gregory, podemos resumir su desarrollo intelectual de la siguiente manera: En los años 20 estudió biología y antropología, siguiendo en términos generales los pasos de su padre en Cambridge. Los años 30 fueron dedicados al trabajo antropológico en terreno, primero entre el pueblo Iatmul de Nueva Guinea, que tuvo como resultado la publicación de *Naven* (1936), luego entre los balineses, donde trabajó en conjunto con su esposa de entonces, Margaret Mead. Durante la Guerra sirvió en la Oficina Americana de Servicios Estratégicos, y luego, después de la guerra, tomó parte en las Conferencias de Macy donde se formuló la teoría cibernética moderna. Posteriormente hizo de co-autor en *Communication: The Social Matrix of Psychiatry* (1951) con el psiquiatra Jurgen Ruesch, y pasó casi toda la década siguiente como etnólogo en el Hospital de Veteranos en Palo Alto, California. Fue aquí donde tuvo la oportunidad de trabajar con alcohólicos y esquizofrénicos, aplicando los conceptos de la teoría cibernética a estas "enfermedades" y generando un nuevo enfoque para ambas. Este trabajo, como así también su trabajo sobre la comunicación interespecies durante los años '60, eventualmente le hizo posible elaborar una nueva teoría del aprendizaje. Finalmente, los años '70 se caracterizaron por el intento de integrar las introvisiones de sus investigaciones previas con una revisión de la teoría darwiniana, en un nuevo enfoque al problema de la evolución que tuvo como resultado la publicación de *Mind an Nature: A Necessary Unity* (Mente y Espíritu) (1979). Con este trabajo Bateson cerró un círculo, retornando a su interés original en la biología luego de haber completado uno de los viajes intelectuales más creativos jamás realizados por un solo individuo. A manera de exposición, destinaré lo que resta del presente capítulo al trabajo en antropología, etnología, teoría del aprendizaje y psicología anormal; dejaré la epistemología batesoniana y sus implicaciones éticas para el Capítulo 8 y dedicaré parte del Capítulo 9 a una crítica del holismo batesoniano como una metafísica del futuro[10].

Como lo explica Bateson, fueron algunas analogías biológicas que aprendió en los años 20, y el enfoque de su padre hacia el mundo natural, los que lo indujeron a estudiar al pueblo Iatmul de Nueva Guinea. La investigación de Bateson se focalizó en la ceremonia travestista conocida como "naven", pero la naturaleza de la ceremonia en sí misma demostró ser mucho menos importante que el hecho de que la investigación dejó a la vista, para los ojos de Bateson, la naturaleza de la explicación científica misma, y concluyó en la formulación de un modelo que podría explicar el carácter esencial de toda interacción mental. Dado que este modelo y la metodología que surgió de él contienen las semillas de muchas de las teorías posteriores de Bateson acerca de los fenómenos sociales y naturales, es importante examinar con cierto detalle su investigación sobre el "naven"[11].

El "naven" es un ritual realizado por los iatmul en que los hombres se visten como mujeres y viceversa, y luego actúan ciertos roles normalmente asociados con el sexo opuesto. El "naven" se celebra para festejar los logros del *laua*, o hijo de la hermana, y la celebración en sí misma corre por cuenta del *wau*, o hermano de la madre. Por lo tanto la relación esencial es entre tío y sobrino o sobrina, pero el "naven" de hecho es realizado por los *waus* "clasificatorios", no por el verdadero tío materno. Los *waus* "clasificatorios" son parientes relacionados con el *laua* en una forma matrilineal, por ejemplo, el tío abuelo o los parientes masculinos que están en un tipo de relación de cuñados con el padre del *laua*.

Hay una serie de acciones culturales corrientes que constituyen una ocasión para celebrar el "naven", acciones que son más importantes cuando un muchacho o una muchacha las realiza por primera vez. Estas incluyen (para el muchacho) dar muerte a un enemigo o a un forastero; dar muerte a ciertos animales, o plantar ciertas plantas; utilizar ciertos tipos de herramientas o instrumentos musicales; viajar a otro pueblo y regresar; el matrimonio; ser poseído por un espíritu chamánico, etc. Para una niña la lista de ocasiones que merecen el "naven" son, entre otras cosas: pescar, cocinar sagú o dar a luz un niño.

En la ceremonia misma, los *waus* "clasificatorios" se visten con ropajes femeninos andrajosos, adoptan el nombre de "madre" y luego van en busca de su "niño", el *laua*. La pantomima ritual puede consistir en vestirse y actuar como decrépitas viudas, y andar dando tumbos en forma deliberada, mientras los niños de la aldea se matan de la risa. Cuando las mujeres representan un rol las tías ("clasificatorias") podrán castigar y golpear a su sobrino o sobrina al celebrar sus logros. A diferencia de los hombres, las mujeres no se visten con ropas harapientas, sino que se ponen el atuendo masculino más elegante posible. Puede que se pinten la cara blanca con azufre —privilegio de los hombres que han cometido homicidio— y podrán llevar también otros adornos propiamente masculinos. Se les apela mediante la terminología familiar propia del varón (padre, hermano mayor, etc.), y fingen la bravata corrientemente asociada con la conducta masculina entre los iatmul, mientras que los hombres actúan de una manera auto-humillante. Puede que la ceremonia incluya también el reverso en pantomima de un acto sexual en público. Bateson observó una ceremonia en la cual la *mbora*, o esposa del *wau*, se vestía como varón y simulaba las acciones de copulación con su esposo, tomando el rol superior del varón. Incluso a veces el *wau* hacía la pantomima de estar dando a luz al *laua*.

Desde un punto de vista occidental toda esta ceremonia, con su confusión deliberada de atuendos y roles sexuales, es totalmente incomprensible. ¿Qué será lo que piensan que están haciendo los iatmul? Al intentar responder esto, Bateson siguió su corazonada que le hacía pensar que la diferencia entre la segmentación radial y transversal del mundo zoológico también tiene un análogo social. De hecho los villorrios iatmul más grandes eran inestables, estaban siempre a punto de fisionarse a lo largo de las líneas patrilineales: el padre se separaba y se llevaba a su hijo consigo. A diferencia de la situación occidental donde un quiebre así es esencialmente herético —una diferencia ideológica— la situación iatmul es *cismática*. El grupo que se separa forma otra colonia, pero conservando el mismo conjunto de normas de la comunidad original. El modelo occidental de herejía es similar al metamerismo o a la asimetría dinámica, mientras que el modelo iatmul es análogo a la segmentación radial, donde las unidades sucesivas se repiten.

El problema de la fisión social, dice Bateson, se torna más claro cuando nos damos cuenta de que la analogía puede ser llevada a la comparación de cómo se ejerce el control social. El ojo de la mente podría concebir un animal radialmente simétrico como centrífugo, es decir, sin un centro controlador, ya que el énfasis en la pauta organizadora parece estar en los segmentos periféricos. Los iatmul pueden concebirse, del mismo modo, como centrífugos, porque no tienen una ley, una autoridad establecida que imponga sanciones en nombre de toda la comunidad. Las ofensas siempre ocurren en dos "segmentos", y las sanciones sociales también son "laterales". Por otra parte, la sociedad occidental pone énfasis en el estado versus el ciudadano. Si yo le robo a mi vecino puede que él se enoje, pero es "la Ley" la que me persigue y me castiga. Si él intentara una sanción lateral y decidiera tomar la ley en sus propias manos, puede que también se vea perseguido por "la Ley" como yo. Debido a este alto grado de centralización, las sociedades pueden acomodar un grupo nuevo con sus normas sólo si es relativamente discreto acerca de su existencia. Pero si este grupo nuevo se dedica a publicitar sus diferencias con el centro de autoridad, o a atacarlo, entonces ese centro lanzará su contraataque. La sociedad iatmul no tiene tal centro, ni tales normas tan rígidamente definidas. Las normas para los iatmul son vistas como convenciones para ser transgredidas —si es que se tiene suficiente fuerza personal. Y dado que el carisma masculino, tan esencial para el "ethos" sexual de los iatmul, es muy admirado, las comunidades están siempre a punto de fisionarse a lo largo de líneas patrilineales.

Entonces resulta claro que, en términos sociales, la ceremonia del "naven" es perfectamente sensata. Si los cismas ocurren patrilinealmente, cualquiera cosa que fortalezca las relaciones afines (es decir, aquéllas que resultan del matrimonio) reduce las probabilidades de un quiebre cismático. Los lazos afines son los puntos débiles en toda la organización social iatmul, y por esa razón las ceremonias de "naven", que refuerzan e incluso exageran estos lazos, sirven para afirmar la integración comunitaria. De hecho, sin las ceremonias de "naven", los grupos iatmul no podrían ser tan grandes como de hecho lo son.

La explicación que da Bateson sobre el significado social del "naven" es brillante, pero la verdadera inspiración aquí está en el hecho de que él jamás tomó en serio su propia explicación. Dado que el "naven" sirve a la función ya indicada, ¿puede alguien realmente creer que la intensa energía emotiva que se evidencia en las ceremonias sea explicable en términos puramente sociológicos? ¿Se atrevería alguien a afirmar seriamente que el travestismo y la copulación ritual son realizados con el propósito expreso de evitar la fisión social? Bateson estaba consciente de que este tipo de explicación carecía de una comprensión de las motivaciones de sus participantes, y se daba cuenta de que la clave de tal motivación yacía en el "ethos" de la cultura, en su clima emocional global. Si uno quisiera explicar esto en base al "ethos", que es tanto un asunto de valores como de hechos, uno tendría que formular una nueva definición de la metodología científica. El enfoque estrictamente funcional/analítico es correcto en algún sentido racional o pragmático, pero en gran medida no da en el blanco. Como lo describiera alguna vez su padre, para un científico es más fácil resolver una dificultad que sentirla. Gregory había encontrado una situación donde el sentir y el resolver eran los dos lados de una misma moneda.

¿Qué usar entonces como modelo? Por muy impresionado que

hubiera estado Bateson con el trabajo analítico de famosos contemporáneos como Bronislaw Malinowski y Edward Evans-Pritchard, su
verdadero mentor fue la gran antropóloga Ruth Benedict, cuyo concepto de "figuración" correspondía bastante bien a lo que él llamaría
más adelante la suma de "ethos" y "eidos". "Ethos" era el tono emocional general de una cultura; "eidos" era el sistema cognitivo subyacente
("lógico") que poseía una cultura. Los "conceptos", escribió Bateson,

> están, en todos los casos, basados en un estudio más bien holístico y no
> en un estudio crudamente analítico de la cultura. La tesis es que cuando
> una cultura es considerada como una totalidad, surgen ciertos énfasis
> construidos a partir de la yuxtaposición de los diversos rasgos que
> componen esa cultura[12].

Por lo tanto la cualidad abstracta, el así llamado "sentir" o "ethos" de
una determinada cultura, surge del *ordenamiento* de los elementos
concretos. No es localizable de la misma manera como lo son los
elementos que la componen, porque es de lo que más tarde llamaría un
"nivel lógico" superior a los elementos. Aun cuando todos los elementos fueran idénticos, una yuxtaposición diferente necesariamente significaría una cultura diferente. De esta forma, decía Bateson, podemos
afirmar que una cultura afecta a la psicología de sus individuos sin
establecer también que de alguna manera está funcionando un *Zeitgeist*
hegeliano, o una "mente colectiva" jungiana. Siguiendo el ejemplo de
Ruth Benedict, dice:

> Hablaré de la cultura como una *regularización* de la psicología de los
> individuos. Esto, de hecho, es posiblemente uno de los axiomas funda-
> mentales del enfoque holístico en todas las ciencias: que el objeto estu-
> diado —sea éste un animal, una planta o una comunidad— está com-
> puesto de unidades, cuyas propiedades están de alguna manera *regulari-
> zadas* por su ubicación en la organización total... La cultura afectará su
> escala de valores. Afectará al modo en el cual se organizan sus instintos
> en sentimientos para responder en forma diferente a los distintos estí-
> mulos de la vida.

Como lo admitiera Bateson, el método era deliberadamente circular:
uno determinaba el sistema de sentimientos normales en la cultura (el
"ethos") y luego lo invocaba como una explicación para las instituciones y la conducta. Tal circularidad, sostenía, no debiera constituir un
problema porque podría evitarse únicamente tomando un punto de
vista funcional o sociológico del sistema, y esto no nos diría nada
acerca de las *motivaciones* de los individuos. Si se quiere saber las
motivaciones, hay que colocarse *dentro* del sistema, y al hacer esto

inevitablemente uno se sumerge en la circularidad. No hay nada misterioso acerca de esta situación, como incluso el teorema de Gödel lo ha demostrado. Nuestra conducta no es menos real al ser también auto-validante.

Entonces, ¿qué podría constituir un análisis adecuado del "ethos" iatmul, y qué nos podría decir este análisis acerca de las razones que ellos tienen para realizar la ceremonia de "naven"? Gran parte del "ethos", tanto de las sociedades occidentales como de las asiáticas, surge de la diferenciación social, particularmente entre clases o castas. El cómo se comporta uno en presencia del otro, el tono emocional que debe adoptarse, está condicionado, al menos parcialmente, por la posición social relativa, la importancia de la cual varía de una sociedad a otra. Por otra parte, en la cultura iatmul no hay clases sociales y la diferenciación ocurre de acuerdo con la sexualidad. Por lo tanto, los capítulos de Bateson sobre el "ethos" iatmul son necesariamente discusiones sobre el "ethos" *sexual*[13]. El se pregunta: ¿Cómo actúan los hombres entre ellos, cómo actúan las mujeres entre ellas y cómo actúan ambos sexos en mutua compañía?

La característica dominante del comportamiento masculino en público, ya sea en compañía mixta o sólo varones, es el orgullo. Para los hombres iatmul la vida es virtualmente una representación teatral, y las actividades realizadas en la casa ceremonial se inclinan hacia lo espectacular y violento. La casa es tanto un lugar de ritual como un lugar para discutir y pelear a gritos, pero es este último aspecto el que en gran medida prevalece. Como lo hace notar Bateson, en la mente iatmul la casa ceremonial es "caliente", invadida por "una mezcla de orgullo y auto-conciencia histriónica". La entrada a la casa está marcada por un poco de teatro: el hombre que se muestra en público lo hará ostentosamente o reaccionará (un poco) como payaso. Al igual que la sociedad, no tiene ninguna ley o autoridad central, tampoco tiene una jerarquía de poder, ni jefes. Lo que sí tiene, en lugar de eso, es un "continuo énfasis en la auto-asertividad". El status se adquiere mediante los logros en la guerra, el chamanismo, el conocimiento esotérico y también haciendo alarde en público.

Esta conducta se nota especialmente durante los debates públicos que intentan resolver algún punto de conflicto. "Los oradores", escribe Bateson, "se estimulan a sí mismos hasta llegar a un alto nivel de intensidad de excitación superficial, moderando su violencia todo el tiempo con gestos histriónicos y alternando su tono entre la hosquedad y la bufonería". Por ejemplo, un orador podría amenazar con violar a los miembros de la oposición y hacer una pantomima de su amenaza con una danza obscena. Cuando algún orador finalmente logra insultar a la oposición demasiado como para tolerarlo (generalmente mofándose de sus ancestros totémicos), se produce una gresca que puede llevar a heridas graves y eventualmente a enemistades que involucren el asesinato por medio de la hechicería.

A pesar de que la casa ceremonial es sólo para los hombres, la reacción de las mujeres de la aldea jamás está alejada de sus mentes. Las actividades en la casa son una preparación para las ceremonias públicas donde los hombres actúan ante las mujeres vestidos con sus mejores atuendos. Las iniciaciones, que tienen lugar en la casa, se disponen deliberadamente de tal forma que partes de la ceremonia sean visibles para las mujeres que están cerca y afuera, formando así una audiencia. Las mujeres también escuchan los sonidos de los instrumentos tribales secretos y "los hombres que están produciendo estos sonidos están excesivamente conscientes de este invisible auditorio de mujeres". Toda la cultura, dice Bateson, "está moldeada por el continuo énfasis sobre lo espectacular y por el orgullo del 'ethos' masculino".

Como podría esperarse, el "ethos" de las mujeres iatmul es en gran medida lo opuesto, aunque hay instancias de asertividad femenina muy marcada que son consideradas como cosas admirables por el pueblo iatmul. Pero en general, si las vidas de los hombres están ocupadas con el "teatro", las de las mujeres están centradas en torno a la "realidad": procurando alimento, cocinando, manteniendo la casa y criando a los niños. Tales actividades son hechas en forma privada, sin consideración por las apariencias. El estilo femenino no es ostentoso, al punto de ser algunas veces taciturno. El espíritu general es de una alegría y silenciosa cooperación, y es la conducta teatral de los hombres la que suministra casi todo el drama de la vida de una mujer. Sin embargo, cuando se les pide a las mujeres que bailen colectivamente en público, exhiben un "ethos" orgulloso, usando adornos masculinos e incluso moviéndose con cierta ostentación. Este travestismo moderado se libera por completo durante el "naven".

Como lo indica Bateson, su esquema del "ethos" sexual de los iatmul está hecho desde un punto de vista europeo. La conducta masculina iatmul es histriónica para nosotros pero no así para ellos, quienes la encuentran bastante normal. Si nosotros nos colocamos dentro de la cultura, aprendemos que las mujeres encuentran a los hombres fuertes y asertivos, mientras que los hombres encuentran que la conducta femenina es débil, sentimental e incluso vergonzosa. El adoptar la posición femenina durante el coito es considerado como algo degradante, y por esta sola razón la inversión de roles durante la copulación simulada en el "naven" es casi choqueante. Entonces, vemos que "cada sexo tiene su propio 'ethos' *consistente* que contrasta con el del sexo opuesto". El "naven" es notable por su inversión de estos dos estilos culturales muy rígidos.

Finalmente, estamos en posición de entender por qué se efectúa el "naven". La motivación inmediata es la tradición: un niño ha logrado algo valioso y sus parientes, por lo tanto, deben expresar públicamente su alegría. En este sentido, el "naven" no es más esotérico que un "bar mitzvah". Lo que realmente estamos preguntando es por qué la celebración toma esta forma particular, ya que, obviamente, los iatmul podrían celebrar sencillamente mediante una fiesta. La respuesta está en el "ethos" sexual descrito arriba. Los hombres están acostumbrados a expresiones teatrales de emoción, no a una expresión genuina de ella. Por otra parte, a las mujeres se les permite expresar verdadera alegría por los logros de los demás, pero rara vez están involucradas en la conducta pública espectacular. Sin embargo, el logro del niño obliga al iatmul a realizar una celebración que es contraria a esta rígida categorización sexual, violando las normas de ambos sexos. Los hombres pueden identificarse con la demostración pública, pero no con las expresiones de alegría. Las mujeres pueden expresar alegría, pero hacer de esto una demostración pública es violar su norma. El resultado es una intensa vergüenza para ambos sexos, y es esta vergüenza la que lleva la situación hacia el travestismo.

El punto de comparación que hace Bateson aquí es el de una elegante amazona inglesa que viste ropa decididamente masculina cuando monta. Montar a caballo, comparado con las actividades "femeninas" aprobadas más típicas de la cultura británica, tiene un sabor definitivamente masculino, generando un intenso sentido de dominio físico. Al igual que en Nueva Guinea, en Inglaterra los hombres y las mujeres son socializados siguiendo líneas muy distintas. Cuando monta a caballo, la mujer inglesa se coloca en una situación un tanto inusual para las damas, pero típica para los hombres; de aquí entonces una vestimenta masculina adecuada para una situación "anormal". Del mismo modo, la mujer iatmul que se compromete en una demostración pública está haciendo una "cosa" de hombres, pero al usar ropa masculina la situación se hace menos embarazosa. En efecto, al utilizar tal disfraz está diciendo, "Está bien, en este momento soy un hombre". En lo que al hombre se refiere, él viste ropas sucias y actúa de una forma poco efectiva porque su "ethos" le ha enseñado a considerar la conducta femenina como débil o despreciable. Esta conducta "de intercambio" está tan cargada emocionalmente que en su clímax el *wau* puede incluso llegar a simular un alumbramiento, mientras que la *mbora* (la esposa del *wau*) puede llegar a su vez a saltar sobre el *wau* y humillar a su esposo tomando el rol activo en la copulación ritual.

A pesar de que no le dio mayor importancia, Bateson notó otros motivos psicológicos para el "naven", aparte de su efecto de aliviar la vergüenza. La mayoría de las culturas poseen un "ethos" masculino *agresivo* de actuación (el mandato "¡Sé hombre!"); pero en la cultura iatmul, Bateson observó que esta presión llega a ser una carga demasiado pesada sobre las emociones. Como lo notara Jung, todas las personalidades tienen componentes femeninos y masculinos y, por lo tanto, es posible que el "ethos" sexual iatmul esté sofocando estos componentes. El que un hombre jamás pueda expresar su alegría por los logros de otros, o que jamás pueda asumir un rol pasivo en el sexo, o que la mujer nunca pueda ser ostentosa o sexualmente agresiva, con toda seguridad genera enormes tensiones psicológicas. Es claro, entonces, que estas tensiones son una fuente de energía en la ceremonia de "naven", las que de alguna manera se alivian al permitir al otro sexo "ser" el opuesto por un corto tiempo y actuar aquellas partes de su personalidad severamente reprimidas. La frecuencia misma del ceremonial de "naven", que se realiza bajo el menor pretexto, corrobora aún más el argumento de que es un contrapeso para un "ethos" sexual algo pesado y tenso. Como lo dirían los mismos iatmul, la suya es una sociedad "caliente", que genera poderosas tensiones que son aliviadas con frecuencia y en forma dramática.

Las reflexiones de Bateson sobre la naturaleza de estas tensiones sociales y psicológicas lo llevaron a la formulación de su concepto antropológico más importante, el de la cismogénesis. Una vez más buscó un análogo social de la distinción biológica entre la diferenciación radial y merística enfatizada por su padre. Las relaciones entre los hombres iatmul se construían a lo largo de líneas simétricas, hasta llegar a un clímax. En la casa ceremonial, el ridículo era recibido con ridículo, la ironía con ironía y la ostentación con más ostentación, hasta que finalmente alguna frase precipitaba la riña. Sin embargo, las relaciones hombre-mujer seguían una pauta muy diferente. A pesar de que hemos hablado de un "ethos" masculino y de uno femenino, son muy dependientes el uno del otro. Los hombres son teatrales e histriónicos debido a que las mujeres admiran el show; las mujeres son pasivas (en gran parte) debido a que los hombres son histriónicos; y es probable que la conducta de cada uno de ellos involucre respuestas recíprocas cada vez más exageradas. Así, esta forma de cismogénesis, que Bateson llama "complementaria", en contraste con la cismogénesis de las relaciones hombre-hombre, también va escalando a lo largo del tiempo y llega a un clímax, y con razón podríamos preguntarnos por qué la sociedad iatmul simplemente no explota por estos dos tipos de cismogénesis. De hecho lo hace, por lo menos en el caso de la rivalidad simétrica, y es la ceremonia del "naven" la que impide que la sociedad iatmul se desintegre completamente. Aunque los debates se convierten en riñas, y las riñas se convierten en enemistades de larga duración, la práctica del "naven" fortalece los lazos afines y así suaviza la dureza de la rivalidad de los clanes.

Uno ve aquí una mezcla de los dos tipos de cismogénesis. Las relaciones entre el *wau* y el *laua* son complementarias, mientras que el lazo entre cuñados es simétrico. La relación *wau-laua* entonces, actúa como un freno sobre la cismogénesis simétrica. En el "naven", el *wau* insiste en los aspectos complementarios de la relación con su *laua* a expensas de los aspectos simétricos de la configuración de la familia. El actúa como "madre" o "esposa" del *laua*, negando así su verdadera posición como cuñado ("clasificatorio"), que es el aspecto simétrico de la relación. El "naven" también impide una ruptura cultural a lo largo de las líneas sexuales permitiéndole a los hombres y mujeres "convertirse" en el otro, incluso al punto de invertir roles en la copulación simulada, liberando en esta forma la tensión acumulada por la distorsión agresiva de la personalidad. El "naven", así, desactiva al climaterio que se produce tanto en la cismogénesis simétrica como en la complementaria; y una vez que ha terminado el drama ritual, el proceso entero está listo para comenzar nuevamente.

En general, Bateson definió la cismogénesis como "un proceso de diferenciación en las normas de la conducta individual que resulta de la interacción acumulativa entre los individuos". Pero de pronto se dio cuenta de que el concepto era aplicable en forma más amplia, porque la conducta acumulativa, o "progresiva", parecía inherente a una serie de tipos de organizaciones humanas sociales y psicológicas. Bateson no utilizó el término "progresivo" en su familiar sentido occidental, el que tiene una connotación de curación, sino que en lugar de eso utilizó el término para describir cualquier tipo de conducta que eventualmente llegara a un clímax. En un cambio progresivo de este tipo, la ausencia de elementos estabilizadores generalmente significa que el proceso terminará en una explosión o en un deterioro (una situación "desbocada"). Para tomar el caso más general, considérense dos grupos sociales que denominaremos "A" y "B". (Estos podrían ser hombres y mujeres, padres e hijos, dos naciones, dos grupos políticos, etc.). La cismogénesis ocurre cuando ambos grupos entran en una relación parecida a la rivalidad competitiva que se produce en una subasta. Las dos conductas son idénticas, con cada grupo intentando hacer la mejor oposición: "Bien, lleguemos hasta *aquí*, entonces". Este tipo de rivalidad puede verse funcionando en situaciones de contacto cultural, competencia interpersonal y en todo el campo de la política, como lo muestra claramente el cansador juego de la carrera armamentista entre el Pentágono y el Kremlin.

En el caso de la cismogénesis complementaria, la rivalidad es recíproca; la conducta agresiva de A, digamos, provoca una conducta sumisa de parte de B, alentando una mayor agresión por parte de A, lo que se convierte en una espiral ascendente. El ejemplo clásico es tal vez el matrimonio tradicional, en el cual la pauta del esposo dominante/esposa sumisa es inicialmente satisfactoria para ambas partes. Sin embargo, con el correr del tiempo los roles se distorsionan entre sí. La sumisión de la esposa provoca la impositividad del marido, que a su vez estimula su sumisión, y así sucesivamente. Nadie es por naturaleza completamente impositivo o sumiso, pero la dinámica de la relación reprime cada vez más una parte de la personalidad de cada cónyuge, hasta que cada uno reconoce el aspecto trunco de su propia personalidad sobredesarrollado en la personalidad del otro. Finalmente, llega un momento en que ninguno puede ver el punto de vista del otro. Han perdido todo interés en conseguir que su relación funcione, mientras que las tensiones recíprocas continúan acumulándose. Por último, el marido puede ser llevado a una conducta totalmente despótica en un intento de provocar una reacción en contra, y la esposa puede que decida volarse los sesos —o los de él. Más típicamente, ella abandonará el matrimonio. Este único ejemplo ilumina el mecanismo de una serie de otros tipos de situaciones interpersonales o políticas. La cismogénesis complementaria puede verse en funcionamiento en ciertos casos de contacto cultural, en numerosos tipos de conducta grupal (por ejemplo, el de reforzar las pautas "desviadas" de uno de los miembros por las acciones de los otros miembros), y en situaciones tales como el conflicto de clases o la opresión racial.

Como en el caso de los iatmul, tendríamos que preguntarnos por qué es que no todo el mundo está explotando; y una vez más, nos vemos obligados a responder: *sí lo está haciendo*. Sin embargo, como lo reconociera Bateson, las cosas no siempre escalan hasta el quiebre. Algunos matrimonios se estabilizan, aunque pocos son felices. Tal vez el Pentágono y el Kremlin lleguen a acabar con nosotros, pero hasta aquí han conseguido evitar la Armagedón. Las rivalidades de clases son frecuentemente amargas, pero como lo han descubierto los marxistas, las sociedades industriales no son tierra fértil para la revolución proletaria. Al tratar de explicar el por qué, Bateson teorizaba que, como en la situación de los iatmul, las tensiones cismogénicas estaban siendo relajadas por las mixturas. Los principados medievales tenían, a veces, un día al año durante el cual los siervos se convertían en reyes y el rey en vasallo —una sola breve inversión de roles que a veces bastaba para mantener todo el sistema funcionando. El matrimonio tradicional ha sido posible hasta ahora porque la esposa por lo menos ha podido ser el ama de la cocina, aunque sumisa en todo lo demás. Las rivalidades internas desgarran a las sociedades industriales entre las guerras, únicamente para resolverse de golpe ante la aparición de un enemigo común, lo cual cambia las tensiones internas simétricas a un modo complementario de funcionamiento y proporciona un blanco sobre el cual focalizar la cismogénesis simétrica. (Por ejemplo en algunas empresas los trabajadores y los ejecutivos comparten ahora roles complementarios en un esfuerzo por derrotar a un enemigo común).

El concepto de cismogénesis también le permitió a Bateson responder a las críticas más punzantes que se efectuaban al tipo de antropología de Ruth Benedict. Algunos se preguntaban qué valor real podrían tener conceptos tales como "configuración", "regularización" y "personalidad modal", si obviamente cualquier sociedad poseía una divergencia cada vez mayor de los tipos sociales *dentro* de sí misma que la que existía entre ella y otras sociedades. Por ejemplo, ¿cómo podría explicarse la personalidad desviada, aquel individuo que claramente ha escapado a las presiones de su contexto?[14].

Ya en 1942, Bateson mostró que tanto los individuos como las sociedades son entidades organizadas. En las investigaciones sobre los iatmul, no bastaba con decir que la estructura del carácter de un sexo era muy distinta a la estructura del carácter del sexo opuesto. El asunto era que el "ethos" (moral, ética) de uno *engranara con* la moral del otro; que la conducta de cada uno promoviera los hábitos en el otro. *Toda la vida social, personal y biológica tiene su propia "gramática", o código*. Se puede reaccionar *en contra* de un determinado código; pero no es posible comportarse en una forma totalmente irrelevante para éste. Más aún, estas pautas tienden a ser bipolares. Si uno está entrenado en la mitad de tales pautas, es de suponer que las semillas de la otra mitad estén sembradas en alguna parte de la personalidad. Por lo tanto, argumentaba Bateson, no es que el marido y la esposa estén entrenados, respectivamente, en la dominación y la sumisión. La dominación y la sumisión están relacionadas integralmente (dialécticamente, alquímicamente); no hay una dominación o una sumisión pura. Más bien, la pareja fue entrenada en la pauta total dominación/sumisión, y dada una suficiente dominación proveniente del marido, la esposa puede llegar a afirmar su propia dominación reprimida en la forma de homicidio. El hecho de que la *mbora* pueda reírse y degradar vigorosamente el rol sexual masculino en el "naven" sugiere que la sumisión no fue lo único que su sociedad le enseñó. De allí, Bateson concluyó que cuando tenemos que ver con una diferenciación relativamente estable dentro de una comunidad, se justifica el hablar de una personalidad modal o estandarizada si la describimos en términos de los contenidos de las relaciones que le son familiares a la comunidad entera. La personalidad desviada *no* ha escapado a las presiones de su comunidad, ya que su desviación es una reacción *a* esos contenidos. Puede ser que la conducta de la persona descarriada no siga las normas sociales, pero ella es adquirida con respecto a esas normas, y aun cuando la conducta sea el opuesto a esas normas, sigue teniendo relevancia para ellas. Por ejemplo, la relación agente/herramienta está ausente en Nueva Guinea; los desviados de iatmul no se comportan de estas maneras. O, para tomar un ejemplo más famoso de la obra de Bateson, la locura es sencillamente una reacción ante las normas culturales. En lugar de ser una "enfermedad" que desciende sobre la víctima, es una respuesta "lógica" que sigue una pauta que se entrevera con bastante eficiencia en la estructura familiar circundante[15].

Queda por preguntarse ahora si acaso la cismogénesis es algo verdaderamente inherente a la conducta humana. Ciertamente es una tesis atractiva, pero, sin embargo, fue completamente refutada por la siguiente investigación antropológica de Bateson, aquélla de la sociedad balinesa[16]. Sin entrar en demasiados detalles, es importante hacer notar que Bateson encontró que la situación no-dialéctica de los balineses no tenía precedentes. Se dio cuenta que su cultura no era susceptible a ningún tipo de análisis hegeliano o marxista. La música y el arte balinés se caracterizan por el equilibrio, no por la tensión y el propósito, como en Occidente; y de hecho, el equilibrio parece ser la metáfora que se extiende a lo largo de todas las fases de la vida balinesa. El énfasis está en el disfrutar el presente; los balineses no tienen el concepto de retribuciones futuras, y las cosas se hacen por y en sí mismas. La vida misma es vista como una obra de arte. La mejor metáfora del estilo de vida balinés podría ser un equilibrista en una cuerda que constantemente ajusta su vara para lograr una ejecución graciosa y placentera.

En Bali están ausentes la competencia y la rivalidad. Si surge una disputa entre dos miembros de la sociedad, ellos van donde un oficial local y registran el hecho sobre el cual están disputando. No hay un intento de reconciliación, y de hecho, ellos han firmado un contrato de enemistad. Sin embargo, los dos enemigos son capaces de reconocer su relación tal como es, aceptar su existencia en ese momento particular, y como resultado, se evita una interacción de crisis. Los balineses, como los iatmul, no reconocen una autoridad central, pero a diferencia de los iatmul no consideran las ofensas como algo personal. Si, dice Bateson, una persona sin casta no se dirige a un príncipe formalmente, el príncipe no lo considera como un insulto personal sino como una ofensa en contra del orden natural del universo, una violación del equilibrio postural. En todas las cosas que hacen, el asunto es la *optimización*, no la maximización. La economía balinesa, por ejemplo, no puede ser descrita en términos de la motivación de las utilidades, ni tampoco puede considerarse a la estructura social balinesa como una colección de individuos o grupos que luchan por el status o el prestigio.

Aparentemente los balineses logran este equilibrio a través de sus prácticas de crianza de niños, fastidiando a sus hijos para que realicen una interacción acumulativa y luego pierdan deliberadamente el interés en el momento justo antes de una crisis. En la mayoría de las culturas esta técnica produciría individuos psicóticos, pero en Bali la totalidad del modelo refuerza estas prácticas y produce adultos que desconfían del compromiso acumulativo. Sin embargo, debemos resistirnos a nuestra suposición occidental de que la vida en Bali tiene que ser un aburrido intento de conservar el status quo. Como los iatmul, estamos atrapados en la noción de que las situaciones cismogénicas, que de hecho son profundamente neuróticas, son excitantes, y que cualquiera otra cosa debe ser por lo tanto aburrida. En uno de sus mejores párrafos en *El hombre Unidimensional*, Herbert Marcuse correctamente caracterizaba al aparente dinamismo de la cultura industrial avanzada como un fraude: "Bajo su dinámica obvia esta sociedad es un sistema de vida profundamente estático: auto-impulsado en su productividad opresiva y en su coordinación beneficiosa"[17]. La vida de las fábricas, la vida consumista, la vida de los negocios, la vida de los ejecutivos —todas ellas son, vistas desde adentro, aburridas, repetitivas, y se caracterizan por la ausencia de cualquiera aventura o exploración real.

La situación de Bali es justamente lo opuesto. Se la ve como una sociedad "fría", pero en realidad es muy activa. Los balineses, dice Bateson, extienden las actitudes basadas en el equilibrio corporal a las relaciones humanas. Ellos generalizan la idea de que el movimiento es esencial para cualquier tipo de equilibrio. Su sociedad es muy compleja y atareada, pero no en el sentido nuestro, porque la suya está en un estado estacionario mantenido por un continuo cambio no-progresivo. En su ensayo *Estilo, Gracia e Información en el Arte Primitivo*, Bateson analizó una pintura balinesa, mostrando que tenía como mensaje la idea de que "el escoger entre la turbulencia y la serenidad como un objetivo humano sería un vulgar error". Los balineses reconocen que estos polos que surgen en el arte, en el sexo, en la sociedad y en la muerte son mutuamente dependientes, pero ellos han llegado a un advenimiento con esta realidad por medio de una solución no-cismogénica. A pesar de que Bateson jamás creyó que las soluciones "primitivas" servirían en Occidente, Bali le sirvió como un modelo importante, actuando como una especie de espejo en el cual se revelaba y contrastaba la necedad de la mayor parte de las interacciones humanas.

Por lo tanto, la cismogénesis es *aprendida*; es un hábito adquirido tanto como lo es la conducta no-cismogénica característica de Bali. Esto es un aspecto tan fundamental que nos vemos obligados a preguntarnos en qué consiste el aprendizaje en sí mismo, y si acaso relaciona tan inseparablemente la cognición y la emoción (eidos y ethos). ¿Qué significa aprender algo, "saber" algo? Después de las Conferencias Macy sobre cibernética, Bateson hizo de esta pregunta el tema de su siguiente investigación más importante.

Bateson inició el estudio sobre la teoría del aprendizaje con una pregunta ostensiblemente sin sentido: ¿Existe algo como un "verdadero" error? En un sentido más amplio, ¿existe algo como una verdadera ideología? Las ideologías son artefactos culturales aprendidos en contextos culturales, pero generalmente funcionan bien para las culturas que creen en ellas. Los balineses creen en algunas cosas acerca del mundo que para nosotros, o para los iatmul, son inconcebibles. Bateson había considerado la interacción acumulativa como un rasgo inherente, pero Bali le mostró que una nación entera podía aprender a hacer algo bastante distinto a la interacción acumulativa. Más aún, la sociedad balinesa aparecía mucho más estable que la sociedad iatmul o la sociedad europeo-occidental y, por lo tanto, de alguna manera, sus premisas "locas" encierran verdades muy importantes. Considerando esto, la pregunta crucial se convirtió en: ¿Cómo se forman las ideologías (percepciones, visiones del mundo "realidades") y las pautas emotivas (dominación/sumisión, socorro/dependencia) dentro de la mente de un individuo o de su sociedad? En respuesta a esto, Bateson siguió la noción de Benedict de la configuración y retornó al concepto de la "gramática", o código. Los individuos y las sociedades son entidades organizadas; están "codificados" de una cierta manera que es coherente, que tiene sentido, tanto en términos emocionales como cognitivos. Dado que era este proceso de codificación el que los hacía estables (en tanto el código siguiera funcionando), resultaba esencial explicar este proceso en forma más completa[18].

Hasta la mitad de la década de los 60, la teoría del aprendizaje fue dominada por el modelo conductista, el que comúnmente se asocia con J.B. Watson y B.F. Skinner. Desde luego que el verdadero abuelo de ese trabajo fue Iván Pavlov, quien había conseguido inmortalizar a un perro haciéndolo salivar cada vez que sonaba una campana. Lo que hizo Pavlov fue establecer un contexto de asociación. Al tañido de la campana le seguía el alimento, esto repetidamente hasta que el solo tañido bastaba para gatillar la respuesta gastronómica completa del animal. En uno de los experimentos de Skinner, una rata aprendió a apretar una barra, dejando caer con esa acción un pellet de alimento. La rata de Skinner tuvo que vérselas con un conjunto de reglas diferentes a las confrontadas por el perro de Pavlov, pero lo central era nuevamente un contexto de asociación (causal): se produce el evento, aparece el alimento. Más aún, todos estos experimentos involucraban una velocidad de aprendizaje cada vez mayor por parte de los animales. El perro y la rata rápidamente aprendían las reglas del juego. Después de varias pruebas, el perro no necesitaba de la carne para salivar; había aprendido el significado de la campana. De la misma manera, la rata descubrió que el pellet de alimento no era ninguna casualidad, y comenzó a pasar gran parte de su tiempo presionando la barra.

¿Qué está ocurriendo en tales experimentos? ¿Qué significan los términos "aprender" y "descubrir", como los acabo de emplear? Bateson utiliza el término "proto-aprendizaje" para caracterizar la solución simple de un problema. Suena la campana, o se presenta la barra. La situación pavloviana requiere una respuesta pasiva, la situación skinneriana requiere una respuesta un poco más activa, pero aun en cada caso hay un problema que resolver: ¿qué necesita este fenómeno de mí (perro, rata), y a qué conduce? La solución de tal problema específico es lo que Bateson denomina el "proto-aprendizaje" o el Aprendizaje I. El "Déutero-aprendizaje", o el Aprendizaje II, es definido por Bateson como un "cambio progresivo en la velocidad de 'proto-aprendizaje'". En el Aprendizaje II el sujeto descubre la naturaleza misma del contexto, es decir, no sólo resuelve los problemas que enfrenta sino que, en general, se hace más hábil para resolver problemas. Adquiere el hábito de esperar la continuidad de una determinada secuencia o contexto, y al hacerlo, "aprende a aprender". Más aún, hay cuatro contextos de aprendizaje positivo, en oposición al aprendizaje negativo donde el sujeto aprende a *no* hacer algo. Están los dos ya descritos, los del contexto pavloviano y los de la gratificación instrumental; y también están los contextos de la evitación instrumental (por ejemplo, la rata recibe un golpe eléctrico si no presiona la barra dentro de un determinado intervalo de tiempo) y del aprendizaje serial y de rutinas (por ejemplo, la palabra B siempre es dicha después de la palabra A). De modo que el proto-aprendizaje es la solución a un problema dentro de tales contextos, y el déutero-aprendizaje es la elucidación de qué es el contexto en sí mismo —el aprender las reglas del juego.

El carácter y la "realidad" tienen sus orígenes en el proceso de Aprendizaje II; y ciertamente, el carácter y la realidad resultan ser inseparables. Una persona entrenada por un experimentador pavloviano tendría una visión fatalista de la vida. Creería que nada puede afectar su estado, y para tal persona la realidad bien pudiera consistir en descifrar augurios. Un individuo entrenado en la forma skinneriana sería más activo en su trato con el mundo, pero no menos rígido en su visión de la realidad. Las culturas occidentales, hace notar Bateson, operan en términos de una mezcla de gratificación y evitación instrumental. Sus ciudadanos realizan un déutero-aprendizaje en el arte de manipular todo lo que les rodea, y les es difícil creer que la realidad pudiera estar dispuesta de otra manera. El vínculo entre hecho y valor es: (a) que tales percepciones adquiridas también son rasgos de carácter adquiridos, y (b) que son puramente artículos de fe. En otras palabras, para tomar (a) primero, cualquier aprendizaje, especialmente el déutero-aprendizaje, es la adquisición de un rasgo de personalidad, y *lo que nosotros llamamos "carácter" (ethos, en griego) se construye sobre premisas adquiridas en contextos de aprendizaje*. Todos los adjetivos descriptivos del carácter, dice Bateson —"dependiente", "hostil", "descuidado", etc.— son descripciones de resultados posibles del Aprendizaje II. La persona entrenada a la manera pavloviana no sólo ve la realidad en términos fatalistas, sino que nosotros también podríamos decir de él o de ella: "Ella es fatalista" o "El es de un tipo pasivo". La mayoría de nosotros, que nos hemos formado en las sociedades industriales de Occidente, hemos sido entrenados dentro de pautas instrumentales, y por eso mismo no nos percatamos de estas pautas; constituyen nuestro ethos, son lo "normal", y por lo tanto nos resultan invisibles. En casos notablemente exagerados diremos: "Sólo se interesa en sí mismo" —lo que es a la vez una descripción del carácter y al mismo tiempo el enunciado de una epistemología. Los rasgos dominante, sumiso, pasivo, presumido y exhibicionista son simultáneamente rasgos de carácter y modos de definir la realidad, y todos son (déutero-) aprendidos desde la infancia más temprana.

El segundo punto, que estas "realidades" son artículos de fe, hace surgir el asunto de la "ideología verdadera". Si uno ha sido formado con una visión instrumental de la vida, se relacionará entonces con su ambiente social y natural de esa misma manera. Uno probará el ambiente sobre esa base para obtener refuerzos positivos, y si sus premisas no son validadas, con toda seguridad no abandonará su visión del mundo, sino que más bien clasificará la respuesta negativa, o la falta de respuesta, como una anomalía. De esta manera se elimina la amenaza a la propia visión de la realidad, la cual también es nuestra estructura del carácter. Ni el médico brujo ni el cirujano abandonan su magia o su ciencia al fallar sus métodos, como suele ocurrir. La conducta, dice Bateson, está controlada por el Aprendizaje II, y moldea el contexto total para hacerlo calzar con sus expectativas. El carácter auto-validante del déutero-aprendizaje es tan poderoso que normalmente no es posible de erradicar, y por lo general persiste desde la cuna hasta la tumba. Desde luego muchos individuos atraviesan por etapas de "conversión" en las cuales cambian un paradigma por otro. Pero sea cual fuere el paradigma, la persona permanece en las garras de una déutero-pauta, y se pasa la vida encontrando "hechos" que la validan. Según Bateson, el único escape real es lo que él denomina el Aprendizaje III, donde no se trata ya de un paradigma versus otro, sino que de la comprensión misma de la naturaleza del paradigma. Cambios como ése involucran una profunda reorganización de la personalidad —un cambio en la forma, no sólo en el contenido— y ocurren en las conversiones religiosas verdaderas, en las psicosis y en la psicoterapia. Estos cambios hacen reventar las categorías del Aprendizaje II, con resultados magníficos a veces y desastrosos otras veces. (Más adelante trataremos el Aprendizaje III en mayor detalle).

Vale la pena señalar que la unión de hecho y valor, algo que la ciencia moderna en principio niega, ocurre en forma bastante natural en el análisis que hace Bateson del aprendizaje. El dice que un sistema de codificación no es muy distinto de un sistema de valores. La red de valores determina parcialmente la red de percepciones. "El hombre vive ateniéndose a aquellas proposiciones cuya validez es función de su creencia en ellas", escribe Bateson. O como ha dicho en otra oportunidad: "la fe es una aceptación de déutero-proposiciones cuya validez se incrementa realmente por nuestra aceptación de ellas".

Pero, ¿qué *es* la estructura del carácter? Bateson se dio cuenta que si bien fue un error el reificar el ethos en Nueva Guinea, no era menos falaz el tratar un rasgo de carácter como una cosa. Los adjetivos descriptivos del carácter son en realidad descripciones de "segmentos de intercambio". Son descripciones de *transacciones*, no de entidades, y las transacciones involucradas existen entre la persona y su ambiente.

Nadie es "hostil" o "descuidado" en el vacío, a pesar de la contraria pretensión de Pavlov, Skinner y de la totalidad de la escuela conductista. Claramente, el Aprendizaje II es equivalente a la adquisición de hábitos aperceptivos, donde la "apercepción" se define como la percepción que tiene la mente de sí misma como un agente consciente. Tales hábitos pueden adquirirse en más de una forma, y el conductista está equivocado al creer que el hábito se forma únicamente a través de la experiencia repetida de un tipo específico de contexto de aprendizaje. "No estamos refiriéndonos", escribe Bateson,

> a un individuo hipotético aislado en contacto con un flujo de acontecimientos impersonales, sino que más bien a individuos reales que tienen pautas emocionales complejas de relación con otros individuos. En ese mundo real, el individuo será llevado a adquirir o rechazar hábitos aperceptivos por el complejo fenómeno del ejemplo personal, tono de voz, hostilidad, amor, etc. Además, muchos de esos hábitos no le serán transmitidos mediante su propia experiencia desnuda del flujo de los acontecimientos, ya que ningún ser humano (ni siquiera los científicos) están desnudos en este sentido. El flujo de los acontecimientos es intervenido continuamente mediante el lenguaje, el arte, la tecnología y otros medios culturales que son estructurados a cada momento por los rieles del tranvía del hábito aperceptivo[19].

Probablemente el laboratorio de psicología es el *último* lugar donde se puede aprender acerca del aprendizaje, de la misma manera como el laboratorio de física es el último lugar para aprender acerca de la luz y el color. Tanto Skinner como Newton son culpables de estrechar el contexto hasta el punto de lograr tener un control preciso sobre lo trivial. Si uno desea descubrir cosas sobre el aprendizaje, dice Bateson, abóquese al estudio de los individuos en su contexto cultural y, especialmente, estúdiese la comunicación no-verbal que se produce entre ellos. El déutero-aprendizaje procede en gran medida en términos de lo que él más tarde llamaría las claves "análogas", en oposición a las claves "digitales". Es en esta pista que encontraremos, él creía, la fuente de nuestros "rasgos" de carácter y nuestras "realidades" cognitivas.

Para agregar algo más sobre esto, el conocimiento digital, que se expandió rápidamente después de la época de Gutenberg, es verbal-racional y abstracto. Por ejemplo, una palabra no tiene ninguna relación en particular con lo que describe (la palabra "vaca" no es grande ni da leche). Por otro lado, el conocimiento análogo es icónico: la información representa aquello que está siendo comunicado (una voz intensa indica emociones fuertes). Este tipo de conocimiento es conocimiento tácito en el sentido de Polanyi, e incluye la poesía, el lenguaje corporal, los gestos y entonación, los sueños, el arte y la fantasía. Pascal y

Descartes habían discutido esta distinción entre estilo y matiz por un lado, y medición y geometría por el otro. A pesar de que a primera vista estas dos formas de conocimiento puedan aparecer irreconciliables, Bateson decidió creer que Pascal tenía razón cuando escribió que el corazón tenía sus razones que la razón no lograba percibir. Tal vez ya había llegado la hora para que los científicos comenzaran a formular algunos algoritmos cardíacos.

Bateson recuerda que fue en enero de 1952, mientras observaba a unos monos jugando en el Zoológico Fleishhacker de San Francisco, que se percató de que su juego (a pesar del cautiverio) podría proporcionar una base para comprender toda el área de la comunicación no-verbal. El artículo resultante, "Una Teoría del Juego y la Fantasía", sostenía: (1) que el juego entre los mamíferos tiene que ver con la *relata*, en lugar de contenidos manifiestos, y en esto su estructura era muy semejante al material de proceso primario (o sueños y fantasías); (2) que a pesar de que no era algo familiar para nuestras mentes conscientes, dicho material era susceptible de analizarse de acuerdo a la lógica formal, específicamente a la luz de las reglas de la paradoja descritas por Russell y Whitehead en su obra clásica, *Principia Matematica* (1910-13); (3) que dado que los humanos somos mamíferos, nuestro propio aprendizaje —y por lo tanto nuestro carácter y nuestra visión del mundo— depende de dicho material; que lo que llamamos "personalidad" y "realidad" se forma mediante un proceso de (déutero-) aprendizaje que penetra nuestro aprendizaje y nos enseña, de maneras sutiles pero definidas, ciertas pautas permisibles que la cultura denomina "sanas"; y (4) que a la inversa, la locura (la ostensible falta de coherencia de la personalidad y la visión del mundo) posiblemente involucra la incapacidad para manipular la relación entre el inconsciente y el consciente de acuerdo con las déutero-proposiciones de un determinado contexto cultural.

El punto de partida teórico para esta investigación de Bateson fue la ("Theory of Logical Types") "Teoría de los Tipos Lógicos", de Whitehead y Russell. De suyo, la teoría sencillamente establece que, según las definiciones lógicas y matemáticas, ninguna clase de objetos puede ser un miembro de sí misma. Por ejemplo, pensemos en una clase de objetos que consista en todas las sillas que actualmente existen en el mundo. Cualquier cosa que habitualmente denominamos "silla" será un miembro de esa clase. Pero la clase en sí misma no es una silla, ni más ni menos que una determinada silla puede ser la clase de sillas. Una silla y la clase de las sillas son dos niveles distintos de abstracción (siendo la clase de un nivel superior). Este axioma, que dice que hay una discontinuidad entre una clase y sus miembros, parece trivialmente obvio, hasta que descubrimos que la comunicación humana y mamífera está continuamente violándolo para generar paradojas significativas.

Una de las más famosas de estas paradojas es conocida como la "Paradoja de Epiménides", o la "Paradoja del Mentiroso" (véase Capítulo 5, nota 30). Puede presentarse como en la Figura 14:

> Todas las afirmaciones
> dentro de este marco
> son falsas.

Figura 14. *La ilustración (modificada) que hace Gregory Bateson de la Paradoja de Epiménides (tomada de "Una Teoría del Juego y la Fantasía").*

De inmediato se puede ver el problema. Si la afirmación es verdadera, es falsa, y si es falsa, es verdadera. La resolución yace en el axioma Russell-Whitehead. La palabra "afirmaciones" ("statements") está siendo utilizada tanto en el sentido de una clase (la clase de las afirmaciones) como de un ítem dentro de esa clase. La clase está siendo forzada a ser miembro de sí misma, pero dado que esta situación no es permisible de acuerdo con las reglas formales de la lógica y la matemática, se genera una paradoja. La afirmación en sí misma está siendo tomada como una premisa para evaluar su propia verdad o falsedad y, por lo tanto, se están mezclando dos niveles distintos de abstracción, o dos tipos lógicos.

Ahora bien, la verdad es que ni la comunicación humana ni la comunicación mamífera se adapta a la lógica del *Principia Matematica*. De hecho, toda comunicación significativa necesariamente involucra cierta metacomunicación —es decir, comunicación acerca de la comunicación— y por lo tanto, está constantemente generando paradojas del tipo russelliano. Aboquémonos primero a la comunicación humana. Supongamos que yo le anuncio a Ud., al mismo tiempo que nos embarcamos en algún tipo de acción o conversación en particular: "Esto es juego". El mensaje que estoy transmitiendo es: "Lo que viene a continuación no debe tomarlo en serio". ¿Qué es lo que significa realmente esta frase? Bateson dice que, "Esto es juego", puede ser traducido en la afirmación: "Estas acciones que ahora realizamos no denotan lo que denotaría *lo que esas acciones representan*"; o, dado que "representa" y "denota" significan aquí lo mismo, la traducción puede ser interpretada como: "Estas acciones que ahora estamos realizando, no denotan lo que sería denotado por esas acciones que estas acciones denotan". Si le doy a mi amante un pellizco juguetón, el pellizco denota un pellizco, pero no denota lo que sería denotado por un pellizco verdadero. *No* es un acto de agresión, y lo expreso utilizando el acto para hacer un comentario negativo sobre este tipo de actos.

Pero en la lógica formal ni esta conducta, ni la afirmación "Esto es juego", son permisibles. La frase "traducida" es un buen ejemplo de la Paradoja del Mentiroso: la palabra "denota" está siendo utilizada en dos niveles distintos de abstracción, que son incorrectamente tratados como si estuvieran en el mismo nivel lógico (a uno se le permite contradecir al otro). Tanto el pellizco como la afirmación "Esto es juego", establecen un marco al que luego se le permite hacer un comentario sobre su propio contenido.

Esta discusión nos hace retornar al Zoológico Fleishhacker y a la pregunta de qué es lo que podemos aprender de los monos. Los mensajes metacomunicativos son lógicamente inadmisibles, porque son marcos que hacen comentarios sobre su propio contexto. Este punto es lo suficientemente claro en el caso de una afirmación verbal como "Esto es juego", y de hecho en la conversación común estamos constantemente revisando el marco de referencia: "¿Qué es lo que realmente estás diciendo?" "¿Lo dices en serio?" "¡Tienes que estar bromeando!" y así sucesivamente. Pero, dice Bateson, a pesar de que, a diferencia de los monos, somos capaces de metacomunicarnos en forma oral o escrita, somos iguales a ellos en el siguiente sentido crucial: la gran mayoría de los metamensajes siguen siendo implícitos. "Te amo", le digo distraídamente a mi amante quien acaba de entrar a mi estudio pidiendo mi atención o afecto, mientras que mi lenguaje corporal y mi tono de voz dicen: "Déjame solo para poder concluir mi capítulo sobre Bateson". En lo que a nuestros primos mamíferos se refiere, éstos están limitados por la falta de lenguaje, de tal forma que ellos pueden rehusar o rechazar una acción, pero no negarla o negarse a ella. Dos perros se encuentran y ninguno desea reñir. Son incapaces de decir: "No riñamos". El ser amistoso tampoco resuelve el problema, porque es una afirmación positiva que omite cualquier "discusión" sobre la riña, en lugar de específicamente decidir en contra de ella. De modo que los perros muestran sus dientes, gruñen una pelea ficticia y luego se detienen. El mensaje que han intercambiado es: el gruñido no es un gruñido, o "Estas acciones, que ahora realizamos, no denotan…, etc.". El juego es un fenómeno en que las acciones del juego denotan otras acciones de no-juego; y como los perros y los monos, nosotros continuamente estamos intercambiando ese tipo de mensajes. De hecho, dice Bateson, a nivel humano hemos desarrollado algunos juegos muy complejos basados en una deliberada confusión del mapa y el territorio. Los católicos dicen que la hostia es el cuerpo de Cristo, un sacramento. Los protestantes dicen que es *como* el cuerpo de Cristo, una metáfora. Millares de seres humanos han muerto en guerras, torturados o quemados hasta morir únicamente por este asunto, y miles siguen muriendo por ésta o aquella bandera —trozos de tela que son mucho más que metáforas a los ojos de los soldados que marchan bajo ellas.

Aquí, entonces reside la semejanza entre la comunicación animal y el proceso primario. Como los juegos y las fantasías, el juego trata (a pesar de que no exclusivamente) con la *relata* en lugar de con el contenido. El mensaje significativo de cualquier sueño está en las relaciones entre las cosas del sueño. La imagen empleada en la expresión de la relación es menos importante que la relación misma. A diferencia del proceso secundario, el proceso primario no puede hacer directamente un comentario sobre sí mismo[20]. El mapa y el territorio se igualan. Como dice Bateson, el marco mismo se convierte en parte del sistema de premisas; es metacomunicativo. Por ejemplo, toda fantasía incluye el mensaje implícito, "Esto no es literalmente verdadero".

Finalmente, debemos preguntarnos: ¿Y qué importa? ¿Qué más da si gran parte de nuestra comunicación viola alguna teoría abstracta de la lógica que fuera formulada en la primera década del siglo xx? La importancia está en el hecho de que *en gran medida es esta violación de la lógica la que constituye casi todo nuestro déutero-aprendizaje*; de que obtenemos una personalidad y una visión del mundo mediante un sistema invasor de mensajes culturales metacomunicativos que pueden ser entendidos en términos bastante precisos; y de que en comparación con el conocimiento deliberado, consciente, digital, este conocimiento análogo es increíblemente vasto. Volveré a referirme a este último punto, el "principio de estado incompleto", en el Capítulo 8. Por ahora, es importante entender dónde condujo a Bateson su investigación sobre la teoría del aprendizaje. Mientras que la investigación científica tradicional evita escrupulosamente cualquier superposición de hecho y valor (esto, como hemos visto, es la causa de su cualidad descorporalizada), Bateson deliberadamente fusionó a ambos, o mejor, no forzó la habitual y artificial separación. Como resultado, la respuesta que surgió fue a la vez precisa y significativa. La "verdad" de una persona es a la vez su "carácter", y las pautas de formación han de buscarse en las modalidades de comunicación no verbal, o su metacomunicación.

Posiblemente la obra de Bateson sea mejor conocida por su estudio de la locura y la formulación de la teoría del doble vínculo como la etiología formal de la esquizofrenia. Esta es de hecho una elaboración y una verificación brillante de la teoría del aprendizaje mencionada arriba. Al igual que cualquier otro ejemplo que pudiéramos dar, este trabajo ilustra claramente cómo se genera en el individuo la visión del mundo y la personalidad, y revela los "algoritmos cardíacos" que subyacen al proceso. Es, sin embargo, un tipo de prueba por contraejemplo, un *reductio ad absurdum*, porque la locura se instala cuando la capacidad de metacomunicación está ausente, o severamente atenuada. Bateson se preguntó: ¿Qué es lo que se está aprendiendo, o mejor dicho mal aprendiendo, en la manufactura de la locura?

La exploración de Bateson sobre la teoría del aprendizaje lo había llevado a la conclusión de que el sistema de metacomunicaciones de nuestra cultura nos había enseñado a utilizar marcos, y que su uso definía la personalidad, la visión del mundo y la cordura social. Un colega de Bateson, el psiquiatra Jay Haley, sostuvo la tesis de que los síntomas de la locura puedan deberse a una incapacidad para discriminar entre tipos lógicos. El individuo que considera real la metáfora, que insiste, estando *fuera* de la iglesia, que la hostia *es* realmente el cuerpo de Cristo, es clasificado como psicótico. En el trabajo sobre el juego y la fantasía, Bateson se había contentado con preguntar: "¿Hay alguna indicación de que ciertas formas de psicopatología se caracterizan específicamente por anormalidades del paciente para manipular los marcos y las paradojas?". El trabajo seminal sobre el doble vínculo, escrito en conjunto con Haley, Don Jackson, y John Weakland, apareció al año siguiente, y sugirió una respuesta afirmativa.

Según Haley, la habilidad para distinguir entre lo literal y lo metafórico es la piedra de toque de la salud mental. Bateson mismo indica la situación en que el paciente esquizofrénico llega al casino del hospital y la mujer detrás del mostrador le dice: "¿En qué puedo servirle?". El no contesta: "Hoy me gustaría comerme un pastel de carne y riñones", sino que en lugar de eso se queda ahí parado tratando de descubrir qué tipo de mensaje es éste. ¿Le está ofreciendo dormir con él? ¿Está tratando de engañarlo? ¿Le dará un almuerzo gratis si él lo pide? El punto, dice Haley, es que todos los mensajes humanos violan la Teoría de los Tipos Lógicos. *Siempre* hay una metacomunicación que acompaña al mensaje, generalmente es una metacomunicación no-verbal, y la salud mental es la habilidad para descifrar y utilizar este código. Nuestro paciente podría estar en lo correcto al concluir que se le estaba haciendo una avence sexual si un cierto tono de voz, o lenguaje corporal, hubiera acompañado a la pregunta de la mujer, pero él es incapaz de hacer tal discriminación, y es esta incapacidad la que justifica el rótulo de "loco". Haley da el ejemplo de un hombre esquizofrénico a quien se le había otorgado permiso para deambular por el hospital y había abusado de ello, escapando de la institución trepando por el muro que la rodeaba. La policía finalmente lo encontró y lo llevó de vuelta a la institución. Unos días más tarde el hombre le mostró a Haley el punto del muro por donde había salido y dijo: "Ahora hay un disco pare allí". Al hablar, sin embargo, había una chispa en sus ojos. Haley súbitamente se dio cuenta de que el paciente no estaba siendo literal. Más bien, había aprendido a hacer un comentario sobre sus propios mensajes, y por lo tanto estaba en camino de la recuperación[21].

¿Cómo es que una persona llega al punto de estar constantemente confundiendo los tipos lógicos? Bateson pensaba que no era necesario buscar esto en algún trauma de la infancia o en algún elemento del pasado, sino que había que examinar cuáles eran las *regularidades* en la niñez del esquizofrénico. De alguna manera, él o ella había sido entrenado a *no* metacomunicarse, a no hacer comentarios sobre los mensajes de otros, y tal incapacidad era tan aberrante que es dudoso que un solo incidente pudiera haberla precipitado. En la metáfora cibernética (véase Capítulo 8), la metacomunicación es retroalimentación, y el psicótico es como un sistema auto-corrector que ha perdido su regulador, moviéndose en espirales incesantes hacia diversas distorsiones llamadas "catatonia", "hebefrenia", "paranoia", etc. De hecho estas distorsiones son alternativas a tener que hacer comentarios sobre los mensajes de los demás, que por alguna razón el esquizofrénico siente que no debe hacer.

Lo que Bateson, Haley y colaboradores hicieron fue investigar la totalidad de la situación familiar, en lugar de estudiar (como aún es la norma) al esquizofrénico aislado. Bateson y sus colegas creían que el paciente no estaba aquejado de una misteriosa "enfermedad" ocasionada por genes o por la química del cerebro, sino que por un *proceso*, un *modelo*, una regularidad que había estado transcurriendo durante años. Como lo ha mostrado R.D. Laing, cuyo trabajo se basó en la teoría del "doble vínculo", la diferencia entre tratar a un esquizofrénico como un "organismo" que está emitiendo "señales de enfermedad", y tratarlo como a una persona comprometida en un proceso, es tan grande como el día y la noche. En *El Yo Dividido*, Laing reproduce el famoso relato proporcionado por el psiquiatra alemán Kraepelin sobre la presentación que hace este último de un paciente esquizofrénico ante una sala de clases llena de alumnos (1905):

El paciente que les mostraré hoy día ha sido prácticamente arrastrado hacia las salas, mientras camina en una forma inestable sobre la parte externa de sus pies. Al entrar a la sala, lanza sus zapatillas, canta un himno en voz alta y luego grita dos veces (en inglés): "¡Mi padre, mi padre real!". Tiene 18 años y es alumno de la Oberrealschule (una escuela superior moderna), alto y fornido, pero de una tez pálida, sobre la cual frecuentemente hay un rubor pasajero. El paciente está sentado con los ojos cerrados y no pone atención a lo que lo rodea. Ni siquiera levanta la vista cuando se le habla, pero responde primero en voz baja, para luego gritar gradualmente en una forma más y más intensa. Cuando se le pregunta dónde está, él responde: ¿"También quieres saber eso? Te digo quién está siendo medido, es medido y será medido. Yo sé todo eso, te lo podría contar, pero no quiero hacerlo". Cuando se le pregunta su nombre, grita: "¿Cuál es tu nombre? ¿Qué es lo que él encierra? El cierra sus ojos. ¿Qué es lo que escucha? El no entiende; no entiende. ¿Cómo? ¿Quién? ¿Dónde? ¿Cuándo? ¿Qué es lo que quiere decir? Cuando le digo que mire no mira en forma adecuada. Tú ahí, ¡sólo mira! ¿Qué es? ¿Qué es lo que pasa? Atiende; no atiende. Digo, ¿qué es, entonces? ¿Por qué no me das una respuesta? ¿Te estás poniendo impúdico otra vez? ¿Cómo puedes ser tan impúdico? ¡Aquí vengo! ¡Te voy a mostrar! Tú no te prostituyes para mí. Tampoco debes ser inteligente; eres impúdico, un mal tipo, un tipo tan impúdico y malo como yo jamás he conocido. ¿Está empezando de nuevo? No entiendes nada, nada en absoluto; él no entiende nada en absoluto. Si tú sigues ahora, él no seguirá, no seguirá. ¿Aún te estás poniendo más impúdico? ¿Te estás poniendo aún más impúdico? Cómo es que ellos atienden, ellos sí atienden", etc. Al final, refunfuña unos sonidos poco claros.

Kraepelin agregó las siguientes notas a esta descripción:

A pesar de que (el paciente) indudablemente entendía todas las preguntas, *no ha suministrado un solo trozo de información útil.* Su conversación era... *únicamente una serie de frases inconexas sin ninguna relación con la situación general.* (La letra cursiva es de Laing).

¿Ahora qué está ocurriendo aquí? El tipo de "ensalada de palabras" reproducido arriba es muy corriente entre los pacientes esquizofrénicos, y el argumento de Bateson era que dado que el meollo de la locura era la incapacidad para metacomunicarse, tal "ensalada de palabras" debía tener un comentario sobre la situación, pero en una forma no amenazante, es decir, en una forma indirecta y disimulada. De hecho, sin que Kraepelin lo supiera, el paciente estaba haciendo una parodia de la entrevista, de tal manera que le permitiera mandar a Kraepelin al diablo: "¿También quieres saber eso? Te digo quién está siendo medido y es medido y será medido. Yo sé todo eso y podría contártelo, pero no quiero hacerlo". Laing comenta que, "esto parece ser una conversación bastante franca. Presumiblemente está profundamente resentido por esta forma de interrogación que se le hace en frente de una sala de clases repleta de estudiantes. Probablemente no entiende qué es lo que tiene que ver esto con las cosas que más le preocupan". Por lo tanto cuando Kraepelin le pregunta su nombre, le contesta en una forma que es un comentario sobre todo el enfoque de Kraepelin con respecto a él:

¿Cuál es tu nombre? ¿Qué es lo que encierra? Cierra sus ojos... ¿Por qué no me das una respuesta? ¿Te estás poniendo impúdico otra vez? Tú no te prostituyes para mí (es decir, dice Laing, el joven siente que Kraepelin está objetando el hecho de que él no esté preparado para prostituirse ante una multitud de alumnos en una sala de clases)... jamás he conocido un tipo tan impúdico, desvergonzado, miserable, malo[22].

Desde el punto de vista de Laing, Kraepelin era un tanto bobalicón. En otra parte, Laing relata la historia de un paciente que también despreciaba a su psiquiatra pero que tenía miedo a enfrentarlo. En lugar de eso, de enrostrarlo, le decía que escuchaba voces, y cuando se le preguntaba qué estaban diciendo, miraba en forma directa al médico y

223

contestaba: "Eres un tonto". El psiquiatra diligentemente tomó nota en una libreta.

La pregunta es: ¿por qué metacomunicarse en una forma tan arcana? ¿Por qué el muchacho no optó por decirle sencillamente a Kraepelin: "Me opongo a ser tratado como un oso de circo. Por favor déjeme tranquilo"? Incluso si Kraepelin hubiera sido capaz de escuchar algo así, el paciente constitucionalmente no habría sido capaz de decirlo, porque indudablemente había sido tratado por gente como Kraepelin durante toda su vida. Posiblemente su situación familiar era como para hacerle descartar de plano cualquier tipo de metacomunicación abierta. De aquí entonces, la ensalada de palabras, "validando" el diagnóstico de Kraepelin. La hipótesis de Bateson era que esta ensalada de palabras describía una situación traumática en curso que involucraba una confusión en la metacomunicación, y que este trauma en curso "debe haber tenido una estructura *formal* en el sentido de que múltiples tipos lógicos eran puestos en juego, unos en contra de otros...". Por ejemplo, una visita al hogar de uno de los propios pacientes de Bateson reveló que la madre del paciente estaba constantemente, y aparentemente sin darse cuenta, tomando los mensajes que recibía de las personas que se encontraban a su alrededor (incluido Bateson) y reclasificándolos con un significado distinto. Indudablemente, el paciente había tenido que padecer esta conducta desde la infancia. Pero era él, en lugar de ella, él que había sido calificado de loco, porque era ella, en lugar de él, quien manejaba la casa y quien presumiblemente obtenía la aprobación o el apoyo de su marido. Cuando el hijo tuvo la edad suficiente como para decir, "Eso no es lo que quise decir; me estás malinterpretando", fue completamente incapaz de hacerlo. En lugar de eso lo que se desarrolló fue una serie de síntomas bastantes bizarros.

Las investigaciones de Bateson y sus colaboradores tendieron a apoyar la hipótesis general de que en la psicología de las comunicaciones verdaderas, la Teoría de los Tipos Lógicos (la discontinuidad entre una clase y sus miembros) estaba siendo violada constantemente. Encontraron que la esquizofrenia era el resultado de ciertas pautas formales de esta violación que se daba, en una forma extrema, en la comunicación entre madre e hijo. Desde luego, la metacomunicación siempre puede falsificarse: la risa falsa, la sonrisa artificial. Pero más típicamente, como en el ejemplo de arriba de madre e hijo, la falsificación se hacía inconscientemente. Como la Sra. Malaprop, la madre no se percataba de que estaba enredando todo, pero en este caso las consecuencias no eran tan divertidas. A esta altura del análisis de la esquizofrenia, la teoría de Bateson acerca del déutero-aprendizaje se hizo muy relevante. El hijo había sido déutero-entrenado en una realidad esquizofrénica; había aprendido a construir la realidad de esta manera para poder sobrevivir. Dado este ethos, la locura se había convertido en su "carácter" y en su visión del mundo. Pero tenía que haber algo más. Esto sólo era el comienzo de una explicación; lo que Bateson estaba buscando era una comprensión plena del fenómeno.

En Nueva Guinea, mediante el concepto de la cismogénesis, Bateson había captado el ethos de los iatmul, por lo menos en parte. ¿Tenía también la esquizofrenia una estructura así de formal?, y en ese caso, ¿cuál era? ¿En qué consistía el Aprendizaje II para los individuos psicóticos? William Bateson había escrito en 1894 que el "camino que atraviesa el misterio de las Especies, puede ser encontrado en los hechos de la Simetría"[23]. ¿Cuál era la simetría en este caso? ¿Cuál era la pauta subyacente, el algoritmo cardíaco? El niño esquizofrénico, escribieron Bateson y sus colaboradores, vive en un mundo en que la secuencia de los eventos es tal, que los hábitos no convencionales de comunicación son, en algún sentido, lógicos. "La hipótesis que nosotros ofrecemos", continuaron los autores, "es que las secuencias de este tipo en la experiencia externa del paciente son responsables de los conflictos internos de la Tipificación Lógica. Para tales secuencias insolubles de experiencias, utilizamos el término 'doble vínculo'". Bateson identificó los ingredientes de una situación de doble vínculo en los siguientes términos:

1) Deben estar involucradas dos o más personas, una de las cuales es forzada a representar el rol de víctima.

2) La estructura de doble vínculo se da en forma repetida. No es asunto de algún shock traumático, sino que de una manera regular y habitual de experimentar el mundo.

3) Debe haber una orden primaria negativa, ya sea de la forma, "No hagas X, o te castigaré", o "Si no haces X te castigaré". Nuevamente, hay que recalcar que el castigo no es un evento traumático clave, sino que uno que está transcurriendo todo el tiempo, como el retirar el amor o la expresión de abandono.

4) Debe haber una "orden secundaria en conflicto con la primera en un nivel más abstracto y, como la primera, es obligada mediante castigos o señales que amenazan la supervivencia". Aquí está la confusión de los tipos lógicos. La orden (mandato-injunction) secundaria es generalmente (meta) comunicada mediante señales corporales. El padre, por ejemplo, puede castigar al niño y luego mostrar un lenguaje corporal que diga: "No veas esto como un castigo", "No me veas como un agente castigador", o incluso, "No te sometas a esto". En formas agudas de esquizofrenia, los padres ya no tienen que estar presentes. "La pauta de órdenes conflictivas puede", dice Bateson, "incluso ser tomada por voces (alucinatorias)"[24].

5) Sin embargo, el doble vínculo no es meramente una situación del tipo "palos porque bogas y palos porque no bogas". De por sí y en sí misma, una situación de no-ganar no puede volver loco a alguien. El elemento crucial no es el ser capaz de abandonar el campo o señalar la

contradicción; y los niños a menudo se encuentran en este tipo de situación. Así, Laing resume el predicamento del doble vínculo en la siguiente forma: "Regla A: No actúes. Regla A.1.: La Regla A no existe. Regla A.2.: No discutas la existencia o la no existencia de las Reglas A, A.1, o A.2."[25].

¿Qué le sucede a un niño atrapado en una situación así? Es claro que tendrá que falsificar sus propios sentimientos, convencerse de que realmente no tiene una razón para mantener la relación con su madre o su padre. En términos formales, tendrá que (déutero-) aprender a *no* discriminar entre tipos lógicos, porque es precisamente esa discriminación la que amenazará toda la relación. En otras palabras, (a) está en una relación intensa, por lo tanto siente que debe saber qué mensajes se le están comunicando; (b) la persona que se está comunicando está enviando dos mensajes de distinto orden de abstracción, y utilizando uno para negar al otro; y (c) la víctima no puede metacomunicarse, no puede hacer comentarios sobre esta contradicción. Tales contradicciones se convierten en la "realidad", y con el paso del tiempo el niño puede aprender a metacomunicarse mediante las metáforas más fantásticas. Lo metafórico y lo literal se confunden permanentemente, y lo metafórico es menos amenazante, ya que evita el comentario directo y así no coloca a la víctima en un situación difícil. Si el paciente decide finalmente que es Napoleón, no corre peligro alguno porque ha logrado en forma efectiva lo que previamente no era posible: ha abandonado el campo. El doble vínculo ya no podrá funcionar, porque ya no es él quien está presente, sino que "Napoleón". Sin embargo, esto no es un juego; si la supervivencia depende del ser Napoleón, la víctima no se dará cuenta que está hablando en metáfora, o de que realmente no es el Napoleón histórico. La locura no es simplemente el quiebre de la psiquis. De hecho, es un intento de *salvar* la psiquis.

Las situaciones de doble vínculo abundan en la psicopatología, y Bateson nos da como un ejemplo clásico el caso de una madre que hace una visita a su hijo hospitalizado, que está recuperándose de un episodio reciente de esquizofrenia aguda.

> Estaba contento de verla (escribe Bateson) e impulsivamente la abrazó, con lo cual ella se puso muy rígida. Retiró sus brazos y ella preguntó: "¿Ya no me quieres?". El se sonrojó, y ella dijo: "Querido, no debes avergonzarte tan fácilmente y tenerle miedo a tus sentimientos". El paciente pudo quedarse junto a ella sólo por unos pocos minutos más y apenas ella se marchó atacó a un auxiliar y tuvo que ser puesto en una camisa de fuerza.

Claramente, continúa Bateson, el resultado podría haberse evitado si el joven hubiera sido capaz de confrontar a su madre con el hecho de que ella se sentía incómoda cuando él le demostraba afecto. Pero años de dependencia y entrenamiento intenso, que se remontan a la época en que era un niño indefenso, habían establecido una pauta que hacía imposible esta opción. A lo largo de los años había aprendido, según dice Bateson, que "si he de mantener un vínculo con mi madre, no debo demostrarle que la quiero, pero si no le muestro que la quiero, entonces la perderé". En este ejemplo podemos ver una confusión de los tipos lógicos. El niño había aprendido que si él iba a mantener una relación con su madre, no debe discriminar correctamente entre las órdenes de un

mensaje... Como resultado, debe distorsionar sistemáticamente su percepción de las señales metacomunicativas... Debe engañarse a sí mismo acerca de su propio estado interno para apoyar a la madre en su propio engaño.

Por lo tanto, no existe algo como una persona esquizofrénica. Sólo hay *sistemas* esquizofrénicos. En tal sistema, la madre está en posición de controlar las definiciones de los propios mensajes de su hijo, y le (déutero-) enseña una realidad basada en la falsa discriminación de esos mensajes. También le prohíbe al niño utilizar el nivel metacomunicativo, que es el nivel habitualmente usado para corregir nuestra percepción de los mensajes, y sin el cual las relaciones normales se hacen imposibles. Sin embargo, la psiquiatría moderna encierra *al niño* y deja libre a la madre. En una etapa temprana, un padre fuerte podría intervenir en favor del niño, y en una familia extendida incluso un tío o uno de los abuelos podría salvar la situación. Pero la locura ha aumentado proporcionalmente con el surgimiento de la familia nuclear, y es típico el caso en familias esquizofrenogénicas (schizophrenogenic) que si el padre (o la madre, si es el hombre el que está haciendo la doble vinculación) fuera a dar un paso para apoyar al niño, tendría que reconocer también la verdadera naturaleza de su propio matrimonio —reconocimiento que seguramente lo desharía. La esquizofrenia, entonces, no es una "enfermedad" sino que una red sistémica, un país de las maravillas donde Alicia no es libre de decirle a la reina que es un poquitín más que excéntrica.

Entonces, ¿cómo es que uno escapa del doble vínculo? A nivel individual, al menos, Bateson hace notar que la puerta de salida generalmente es la creatividad. En una reflexión posterior (1969) sobre el doble vínculo, y en su elaboración sobre el "Aprendizaje III" en un artículo acerca de "Las Categorías Lógicas del Aprendizaje y la Comunicación" (1971), Bateson se dio cuenta de que la esquizofrenia era en sí misma parte de un sistema mayor, que él denominó el "síndrome trans-contextual". Los chistes, que a menudo expresan la confusión entre lo literal y lo metafórico, son un buen ejemplo de este síndrome. En su gran mayoría dependen de una súbita condensación de los tipos lógicos, una violación de la teoría Russell-Whitehead. (Un mendigo me contó que no había mordido en los últimos tres días, así es que yo lo mordí). De hecho, hay un doble vínculo presente en la etiología de todo un rango de conductas —por ejemplo, la esquizofrenia, el humor, el arte y la poesía— pero la teoría del doble vínculo no distingue formalmente entre estas actividades y los estados mentales. Por ejemplo, no hay ninguna forma de predecir si una determinada familia producirá un payaso o un esquizofrénico. Aquéllos cuya vida es enriquecida por dotes trans-contextuales, dice Bateson, o empobrecida por ellas, tienen esto en común: las cosas jamás son sólo lo que son. A menudo, o incluso siempre, está involucrada una "toma doble", un nivel simbólico que distingue al Don Quijote del Sancho Panza. Así, mientras que el paciente en el casino del hospital piensa que el "¿En qué puedo servirle?" podría ser una invitación sexual, el humorista construye una historieta o una comedia para la televisión basada en esta misma confusión.

De acuerdo a Bateson, el doble vínculo está enraizado en la teoría del déutero-aprendizaje; la trans-contextualidad es un "rasgo" déutero-aprendido. En trabajos que él hizo sobre la comunicación de los mamíferos, en la década de los 60, descubrió que uno podía establecer un doble vínculo con un delfín hasta que se le produjeran síntomas esquizofrénicos[26]. Por ejemplo, enséñesele primero al animal una serie de trucos (saltos, "vueltas de carnero", etc.) y déutero-enséñesele el contexto —la gratificación instrumental— lanzándole un pescado cada vez que haga un truco (una "gracia"). Luego suba la apuesta: recompense al delfín sólo después que haya ejecutado tres trucos. Finalmente, suba la apuesta hasta un nivel que sea un desafío para todo el modelo del Aprendizaje II: gratifique al delfín sólo después de que haya inventado un truco enteramente nuevo. La criatura pasa por todo su repertorio, ya sea un truco a la vez o en conjuntos de a tres, sin recibir pescado. Lo sigue haciendo, irritándose, y en forma cada vez más vehemente. Finalmente, empieza a enloquecer, a exhibir señales de frustración o dolor extremo. Lo que ocurrió después en este experimento en particular fue completamente inesperado: la mente del delfín dio un salto hacia un nivel lógico superior. De alguna manera se dio cuenta que la nueva regla era: "Olvida lo que aprendiste en el Aprendizaje II; no tiene nada de sagrado". El animal no sólo inventó un nuevo truco (por lo cual fue gratificado inmediatamente), sino que procedió a realizar cuatro saltos absolutamente nuevos que jamás habían sido observados en esta especie animal en particular. El delfín se había convertido en trans-contextual. Había traspasado el doble vínculo de lo que Bateson denomina el "Aprendizaje III". En el Aprendizaje III, literalmente nos elevamos a un nivel nuevo de existencia, y luego miramos hacia abajo y recordamos, tal vez tiernamente, nuestra conciencia pasada, plagada de lo que nosotros pensábamos era una contradicción insoluble. "Ah sí", puede que digamos; "de *eso es* lo que se trataba". Pero la etiología formal de la creatividad y la esquizofrenia sigue siendo la misma. El principio es sinergístico, dice Bateson; "ninguna cantidad de riguroso discurso de un determinado tipo lógico puede 'explicar' fenómenos de un tipo superior"[27].

Algo semejante ocurre en la relación entre el maestro Zen y su discípulo, donde el maestro plantea un problema imposible, un doble vínculo conocido como "koan". Algunos de éstos son bastante famosos: "¿Cuál es el sonido de una mano aplaudiendo?" o "Muéstrame tu cara antes que tus padres te conciban". Bateson cita aquél en que el maestro sostiene una vara sobre los alumnos y grita: "Si dicen que esta vara es real, los golpearé. Si dicen que no es real, los golpearé. Si se quedan callados, los golpearé" —un clásico doble vínculo. Lo que constituye la salida creativa aquí es la naturaleza de la metacomunicación. Por ejemplo, el estudiante puede tomar la vara y quebrarla en dos, y el maestro puede aceptar esta respuesta si ve que el acto refleja la propia apertura conceptual/emotiva del alumno.

En el Aprendizaje III, el individuo aprende a cambiar hábitos adquiridos en el Aprendizaje II, los hábitos cismogénicos que nos doblevinculan a todos. Aprende que es una criatura que inconscientemente logra el Aprendizaje II, o aprende a limitar o a dirigir su Aprendizaje II. El Aprendizaje III es aprender *acerca* del Aprendizaje II, acerca de su propio "carácter" y visión del mundo. Es liberarse de las amarras de la propia personalidad —un "despertar al éxtasis", como William Bateson definió en una oportunidad la verdadera educación. Este despertar necesariamente involucra una redefinición del sí mismo, que es el producto del déutero-aprendizaje previo de uno. De hecho, el sí mismo empieza a hacerse irrelevante; en las palabras de Bateson, deja de "funcionar como un argumento nodal en la puntuación de la experiencia". Como hemos visto, el viaje puede ser peligroso. El problema del sí mismo es tan difícil que muchos psicóticos ni siquiera intentarán utilizar la primera persona singular en su discurso. Para otros más afortunados, dice Bateson, hay una fusión de la identidad personal con "todos los procesos de relación en alguna vasta ecología o estética...". O como lo dice Laing en uno de sus pasajes más hermosos,

> La verdadera cordura conlleva en una u otra forma la disolución del ego normal, ese falso sí mismo ajustado de una manera competente a nuestra alienada realidad social; el surgimiento de los mediadores arquetípicos "internos" del poder divino, y a través de la muerte un renacimiento, y el eventual restablecimiento de un nuevo tipo de funcionamiento del ego, siendo ahora el ego el sirviente de lo divino, ya no más su traidor[28].

Es aquí donde llegamos a un punto crucial, un punto que Laing ha repetido una y otra vez a lo largo de su obra. El tipo de razonamiento que se ve en la esquizofrenia es el mismo que funciona en el arte, la poesía, el humor e incluso en la inspiración religiosa. La diferencia fundamental es que estas últimas formas de trans-contextualidad son elegidas más o menos libremente, mientras que el esquizofrénico es atrapado en un sistema que no es de su propia elección. Pero en términos formales, al menos, la esquizofrenia representa una forma más elevada de conciencia que las variedades del Aprendizaje II que la mayoría de nosotros hemos aprendido. Sin embargo, ¿cuál es la naturaleza de este Aprendizaje II, al menos a un nivel oficial? En términos generales, es una charada. El sistema de realidad moderno requiere de una alianza con una lógica que en la práctica real tiene que ser constantemente violada. La sociedad occidental ha déutero-aprendido un doble vínculo cartesiano y lo ha llamado "realidad"; fue precisamente la metacomunicación (los matices, el conocimiento tácito) lo que la visión cartesiana del mundo consiguió destruir oficialmente[29]. A nivel de la cultura dominante, se supone que debemos creer que el conocimiento científico es el único conocimiento real o que vale la pena; que el conocimiento análogo es no-existente o inferior; y que hecho y valor no tienen nada que ver entre sí. Desde luego que nada de esto es verdad, pero a todos se nos exige vivir de acuerdo con estas reglas, y en gran medida no hacer comentarios sobre ellas (excepto en los libros, supongo). Sin embargo, ¿dónde está la locura, en tal situación? Como vimos en nuestra discusión sobre Newton, ahora vivimos en un mundo al revés, un doble vínculo sistémico que ha tenido como resultado un tipo de locura colectiva. Me parecería que la única forma de escapar de este doble vínculo es elevándonos a un nuevo nivel de conciencia holística que facilitará conductas nuevas y sanas. Mientras que el análisis cartesiano del conocimiento moderno y de los problemas sociales acaba, como lo dijo Nietzsche, mordiéndose su propia cola, un análisis holístico sugiere que no todos los círculos son viciosos, y que tal vez haya una forma de salirse del actual. Bateson nos ofrece un lugar donde pisar, un modo no-cartesiano de razonamiento *científico*. Porque en el curso de la elaboración de la naturaleza de nuestras tensiones cismogénicas, y el rol del conocimiento análogo en la transmisión de la información —discusiones que necesariamente incluyen una crítica del dualismo cartesiano— él también desarrolló una metodología que une el hecho con el valor y que deshace la barrera entre la ciencia y el arte. Esta metodología, antes que cartesiana, es holística, y es tanto intuitiva como analítica. Es, citando la admonición que hace Don Juan a Carlos Castaneda: "un sendero con un corazón", y a pesar de todo, sin una correspondiente pérdida de claridad racional.

He presentado este capítulo como una odisea intelectual, el viaje de Gregory Bateson a través de una serie de problemas que son tal vez los más fascinantes que cualquier científico o pensador pudiera concebir. Sus estudios no se suman necesariamente a una epistemología formal, pero la Revolución Científica tampoco comenzó como un conjunto de principios abstractos, sino que más bien como una serie de investigaciones sobre diversos problemas —los cuerpos en caída libre, el movimiento planetario, la luz y el color. Sólo más tarde estas investigaciones revelaron una metodología común; la *ideología* del mecanicismo fue más el trabajo de Voltaire y Laplace que de Descartes y Galileo. Aunque en el caso de Bateson, tal vez no sea prematuro sostener que las percepciones obtenidas mediante el estudio del travestismo iatmul, la teoría del aprendizaje, la metacomunicación y la esquizofrenia, a final de cuentas sí constituyen un marco epistemológico. Incluso, el mismo Bateson ha elaborado esta epistemología en algunos de sus trabajos sobre la explicación cibernética. Sin embargo, por su naturaleza misma, la epistemología de Bateson se resiste a una explicación lineal. En realidad es una actitud ante la vida y el conocimiento, un compromiso más bien que una fórmula. Como la alquimia, su epistemología constituye una praxis. Al abordar un problema, Bateson buscaba sumergirse en la visión del mundo que estaba siendo estudiada. A pesar de su sofisticación científica, Bateson sabía instintivamente que gran parte del conocimiento es analógico, que las realidades están en totalidades y no en partes, y que el sumergirse (mimesis) en ellas en lugar de disecarlas analíticamente, es el comienzo de la sabiduría. Al proporcionar un resumen digital de su enfoque se corre el riesgo de reificarlo, y por lo tanto, inutilizarlo o incluso convertirlo en algo peligroso. Una de mis amigas escribió una vez en uno de sus poemas: "Deja que los cabos sueltos lleguen a su propio fin y al cabo" (Let loose ends lead to their own ends); y tal vez sería mejor no intentar amarrarlos aquí. Con toda seguridad, ningún conjunto de abstracciones que Bateson o yo dispusiéramos en términos lineales, discursivos, podría captar la realidad no-cognitiva más grande de la vida. Pero vivimos en este siglo, no en el siglo XIV o en el XXII, y para bien o para mal tenemos que cargar con el conocimiento verbal-racional como el modo primario de exposición. Por lo tanto, premunido de un cierto grado de ambivalencia es que me voy a abocar a una exposición lineal y analítica de la epistemología batesoniana.

La Metafísica del mañana (2)

La mera racionalidad intencional, sin la ayuda de fenómenos tales como el arte, la religión, los sueños y cosas por el estilo, necesariamente es patogénica y destructora de la vida; y... su virulencia emana específicamente de la circunstancia de que la vida depende de *circuitos* interconectados de contingencia, mientras que la conciencia sólo puede ver los pequeños arcos de dichos circuitos que el propósito humano es capaz de dirigir...

Este es el tipo de mundo en que vivimos —un mundo de estructuras de circuitos— y el amor sólo podrá sobrevivir si la sabiduría (es decir, un sentido de reconocimiento del hecho de la existencia de los circuitos) tiene una voz efectiva.

—Gregory Bateson en, "Estilo,
Gracia e Información
en el Arte Primitivo" (1967)

Un humanismo bien ordenado no comienza consigo mismo, sino que devuelve las cosas a su lugar. Sitúa al mundo delante de la vida, a la vida delante del hombre y al respeto por los demás antes del amor a sí mismo.

Esta es la lección que nos enseñan aquellas personas que llamamos "salvajes": una lección de modestia, de decencia y discreción a la vista de un mundo que precedió a nuestra especie y que la sobrevivirá.

—Claude Lévi-Strauss
(entrevista de 1972)

L a epistemología batesoniana es esencialmente la elaboración de
una respuesta a una pregunta única: ¿Qué es la Mente? Como nos
dice Bateson en su introducción a *Pasos hacia una Ecología de la Mente*, la
ciencia occidental ha intentado "construir el puente en la *mitad equivocada* de la antigua dicotomía entre forma y sustancia"[1]. En lugar de
explicar la mente (o Mente), la ciencia occidental la hizo desaparecer
con sus explicaciones. Es improbable que pudiéramos comenzar con la
sustancia (materia y movimiento) como el primer principio explicato-
rio, y deducir forma, o mente, a partir de ella. En el modo de pensar de
Bateson, la Mente es —sin ser un principio o entelequia religiosa— tan
absolutamente real como la materia[2].

La realidad de la Mente en la visión del mundo de Bateson le da a su
epistemología ciertas características que son formalmente idénticas a la
alquimia y al aristotelismo. Hecho y valor no son algo aparte y tampoco
lo "interno" y lo "externo" constituyen realidades separadas. El asunto
importante es la calidad, no la cantidad, y la mayoría de los fenómenos
están, al menos en un sentido muy especial, vivos. Sin embargo, hay
una gran diferencia entre la obra de Bateson y todas aquellas epistemologías tradicionales cuya premisa básica es la noción de una unidad
sagrada: en su sistema no hay un "Dios". No hay un animismo, no hay

mana, nada de lo que hemos denominado "participación original",
porque la Mente es considerada como inmanente a la disposición y
conducta de los fenómenos, no inherente a la materia en sí misma. Así,
entonces, a pesar de que *hay* algo como la participación —no estamos
separados de las cosas que nos rodean— ésta no existe en el sentido
"primitivo" o premoderno.

Previamente en este trabajo, hemos delineado las diferencias entre
la ciencia del siglo XVII y sus predecesores holísticos. Antes de continuar con un análisis de la epistemología batesoniana, será útil examinar un bosquejo de sus diferencias con el paradigma cartesiano, como
se indica en el Cuadro 2[3].

Ya en los Capítulos 5 y 7 hemos hecho comentarios sobre algunas de
las diferencias mencionadas arriba, pero la mayoría no son inmediatamente obvias y tendremos que explicarlas mejor en la siguiente discusión. Por ahora, deseo indicar que las diferencias involucradas son tan

Cuadro 2. *Comparación entre las visiones cartesiana y batesoniana del mundo*

Visión del mundo de la ciencia moderna	Visión del mundo del holismo batesoniano
No hay relación entre hecho y valor.	Hecho y valor son inseparables.
La naturaleza se conoce desde afuera, y los fenómenos se examinan en abstracción de su contexto (el experimento).	La naturaleza es revelada en nuestras relaciones con ella, y los fenómenos pueden ser conocidos sólo en un contexto (observación participante).
El objetivo es el control consciente, empírico de la naturaleza.	La mente inconsciente es primaria; el objetivo es la sabiduría, la belleza, la gracia.
Las descripciones son abstractas, matemáticas; únicamente aquéllo que puede ser medido es real.	Las descripciones son una mezcla de lo abstracto y lo concreto; la calidad es prioritaria frente a la cantidad.
La Mente es algo separado del cuerpo; el sujeto es algo separado del objeto.	Mente/cuerpo, sujeto/objeto, son ambos dos aspectos del mismo proceso.
El tiempo es lineal, en una progresión infinita; en principio podemos llegar a conocer toda la realidad.	Circuito; no es posible maximizar variables individuales del sistema; en principio no podemos conocer más que una fracción de la realidad.
La lógica es esto/aquello; las emociones son epifenoménicas.	La lógica es ambos/y (dialéctica); el corazón tiene sus algoritmos precisos.
Atomismo:	Holismo:
1. Unicamente la materia y el movimiento son reales.	1. Proceso, forma y relación son primarios.
2. El todo no es nada más que la suma de sus partes.	2. Las totalidades tienen propiedades que las partes no tienen.
3. Los sistemas vivientes son en principio reducibles a materia inorgánica; a final de cuentas la naturaleza está muerta.	3. Los sistemas vivientes, o Mentes, no son reducibles a sus componentes; la naturaleza está viva.

profundas como aquéllas que existen entre la ciencia y la alquimia, entre Sancho Panza y Don Quijote o entre la cordura convencional y el Aprendizaje III. Como lo admitiera alguna vez Bateson, hacía mucho que él se había separado del dualismo y, sin embargo, aún pensaba en términos de un "yo" independiente y se consideraba a sí mismo como un sujeto confrontando objetos. Esta afirmación apenas si es sorprendente, ya que Bateson, como cualquier otro pensador que escriba acerca del holismo a fines del siglo XX, sigue siendo una figura de transición. El hecho de que retuviera los procesos de pensamiento de nuestro mundo es lo que le permitió conversar con nosotros. Pero si el holismo batesoniano es de hecho el andamiaje mental de una civilización que emerge, esa civilización, una vez madura, posiblemente encontrará que nuestras formas de pensamiento eran casi incomprensibles. Incluso podrá construir museos de historia de la ciencia, donde los visitantes tendrán que dar vuelta, literalmente, sus mentes desde adentro hacia afuera para poder captar lo que Galileo y Newton intentaban decir.

A pesar de que Bateson aprendió acerca de la teoría cibernética durante el curso de las Conferencias Macy, su comprensión y elaboración de la teoría se desarrollaron en el contexto de situaciones humanas concretas. Curiosamente, Bateson optó por explicar la teoría en un ensayo sobre el alcoholismo, "La Cibernética del 'Sí mismo'" (1971), debido a que su investigación reveló que la "teología" de los Alcohólicos Anónimos era virtualmente idéntica a la epistemología cibernética. Antes de resumir el holismo batesoniano en términos formales, entonces, sigámoslo una vez más a través de una investigación concreta[4].

Posiblemente en un comienzo parecerá extraño que el alcoholismo tenga algo que ver con epistemología. Sin embargo, como espero que ahora esté más claro, la filosofía y la epistemología no son tópicos confinados a círculos académicos. Sabiéndolo o no, todos tenemos una visión del mundo, y los alcohólicos no son ninguna excepción. Como lo indicara Bateson, nuestra visión del mundo es, en efecto, nuestro "sí mismo", nuestro "carácter", precisamente porque es el resultado de nuestro déutero-aprendizaje. En el caso del alcoholismo, él descubrió que en la oscilación entre la sobriedad y la intoxicación, el alcohólico está en realidad trasladándose continuamente entre un punto de vista cartesiano y uno que podría denominarse un punto de vista "pseudo-holístico". El punto de partida de Bateson fue el intento de descubrir la dinámica de esta oscilación.

Con la sola excepción de los esfuerzos de Alcohólicos Anónimos, todos los intentos de curar el problema de la dipsomanía se basan en el modelo del auto-control consciente. Se le dice al alcohólico que sea fuerte, que resista la tentación, que sea "el maestro de mi destino... el capitán de mi alma" (como lo escribiera William Ernest Henley en "Invictus"). Cuando está sobrio, está de acuerdo con estas exhortaciones que le llegan de su esposa, de sus amigos, de su jefe y otros que supuestamente quieren ayudarlo. El problema es que tales consejos representan un cartesianismo puro; se basan en la suposición de una división mente/cuerpo. La mente (la percepción consciente) es el "sí mismo" que va a ejercer control sobre un cuerpo débil y descarriado. Pero la "cura" mediante el auto-control lanza toda la situación hacia una cismogénesis simétrica: la conciencia será lanzada a una guerra total en contra del resto de la personalidad. Como en la psicología freudiana, el inconsciente (o cuerpo) es excluido del sí mismo, y luego es visto como una colección de "fuerzas" (diabólicas) contra las cuales el sí mismo consciente debe luchar para resistirlas. La resolución del alcohólico, "lucharé en contra de la botella", "derrotaré al demonio del ron", es un tipo de orgullo que deriva directamente del dualismo cartesiano.

¿Por qué no funciona este enfoque? Como lo indica Bateson, el contexto de la sobriedad cambia con el logro. Hay un desafío involucrado en la lucha simétrica, y luego que el alcohólico consigue mantenerse alejado del licor durante un tiempo, su motivación decae. El dualismo cartesiano mente/cuerpo, siendo cismogénico en su naturaleza, requiere de la oposición continua para funcionar, y ésa es la visión del mundo en la cual el alcohólico está involucrado. El no beber deja de ser un desafío. Pero, ¿qué me dicen de un poco de "bebida controlada" (como lo llaman burlonamente los A.A.)? ¿Qué tal "un solo trago"? ¡Esto desde luego es un desafío! Y, por supuesto que el alcohólico cae a la botella nuevamente y en breve está borracho una vez más.

¿Qué percibe el alcohólico cuando está borracho? Al menos en las fases iniciales de la intoxicación, surge una personalidad distinta, y por lo tanto, está funcionando ostensiblemente una epistemología distinta. De hecho, el alcohólico cambia, temporalmente, de un dualismo cartesiano hacia aquello que parece ser un enfoque holístico. La mente abandona el intento de controlar al cuerpo. Y la lucha entre ellos se desploma, dando como resultado, sostiene Bateson, un estado mental más correcto. El emborracharse es un modo de escapar de un conjunto de premisas culturales acerca de la relación mente/cuerpo que ya son malsanas en sí, pero que la sociedad, en la forma de esposo, esposa, amigos y jefes, está continuamente reforzando. Sin embargo, en un estado de intoxicación, todo este desafío simétrico se derrumba, y los sentimientos que emergen son complementarios. A medida que el alcohólico comienza a emborracharse, puede que se sienta cercano a sus compañeros de bebida, al mundo que lo rodea y al sí mismo, que ya no lo trata de una manera castigadora. El abandono de esta lucha consigo mismo y con el mundo que lo rodea es un alivio bienvenido. El dualismo cartesiano lo ha exhortado a estar "encima de todo", a estar sobre el ser más débil y humano. Ahora, él parece ser más parte de la escena humana. La psicología del desafío (*agon*, en griego, de donde obtenemos nuestra palabra "agonía") le deja despejado el camino a lo que parece ser la psicología del amor.

Sin embargo, el problema es que este estado de "amor" es una ilusión, casi tan ilusorio como el dualismo cartesiano. En realidad, el nuevo estado de la mente constituye la patología de la sumisión. El alcohólico tiene tan sólo dos cuerdas en su guitarra: la rigidez (la postura "Invictus") y el colapso, o vulnerabilidad total. El no tiene otros registros de conducta aparte de un egotismo "triunfante" y la capitulación total. Fue el genio de los fundadores de A.A. el que los hizo reconocer que estas opciones eran dos caras de la misma moneda, y que tal vez fuera posible una tercera forma[5]. Esta tercera forma sí que capturó la "verdad" del estado de embriaguez, la noción de rendición que está involucrada en él; pero se trata de una rendición que no confiere al individuo una llorosa impotencia sino que le da cierto poder. En otras palabras, lo convierte en *activo* en el mundo; no es un estado ilusorio, o un cortocircuito, sino que un circuito dinámico y continuo.

¿Cómo consiguió A.A. hacer esto? Consideren las dos primeras etapas de su programa: 1) admitimos que estábamos indefensos ante el alcohol —que nuestras vidas se habían tornado inmanejables— y 2) llegamos a creer que una Fuerza mayor que nosotros, nos podría devolver la cordura. El primer paso liquida al dualismo cartesiano de un solo golpe. Ese dualismo incita a pelear a la mente "sobria" versus el cuerpo "alcohólico", implicando que el demonio ron está de alguna manera *fuera* de la personalidad, fuera del cuerpo. La voluntad consciente "decente", "pura", "noble" —que está "aquí adentro"— trata de controlar al cuerpo alcohólico "débil", "sucio" —que está "allá afuera". Cuando el alcohólico llega a una reunión de A.A. y le dice al grupo, "Me llamo Juan Pérez, y soy alcohólico", está situando al alcoholismo dentro de sí mismo. La personalidad total ha admitido el hecho de ser alcohólico. Ya no es más un caso en que el alcoholismo está "allá afuera". Una vez que uno se rinde, admite que se está indefenso, que no tiene fuerza ante la botella, que abandona el slogan de "Invictus" —el cual, de hecho, A.A. se dedica a ridiculizar— se evapora la batalla simétrica, sin que uno se llegue a emborrachar.

El segundo principio de A.A. suministra la base para una epistemología alternativa que es genuinamente holística. Por definición, uno puede estar en una relación dependiente únicamente con una Fuerza Superior. Esta admisión parece como una capitulación, dice Bateson, pero en realidad es un cambio en la epistemología, y por lo tanto en el carácter o la personalidad. Esta Fuerza Superior —"El Dios, como Ud. lo entiende", dice A.A.— es, desde luego, la mente inconsciente, pero también es más que eso. También es su realidad social, los otros miembros de A.A. y la lucha que representan sus vidas. El ego individual (la voluntad consciente) abandona el campo para dar lugar a una forma más madura del sí mismo; una que es a la vez intra e interpersonal. Tal capitulación no es un colapso, sino una renovación. Para el alcohólico que finalmente ha "tocado fondo", como lo dice A.A., las primeras dos etapas del programa de A.A. constituyen, en efecto, un Aprendizaje tipo III, y el alcohólico frecuentemente las experimenta como una conversión religiosa.

¿Qué tiene que ver este análisis con la teoría cibernética? La metafísica de la ciencia occidental trata con los átomos, con individuos únicos y con causas que son directas, conscientes y empíricas. El paradigma cartesiano, por ejemplo, aislaría al alcohólico e intentaría descubrir la "causa" produciendo el "efecto" indeseado. La teoría es de una influencia lineal directa, basada en el modelo de la física de impacto del siglo XVII, en que se considera a la mente como explícitamente consciente y externa a la materia. Según la visión de las cosas que tenía Descartes, Dios está fuera de todo; El meramente echó a andar todo. Del mismo modo, las bolas en una mesa de billar no tienen una mente inherente; la mente llega *a* ellas en la forma de una persona con un taco de billar.

Por otra parte, en la teoría cibernética, la unidad a ser considerada es el sistema completo, ni éste ni aquel componente individual. Considérese el conjunto de una máquina a vapor junto con su unidad control, comúnmente conocida como el "gobernador" o "regulador". Como en el caso de un termostato que controla la temperatura de una casa, el "gobernador" es ajustado en términos de un ideal —en este caso, la velocidad óptima para el motor a vapor. Si la velocidad real disminuye mucho con respecto al ideal, la armadura del "gobernador" se hará más lenta hasta que se active el suministro de vapor, llevando la velocidad hasta lo "normal". A la inversa, si el motor empieza a andar demasiado rápido, la armadura hace funcionar el freno, y el sistema es nuevamente puesto en línea, por así decirlo. Pero lo que influencia al "gobernador", o al mecanismo de retroalimentación auto-correctivo, no es un impacto cartesiano, una bola de billar o una entidad concreta, sino que únicamente información. Y un "bit" (trocito) de información, también conocido como una "idea", es definido por Bateson como "la diferencia que hace una diferencia". En otras palabras, la máquina, el "gobernador", el suministro de vapor, el freno, la locomotora y otros componentes, forman un complejo circuito causal. Un cambio, o una diferencia, en la operación de un solo componente se deja sentir a lo largo de todo el sistema, y el sistema reacciona con algo que podría ser denominado un darse cuenta, por no decir conciencia. En este sentido, está vivo. Posee características mentales, y puede ser considerado como algún tipo de mente (Mente). Nosotros aseveramos, escribe Bateson, "que *cualquier* conjunto de eventos y objetos que esté en marcha y que tenga la complejidad de circuitos causales y las relaciones energéticas adecuadas, con toda seguridad mostrará características mentales". En otras palabras, hará comparaciones (será sensible a las diferencias), procesará información, será auto-correctivo con respecto a una condición óptima, y así sucesivamente. Más aún, agrega Bateson, "ninguna parte de un sistema tan interactivo internamente, puede ejercer un control unilateral sobre el resto del sistema o sobre cualquiera otra parte de él. Las características mentales son inherentes o inmanentes al conjunto como una *totalidad*".

Ahora bien, un sistema mental, una Mente, puede exhibir uno de tres tipos posibles de conducta: la auto-corrección (también llamada estado estacionario), la oscilación o el desbocamiento (runaway). Aquí está la conexión entre la cismogénesis y la teoría cibernética. *Hay una situación cismogénica cuando no hay un gobernador; el sistema está constantemente deslizándose hacia el desbocamiento o descontrol*. En un sistema auto-correctivo, los resultados de las acciones pasadas son retroalimentados al sistema, y este nuevo trozo de información viaja por el circuito, permitiéndole al sistema mantenerse cerca de su ideal, o de su estado óptimo. Por otro lado, un sistema desbocado se distorsiona cada vez más con el paso del tiempo, porque la retroalimentación es positiva en lugar de ser negativa o auto-correcctiva. La adicción es un ejemplo perfecto de un sistema desbocado. El adicto a la heroína necesita cada vez más droga; el adicto al azúcar descubre que mientras más pasteles se come, más pasteles desea; la potencia imperialista empieza a buscar determinados mercados extranjeros, y eventualmente termina tratando de hacer de policía del globo entero.

A pesar de que más tarde discutiremos las implicaciones éticas de estas alternativas, podría ser apropiado indicar un corolario obvio a este análisis cibernético. Dado que la cismogénesis es un fenómeno tan entronizado en la cultura occidental, nos vemos obligados a concluir que las instituciones y los individuos de esa cultura están inmersos en diversos grados de desbocamiento. La adicción, en una forma u otra, caracteriza todos los aspectos de la sociedad industrial, hasta las vidas mismas de sus miembros individuales. La dependencia del alcohol (la comida, las drogas, el tabaco...) no es diferente, formalmente, de la dependencia en el prestigio, los logros profesionales, la influencia mundana, la riqueza, la necesidad de construir bombas más ingeniosas o la necesidad de ejercer un control consciente sobre todas las cosas. Cualquier sistema que maximice ciertas variables, violando las condiciones naturales de estado estacionario que *optimizaría* estas variables, está por definición en un estado de desbocamiento, y a la larga, no tiene más oportunidades de supervivencia que las que tiene un alcohólico o una máquina a vapor sin su gobernador. A menos que ese sistema abandone su epistemología, tocará fondo o se quemará —una concepción que está surgiendo en la mente de muchos individuos en la sociedad occidental actual. No hay manera de escaparse de la retroalimentación auto-correctiva, aún si toma la forma de la desintegración total de la cultura entera. Un sistema mental no puede permanecer en un estado de constante desbocamiento, no puede maximizar variables y, al mismo tiempo, retener las características de Mente. Pierde su Mente; se muere. A nivel individual, experimentamos la cirrosis, los ataques al corazón, el cáncer, la esquizofrenia, y lo que debería denominarse la muerte viviente. La ética del sistema está implícita en su epistemología.

El ejemplo del alcoholismo nos permite entender la posición que tiene el "sí mismo", o la "mente" convencional (el ego cartesiano), en la teoría cibernética. Como ya lo hemos notado, Bateson sostiene que las características mentales de un sistema cibernético son inmanentes, pero no en alguna parte determinada, sino que en el sistema como totalidad. *La mente consciente, o el "sí mismo", es un arco dentro de un circuito mayor*, y la conducta de cualquier organismo no tendrá los mismos límites que el sí mismo. El "orgullo" alcohólico, o la sobriedad voluntariosa, es el intento de maximizar la variable denominada mente consciente; es el intento de hacer que este pequeño arco logre, de alguna manera, controlar todo el circuito. Ese orgullo es la necedad del "Invictus", al menos aplicado a la adicción, ya que existe algo más para una máquina a vapor que su gobernador. El estar borracho, o en un estado de colapso, es un atajo hacia la complementaridad y es, además, una solución a corto plazo. La sabiduría de A.A. radica en cambiar el sistema desde la condición de desbocamiento hacia la condición de auto-corrección introduciendo elementos complementarios en una situación simétrica, de tal forma que el reconocimiento resultante del circuito se haga auto-sustentante.

Bateson utiliza el ejemplo de un hombre que está cortando a hachazos un árbol para demostrar el carácter de circuito que tiene la Mente. De acuerdo con el paradigma cartesiano, sólo el cerebro del hombre posee conciencia: el árbol desde luego que está vivo, pero no es un sistema mental (según este punto de vista) de ningún tipo, y el hacha mismo no tiene vida. La interacción es causal y lineal: el hombre toma el hacha y opera sobre el tronco del árbol. Puede decirse a sí mismo, a medida que hace esto, "Estoy cortando a hachazos este árbol", de acuerdo con la tesis de que hay una entidad única, "yo", el sí mismo, que está emprendiendo una acción dirigida sobre un objeto único. La falacia aquí es que la mente es introducida con la palabra "yo", pero se restringe al hombre, en tanto que el árbol es reificado, visto como un objeto. Pero la mente también termina siendo reificada puesto que dado que el sí mismo actuó sobre el hacha, que luego actuó sobre el árbol —una aplicación perfecta de la física de impacto cartesiana— el sí mismo también debe ser una cosa, y por lo tanto debe estar desprovisto de vida. Más aún, cuando tratamos de localizar al sí mismo en un sistema como ése, descubrimos que no lo podemos hacer. En otro ejemplo batesoniano, aquel de un hombre ciego que va buscando su camino a tientas con la ayuda de un bastón, no hay forma de decir dónde comienza y dónde termina su sí mismo. ¿Acaso el bastón no es realmente parte de su sí mismo? El no está simplemente actuando sobre él, como un objeto, que luego actúa sobre la vereda. El bastón es realmente una *senda* hacia la vereda, hacia el ambiente. ¿Pero a dónde conduce esta senda? ¿Al mango? ¿La punta? ¿A la mitad del bastón? "Estas preguntas", escribe Bateson, "no tienen sentido, porque el bastón es un camino a través del cual se transmiten diferencias que se están transformando, de modo que el trazar una línea delimitante *a través* de este camino es equivalente a cortar una parte del circuito sistémico que determina la locomoción del ciego". El sistema mental del ciego —o de cualquiera de nosotros— no termina en la yema de los dedos. Para explicar la locomoción del hombre, dice Bateson, uno necesita la calle, el bastón y el hombre; y el bastón se torna irrelevante únicamente cuando este hombre se sienta y lo deja apoyado a un lado.

El mismo argumento puede aplicarse al hombre con el hacha. Cada golpe del hacha es modificado según la forma del corte que dejó el golpe anterior. "Aquí adentro" no hay un "sí mismo" que está cortando un árbol "allá afuera"; más bien, se está produciendo una relación, un circuito sistémico, una Mente. Toda la situación está viva, no tan sólo el hombre, y esta vida es inmanente al circuito, no trascendente. La mente podría, ciertamente, estar constituida por los lóbulos frontales del hombre, pero el asunto relevante aquí es la Mente, que en este caso es "árbol-ojos-cerebro-músculos-hacha-golpe-árbol". Más precisamente, lo que está fluyendo por el circuito es *información*: diferencias en el árbol/diferencias en la retina/diferencias en el movimiento del hacha/diferencias en el árbol y así sucesivamente. Este circuito de información es la Mente, la unidad auto-correctiva, ahora vista como una red de vías que no están ligadas por una conciencia que tiene objetivos, o por la piel, sino que se extiende para incluir las vías de todo el pensamiento inconsciente y todas las vías externas por las cuales puede viajar la información.

Es claro, entonces, que hay grandes zonas de la red de pensamiento que están fuera del cuerpo, y la afirmación de que la Mente es inmanente al cuerpo, que yo sostuve (más o menos) en el Capítulo 6, ahora puede ser vista como el primer peldaño de esta discusión. El conocimiento tácito no es meramente un fenómeno fisiológico. El estudio del alcoholismo, la esquizofrenia y el déutero-aprendizaje ha demostrado que tales fenómenos no son materias de la psicología individual, sino que de Mentes, o sistemas, que no están unidos por la piel de los participantes. El "sí mismo" es una reificación falsa de una pequeña parte de una red de información mayor, y cometemos el mismo error cuando introducimos dicha reificación en la relación entre un hombre y el árbol que él está cortando o en cualquiera otra interacción o entendimiento que pudiéramos tener con, o de, los objetos "inertes". En términos de una interpretación cibernética de lo que constituye un evento y una Mente, la visión del mundo de Galileo y Newton literalmente no tiene sentido, y la visión del mundo de los alquimistas, que se basaba en la ausencia de una distinción sujeto/objeto, es profundamente correcta.

Ahora estamos preparados para considerar a la epistemología cibernética como un sistema formal, lo que puede efectuarse explicitando aquellos ítems que podrían considerarse como criterios de Mente, o sistema mental. Estos son los siguientes[6]:

1) Existe un conjunto de partes que interactúan, y la interacción es gatillada por diferencias.

2) Estas diferencias no son diferencias de substancia, espacio o tiempo. No tienen localización.

3) Las diferencias y las transformadas (versiones codificadas) de las diferencias se transmiten a lo largo de circuitos cerrados, o redes de vías; el sistema es circular o más complejo.

4) Muchos de los eventos dentro del sistema tienen sus propias fuentes de energía, es decir, se energizan por la parte que responde y no por el impacto de la parte que origina la respuesta.

Antes de analizar cada uno de estos puntos, notemos que de acuerdo con este conjunto de criterios, una estructura social o política, un río y un bosque están todos vivos y poseen Mente. Cada uno tiene sus propias fuentes de energía, forman un conjunto interconectado, actúan auto-correctivamente y tienen el potencial para desbocarse. Cada uno sabe cómo crecer, cómo cuidarse, y si estos procesos llegaran a fallar, cómo morir. Como dice Bateson, todos los fenómenos que denominamos pensamiento, aprendizaje, evolución, ecología y vida ocurren únicamente en sistemas que satisfacen estos criterios. Extendámonos brevemente sobre ellos:

1) Existe un conjunto de partes que interactúan, y la interacción es gatillada por diferencias. Ya hemos analizado este criterio en el caso de la máquina a vapor, el hombre cortando un árbol y el ciego con el bastón. En cada caso, la información —diferencias que generan una diferencia— circula a través del sistema. El ciego súbitamente se detiene cuando el bastón le dice que está al borde de la calzada; todo un proceso diferente es puesto en movimiento a medida que él siente su camino para atravesar la calle. Las diferencias en los músculos provocan diferencias en los movimientos, que provocan diferencias en la retina, que provocan diferencias en el cerebro, que provocan diferencias en la superficie expuesta del tronco del árbol. Esas diferencias circulan a través del sistema del hombre-cortando-derribando-árbol, influenciándose los unos a los otros en un continuo y cambiante ciclo.

Más aún, partes del conjunto —por ejemplo el árbol— pueden también satisfacer estas condiciones, en cuyo caso son sub-Mentes. Pero siempre hay un subnivel que *no* está vivo; por ejemplo, el hacha mismo. La explicación del fenómeno mental, por lo tanto, jamás es sobrenatural. La Mente siempre reside en la interacción de las múltiples partes que pueden, por sí mismas, no satisfacer los criterios de Mente.

2) Estas diferencias no son diferencias de substancia, espacio, o tiempo; no tienen, por lo tanto, localización. Esta afirmación representa otro modo de rechazar el modelo cartesiano de la física de impacto, o la causalidad lineal. El modelo ciertamente funciona para las bolas de brillar que interactúan o los estudios newtonianos de fuerza y aceleración, pero una vez que se admite que un observador viviente es parte de tales casos, la causa de los eventos ya no es una fuerza o un impacto. Un observador, o un receptor, responde a una diferencia o a un cambio en una relación, y esta diferencia no puede ser localizada en ningún sentido convencional.

Consideremos, por ejemplo, la diferencia entre la negrura de la tinta en esta frase y la blancura del papel en que está impresa. Pocas personas negarían que existe una verdadera diferencia aquí. ¿Pero, dónde está? La diferencia no está en la tinta; no está en el fondo blanco; no está en el "borde", o contorno, entre ellos, que después de todo son una colección de curvas matemáticas, sin dimensión alguna. Tampoco está en la mente de Ud., más de lo que la tinta o el papel están realmente en su mente. Una diferencia no es una cosa o un acontecimiento. No tiene dimensión, como tampoco la tienen abstracciones tales como la congruencia o la simetría. Sin embargo existe, y para complicar más las cosas, nada —aquello que *no es*— puede ser una causa. Como lo indica Bateson, la carta que uno no escribe puede obtener una respuesta airada; el formulario de impuestos que no se entrega, puede ocasionar problemas. No hay ningún paralelo aquí con el mundo de la física de impacto, donde los impactos son causas, donde las cosas reales tienen que tener una dimensión y donde se requiere de una "cosa" para que se produzca un efecto.

3) Las diferencias y las transformadas (versiones codificadas) de las diferencias son transmitidas a lo largo de circuitos cerrados o redes de vías; el sistema es circular o más complejo. En esencia ya hemos discutido este criterio en nuestro análisis del proceso de retroalimentación. Otra forma de decirlo podría ser que un sistema es autocorrectivo en la dirección de la homeostasis y/o del desbocamiento, y esa capacidad de autocorregirse implica una conducta de prueba y error. Las cosas inanimadas mantienen una existencia pasiva; las entidades vivas, o Mentes, escapan del cambio *mediante* el cambio, o más precisamente, por medio de la incorporación de un cambio continuo dentro de ellas mismas. La naturaleza, dice Bateson, acepta cambios efímeros en favor de la estabilidad a largo plazo. La caña de bambú se curva con el viento para volver a su posición original cuando éste se ha calmado, y el equilibrista en la cuerda floja modifica continuamente su

peso para así evitar caer al vacío. Incluso los sistemas desbocados contienen en sí semillas de autocorrección. Las tensiones simétricas son tan intensas entre los iatmul que la conducta complementaria "naven" está siendo gatillada continuamente. El alcohólico por lo general llega a A.A. cuando finalmente ha tocado fondo. El argumento de Marx de que el capitalismo estaba, por su propia naturaleza, cavando su propia tumba, también es un ejemplo de pensamiento cibernético; y fenómenos como la hambruna, las epidemias y las guerras podrían ser considerados como casos extremos de intentos de la naturaleza para preservar la homeostasis. El colapso actual de la sociedad industrial bien pudiera ser la forma del planeta de evitar una muerte mayor.

4) Muchos de los eventos dentro del sistema tienen sus propias fuentes de energía, es decir, se energizan por la parte que responde, y no por el impacto de la parte que origina la respuesta. Este criterio es otro modo de decir que los sistemas vivientes son auto-actualizantes (self-actualizing), que son sujetos antes que objetos. La reacción de un perro al cual uno patea proviene del metabolismo del propio animal; el medio metro que tal vez fue arrastrado por la fuerza del puntapié, es menos significativo que la respuesta subsiguiente del perro, la cual podría hasta incluir la pérdida de un pedazo de pierna del agresor.

Dados estos criterios de Mente, la pregunta que se plantea como obvia es: ¿Cómo conocemos al mundo; vale decir, otras Mentes? En el modelo cartesiano, conocemos un fenómeno separándolo en sus componentes más simples y luego recombinándolos. Hemos dicho bastante acerca de esto como para comprender cuán falaz es realmente este enfoque atomista. De hecho, en términos de la teoría cibernética, el análisis cartesiano es una forma de *no* conocer la mayoría de los fenómenos, dado que la Mente puede ser únicamente la característica de un conjunto (interactuante). El significado es vitualmente un sinónimo de contexto. Abstraigan algo de su contexto (por ejemplo, un rayo de luz) y la situación dejará de tener sentido, aunque tal vez tenga una precisión matemática.

Entonces, en la teoría cibernética sólo podemos conocer algo en un contexto, en su relación con otras cosas[7]. Además de "contextos", Bateson utiliza otras palabras para denotar "significado", y éstas son: "redundancia", "pauta" y "codificación". La circulación de información involucra una reducción del azar, proceso que también puede llamarse creación de entropía negativa (donde la entropía es la medida del azar del sistema). Si algo es redundante, si posee una determinada pauta, entonces no es azaroso y constituye una fuente de información. La comunicación es, por lo tanto, la creación de redundancia, y la redundancia es el concepto epistemológico central en la teoría cibernética, que es la ciencia de los mensajes. Es interesante hacer notar, una vez más, que este concepto es una forma avanzada de una idea propuesta originalmente por William Bateson, especialmente la "hipótesis ondulatoria" (véase Capítulo 7). La redundancia es una hipótesis ondulatoria; ambos términos se derivan de la palabra latina *unda*, onda. Una situación re-dundante es una en la cual se nos cubre onda tras onda de información similar o idéntica. El punto de vista holístico de ambos Batesons, padre e hijo, está basado en la noción de que conocemos al mundo a través de la redundancia.

Gregory Bateson da la siguiente definición como su paradigma del conocer:

> Cualquier conjunto de eventos u objetos (por ejemplo, una secuencia de fonemas, un cuadro, un sapo o una cultura) se dirá que contiene "redundancia" o "pauta" si éste puede ser dividido en cualquier forma por un "corte" ("slash mark"), de modo que un observador que percibe únicamente lo que está a un lado del corte pueda *adivinar*, con mejor éxito que a través del puro azar, lo que está al otro lado del corte. Podemos decir que lo que está a un lado del corte contiene *información* o tiene un *significado* acerca de lo que está al otro lado.

Gran parte de la información que absorbemos es de naturaleza digital, por lo general hablada o escrita. Si yo digo "por una parte", uno sabe que hay por ahí otra parte, y sabe lo que esto significa. Los clichés, por ejemplo, son redundantes al punto de la rigidez. El término en sí mismo fue originalmente aplicado a bloques tipográficos que eran unidos por los impresores porque las publicaciones los requerían con gran frecuencia. El idioma inglés también es redundante a nivel de las letras individuales. Dada la letra T en un trozo de prosa, sabemos que la letra siguiente casi con toda certeza será una H, una R, una W o una vocal (incluyendo la Y). Palabras como "tsetse" y "tmesis" tienden a atraer nuestra atención, porque su deletreo es menos redundante que el deletreo de "than" o "the".

La *mayoría* de la información que adquirimos, sin embargo, es analógica o icónica. Al ir caminando por la calle cerca de un gran edificio, incapaz de ver lo que hay a la vuelta de la esquina, al alcanzarla espero encontrar ángulos rectos tanto en la calle como en el edificio. Esto, de hecho, es el equivalente de un cliché. Sin embargo, si frecuentemente me cayera a un pozo cada vez que diera la vuelta en una esquina como esa, la situación sería tan carente de significado que yo jamás me alejaría de mi casa. Los clichés, como sabemos, no ofrecen peligros.

Todo el mundo de la metacomunicación también tiene esta estructura. A partir de un gesto o del tono de voz adivinamos más allá del corte qué es lo que realmente se quiere decir:

"Te quiero" (tono de voz impaciente)/Rechazo.

Por esta misma razón, como ya hemos visto, no existe tal *cosa* como un "ethos" (moral) o un "carácter". La "dependencia", la "hostilidad" y cosas por el estilo son pautas, y a partir de la conducta de una persona adivinamos su estado mental, es decir, lo que hay al otro lado del corte. Una pauta conductual redundante, como las que Freud registra en su lista de mecanismos de defensa humanos, o aquellas que Eric Berne reproduce en *Los Juegos en que la Gente Participa*, sí que tienden a convertirse en algo como un cliché, y nos llevan a pensar en la pauta como un ítem concreto, un "rasgo".

En contraste con esto, una de las razones del porqué disfrutamos de la demostración de una destreza, ya sea que el ejecutante esté tocando el piano o haciendo malabarismos mientras que se balancea en un monociclo, es que instintivamente entendemos que una destreza es la codificación de información inconsciente; una codificación que es, a diferencia de un cliché, difícil de lograr. La gracia del acto revela un cierto nivel de integración psíquica que, comprensiblemente, nos fascina. En tales casos la redundancia toma esta forma:

Ejecución/relajación consciente-inconsciente.

Es este tipo de redundancia el que nos permite, por ejemplo, apreciar el arte de culturas completamente distintas a la nuestra. De alguna manera podemos sentir el grado de autenticidad, o el grado de integración consciente-inconsciente, a partir de la destreza o ejecución mostrada.

Es en este punto que el principio de incompletitud o indeterminancia, presente en la mecánica cuántica, se hace crucial. En el Capítulo 5, indiqué el acuerdo esencial de Bateson con esta noción, en oposición a la noción freudiana o cartesiana de que en principio todo puede ser conocido. Nuestra discusión acerca de la redundancia nos indica que si todo el conocimiento tácito pudiera tornarse explícito y toda la información inconsciente tornarse consciente, no habría nada que no fuera un cliché. Todo estaría completamente estilizado, totalmente formalizado, y por lo tanto, dejado completamente al azar —sin significado alguno. La estructura general de la comunicación, del significado, es necesariamente parte-por el todo, y el tener que explicarlo todo, borrar el corte haciendo todo redundante, borra y elimina la posibilidad de crear redundancia. No sin razón Polanyi denomina al intento de hacer precisamente esto, es decir, explicitarlo todo, un programa para reducir a la especie humana a un estado de "imbecilidad voluntaria"[8].

El principio de incompletitud es lo que le da al holismo batesoniano su verdadera fuerza, convirtiendo lo que es una debilidad para la ciencia convencional en una fuente de fuerza. Lo que dice, en resumen, es que la mente no es Mente y, en principio, jamás puede llegar a serlo. Sostiene que por definición, el conocimiento tácito nunca puede llegar a ser expresado racionalmente. Pero podemos reconocer su existencia, podemos trabajar con él en nuestro intento de conocer el mundo, y de hecho tenemos que hacerlo porque la realidad está estructurada en circuitos, en el sentido cibernético.

En la época de sus investigaciones que dieron lugar a *Naven*, Bateson había considerado la incompletitud como un problema. En particular, sentía que el concepto de "ethos" era algo demasiado intangible (analógico) como para captarlo. En su Epílogo de 1936, él declaró que la verdadera debilidad de su estudio no radica tanto en su propio tratamiento teórico como en la ausencia total de una ciencia del conocimiento tácito. "Hasta que no diseñemos técnicas para el adecuado registro y análisis de la postura, gesticulación, entonación, risa, etc., humana", escribió, "tendremos que contentarnos con los bosquejos periodísticos del 'tono' de la conducta"[9]. Esta laguna lo siguió confrontando en cada una de las áreas que estudió. El déutero-aprendizaje era en gran medida un asunto de claves analógicas. La esquizofrenia giraba en torno a perturbaciones en la metacomunicación. En la superficie, parecía ser que lo que se necesitaba, precisamente, para la resolución de ese tipo de problemas era una ciencia de la conducta analógica. En sus estudios balineses, Bateson trató de llenar este vacío mediante el uso muy innovador de la fotografía en terreno; y Jurgen Ruesch (quien posteriormente fue su colaborador) y otros investigadores siguieron adelante para hacer que todo el campo de la kinésica y la paralingüística se convirtiera en una disciplina académica aparte[10]. Sin embargo, en grandes términos, el trabajo de Bateson finalmente se movió en otra dirección. No sólo llegó a la conclusión de que sería poco sabio el tratar de iluminar plenamente este tipo de información inconsciente, sino que, en principio, no podía hacerse; los modos analógicos y digitales de conocimiento no eran realmente traducibles mutuamente. Llegó a convencerse de que esta brecha en nuestro conocimiento no era algo que la ciencia pudiera "resolver", sino que constituía un hecho científico de la vida. La situación es similar a la relación entre figura y fondo en la psicología de la guestalt. No son simétricas, su relación no es de simple oposición. El conocimiento digital se hace evidente "punteando" el conocimiento analógico; este último apenas si es dependiente del primero para su existencia. El conocimiento analógico es invasor, vasto; es el fundamento de la percepción y la cognición. En la cultura premoderna, lo digital (cuando existía) era el instrumento de lo análogo. Después de la Revolución Científica, lo análogo se convirtió en el instrumento de lo digital, o fue reprimido por este último completamente, en la medida que tal represión era posible. Esta distorsión, que Freud exaltaba como el distintivo de la salud, fue vista por Bateson como el meollo de nuestras dificultades contemporáneas. El convertir todo el id en ego, o el tratar de explicar los algoritmos cardíacos en términos cognitivo-racionales, fue una continuación del programa de la Revolución Científica y de su epistemología distorsionada. En una epistemología sana, los dos modos de conocer serían utilizados para nutrirse y complementarse mutuamente. Nuestra cultura, con su fuerte énfasis en lo digital, podría restaurar esa relación complementaria únicamente recobrando lo que una vez supo acerca de los modos arcaicos de pensamiento. Pero, concluía Bateson, intentar elaborar estos modos en términos empírico-conscientes era, de hecho, destruirlos en el nombre de su comprensión[11].

Para entender más claramente este punto, consideremos la teoría popular de que el lenguaje reemplazó a los sistemas icónicos de comunicación anteriores en la historia de la evolución humana. Una vez que los mensajes pudieron ser articulados verbalmente o por escrito, la comunicación por medio de signos, golpes de tambores, etc., simplemente cayó en desuso. El problema que tiene esta teoría, dice Bateson, es que la comunicación analógica, incluyendo la kinésica humana, en realidad se ha vuelto más rica. En lugar de haber sido eliminados estos modos arcaicos de comunicación, han evolucionado. Ahora tenemos al cubismo, además de las pinturas de las cavernas, el ballet, además de las danzas de la lluvia. Esto no es argumentar que las formas modernas sean más sofisticadas que las arcaicas, ya que evolución no es sinónimo de progreso. Pero nuestro repertorio de comunicación se ha hecho cada vez más sofisticado con el paso de los siglos; y la evolución de la comunicación icónica sugiere que dicha comunicación cumple funciones un tanto distintas de las del lenguaje, y que jamás se intentó que fuera reemplazada por este último. Traducir la kinésica en palabras (específicamente, la prosa), dice Bateson, falsifica las cosas, porque esa traducción debe dar la apariencia de una intención consciente a un mensaje que es inconsciente e involuntario. Puesto que la esencia de un mensaje inconsciente es que *es* inconsciente, que existe algo como la comunicación inconsciente, la traducción necesariamente destruye la naturaleza del mensaje, y por lo tanto, el mensaje en sí mismo. La teoría de la represión de Freud, que plantea que el inconsciente es el depositario de los recuerdos dolorosos, es una teoría muy confusa en cuanto a que mucho de lo que existe en el inconsciente estuvo siempre allí. De acuerdo con la visión de Freud, la poesía sería un tipo de prosa distorsionada, mientras que la verdad es que la prosa es poesía que ha sido transformada para presentarla en una forma "lógica".

He llamado la atención sobre el ejemplo de Bateson acerca del aparato de televisión hipotético que da reportes sobre su propio funcionamiento interno, como una ilustración de los límites de la conciencia. Inmediatamente vemos la paradoja: es como si yo le dijera a Ud., "Hábleme acerca de lo que está hablando a medida que Ud. habla de ello". Para que el televisor dé reportes sobre los mecanismos que hacen posible ese reporte, se le tendría que agregar otra unidad. Pero dado que esta nueva unidad no podría dar reportes sobre *sus* propios funcionamientos, tendría que ser agregada otra unidad a ésta, y así sucesivamente. Rápidamente nos veríamos confrontados con una serie regresiva infinita, un conjunto de cajas de rompecabezas chinos. El intento de la mente consciente de explicar su propio modo de operación encierra el mismo tipo de paradoja. Pero hay una confusión adicional que deriva de los distintos tipos de comunicación que están involucrados. Como ya lo hemos notado, toda la comunicación analógica es un ejercicio en la comunicación acerca de la especie de la mente inconsciente, acerca del modo en que ella misma funciona. Pero la mente inconsciente no tiene más capacidad para hacer esto en forma lógica que la mente consciente; sólo puede mostrar de qué se trata, funcionando del modo como lo hace, es decir, de acuerdo con las reglas del proceso primario. Una ejecución virtuosa es el intento deliberado de mostrar la naturaleza de la conducta espontánea, no deliberada. Por esa razón, Bateson sugiere que la interpretación usual de una observación atribuida a Isadora Duncan es errónea. Supuestamente ella dijo: "Si yo pudiera decirles en palabras lo que significa, no tendría ningún sentido el bailarlo". Como dice Bateson, la interpretación corriente es algo así como, "Entonces no tendría ningún sentido el bailarlo, porque se los podría decir, más rápido y con menos ambigüedad, en palabras". Esta interpretación forma parte del programa de hacer totalmente explícito lo inconsciente. Hay, dice Bateson, otra posible interpretación, que es la que probablemente Isadora tenía en mente:

Si el mensaje fuera del tipo de mensajes que pudiera ser comunicado en palabras, no tendría sentido el bailarlo, pero no es de ese tipo de mensajes. De hecho, es precisamente del tipo de mensajes que sería falsificado si se comunicara en palabras, porque el uso de palabras (aparte de la poesía) implicaría que es un mensaje plenamente consciente y voluntario, y esto sencillamente no sería verdad.

El conocimiento digital sólo puede comunicar un intento consciente. Si el mensaje mismo es, "Hay una especie de conocimiento que no es consciente o deliberado", su expresión en términos digitales es necesariamente la falsificación del mensaje en lugar de la expresión de él. "Déjenme bailarles un aspecto del conocimiento tácito", diría Isadora; déjenme mostrarles acerca de qué se trata la vida realmente. No se trata meramente de que lo que nosotros sabemos conscientemente es tan sólo una fracción de la realidad, sino de que la incompletitud del conocimiento es la fuente del conocimiento en sí mismo (si yo pudiera bailar este libro, no tendría que escribirlo). Si la ciencia occidental pudiera, de alguna manera, lograr su programa de certeza total, en ese mismo momento no sabría absolutamente nada[12].

Como lo indicara al final del Capítulo 7, el paradigma batesoniano no puede ser formulado genuinamente en forma digital, como tampoco puede serlo el paradigma alquímico. Ambos reconocen que la incompletitud es una parte inevitable del proceso mismo de la realidad. La formulación más cercana a la que podemos llegar del paradigma de Bateson es a través del estudio, tanto de los ejemplos específicos (que ya hemos hecho) como de su método de investigación. Así llegamos a tener respuestas holísticas a interrogantes tales como: ¿Qué es la esquizofrenia? ¿Qué es el alcoholismo? ¿Cómo aprenden los mamíferos? Incluso me parece que el enfoque holístico puede extenderse a preguntas tales como: ¿Qué son la luz y el color? ¿Qué es la electricidad? ¿Por qué caen los objetos a la tierra? Nuestras actuales respuestas mecanicistas a dichas preguntas son claramente insuficientes, especialmente porque dejan, incorrectamente, al observador y todo el espectro de su conducta analógica/afectiva fuera de la investigación. La investigación que realizaría una ciencia holística del mañana tomaría a la incompletitud y la circuitoriedad como axiomas; trataría de descubrir las propiedades cibernéticas de una situación, y al mismo tiempo introduciría al investigador humano en el circuito que está siendo estudiado; mostraría cómo las pautas analógicas y digitales se entrelazan; y consideraría una parte específica de la investigación "concluida" cuando la naturaleza de la Mente presente en la situación haya sido explicada satisfactoriamente. Finalmente, la explicación puede que no tome en absoluto una forma digital, sino que aparezca como un video, un mimo o un libro lleno de collages. El objetivo de la investigación sería profundizar nuestra relación con la naturaleza demostrando su belleza —como fue, por ejemplo, el propósito de Kepler en su estudio de la armonía planetaria. El resultado final será una mejor orientación de nosotros mismos dentro del cosmos. La actual noción de dominar, de ser amos y señores del cosmos, hará reír a los colegiales y producirá miradas vacías e incomprensivas en los adultos de una sociedad construida en torno al pensamiento holístico.

¿Cómo podría ser una sociedad holística? He argumentado a lo largo de este libro que el horror del paisaje moderno puede, en parte, atribuírsele al paradigma cartesiano, y he sugerido que su insistencia en la división entre hecho y valor, o entre epistemología y ética, es en particular la culpable. Para la ciencia moderna las preguntas, "¿Qué puedo conocer?" y "¿Cómo debo vivir?" no tienen ninguna relación entre sí. Supuestamente, la ciencia no puede decirnos qué es una buena vida. Desde luego que esta modestia es muy sospechosa: "el ser libre de valores" o "prescindir de los valores", es en sí mismo un juicio de valor, la amoralidad es una especie determinada de moralidad. En el holismo batesoniano, como en la visión hermética del mundo y otros sistemas de pensamiento premoderno, esta falsa modestia felizmente está ausente. En la epistemología de Bateson está directamente implicada una determinada ética; o, como él mismo lo dice, "la ética de lo óptimo y la ética de lo máximo son sistemas éticos completamente distintos"[13]. Dado que ya sabemos muchísimo acerca de la ética de lo máximo, de tratar de dominar el ambiente, será necesario concluir este capítulo con un examen de la ética de lo óptimo, y el tipo de sociedad que podría ser congruente con la visión holística o cibernética (tendré más que decir acerca de esta materia en términos específicamente políticos en el Capítulo 9).

Gran parte de la ética implícita en la visión del mundo de Bateson emerge en forma bastante explícita cuando su epistemología es aplicada a los sistemas vivientes. A pesar de que nos apartaría demasiado del tema el analizar los escritos de Bateson sobre biología, incluyendo su revisión radical de la teoría de la evolución de Darwin, podemos, sin embargo, indicar cuatro temas cruciales que pertenecen al cuerpo de esa obra y que tienen implicaciones éticas inmediatas:

1) Todos los sistemas vivientes son homeostáticos, es decir, buscan optimizar en lugar de maximizar ciertas variables.

2) Lo que hemos identificado como la unidad de Mente resulta ser idéntico a la unidad de supervivencia evolutiva.

3) Hay una distinción fisiológica fundamental entre la adicción y la aclimatación.

4) La diversidad de especies es preferible a la homogeneidad de especies. Consideraremos cada uno de estos temas por separado.

A pesar de que no es evidente en una primera instancia, los puntos 1) y 2) resultan ser variaciones sobre los temas cibernéticos de la circuitoriedad y la incompletitud. Si revisamos brevemente estas nociones, podríamos pensar que la Mente es un círculo intersectado por un plano, de tal forma que gran parte del círculo está bajo el plano y sólo un pequeño arco permanece visible. El paradigma cartesiano sostiene que esta porción visible —la mente, o el darse cuenta consciente— es la suma total de la realidad no material. (Alternativamente, es considerada como epifenomenal, reducible a materia, y por lo tanto ni siquiera está realmente allí). En la versión freudiana de este paradigma, la realidad mayor es reconocida, pero considerada como peligrosa, y el objetivo del sistema humano es maximizar el control ejercido por el arco para incluir al círculo entero. En última instancia, el objetivo freudiano es transformar toda la porción bajo el plano en el tipo de pensamiento que existe sobre el plano; en resumidas cuentas, erradicarlo.

En términos junguianos, reichianos, o batesonianos, el objetivo del sistema humano es hacer que este plano sea altamente osmótico. Para Jung, lo que está bajo el plano es el inconsciente. Para Reich, es el cuerpo, el verdadero cuerpo, extático y sin armadura. Para Bateson, es el conocimiento tácito, el complejo conjunto de vías de información (incluyendo al ambiente social y natural) que constituyen cualquier sistema caracterizado por la Mente. Para los tres, el tornar el plano en algo completamente permeable es lograr la totalidad, o la "gracia". Este logro no disuelve al ego, al arco visible, sino que más bien lo coloca en su contexto, lo ve como una parte pequeña de un Sí Mismo mayor. La sabiduría, en términos batesonianos, es el reconocimiento de la circuitoriedad, el reconocimiento de los límites del control consciente. La parte jamás puede llegar a conocer al todo, sino que sólo —si prevalece la sabiduría— puede ponerse a su servicio.

La relación entre estas nociones y el punto 1) es que el circuito es un sistema homeostático, y si hubiera un intento de maximizar una sola variable única, incluyendo a aquella alternativamente denominada "mente", "darse cuenta consciente", "racionalidad deliberada", el sistema se desbocará, destruyéndose a sí mismo y a su ambiente inmediato en el proceso[14]. Los sistemas fisiológicos están inherentemente estructurados de esta manera. El cuerpo humano, por ejemplo, necesita únicamente una determinada cantidad de calcio. No decimos, "mientras más calcio tenga en mi cuerpo, mejor", porque entendemos que pasado un cierto nivel, cualquier elemento químico se vuelve tóxico para un organismo, independientemente de la importancia que tenga para su salud. En términos biológicos, los sistemas de valores de las entidades vivientes están siempre orientados hacia la optimización.

De alguna manera, a pesar de que la sociedad occidental está consciente de esta verdad en términos biológicos, también es cierto, por otra parte, que le presta muy poca atención. No es concebible, en el mundo de hoy, tener demasiada conciencia racional. Sería extraño, por no decir demencial, considerar que tenemos demasiadas ganancias o poder, demasiados logros, o un Producto Bruto Nacional demasiado grande. En términos cibernéticos, tal pensamiento es autodestructivo, es decir, poco sabio. Bateson hace notar que la naturaleza cibernética del sí mismo se obscurece al punto que nos mesmerizamos por consideraciones de objetivos y propósitos. La cibernética tiene una percepción significativa de la naturaleza de la estabilidad y del cambio. Entiende que el cambio es parte del esfuerzo por mantener estabilidad. La conducta deliberada, o la conducta maximizadora, por otro lado, limita la conciencia de la circuitoriedad y la complejidad, conduciéndonos a un cambio progresivo —el desbocamiento del sistema.

¿Qué ejemplo podemos dar de un sistema que se optimiza, que entiende los asuntos de la circuitoriedad y que conserva su propia homeostasis con éxito? En respuesta a esta pregunta, Bateson hace uso de su conocimiento de Bali. Los balineses reconocen que la estabilidad requiere de un cambio y una flexibilidad, y han creado una sociedad que Bateson llama adecuadamente "estado estacionario". El énfasis está en el equilibrio —ninguna variable es maximizada en forma deliberada— y la ética de la situación es de naturaleza "kármica", es decir obedece a una ley de causa y efecto no lineal, especialmente con respecto al ambiente. Como dice Bateson, "la falta de sabiduría sistémica siempre se castiga". Si uno está en guerra con la ecología de un sistema, uno pierde —especialmente cuando "gana".

Nuestro segundo punto, que la unidad de Mente es idéntica a la unidad de supervivencia evolutiva, es una variación del punto (1). En la teoría cibernética el circuito no es un individuo único, sino la red de relaciones en que está incluido. Desde luego, cualquier organismo vivo satisface los criterios de Bateson de Mente, pero siempre hay Mentes dentro de las Mentes (véase Ilustración 19). Un hombre por sí mismo es una 'Mente, pero una vez que toma un hacha y empieza a cortar un árbol, es parte de una Mente mayor. El bosque que lo rodea es una Mente aún más extensa, y así sucesivamente. En esta serie de niveles jerárquicos, el asunto importante debe ser la homeostasis de la unidad más grande, como lo ha demostrado la evolución de las especies. La especie que no puede adaptarse a los cambios en su ambiente se extingue. Por lo tanto "persona" u "organismo" tiene que ser considerado como una sub-Mente, no como una unidad independiente. El individualismo occidental está basado en una confusión entre sub-Mente y Mente. Considera que la mente humana es la única mente que existe, que es libre de maximizar cualquier variable que escoja, libre de ignorar la homeostasis de la unidad mayor. En contraste, la ética batesoniana se basa en la *relación*, el reconocimiento de la compleja red de vías. La postura de "Invictus", del sí mismo independiente tan querido para el pensamiento occidental, es ajena a la forma de pensar de Bateson. El considera esta independencia como una libertad superficial que, una vez que se ha rendido, revela un tipo de libertad distinto, que es mucho más amplio. Así entonces, él sostiene que la teoría de Darwin de la selección natural era correcta —los más aptos sobreviven— pero Darwin identificó erróneamente la unidad de supervivencia. "La unidad de supervivencia", escribe Bateson "—ya sea en ética o en evolución— no es el organismo o las especies sino que el sistema más grande o la 'potencia' dentro de la cual vive la criatura. Si la criatura destruye su ambiente, se destruye a sí misma".

La Mente, continúa, es inmanente al ecosistema, a la estructura evolutiva total. La "supervivencia" significa algo distinto si se extiende hasta incluir al sistema de ideas en un circuito más amplio, no únicamente la continuación de algo limitado por la piel. En resumen, el ecosistema es *racional* (en el sentido de ser razonable), y no hay posibilidad de violar sus reglas sin sufrir las consecuencias. Al oponer su propia supervivencia a la supervivencia del resto del ecosistema, al adoptar el programa baconiano de dominio tecnológico, en tan sólo tres siglos el hombre occidental ha conseguido poner en cuestionamiento su propia supervivencia. La verdadera unidad de supervivencia, y de Mente, no es un organismo o una especie, sino que un organismo + el ambiente, una especie + el ambiente. Si uno escoge la unidad equivocada, y llega a creer que de alguna manera está bien contaminar el Lago Erie hasta que pierda su Mente, entonces uno también enloquecerá un poco, porque uno es una sub-Mente en una

Placa 19. M.C. Escher, *Tres Mundos* (1955). Fundación Escher, Haags Gemeentemuseum, La Haya.

Mente mayor que uno ha ayudado a enloquecer. En otras palabras, dice Bateson, la locura resultante se convierte en parte del pensamiento y la experiencia *de uno*, y existen límites claros para la cantidad de veces que uno puede crear tales situaciones antes de que el planeta llegue a extinguirlo a uno para salvarse a sí mismo. La tradición judeo-cristiana nos ve como amos y señores de la casa. El holismo batesoniano nos considera como huéspedes en el hogar de la naturaleza.

Para concluir los puntos 1) y 2), entonces, la visión del mundo preconizada por Bateson, tanto en su ética como en su epistemología, contrastaría directamente con el humanismo secular, aquella tradición renacentista del logro individual y el dominio sobre la naturaleza. Bateson considera este tipo de arrogancia como algo completamente no científico. Su propio humanismo, como el de Claude Lévi-Strauss, se basa en las lecciones de los mitos, la sabiduría de los "primitivos" y los algoritmos arcaicos del corazón. No se opone al intelecto científico, sino que sólo a la incapacidad de esa visión del mundo de ubicarse en un contexto mayor.

El tercer punto, el de la distinción fisiológica básica entre la aclimatación y la adicción, describe lo que ocurre cuando es perturbado un sistema homeostático[15]. Bateson ilustra la aclimatación de la siguiente manera:

> Si un hombre se traslada desde el nivel del mar a los 3.000 mts. de altura, puede que empiece a jadear y puede que su corazón se acelere. Pero estos primeros cambios son rápidamente reversibles: si desciende el mismo día, desaparecerán inmediatamente. Sin embargo, si permanece a esa altura, aparece una segunda línea de defensa. Lentamente se aclimatará como resultado de cambios fisiológicos complejos. Su corazón dejará de estar acelerado, y ya no jadeará a menos que haga algún ejercicio en especial. Si ahora regresa al nivel del mar, las características de la segunda línea de defensa desaparecerán más bien lentamente e incluso es posible que experimente alguna incomodidad.

Como lo indica Bateson, el proceso de aclimatación manifiesta un parecido impresionante con el aprendizaje, especialmente el Aprendizaje II. De hecho, la aclimatación es un caso especial de este último. El sistema se torna dependiente de la presencia continua de un factor que inicialmente era considerado extraño; déutero-aprende un nuevo contexto. Lo mismo ocurre con la adicción, pero en ese caso el factor es de hecho hostil para la supervivencia del sistema, y —como hemos visto en el caso del alcoholismo— la reversibilidad es imposible sin pasar por síntomas severos de privación o, cuando la situación finalmente toca fondo, por un cambio en la visión total del mundo (Aprendizaje III).

El problema está en que la línea divisoria entre ambos tipos de aprendizaje, la aclimatación y la adicción, puede a la larga resultar ser un tanto borrosa. Lo que comenzó como una ingeniosa adaptación puede evolucionar hacia la patología. Los colmillos de un tigre pueden tener un valor de supervivencia de corto alcance, pero constituyen un impedimento a la flexibilidad en otras situaciones que a final de cuentas pueden resultar cruciales. El resto del sistema se adapta como para que la innovación sea cada vez menos y menos reversible; la interacción con otras especies crea nuevas innovaciones que empujan la situación hacia el desbocamiento; se destruye la flexibilidad y, finalmente, la especie "favorecida" llega a ser tan "favorecida" que destruye su propio nicho ecológico y desaparece. En la adicción el "innovador se engancha en el asunto de tratar de mantener constante un determinado ritmo de cambio". Lo que constituyó una ganancia en un nivel se convirtió en una calamidad en un contexto más amplio.

Los sistemas sociales humanos suministran muchas ilustraciones de este problema, y Bateson cita la historia del DDT como un caso interesante. Descubierto en 1939, el pesticida fue considerado esencial para aumentar el rendimiento de las cosechas y salvar a las tropas de ultramar de la malaria. Fue, dice Bateson, "una cura sintomática para los problemas relacionados con el aumento de la población". En 1950, los científicos sabían que el DDT era tóxico para muchos animales, pero demasiadas otras variables se habían acomodado como para permitirnos "desengancharnos" del pesticida. Había surgido una vasta industria en torno a su fabricación; los insectos a los cuales estaba dirigida la substancia química se estaban tornando inmunes; los animales que se alimentaban de esos insectos estaban siendo exterminados; y en general, el uso del DDT permitió un aumento en la población mundial. Así es que ahora somos adictos a su uso, y la naturaleza está intentando una corrección de maneras aterradoras. Ahora el DDT aparece en la leche materna; los peces, si es que no se tornan venenosos como portadores de mercurio fácilmente se pueden convertir también en portadores de DDT; en la actualidad hay 43 especies de mosquitos portadores de malaria resistentes a los insecticidas más poderosos, y la incidencia de la malaria ha aumentado cien veces en algunos países durante los últimos 15 años. Lo que comenzó como una medida ingeniosa ad hoc terminó exacerbando el problema original, eventualmente lanzándonos en una espiral adictiva que ahora amenaza nuestra propia existencia[16].

Por el momento, nuestra reacción a esta situación es buscar un "fix" (dosis de droga que se inyecta para evitar los síntomas de privación) cada vez mayor. Al igual que el alcohólico, todavía creemos que la respuesta se encuentra en un "dominio racional", y así acrecentamos la potencia de nuestros insecticidas hasta niveles más altos de toxicidad, haciendo que los insectos más peligrosos se tornen inmunes, elevando así la batalla al próximo nivel superior. Tal vez cuando, como en las películas de ciencia ficción, llegue una mantis gigante golpeando a nuestra puerta, finalmente habremos comprendido que efectivamente el "dominio racional" era el problema; pero entonces ya será muy tarde.

Incluso la tan nombrada crisis energética es un ejemplo llamativo de esta espiral adictiva. Las columnas de nuestros periódicos están llenas de artículos que expresan preocupación sobre la eventual desaparición de los combustibles fósiles, e insisten en la necesidad de desarrollar nuevas fuentes de energía —especialmente energía nuclear— para enfrentar la creciente demanda. Las voces que sugieren que tal vez ya seamos "adictos" a la energía, y que sería mejor que nos alejáramos de ella en lugar de perseguir el próximo "fix" disponible, han sido en gran medida acalladas por los intereses industriales que están involucrados y comprometidos en el incremento de la dosis del "fix". Mientras tanto, la retroalimentación negativa se está tornando más y más fuerte e intensa, siendo el cuasi desastre del reactor nuclear de Three Mile Island, en 1979, uno de los ejemplos más espectaculares. La gente que vive cerca de las carreteras interurbanas, de acuerdo a un estudio hecho en Suiza, tiene más propensión al cáncer que aquellas personas que viven más alejadas de las zonas de alta densidad de contaminación. Los desechos radioactivos se están filtrando desde sus contenedores enterrados en las profundidades del océano. Se producen mayores cortes de energía en las áreas industriales, acompañados de pillaje indiscriminado, mientras que los conflictos internacionales sobre las reservas de petróleo y sus precios se tornan más graves. En resumen, la economía basada en un consumo energético siempre creciente está mostrando signos de severa tensión.

La sociedad moderna industrial en efecto está tratando de engañar a la Primera Ley de la Termodinámica, que dice que se requiere energía para suministrar energía; que en el mundo físico, uno jamás obtiene algo a cambio de nada. El usar energía para resolver los problemas de la sociedad industrial forma un mismo conjunto con el marco mental de la adicción. Si Blake nos dijo que la energía era deleite eterno, también dijo que la sabiduría puede ser el resultado de perseguir a la necedad hasta el límite. Pero una vez más, tal vez es demasiado tarde. Nuestra adicción puede estar llevando al planeta al punto de la extinción.

Finalmente, la cuestión de la adicción puede ser aplicada a la totalidad del estilo de vida occidental desde el año 1600 D.C. Tomando un ejemplo de nuestra discusión histórica anterior, la tradición hermética fue una tradición de retroalimentación auto-correctiva. La conciencia racional, especialmente en cuanto a su énfasis en la manipulación del ambiente, pudo ser controlada (optimizada) simplemente porque era una variable de un sistema organizado en torno a la idea de una armonía sagrada. El advenimiento de la Revolución Científica trajo aparejado el intento de maximizar específicamente esta variable. Fue abstraída de su contexto sagrado y en pocas generaciones lo que una vez fue considerado como perverso llegó a ser visto como normal. La expansión ilimitada, ratificada ideológicamente por la Iluminación Francesa y la teoría económica de laissez-faire, comenzó a cobrar sentido, y la necesidad de un "fix" cada vez mayor fue considerada como parte del orden natural de las cosas en lugar de una aberración. A esta altura estamos completamente adictos a maximizar variables que están haciendo zozobrar nuestro propio sistema natural. El surgimiento del pensamiento holístico en nuestro tiempo puede ser considerado en sí mismo como una parte del proceso general de la retroalimentación auto-correctiva.

La preservación de la diversidad, punto 4), que es crucial para la supervivencia de todos los sistemas biológicos, está relacionada directamente con estos problemas, porque involucra el retener la flexibilidad en lugar de consumirla adictivamente[17]. Durante mucho tiempo los genetistas demográficos han estado conscientes de que la unidad evolutiva no es homogénea. El azar, la probabilidad, es la fuente de cualquiera cosa nueva. Sin diversidad no podrían surgir conductas, genes u órganos nuevos sobre los cuales pudiera operar la selección natural. Una población salvaje de cualquiera especie tiene una amplia variedad de constituciones genéticas esparcidas a través de sus miembros individuales, y es esta heterogeneidad la que crea el potencial para el cambio, que es esencial para la supervivencia. Las situaciones homogéneas, incluyendo la rigidez del pensamiento adictivo, no poseen esta elasticidad. De aquí que la flexibilidad sea parte de la unidad de supervivencia, y de la Mente. El amor, la sabiduría, la circuitoriedad, la optimización —todos constituyen una ética de la diversidad, y es este sistema ético el que el holismo batesoniano defiende. Sin embargo, todas las sociedades industriales occidentales, socialistas o capitalistas, oficialmente buscan la homogeneidad para obtener la unidad de pensamiento y conducta. En las ciudades, el hombre occidental logra ecosistemas de especie única de la "buena vida", especialmente visibles en la arquitectura, el diseño, y en los ideales de la clase media. En la agricultura, anhela los monocultivos: campo tras campo de maíz o poroto soya, incubadoras de aves produciendo huevos según el modelo de una línea de armaduría en serie. Sus ideas parecen distintas, pero finalmente todas provienen de la tradición judeocristiana y del humanismo secular del Renacimiento: la Regla de Oro; la supervivencia del más apto; las premisas del desafío (cismogénesis) y del logro individual; la naturaleza de los "rasgos de carácter" humanos como "entidades" fijas, y así sucesivamente. Incluso es posible que algunas de estas ideas sean buenas (sea lo que sea lo que esto signifique), pero al repletar nuestras cabezas con sólo un tipo de pensamiento, posiblemente no puedan serlo. Finalmente esta monomanía se extiende a todas las cosas y personas con que nos encontramos. Como lo escribiera Lévi-Strauss en *Tristes Tropiques*, el humanismo secular occidental, en nombre del respeto del hombre, prescribe un modo único de vida y un tipo único de hombre. La alegría de estar con otra persona podría ser el placer estético de reconocerlo a él o a ella como una ecología humana distinta de uno mismo, manifestándose la relación consciente/inconsciente en su propia forma de ser (cada persona es una canción, como lo ha dicho Gary Snyder), pero nosotros típicamente odiamos lo Otro y exigimos que sea como nosotros: seguro, previsible, en resumidas cuentas, un clisé.

¿Y cuál es la verdad, la ética, de la que habla la diversidad? Es, como lo ha dicho recientemente Mary Catherine Bateson, y Nietzsche mucho antes que ella, que cada uno de nosotros llegue a tener su propia mitología, sus propias posibilidades reales de vivir; que cada uno de nosotros sea "su propia metáfora central". En el mundo biológico y ecológico, la homogeneidad significa rigidez y muerte. El mundo natural evita los monotipos porque tienden a la debilidad; no pueden producir nada nuevo, y al tener poca flexibilidad son fácilmente destruidos. Los sistemas que reducen su complejidad pierden opciones, se tornan inestables y vulnerables. La flexibilidad en los tipos de personalidad y en las visiones del mundo suministra, más bien, posibilidades de cambio, evolución y verdadera supervivencia. El imperialismo, sea éste económico, psicológico o personal (tiende a ir de la mano) intenta arrasar con nuestras culturas nativas, con nuestros modos individuales de vida y con nuestra diversidad de ideas —erradicándolos para sustituir un estilo de vida global y homogéneo. En la variación ve una amenaza. En contraste, una civilización holística invitaría a la variación, la consideraría un regalo, una forma de riqueza o propiedad.

Hace algún tiempo, tuve el placer de ver una exposición fotográfica de retratos europeos hechos entre 1920 y 1930. La gente que aparecía en estas fotografías era gente "común y corriente", no celebridades. Lo que más me impactó de estas fotografías fue el hecho de que estaba absolutamente claro que todas estas personas eran personalidades muy distintas, individuos genuinos. Daban ganas de conocerlos, porque los ojos transmitían una sensación de complejidad e idiosincrasia, que podría tomar años el dilucidar. Encontré el contraste entre tales rostros y las expresiones vacías, ausentes de la mayoría de los habitantes urbanos contemporáneos; fue algo sobrecogedor. Este mismo tipo de diversidad orgánica es celebrada por el escritor norteamericano John Nichols en novelas tales como *The Milagro Beanfield War*, o por Fellini en su film *Amarcord*, donde casi todas las personas del pueblo tienen excentricidades que uno podría considerar como atrocidades, pero que, desde otra perspectiva, son bastante espléndidas. Los miembros de estas comunidades luchan interminablemente por estas diferencias, pero, sin embargo, dentro del contexto de una comprensión instintiva de que son todos ellos parte de una ecología mayor. La lucha se torna viciosa únicamente cuando el ecosistema social se ve amenazado: en el caso de Nichols, por las nociones capitalistas del progreso, y en el de Fellini por el fascismo. Si bien cada carácter posee (desde nuestro punto de vista) más que un ligero atisbo de irracionalidad, la estructura en sí misma sigue siendo racional, orgánica, entera. En contraste, en las sociedades industriales occidentales, cada persona es conminada a calzar en un estereotipo "racional", homogéneo, aunque algo "individualista" (de hecho egotista), y el efecto total es lo que Bateson y Marcuse han descrito como una vasta alienación sin sentido y enferma, en lugar de una vasta ecología. Es la depuración de la vida, ya sea en los trigales de Kansas o en el curso que se gradúa este año en la Universidad de Pekín, lo que en su destrucción de la diversidad , ha empobrecido tanto la vida humana.

9

La política de la conciencia

La esterilidad del mundo burgués desemboca en el suicidio o en una nueva forma de participación creadora. Tal es, para decirlo con la frase de Ortega y Gasset, el "tema de nuestro tiempo": la sustancia de nuestros sueños y el sentido de nuestros actos.

Octavio Paz, *El Laberinto de la Soledad*.

Ilustración 20. *De Fons van Woerkom, ilustración para el Capítulo 6 del libro de Paul Shepard* The Tender Carnivore and The Sacred Game, (1973).

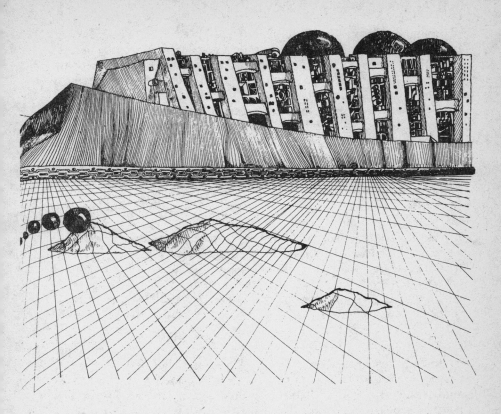

En 1883 ó 1884, cuando mi abuelo materno cumplía 5 años, fue enviado por sus padres al *cheder*, o escuela elemental judía, donde iría a aprender a leer el idioma hebreo y el Antiguo Testamento. Era costumbre entre los judíos de la provincia de Grodno (Grodno Guberniia) en Belorrusia darle una pizarra a los niños al entrar al *cheder*. Era su pertenencia personal, sobre la cual iban a aprender a leer y a escribir. Y el primer día, el profesor hizo algo bastante notable: tomó la pizarra, y dibujó en ella las primeras dos letras del alfabeto hebreo —*aleph* y *beys*— con miel. A medida que mi abuelo se comía las letras de la pizarra, aprendía un mensaje que iba a permanecer con él por el resto de su vida: el conocimiento es dulce.

Y sin embargo, el mensaje es mucho más complejo que esto, ya que el acto es casi un ritual antropológico con un simbolismo encubierto. En el nivel obvio, la pizarra será utilizada para aprender la gramática y el vocabulario discursivo hebreo, un tipo de conocimiento literal, no-emotivo que es necesario para nuestro funcionamiento en el mundo. Pero el hecho de que las letras sean degustadas evoca un uso poético, más antiguo, del lenguaje que es especialmente característico del hebreo: el poder de la Palabra. El hebreo es un lenguaje excepcionalmente onomatopéyico. A menudo, las palabras se acercan a la creación de una resonancia emocional con lo que representan conceptualmente. Uno de los mensajes entregados en esta ceremonia de degustación de miel es que el verdadero conocimiento no es meramente discursivo o literal; también es, y posiblemente esto sea lo fundamental, algo sensual. De hecho, está muy cerca de ser erótico debido a la participación corporal en el acto de aprendizaje. *De gustibus non est disputandum*, dice un aforismo escolástico; acerca de las cosas comidas, no puede haber discusión. O como lo dicen los sufis, aquellos que degustan, saben.

Además, aquí hay una fusión deliberada, incluso una *confusión*, entre los modos discursivos y sensuales de conocimiento. Como hemos visto, la identificación (*mimesis*) y la discriminación están ambas presentes dentro del sistema fisiológico de respuestas del organismo humano. En el preciso momento en que el niño es introducido en el sistema simbólico que hace posible el pensamiento abstracto, y por lo tanto la categorización, él realiza el acto primario de identificación, el acto del niño por excelencia, quien se lleva todo a la boca. Así, la unión y la separación, el sí mismo y el otro, están irrevocablemente entreverados en este primer encuentro formal con la experiencia de aprendizaje.

Finalmente, en este ejemplo hay un tercer nivel de significado, que es una reminiscencia de algunas de las percepciones de Lévi-Strauss. Lo que es verdadero aquí es ingerido, introducido en uno mismo. El simbolismo es convertir algo no familiar en familiar: literalmente nos comemos lo otro, lo llevamos hacia nuestros intestinos, y como resultado somos transformados por ello.

El reconocimiento de estos dos últimos niveles de conocimiento está casi completamente ausente en las instituciones de la cultura y la educación oficial en la sociedad contemporánea occidental, sumidas como están en el cientificismo y en el pensamiento puramente discursivo. De hecho, es una gran ironía que la "explosión de información" de la era moderna realmente represente una *contracción* de nuestro conocimiento del mundo, como la cita de Octavio Paz lo indica claramente en el epígrafe de este libro. Bateson, Reich, Jung, y muy pocos otros, representan la respuesta más sana posible a este estado de cosas: el intento de abrirnos camino para salir del rincón cognitivo en que nos hemos atrincherado. Theodore Roszak dijo una vez acerca de ellos, que su búsqueda es de opciones vivas, no la persecución de la investigación moribunda que típicamente caracteriza al pensamiento "avanzado" de nuestro sistema universitario moderno. El conocimiento digital en sí mismo no está necesariamente equivocado, pero está patéticamente incompleto, y por lo tanto termina proyectando una realidad fraudulenta. El personal universitario, y más ampliamente la élite tecno-burocrática de la cultura occidental, es remunerada en proporción a su habilidad para promover y mantener esta visión del mundo. De esta forma, la realidad analógica es reprimida, confinada o al menos domesticada.

Sin embargo, la situación en su totalidad es inestable por las razones ya indicadas. No sólo nuestro lado analógico lucha por ocupar su lugar, sino que el conocimiento puramente digital, dado que jamás ha sido "ingerido", jamás "se nos pega a las costillas". La situación entera es una charada, ya que más allá de las retribuciones económicas y la gratificación del ego, no hay un compromiso emocional verdadero. Hemos sido hechizados para creer que estas retribuciones son fundamentales, pero una voz más profunda nos dice, insistentemente, otra cosa. De hecho, el peligro de ese tipo de conocimiento desangrado, y en general de la distinción hecho-valor, no logró desaparecer en uno de sus defensores más importantes, Max Weber, quien en su clásico *The Protestant Ethics and the Spirit of Capitalism* dice: "Especialistas en espíritu, sensualistas sin corazón; esta nulidad imagina que ha obtenido un nivel de civilización jamás antes logrado"[1].

Fue la suerte de mi abuelo el haber nacido y ser criado en un mundo en que lo sagrado y lo secular estaban aún íntimamente relacionados. En la comunidad enclaustrada del *shtetl* ruso, jamás tuvo que enfrentarse al dilema reconocido por Weber. Pero también fue su destino el abandonar el *shtetl*, emigrar primero a Inglaterra y luego a América, y verse por lo tanto expuesto a la marea secular del mundo moderno. Durante el resto de su vida, se vio condenado a luchar con el gran problema metafísico de nuestra época: cómo reconciliar lo que sabía en su cabeza con lo que sabía en su corazón. Obviamente, yo heredé esta lucha, y este libro representa al menos parte de mi intento por resolverla.

¿Qué es, entonces, lo que conozco en mi corazón? Sé que en algún sentido relacional todo está vivo. Que el conocimiento no-cognitivo, ya sea de los sueños, del arte, del cuerpo o de la locura declarada es, de hecho, conocimiento; que las sociedades, como los seres humanos, son orgánicas, y que el intento de hacer ingeniería con las unas y los otros es destructivo; y finalmente, que estamos viviendo en un planeta moribundo, y que sin un cambio radical en nuestra política y en nuestra conciencia, la generación a la que pertenecen nuestros hijos y nietos probablemente será testigo de los últimos días del planeta.

También sé algunas cosas importantes en mi cabeza. Sé que el resurgimiento ocultista de nuestro tiempo es una respuesta a estos eventos, y en general creo que es importante resucitar la tradición arcaica, incluyendo la razón dialéctica y varias capacidades psíquicas que todos poseemos. Pero en gran medida, veo a nuestro futuro inmediato en un paradigma post-cartesiano, no en un paradigma pre-moderno. Sé que a pesar de su abuso, el análisis intelectual es una herramienta muy importante para la raza humana, y que la conciencia del ego no deja de tener su valor para la supervivencia. Y sé que cualquier resolución significativa con respecto a la distinción hecho-valor tiene que ir más allá de la propia individuación personal; debe ser social, política, ambiental. Cuando Sartre escribió que el hombre estaba condenado a ser libre, no se refería a éste o a ese hombre (o mujer), sino que a la totalidad de la raza humana.

Mi tesis acerca de Bateson es de que, en términos de resolver estas dificultades y lograr juntar una vez más lo sagrado y lo secular, su obra representa lo mejor que se haya producido hasta el momento. Esto no quiere decir que su paradigma holístico esté libre de problemas, y explicaré algunos de ellos más adelante en este capítulo; pero su ventaja principal es que abarca los valores sin sacrificar los hechos. Es un tipo de razonamiento alquímico/dialéctico maduro adaptado a la edad moderna. Me he tomado un tiempo para demostrar su superioridad sobre el paradigma cartesiano, y sugerir sus semejanzas formales con la visión hermética del mundo y los sistemas tradicionales de pensamiento. He argumentado que en la obra de Bateson, la mente es abstraída de su contexto religioso tradicional y es vista como un elemento (proceso) científico concreto, activo, en el mundo real; y que de esta manera, la participación existe, pero no en su sentido original, animístico. Antes de abocarnos a una crítica de su obra, quiero resumir lo que considero como los triunfos peculiares del paradigma batesoniano, en particular su superioridad con respecto a la tradición arcaica con la cual, sin embargo, tiene muchas cosas en común.

La ventaja fundamental del holismo batesoniano sobre la tradición arcaica es su carácter auto-consciente. Como lo he hecho notar, la Mente está presente en esta última, pero en un sentido indiferenciado ("Dios"). La concepción de Mente de Bateson es específica; él es capaz de delinear sus características de un modo explícito. Por lo tanto no está abogando en favor de un resurgimiento directo del conocimiento arcaico, sino que en favor de un tipo de *mimesis* auto-consciente, en que nosotros suavizaríamos y trabajaríamos la dicotomía consciente/inconsciente en lugar de sencillamente intentar disolverla. La emoción tiene sus algoritmos precisos, y en sus estudios sobre la naturaleza analógica y relacional de la realidad, Bateson nos ha proporcionado ejemplos claros de cómo puede ser graficada esta realidad. Las diferencias entre el pensamiento arcaico, la ciencia moderna y el holismo batesoniano pueden verse en el Cuadro 3. El materialismo puro de la ciencia moderna resalta adustamente aquí, mientras que el no-materialismo de las columnas primera y tercera los hace exhibir una semejanza formal. Por ejemplo, consideren al esquizofrénico que constantemente se habla a sí mismo en voces conflictivas, alucinantes[2]. El enfoque de la medicina occidental no reconoce lo que tanto la teoría de la posesión como la teoría del doble vínculo conocen: que este indivi-

Cuadro 3. Comparación de la esquizofrenia en tres visiones del mundo

	Tradición arcaica	*Paradigma cartesiano*	*Holismo batesoniano*
Interpretación	Posesión por espíritus.	Enfermedad orgánica (genética, química del cerebro, etc.).	Deutero-aprendizaje (en la familia) hacia una pauta que enmascara la naturaleza de la metacomunicación (el doble vínculo).
Tratamiento	Exorcismo (puramente espiritual).	Alteración del funcionamiento a nivel molecular del cerebro con drogas o shock (puramente mecánico).	Trabajo en el sistema esquizofrénico a través de terapia familiar, para que la persona comience a metacomunicarse en forma adecuada. El terapeuta toma el rol de señalar el doble vínculo, de modo de poder quebrarlo.
Resultados	Probablemente mezclados. La resolución es individual, personal, interna.	Efectivo en suprimir síntomas. Alma o espíritu quebrantado; la persona se convierte en un "miembro productivo de la sociedad". Resolución individual, pero impuesta externamente.	Es muy temprano para saberlo, más allá del trabajo de Laing y de algunos otros. La efectividad depende de la posibilidad de deshacer el sistema esquizofrénico, esto es, revelar la patología organizada de la familia. Estos son cambios internos con implicancias sociales radicales.
Tipo de sociedad involucrada	Espiritual/religiosa.	Científica/materialista, organizada en torno a la noción de productividad y eficiencia. Punto de llegada lógico: una pesadilla deificada, uniforme, antiutópica.	Auto-realizante; inmersa en el proceso primario y en la comunicación analógica. Sistema familiar extendido con un darse cuenta de la realidad vastamente relacional y de la importancia de una metacomunicación sana. La meta de esta sociedad no es Dios (salvación) ni el logro, sino las relaciones sanas.

duo se halla atrapado en una Mente, o en un sistema mental, ajena a él; que esta Mente o sistema literalmente lo ha invadido; y finalmente, que esto es plenamente real. Una persona atrapada en un doble vínculo esquizofrénico, como hemos visto, no puede expresarse por sí misma, porque ha aprendido que será castigada severamente al hacerlo. En este sentido, el muchacho presentado por Kraepelin efectivamente estaba poseído por un espíritu ajeno a él, y si hubiera vivido en la Edad Media es muy posible que el espíritu habría sido eliminado mediante el exorcismo. Sin embargo, tal explicación no es posible en la época científica, y aquí es donde el enfoque de Bateson resulta tan valioso. Si podemos aceptar la noción de que la conciencia es algo plenamente real, y entender cómo llegó a moldearse en un cierto tipo de Mente (sistema mental) como para incluir al muchacho y a su familia y el modo como se relacionan con él, entonces estamos en posición de romper el doble vínculo y crear una Mente diferente, y más sana. Más aún, tal análisis y resolución no están circunscritos a individuos únicos, como en el enfoque arcaico o científico. El trabajo de Laing muestra claramente cómo se ve implicada la estructura familiar en su totalidad, junto con la sociedad que está construida, a su vez, en base a esos ladrillos neuróticos (y psicóticos). A pesar de que el exorcismo posiblemente sea superior a la clorpromacina y con seguridad más humano, ninguno de estos medios está interesado en las condiciones políticas que produjeron la locura en primer lugar. El análisis batesoniano no va tan lejos como sería de desear en este sentido, pero es un comienzo importante.

Del mismo modo, la tradición arcaica entendió algunas cosas acerca de la luz y el color (siendo Goethe su último representante moderno), o de la electricidad y la gravedad, que la ciencia moderna ha dejado fuera; pero ya no nos es posible a nosotros ver estos fenómenos en términos teleológicos, o como manifestaciones directas de Dios o de una fuerza vital. Tampoco una interpretación puramente espiritual abriría una corriente de investigación fructífera en estos casos[3]. Pero como lo sugerí en el Capítulo 6, un análisis de estos fenómenos que proceda en términos de un "observador no comprometido" también constituye un enfoque obsoleto. Por otro lado, el holismo batesoniano podría ofrecer un modo de investigación no-espiritualista, orientado hacia el proceso. Uno podría ver tales fenómenos en forma cibernética, o sistémica, como parte de una Mente que incluye en ella al investigador (incluyendo sus respuestas afectivas). Un análisis batesoniano estudiaría no tan sólo las relaciones cuantitativas sino que también las relaciones cualitativas: la configuración esencial que está presente, los niveles de Mente y la naturaleza de su interacción.

Debiera notarse también que la esencia de la explicación cibernética, es decir, la insistencia en la naturaleza relacional de la realidad, ausente en el paradigma cartesiano, también está presente en la tradición arcaica. Las culturas tradicionales tenían una noción intuitiva del concepto cibernético de circuitoriedad, manifestado a través de prácticas tales como el totemismo y la adoración de la naturaleza, y de esta manera consiguieron preservar y proteger su ambiente. Al explicar las interrelaciones entre las sub-Mentes que nos rodean en base a un modelo batesoniano, podríamos aprender a no contaminar el Lago Erie, porque las reacciones en cadena resultantes se harían evidentes en forma inmediata. La ventaja estriba en una conducta sana, holística, sin necesariamente un retorno a la *mimesis* completa. En un marco batesoniano, en oposición a la conciencia arcaica, podemos concentrarnos en el circuito, y no sólo estar inmersos en él. La esperanza es que el conocimiento arcaico, especialmente el reconocimiento de la Mente, va a surgir bajo una rúbrica estética, de modo que nuestra ciencia (conocimiento del mundo) se tornará en una maestría (artística). La esperanza es que podamos tener tanto *mimesis* como análisis, que ambos se refuercen mutuamente en lugar de producir una escisión de "dos culturas". Unicamente a través de una relación mimética con su ambiente (o con cualquiera cosa a la que uno se dirija), puede uno obtener una percepción de esa realidad que luego formará el centro de su comprensión analítica. Hecho y valor se funden y la Mente se revela tanto como un valor como un modo de análisis.

Finalmente, el concepto de Bateson del Aprendizaje III, la apertura psicológica a una "ecología vasta", es casi idéntico a la conversión religiosa de la tradición arcaica, ya sea en el misticismo cristiano, en el *satori* del Zen o en la etapa final de la transmutación química. Bateson no aboga en forma explícita por ninguna de estas prácticas; sin embargo, es claro que en el Aprendizaje III, como en estas tradiciones, el evento central es una redefinición de la propia personalidad. Uno pasa a un nuevo nivel y obtiene una perspectiva de su propio carácter y visión del mundo. Sin embargo, hay una diferencia importante entre la noción batesoniana del Aprendizaje III y la auto-realización tradicional: el concepto de Bateson es un aspecto integral de la búsqueda de comunidad y fraternidad, no (como, por ejemplo, en Norman O. Brown) meramente una visión personal extática. En el estudio que hace Bateson de Alcohólicos Anónimos, el Poder Superior ante el cual el alcohólico finalmente se rinde no es sólo "Dios" (o el inconsciente), sino que también lo hace ante los demás miembros de A.A. Se convierte en parte de su realidad social, de su lucha común. Por lo tanto no importa cómo o dónde uno descubre la Mente, dice Bateson, "ella sigue siendo inmanente al sistema social total interconectado y a la ecología planetaria"[4].

Ahora quiero dedicar unos párrafos a una crítica de la obra de Bateson. Pero primero debo compartir con el lector una duda que tengo acerca de ello. Al intentar hacer una crítica, rápidamente descubrí que no era posible hacerla de un modo abstracto, conceptual. La crítica muy pronto se tornó política, y tal vez esto no sea sorprendente. A lo largo de la historia, la política y la epistemología se han reforzado mutuamente de un modo misterioso; y en el caso de la obra de Bateson, la unión de hecho con valor está tan próxima que para explicar la epistemología es necesario explicar la ética, y por lo tanto, inevitablemente, la política. Como estoy seguro que el lector comprende, mi interés en Bateson surge en gran medida de la esperanza de encontrar una epistemología liberadora que también signifique, en lo que a mí concierne, una política liberadora. A pesar de que la liberación está claramente implícita en el paradigma batesoniano, sus semejanzas formales con la tradición dialéctica la hacen susceptible al tipo de ambigüedad política que históricamente ha empañado esta tradición. Surge un Reich de ala izquierda y un Jung de ala derecha; los cultos religiosos revolucionarios descritos por Cristopher Hill[5], y los grupos de auto-realización autoritaria (*est*, los "Moonies", la Iglesia de la Cientología) que en la actualidad son una plaga en la escena estadounidense. A pesar de que personalmente Bateson no simpatizaba con las políticas de derecha, una serie de sus conceptos son de doble filo; tienen el potencial de servir tanto para la opresión como para la liberación. Aquí la ambigüedad política y la ambigüedad epistemológica van de la mano, y es esta ambigüedad la que constituye el centro de mi crítica. Antes de que la crítica pueda estipularse con alguna claridad, entonces, será necesario delinear la visión política liberadora que es consonante con el paradigma batesoniano[6].

Una de las características más obvias de una futura "cultura planetaria" será el franco resurgimiento y la elaboración de modos analógicos de expresión, proceso que involucrará el cultivo y la preservación deliberada de la incompletitud (digital). Es de presumir que tal cultura será más soñadora y más sensual que la nuestra. El paisaje psíquico interno de los sueños, del lenguaje corporal, del arte, de la danza, de la fantasía y del mito representarán una gran parte de nuestro intento por comprender y vivir en el mundo. Estas actividades llegarán a ser reconocidas como formas legítimas, e incluso cruciales, de conocimiento, y serán acompañadas por el cultivo directo de las facultades psíquicas: la percepción extrasensorial, la psicometría y la psicokinesis, la lectura del aura y la curación, y otras[7]. Al mismo tiempo, habrá un fuerte cambio en el énfasis de la práctica médica hacia formas populares y naturales de curación, tendientes a evitar el uso de drogas y la manipulación química; y casi una fusión de la ecología con la psicología, dado que será ampliamente reconocido que la mayoría de las enfermedades son una respuesta a un ambiente psíquico y emocionalmente perturbado. El parto no ocurrirá en la "línea de armaduría" del hospital moderno, sino que en el hogar, de modo que las prácticas del parto "suave" descritas en el Capítulo 6, puedan una vez más moldear el desarrollo infantil[8]. En general, el cuerpo será considerado como parte de la cultura, no como una líbido inmanejable; un cambio de esta naturaleza en la percepción tendrá que implicar también una drástica reducción de la represión sexual y una mayor capacidad de darnos cuenta de nosotros mismos como miembros integrantes del reino animal. Esta cultura futura también debiera presenciar un resurgimiento de la familia extendida, en oposición a la familia nuclear competitiva y aislada que hoy en día es caldo de cultivo para la neurosis. Los ancianos se mezclarán con los muy jóvenes, en lugar de ser depositados en asilos para los "improductivos", y su sabiduría y conocimiento será aprovechado e integrado como parte continua de la vida cultural.

Estos cambios permitirán una variación importante en el ideal de la personalidad; el énfasis en el ego se transformará en un énfasis en el sí mismo, y se estimulará la interacción de este sí mismo con otros sí mismos. El resultado será un énfasis en la comunidad en lugar de la competencia, en la individuación en lugar del individualismo, y el fin del "falso sistema de sí mismo" y el juego de roles que han profanado tanto las relaciones humanas. En cuanto al poder, éste se entenderá como equivalente a estar centrado, una verdadera autoridad interna, y no la capacidad de hacer que los otros hagan lo que uno quiere en contra de su voluntad. El poder será definido como la capacidad de influenciar a otros *sin* presión o coerción; la frase "posición de poder" será reconocida como una contradicción en sí misma, porque se habrá generalizado el entendimiento de que si una persona necesita una posición para sentir su poder, entonces lo que realmente está sintiendo es impotencia[9].

La cultura del futuro tendrá una tolerancia mayor para con lo extraño, lo no-humano, la diversidad de todos tipos, tanto dentro como fuera de la personalidad. Este aumento en la tolerancia implica un cambio desde la noción freudiano-platónica de la cordura a la noción alquímica de ella: el ideal será una persona multifacética, de rasgos caleidoscópicos por así decir, que tenga una mayor fluidez de intereses, disposiciones nuevas de trabajo y vida, roles sexuales y sociales, y así sucesivamente. Toda conducta será vista como teniendo al menos un complemento, o "sombra", por necesidad de expresión legítima. También habrá experimentación con modos de pensamiento y relación que no sean cismogénicos —un intento de crear pautas de conducta que no sean acumulativas y que al mismo tiempo sean inherentemente satisfactorias en lugar de dependientes de una gratificación retardada[10]. El principio de diversidad requerirá la preservación de las especies y las culturas en peligro, como factores que incrementen el "pool" de genes de posibilidades y, por lo tanto, que hagan la vida más estable, duradera e interesante.

La cultura humana llegará a ser vista más bien como una categoría de la historia natural, "una membrana semipermeable entre el hombre y la naturaleza"[11]. Tal sociedad se preocupará de calzar en la naturaleza en lugar de tratar de dominarla. La meta será "no *gobernar* un dominio, sino que *liberarlo*"; el llegar a tener, una vez más, "aire limpio, ríos claros, la presencia en nuestras vidas del Pelícano, del Aguila Osífraga y la Ballena Gris; el salmón y la trucha en nuestros arroyos; el lenguaje no confuso y los sueños saludables"[12]. La tecnología ya no invadirá nuestra conciencia y su presencia estará más en la forma de los oficios y las herramientas, cosas que están *dentro* de nuestro control en lugar de lo opuesto[13]. Ya no dependeremos del "fix" tecnológico, ya sea en la medicina, la agricultura o cualquiera otra actividad, sino que en lugar de eso favoreceremos soluciones de largo plazo y dirigidas a las causas y no a los síntomas.

Políticamente, habrá un importante énfasis en la descentralización, que se extenderá a todas las instituciones de la sociedad y se reconocerá como un pre-requisito para la cultura planetaria. La descentralización exige que las instituciones sean a pequeña escala y sujetas al control local, y que las estructuras políticas sean regionales y autónomas. Característicos de tal descentralización son los hospitales comunitarios y las cooperativas de alimentos, el cultivo del espíritu colectivo y la autonomía del vecindario y la eliminación de aquellos destructores de la comunidad como la televisión, los automóviles y las carreteras de alta velocidad. La producción en masa le cederá su puesto a la artesanía, la agricultura como negocio a granjas pequeñas, orgánicas, intensamente trabajadas, y las fuentes de energía centralizadas —especialmente las plantas de energía nuclear— a opciones de energía renovable adecuadas a sus propias regiones. Los centros de educación masiva que enseñan esencialmente un tipo de conocimiento como preparación para una carrera serán reemplazados por un aprendizaje directo, en la forma de una educación de por vida que siga a los intereses siempre cambiantes que uno pudiera tener. No se tendrá una carrera, sino que una *vida*. La plaga de los suburbios y la expansión urbana, verdaderamente la antítesis de la vida de ciudad, será reemplazada por una cultura de ciudad genuina, una que sea autóctona de su propia región en lugar de reflejar un mundo internacional de comunicación masiva. La ciudad, una vez más, se convertirá en un centro de vida y placer, una *agora* (esa excelente palabra griega), en un lugar de intercambio comercial y de encuentro, volverá a ser la "mezcolanza de colores", de Philippe Ariès. La gente vivirá más cerca de su trabajo y, en general, no habrá tanta diferencia entre el trabajo, la vida y la diversión[14].

Finalmente, la economía será una economía de estado estacionario, una mezcla de socialismo, capitalismo y trueque directo a pequeña escala. Será una sociedad "conservadora", en el sentido de que nada se desperdiciará, y con un gran énfasis, en la medida que sea posible, en la auto-suficiencia regional. Habrá poco interés en las utilidades y el lucro como un fin en sí mismos. La actitud hacia otros y hacia los recursos naturales será de armonía en lugar de explotación o adquisición. Como lo han dicho los ecólogos Peter Berg y Raymond Dasmann, la economía será una sub-rama de la ecología[15].

Pero, ¿cómo llegaremos allí? Desde nuestro punto de observación actual, la visión de un futuro donde el hecho y el valor se vuelvan a juntar, donde los hombres y las mujeres tomen el control sobre sus propios destinos y donde la conciencia del ego esté más razonablemente situada dentro del contexto de Mente, parece como algo muy utópico. Sin embargo, como lo ha observado Octavio Paz, la única alternativa a esto es el suicidio. La sociedad industrial occidental ha alcanzado ya los límites de su propio déutero-aprendizaje, y gran parte de ella está ahora sumida en el análogo social de la locura o de la creatividad, es decir, de la re-creación (Aprendizaje III). Dada esta situación, ¿cuán utópica es esta visión? Claro está que si uno es de los que creen que únicamente las revoluciones violentas producen cambios sustantivos, y que tales transformaciones pueden lograrse en unas pocas décadas, entonces la cultura planetaria no tendrá muchas oportunidades de llegar a materializarse. Si estamos hablando de un cambio que transcurre en la actualidad a la escala de la desintegración del Imperio Romano, como ha sido sugerido por Theodore Roszak, Willis Harman y Robert Heilbroner, entre otros, entonces nuestra visión utópica empieza a parecer cada vez más realista[16]. De hecho, uno de los agentes más efectivos de este conjunto de cambios es la decadencia misma de la sociedad industrial avanzada. Así es como Percival Goodman escribe en *The Double E* (*La Doble E*) que la sociedad de conservación no llegará merced a un esfuerzo voluntario, sino que debido a que el planeta simplemente no puede sostener a un mundo con un Producto Nacional Bruto siempre creciente. Las economías industriales están empezando a contraerse. Podemos escoger convertir en virtud la que ha sido denominada "economía budista", pero quiérámoslo o no, tarde o temprano tendremos que retornar a una economía de estado estacionario[17].

También hay que considerar que el cambio social está siendo generado por millones de individuos que no demuestran gran interés en el cambio per se, pero que efectivamente se han embarcado en una forma u otra de "migración interna", o que se han retirado del "mundanal ruido". Tanto Harman como Heilbroner han demostrado el hecho de que las economías industriales van a sufrir crujideras económicas muy severas en el preciso instante en que sus trabajadores, los obreros y empleados, se percaten de que su empleo está totalmente desprovisto de valor intrínseco y comiencen a encontrar significado en otras partes, retirando así, privadamente, su lealtad para con sus empleos. La ética protestante del trabajo, el apoyo espiritual a nuestro estilo de vida actual, no estará allí presente cuando la economía más lo necesite. En 1975, un informe del Trend Analysis Program of the American Institute of Life Insurance (Programa de Análisis de Tendencias del Instituto Americano de Seguros de Vida) predijo un debilitamiento de la "filosofía de la era industrial" durante las próximas dos décadas, con la concomitante alienación del trabajador, aumento de huelgas, sabotaje y revueltas. Concluye el informe, "Es posible que estemos en algún lugar cerca del medio de una transición turbulenta a una cultura nueva, o al menos diferente", que estaría comenzando más o menos en 1990[18].

A nivel político, la descomposición posiblemente tomará la forma de ruptura del Estado-Nación en favor de unidades regionales más pequeñas. Esta tendencia, a veces llamada separatismo político, descentralización o balcanización, es una realidad actualmente bastante extendida en todas las sociedades industriales. Desde 1945 a la fecha, el número de naciones nuevas ha aumentado dramáticamente, y otras sociedades también están comenzando a fragmentarse en subunidades provinciales y sectoriales. Leopold predijo esta tendencia (entusiastamente) ya en 1957 en su libro, *The Breakdown of Nations* (*La Ruptura de las Naciones*); la cultura oficial, como la de *Harper's Bazaar*, está aterrorizada por ello. En una forma un tanto más sobria, un grupo de más o menos 200 expertos europeos, en el libro *Europe 2000*, ven el surgimiento de una periferia regional como algo muy posible[19]. En este momento hay movimientos separatistas bastante fuertes no únicamente en los Estados Unidos (Norte de California, Norte de Michigan, Idaho), sino que también en Escocia, en Bretaña, en el País Vasco y en Córcega; y muchos otros países están experimentando intensos sentimientos regionales, tanto es así que posiblemente la Europa del año 2000 d. C. se verá como un mosaico de Estados muy pequeños. Este proceso representa una reversión a los límites políticos originales que existían antes del surgimiento de los Estados-Naciones modernos: no más Francia, sino que Borgoña, Picardía, Alsacia y Lorena; no más Alemania, sino que Bavaria, Baden, Hesse, Hanover; no más España, sino que Valencia, Aragón, Cataluña, Castilla; y así sucesivamente. En general, escribe Peter Hall, lo que en todos los niveles

> se solía llamar separatismo, ahora usualmente se llama regionalismo —que significa fundamentalmente el deseo y la disposición de asumir un control más directo sobre el propio destino. Hoy por hoy es tal vez la motivación política más intensa que está operando: es la causa principal de la "crisis de autoridad" y el debilitamiento del control centralizado[20].

La sociedad holística, por lo tanto, se nos viene encima proveniente de una variedad de fuentes que hacen un corte a través del eje político tradicional izquierda-derecha. El feminismo, la ecología, la etnicidad y el trascendentalismo (renovación religiosa), que políticamente no tienen nada en común, parecen estar convergiendo hacia una meta común. Estos movimientos holísticos no representan a una única clase social, ni tampoco pueden ser analizados en tales términos, porque en gran medida representan las "sombras" reprimidas de la civilización industrial: lo femenino, la naturaleza virgen, el niño, el cuerpo, la mente creativa y el corazón, lo oculto y la gente de las regiones periféricas no-urbanas de Europa y Norteamérica —regiones que jamás han asumido el "ethos" de la civilización industrial y que jamás lo harán. De existir algún nexo entre los elementos de esta "contracultura", éste es la noción de la recuperación. Su objetivo es la recuperación de nuestros cuerpos, nuestra salud, nuestra sexualidad, nuestro medio ambiente natural, nuestras tradiciones arcaicas, nuestra mente inconsciente, nuestras raíces en la tierra, nuestro sentido de comunidad y nuestro sentido de estar conectados los unos con los otros. Lo que predican no es meramente un programa de "no crecimiento" o una disminución en la producción industrial, sino que el intento directo de recuperar del pasado lo que perdimos durante los últimos cuatro siglos; retornar para luego avanzar. En una palabra, representan el intento de recuperar nuestro futuro.

Lo notable de muchos de estos desarrollos es el intento de crear una política que no sustituya a un grupo de gobernantes por otro, y ni siquiera una estructura política por otra, sino que refleje las necesidades básicas de la mente, cuerpo, sexualidad, comunidad y elementos afines. Como lo indica ese antiguo oráculo chino, el *I Ching*,

> Las naciones y las estructuras políticas cambian, pero la vida del hombre con sus necesidades permanece eternamente la misma; esto no puede alterarse. La vida también es inagotable; no aumenta ni disminuye. Existe para todos los seres. Las generaciones van y vienen; todas gozan de la vida en su abundancia inagotable.
>
> Sin embargo, hay dos requisitos para una satisfactoria organización política y social de la humanidad. Debemos ir a la raíz misma de los fundamentos de la vida. Porque toda superficialidad en la ordenación de la vida que deja insatisfechas las más profundas necesidades, es insuficiente; equivale a no haber tratado siquiera de poner orden[21].

De modo, entonces, que por varias vías éste ha llegado a ser el objetivo de todas las políticas holísticas; una política que será el fin de la política, al menos como la conocemos hoy en día.

Si todos estos cambios, o incluso un tercero, llegaran a ocurrir, la anonimia propia de la era moderna seguramente llegará a ser un capítulo cerrado para siempre en nuestra historia. Una cultura planetaria concebida así, necesariamente borraría nuestros sentimientos contemporáneos apátridas y la sensación con que vivimos de que nuestra realidad personal está en disparidad con la realidad oficial. Los espacios infinitos, cuyo silencio aterrorizaba a Pascal, serán considerados por los hombres y las mujeres del futuro como extensiones de la biosfera nutriente y benevolente. El significado ya no será algo que deba ser hallado e impuesto en un universo absurdo; será dado, y, como resultado, hombres y mujeres tendrán un sentimiento de conexión cósmica, de pertenencia a una configuración mayor. Ciertamente, un mundo así representa la salvación, pero únicamente en el sentido de que en primer lugar no hay necesidad de salvarse. Como consecuencia inmediata vendría una pérdida de interés en los "opiáceos" tradicionales, e incluso gran parte de la psicoterapia se tornaría obsoleta. Lo que veneraríamos, si es que hubiera algo que mereciera tal honor, sería a nosotros mismos, a cada uno, y sobre todo a *esta tierra* —*nuestra casa*, nuestro hogar, el cuerpo de nosotros que hace posible nuestras vidas.

Esta es, entonces, la versión liberadora de la política planetaria, congruente también con la epistemología del holismo batesoniano. Mi esperanza es que los acontecimientos sociales y políticos del próximo siglo nos acerquen más a un mundo así. Sin embargo, como lo he indicado con anterioridad, las cosas no son tan simples, debido a que una serie de conceptos de Bateson son de doble filo, y al decir esto no quiero que se entienda que estoy sugiriendo que la conciencia por sí misma hace la historia (no *hay* una conciencia por sí misma), pero sí que ambas forman una guestalt, y que el holismo batesoniano es potencialmente congruente con configuraciones políticas menos benevolentes que la que hemos delineado arriba. De hecho, si los desarrollos políticos hicieran uso de los conceptos holísticos, y resultara que enfatizan ciertos aspectos en oposición a otros, podríamos llegar a ser víctimas de un giro más bien trágico de los acontecimientos: el espectro de la conciencia holística como el agente de aún más alienación, más reificación, de la que tenemos en el presente. Por cierto, esta posibilidad amerita una mayor investigación.

El contexto original del holismo batesoniano no fue (siguiendo la frase de Theodore Roszak) el de una "anarquía taoísta" como lo que he delineado arriba, sino que la sociedad rígidamente jerárquica de la aristocracia británica. Hemos visto que la mayoría de los conceptos científicos de Bateson fueron bosquejados en la obra de su padre; y en su exposición de la obra de William Bateson, William Coleman identifica en forma correcta el conservantismo político entronizado que caracteriza el contexto de esa obra[22]. La Inglaterra de fines del siglo XIX estaba atrapada en un profundo pesimismo: un desencantamiento del utilitarismo, la democracia y la política parlamentaria. La promesa reluciente del Palacio de Cristal (1851) no se había materializado, y el estado de ánimo que invadía todo era el de una civilización en colapso. Las clases cultas e ilustradas y las clases superiores reaccionaron volviendo a los valores tradicionales, a la sensibilidad notablemente estética, al intuicionismo y a una concepción orgánica de la sociedad. Estos tres temas conservadores y tradicionales, dice Coleman, fueron centrales al pensamiento de William Bateson. Su énfasis estaba en el genio, en la persona excepcional, cuyo desarrollo jamás podría ser estimulado en una sociedad igualitaria. El interés de William Bateson estaba en la visión y en la inspiración, y no en la ambición y el raciocinio calculador; de aquí su reveladora observación al final de la Gran Guerra: "Tal vez hemos hecho que el mundo sea más seguro para la democracia, pero también lo hemos hecho mucho más peligroso para todo lo demás". Como lo hace notar Coleman, él consideraba al mundo del comercio y la democracia como una verdadera época de tinieblas. Para el Bateson mayor, la jerarquía funcional natural del mundo biológico validaba la sociedad de clases, y él sostenía que las soluciones políticas correctas eran aquellas que conseguían *preservar* la desigualdad, para coordinar las partes diferentes y desiguales de la sociedad en el desempeño de su adecuado trabajo.

Dado este elitismo extremo, muchos de los conceptos científicos de William Bateson adquieren una luz peculiar. La primacía de la forma y la pauta (Mente) sobre la materia reflejan una mentalidad que hacen enfrentarse al altanero *Geist* del intelectualismo aristocrático en contra del materialismo sucio del comercio y el profesionalismo de clase media. La noción de que la variación proviene desde adentro en lugar de ser una acción externa del ambiente, puede tener con seguridad un largo ancestro alquímico (como vimos en el caso de Newton), pero en William Bateson reflejaba la sensibilidad estética de la pureza interna y el intuicionismo: el loto en el pozo séptico, el hombre por sobre la multitud. Un tipo semejante de conciencia de clase caracterizó su defensa de los clásicos y la noción de que la verdadera educación debiera considerarse como un "despertar al éxtasis" —visión que asume que la mayoría de las personas están aún atrapadas en la caverna de Platón. Tal vez lo más revelador es el principio holístico central de William Bateson, que cualquiera variación debe resultar en un cambio coordinado de la totalidad del organismo que está siendo afectado. En 1888 le escribió a su hermana que a menos que ocurriera tal variación correlacionada, un sistema no podría seguir siendo un sistema. Dicho de esta manera, el principio de Bateson tiene una resonancia intensamente política; refleja un sesgo en contra del cambio per se y especialmente en contra de cualquiera forma de perturbación. Como una persona que había tenido éxito al entrar en los círculos de élite, William Bateson no quería que el sistema que lo había nutrido a él se desintegrara. En su ciencia, como en su política, la mantención de la estabilidad se convirtió en el núcleo de la realidad, y cualquier cambio que no fuera el gradual y orgánico tendría que ser visto con profunda sospecha y hostilidad —una visión que lo colocaba directamente en la tradición de Edmund Burke. Dado que los conceptos científicos de

Gregory fueron moldeados tan intensamente por los de su padre, no debiéramos sorprendernos al encontrar que ellos tengan —o puedan tener— implicaciones políticas que hicieran eco de este conservantismo extremo. En lo que sigue, quiero centrarme en los siguientes conceptos o aspectos de la obra de Gregory: el énfasis sobre el intercambio de comunicación e información, la Teoría de los Tipos Lógicos, la homeostasis y el Aprendizaje III.

Como hemos visto, la transmisión de ideas en torno a un circuito es central para la explicación cibernética. Posibilita la refutación del atomismo cartesiano y la causalidad mecánica, en favor de algo llamado Mente y sus interrelaciones con otras Mentes. También hemos visto cuán superior a lo primero es esto último al tratar con la esquizofrenia, el alcoholismo, la teoría del aprendizaje y otras áreas de investigación. El problema surge cuando la noción del intercambio de información se aplica a situaciones que son directa e inmediatamente políticas[23]. Anthony Wilden nos da el siguiente ejemplo:[24]

Persona A: Por favor dame un vaso de agua.
Persona B: (Le da agua a A)
Persona A: Gracias.

Desde luego, podemos analizar el intercambio como un intercambio de mensajes, y así a primera vista parecería que A es el suplicante, o bien sumiso ante B, o que tal vez son iguales. Sin embargo, dice Wilden, ¿y si suponemos que en realidad la situación es que la petición de A es de hecho una orden? ¿Se supone por ello que A es un hombre y B una mujer? ¿Se supone que A es un capataz y B un obrero o un inquilino del campo? ¿Se supone que B es negro o está viviendo de una pensión estatal? De ahí entonces que lo verdaderamente operativo sólo puede encontrarse en un análisis de la historia de la raza, o de la sexualidad, o de los intereses creados. No puede hallarse en un análisis de los mensajes únicamente, o de una comunicación perturbada. La cismogénesis puede servir para explicar la carrera armamentista nuclear e incluso algunas luchas domésticas, pero en general es dudoso que la guerra sea una falla en la comunicación, y sospecho que los norvietnamitas sabían perfectamente lo que querían los norteamericanos. Lo mismo puede decirse de la tan mentada brecha generacional de los años 60, donde los medios de comunicación masiva pudieron evitar el tomar en serio la oposición del estudiantado a la cultura dominante, convirtiéndola en un problema de "comunicación". La explicación a este nivel trata únicamente con el aquí y el ahora, con lo que es manifiesto, y presupone una sociedad de iguales, una situación abierta o pluralista en que todos los conflictos sean capaces de una resolución armoniosa, toda vez que los canales de comunicación bloqueados son despejados. Utilizada de esta manera, la teoría cibernética no es una forma de liberación sino que una forma de mistificación. La relación del opresor con el oprimido no es típicamente un problema de semántica,[25] y tal énfasis puede fácilmente servir para reforzar esa relación, a pesar de que con certeza ésa no fue la intención de Bateson.

La Teoría de los Tipos Lógicos, empleada tan brillantemente por Bateson, comparte un sesgo político semejante[26]. En esencia, es una teoría de relaciones jerárquicas, y es concebible que una lógica de clases implique una sociedad de clases, o al menos una en la cual algunos grupos tengan un status social o teórico más alto que otros. La tipificación lógica refleja e implica una actitud de arriba hacia abajo con respecto al poder, a pesar de que esta actitud ha sido acallada en el análisis social basado en la Teoría de los Tipos Lógicos. El sesgo político, sin embargo, no se perdió en uno de los co-autores de la teoría, Bertrand Russell, quien en un punto de su Autobiografía hizo ver que la teoría, en el momento de su formulación, era como una contribución a la preservación de la hegemonía británica y el orden mundial. A pesar de que la tipificación lógica es obviamente una herramienta poderosa para entender ciertos fenómenos, no es claro que tenga una aplicación muy amplia; sin embargo, es absolutamente central para el análisis cibernético, como Bateson sería el primero en admitir.

Pero, tal como resultaron las cosas, Russell admitió tener dudas acerca de la teoría ante el matemático de Cambridge G. Spencer Brown en un intercambio que tuvo lugar en 1967. Brown había desarrollado una prueba matemática que demostraba que dicha teoría era innecesaria, y se la mostró a Russell. Russell estuvo de acuerdo, agregando que era "la cosa más arbitraria que él y Whitehead jamás habían tenido que hacer; en realidad no era una teoría sino que un parche..."[27]. Sin embargo, en 1945, el teórico de la cibernética Warren McCulloch desarrolló una refutación indirecta de la tipificación lógica sosteniendo que tendría que haber una *heterarquía* de valores en lugar de una jerarquía. Mediante un análisis matemático del sistema nervioso central, McCulloch mostró que los valores no eran magnitudes y que por lo tanto la transitividad (desigualdad de relaciones) no podía ser aplicada a ellos[28]. Por ejemplo, uno puede establecer una jerarquía o una longitud de onda de frecuencia para los colores del espectro, pero no hay forma de demostrar que el rojo es de alguna manera "mejor" que el azul, o viceversa. Pero McCulloch nunca elaboró más allá su análisis, posiblemente porque la teoría cibernética habría sido severamente atenuada si se hubiera descalificado de partida a la tipificación lógica. El hecho sigue siendo que la heterarquía implica igualitarismo, y la jerarquía un mundo de clases y órdenes. Pero no hay ninguna manera de demostrar que la jerarquía esté validada por el mundo natural[29].

En tercer lugar, tenemos el concepto de homeostasis, con sus obvias raíces en el principio de la variación correlativa enunciado por William

Bateson, y nuevamente las implicaciones conservadoras son obvias. Como René Dubos se adelantó a indicar, llevada a su conclusión lógica, la homeostasis dice que "cualquiera cosa que sea, está bien". En consecuencia, Dubos argumenta en favor de la "homeokinesis", o lo que C.H. Waddington llama "homeoresis": "un flujo estabilizado en lugar de un estado estabilizado"[30]. Políticamente, el concepto de homeostasis conduce lógicamente a la quietud, a la pasividad frente a una opresión que es considerada "en el orden de las cosas" (¡de otra manera no hubiera ocurrido!). El punto de Bateson, desde luego, es que la interferencia frecuentemente empeora las cosas, y que la revolución es con frecuencia precisamente eso —una puerta giratoria, un cambio de amos en lugar de un cambio de valores. Estoy de acuerdo en que es un punto importante, pero no comparto su noción de que toda lucha por la libertad es fútil. El enfoque de Bateson tampoco llega a un acuerdo con el totalitarismo que podría surgir si a las superpotencias se les diera rienda suelta, por la falta de oposición y resistencia.

Como en el caso del intercambio de información, el punto central estriba en cómo y dónde se aplique el concepto. Los primeros autores de la cibernética utilizaban como su paradigma a sistemas cerrados, del tipo del termostato. Un termostato puede estar "vivo" en algún sentido cibernético, pero es un sistema cerrado en lo que se refiere a que no intercambia materia con su ambiente, y su estado final está determinado únicamente por sus condiciones iniciales. Los sistemas abiertos (un bosque, una nación) sí que intercambian materia con su ambiente, y sus estados finales no están predeterminados. Como resultado, están abiertos a cambios substantivos (ocurran éstos o no). En otras palabras, sólo los sistemas cerrados son verdaderamente homeostáticos, retornando siempre a su punto de partida original. La homeostasis, por lo tanto, es únicamente un caso especial de los sistemas abiertos[31]. Estos últimos pueden experimentar homeoresis, un cambio que es parte de un programa de desarrollo global (adquisición del lenguaje, pubertad), o "morfogénesis", cambio que resulta ser una alteración del programa en sí mismo (el Aprendizaje III, la Revolución Científica, el colapso del Imperio Romano —todos los cuales pueden ser "predichos" únicamente en retrospectiva)[32]. Bateson está plenamente consciente de la diferencia entre los sistemas cerrados y los abiertos, pero su énfasis avasallador es en la estabilidad y no en la alteración; por ejemplo, cómo las situaciones simétricas y cismogénicas logran gatillar su complemento de modo de mitigar la amenaza de desintegración, o cómo un ecosistema lucha para mantenerse a sí mismo generando una retroalimentación negativa. Bateson dice que el proceso de mantención no va a traer necesariamente al sistema de regreso a su punto de partida inicial, pero su énfasis general en la mantención de la consistencia interna tiende a colocar al cambio en la categoría de un evento indeseable. Por lo tanto, compara al cambio con una rasgadura, con una imperfección en la tela de las cosas, y al proceso de mantención lo compara con la curación o reparación[33].

Desde luego que ese énfasis en la homeostasis y en la estabilidad puede ser visto como congruente con la sociedad ecológica "conservadora" descentralizada a pequeña escala, descrita arriba. Pero basándonos en un modelo estrictamente homeostático, jamás llegaríamos allí, ya que lo más probable es que estemos sumidos en el medio de una vasta y violenta morfogénesis. Más aún, el modelo cibernético no es sólo congruente con la sociedad de conservación, como muchos críticos han señalado. También puede ser utilizado con facilidad para validar el modelo alternativo del totalitarismo industrial. Por ejemplo, no hay nada intrínseco en la obra de Bateson que implique la descentralización. El modelo cibernético bien podría describir una sociedad masiva manejada por ingenieros sociales a través de una serie de parámetros burocráticos "holísticos", y de hecho, es precisamente este escenario el que describe Robert Lilienfeld en su libro *The Rise of Systems Theory (El Surgimiento de la Teoría de Sistemas)*. Lejos de llevarnos a una cultura planetaria, dice Lilienfeld, el énfasis en la comunicación sugiere un mundo muy cohesionado por un sistema de medios de comunicación masivos computarizados y de intercambio de información[34]. Ese mundo sería el *fin* de la diversidad y la libertad, una homogeneización del mundo bajo el dominio del hombre —o, mejor dicho, bajo el dominio de una élite pequeña y poderosa de hombres. Uno piensa aquí en la Interpol o en los bancos de datos que se siguen recolectando sobre los ciudadanos de las sociedades industriales para pronto ser transferidos a fichas (chips) de silicona, a microcomputadores que podrían ser fácilmente puestos a disposición de la policía, del gobierno e incluso de los hospitales y los bancos. La "ciencia de los sistemas", escribió uno de sus fundadores, Ludwig von Bertalanffy, "centrada en la tecnología computacional, en la cibernética, en la automatización y en la ingeniería de sistemas, parece hacer de la idea de sistema otra —e incluso la última— técnica para moldear al hombre y a la sociedad, aún más, en una 'megamáquina' "[35]. La burocracia y la centralización podrían convertirse en la orden del día, donde el concepto de jerarquía o tipificación lógica significaría que los rangos más bajos serían "libres" de obedecer a los de más arriba para ponerse a tono homeostáticamente con ellos. Esta situación, con sus obvios ecos del *Brave New World (El Mundo Feliz)* o *1984*, apenas sí es la visión de la armonía holística que Bateson tenía en mente, pero está tan implicada por su epistemología como lo está el escenario utópico previamente delineado, y los conceptos de intercambio de información y el resto podrían utilizarse para racionalizarla[36].

Parte del problema, quizás, es que ni la cibernética ni la ecología son inmunes al tratamiento mecanicista. Como lo ha indicado Carolyn Merchant en su libro *The Death of Nature (La Muerte de la Naturaleza)*, la tendencia dominante en los estudios norteamericanos sobre ecología (desde 1950) ha sido reduccionista y administrativa. Sobre este modelo, ella hace notar, los datos

> son abstraídos del contexto orgánico en forma de "bits" de información y luego manipulados de acuerdo con un conjunto de ecuaciones diferenciales, permitiendo la predicción del cambio ecológico y la administración racional del ecosistema y sus recursos como totalidad.

La palabra "ecosistema", de hecho, fue desarrollada por esta escuela de pensamiento para reemplazar a la frase más antropocéntrica y descentralizada, "comunidad biótica". El enfoque aquí es globalista, y los informes elaborados computacionalmente, tales como el famoso *Limits to Growth* (*Límites al Crecimiento*) (1972) del Club de Roma, que hace recomendaciones para administrar los recursos de todo el mundo, son los descendientes lógicos de esta rama de la ecología. Como lo indica Merchant, se puede hacer la misma crítica a gran parte de la teoría de sistemas. Sus defensores muchas veces afirman que su enfoque es holístico, pero una guestalt es algo intangible, y por lo tanto no es reducible a números ni tampoco es digitalizable. Lo más probable es que una vez que haya sido matematizada, deje de ser una verdadera guestalt[37].

En resumen, el pensamiento cibernético no nos saca automáticamente del mundo de Francis Bacon. El mecanismo cibernético puede ser un modelo más sofisticado que el modelo de funcionamiento de reloj prevaleciente en el siglo XVII, pero, en último análisis, sigue siendo un mecanismo. Por ejemplo, el experimento de Bateson con el delfín —enloqueciéndolo hasta obtener un resultado claro— es un tan buen ejemplo de la *natura vexata* de Bacon como cualquier otro[38].

Finalmente, llegamos al asunto del Aprendizaje III, el "despertar al éxtasis", o el sentido de fusión con una "vasta ecología". Como lo hicimos notar arriba, Bateson no aboga explícitamente por la meditación, el yoga, la alquimia o lo que fuere; la suya es una *mimesis* autoconsciente que no prescinde del pensamiento cognitivo. Pero en lugar de tales prácticas, ¿cómo se va a alcanzar la percepción o el descubrimiento propio del Aprendizaje III? El alcohólico lo hace tocando fondo; el "individuo transcontextual" agoniza sobre su doble vínculo hasta que, en un ambiente que le da apoyo, finalmente llega a la creatividad. Pero dado que Bateson mismo sostiene que "ninguna cantidad de discurso riguroso de un determinado tipo lógico basta para 'explicar' los fenómenos de un tipo superior"[39], es muy probable que el inicio deliberado del Aprendizaje III pueda tener lugar sólo por vía de las prácticas arcaicas tradicionales. En otras palabras, el intelecto genera añoranzas por un tipo de experiencias mentales mayores, una conciencia más amplia, pero sólo puede conducirnos hacia el borde de tales experiencias. La percepción real de la fusión sujeto/objeto, del mundo como algo completamente vivo y sensual —en resumen, la "realización deífica"— es un evento puramente visceral. Si Bateson no está abogando en favor de las prácticas tradicionales, es difícil ver cómo alguien pueda llegar a tener esta percepción; y si *está* abogando por ellas, entonces el Aprendizaje III estará plagado del mismo tipo de problemas políticos que estas prácticas típicamente traen consigo.

¿Cuáles son estos problemas? El mayor de ellos es la transferencia, aquella devoción ciega que se establece hacia el gurú o el profesor, y que inevitablemente acompaña a la experiencia suscitada "cuando alguien nos capta la mente y nos la lanza a volar". Todas estas prácticas, ya sean las técnicas de meditación, la respiración prolongada, los cánticos, y así sucesivamente, sirven para reducir el "input" sensorial externo, de modo que la conciencia de ego comienza a considerarse a ella misma como su propio objeto de escrutinio. En terminología cibernética, se puede considerar que el programa (Aprendizaje II) se va a sobrecargar; empieza a parecer ante sí mismo como un constructo arbitrario. El individuo pierde su sentido de realidad, que ahora cobra un tipo de cualidad flotante. Puede que se instale el terror, porque el ego se percibe a sí mismo como muriendo y no puede imaginar que su disolución sobrevivirá. Es en este momento que el gurú, o el profesor, se hace crucial, porque su existencia es la prueba viviente de que, de hecho, algo sobrevive. Su objetivo es ayudar al novicio a traspasar el Abismo, la brecha entre mente y Mente. Finalmente, el muro entre lo consciente y lo inconsciente se derrumba completamente, y la sensación es la de estar inundado, o de ser transportado por un océano de realización deífica. Esta percepción es vivenciada como una inmensa claridad, un súbito despertar a lo que se siente que es completamente real. Si el proceso tiene éxito, el discípulo que llega al Aprendizaje III seguirá experimentando una brecha entre mente y Mente, pero ahora sin terror o éxtasis. En lugar de eso, considera a su conciencia de ego como una herramienta: útil, pero apenas algo por lo que valga la pena arriesgar la vida. El sabe que la realidad es mucho más grande que esto; que, como lo dice Laing, el ego puede y debiera ser el sirviente de lo divino y no su traidor.

¿Qué viene después? ¿Qué es lo que uno hace con Dios una vez que uno lo ha encontrado? Como lo sugiere la frase "despertar al éxtasis", la vida del discípulo está irrevocablemente alterada. La sensación es la de surgir por primera vez de la oscuridad, de saber que ahora (como en la parábola platónica de la caverna) se está verdaderamente consciente y de cuán errada y limitada era la "conciencia" previa. Todos los sentimientos personales pueden focalizarse fácilmente en el maestro, que ahora es visto como un padre magnánimo, la persona que posibilitó esta liberación. Todos hemos conocido personas que están constantemente citando a su terapeuta, una tendencia que puede considerarse una variedad de guruísmo. Sin embargo, el guruísmo directo es muchísimo peor; es la adulación más ciega, el opuesto mismo a la libertad. Lo que comenzó como una liberación termina como un culto; la vida del creyente ya no le pertenece. La palabra del gurú es su ley.

Y, ¿cuál *es* la palabra del gurú? ¿Qué es lo que realmente está enseñando? Por lo general enseña precisamente ¡que su palabra es ley! Sería suficiente con que el proceso terminara con la adulación del maestro, y que eso fuera todo. Pero el verdadero problema es que el gurú, especialmente en el contexto de una sociedad manipuladora, tiene una agenda escondida bajo la manga, y muchas veces su interés está más en el poder que en el dinero. De modo que el discípulo se desprograma, se deshace de su Aprendizaje II, ve la realidad última, y antes de que cante el gallo, como lo dice Michael Rossman, "recibe una estructura prefabricada completa para reemplazar a la anterior". Pero hay, agrega Rossman, una gran diferencia entre venerar al misterio revelado y venerar al revelador y a su tinglado. Con el gurú siempre va aparejado un metacurrículum, y éste es definitivamente totalitario —no concuerda para nada con el tipo de *solve et coagula* que los alquimistas tenían en mente[40].

Pero resulta que el guruísmo tampoco es el tipo de redefinición de la personalidad que Bateson tenía en mente, y me parece que en su obra se vislumbra una importante válvula de seguridad potencial. Las páginas finales de *Mente y Espíritu* revelan que justo antes de su muerte, Bateson estaba empezando a derivar hacia una teoría de la estética que podría haber suministrado una estructura de lo sagrado o lo bello para la evolución de la conciencia de ego a algo mayor. Es posible que tal teoría pudiera haberse constituido en una puerta abierta a la cultura planetaria descrita anteriormente y que ahora otros tendrán que desarrollar. Sin embargo, aun cuando se desarrollase una teoría adecuada de la estética, no está claro cómo podría ella tener un impacto político serio. Tendría que ser, como lo es la propia obra de Bateson, una experiencia, un modo de vivir, y no meramente una fórmula. Esto involucra importantes opciones personales, o en otras palabras: quizás una política de auto-realización sencillamente no sea posible. Una teoría de la estética podría ser muy valiosa para aquel individuo con inquietudes que está haciendo el peregrinaje desde la ciencia contemporánea al holismo; idealmente, una teoría adecuada le permitiría hacer el viaje sin caer preso del guruísmo. Pero uno de los puntos fuertes de la obra de Bateson es su cualidad relacional; no basta con descubrir la "vasta ecología" para uno solo. El alcohólico converso incluye en esta ecología a los demás miembros de Alcohólicos Anónimos y su lucha común. Este énfasis social es muy positivo en el caso de A.A.; el problema surge cuando la organización no es tan benevolente, no se interesa por la salud o la libertad, sino que por el engrandecimiento político (por lo general en el nombre de la salud y de la libertad). Desgraciadamente, el deseo de ejercer poder sobre otros es la regla más bien que la excepción, y es difícil visualizar cómo cualquiera teoría de la estética podría influenciar o controlar el fenómeno del guruísmo extendido masivamente. Necesitamos una válvula de seguridad que permita que ocurra el proceso de Aprendizaje III, pero sin perder el control; y ya que nadie ha logrado hacer algo como esto, siento la necesidad de hacer algunos comentarios más acerca de los peligros del Aprendizaje III y sus posibles implicaciones políticas. Estrictamente hablando, la discusión que sigue no es ni una crítica personal a Bateson ni a su obra. Ni él ni su obra, como lo he sugerido antes, tuvieron o tienen ninguna simpatía, en lo absoluto, por el cultismo de derechas que está generando el Aprendizaje III en la actualidad. Más bien, refleja mis propios temores de que ninguna filosofía holística ha logrado, hasta la fecha, suministrar válvulas de seguridad lo suficientemente adecuadas para que el proceso de Aprendizaje III no se torne inmanejable, y por lo tanto, cualquier discusión del proceso tiene que ir acompañada de una advertencia.

Si el peligro del Aprendizaje III es el de la transferencia, no debiera sorprendernos la impresionante colonización mental que está siendo puesta en práctica por numerosos cultos de derecha, especialmente en los Estados Unidos[41]. En su libro sobre la televisión, el ex ejecutivo de publicidad Jerry Mander ha hecho un excelente trabajo al explicar este proceso refiriéndose al caso de la organización de Werner Erhard *est*, aunque se apresura en hacer notar que su selección de *est* como ejemplo, es virtualmente arbitraria[42]. El enfoque de *est* incluye muchas de las técnicas clásicas del Zen o del entrenamiento yóguico —meditación, visualización, reducción deliberada del estímulo sensorial— y les aseguro que el resultado no es la liberación, sino que un enjambre de robots. Los seguidores de *est* tienden a vestirse y a hablar de la misma manera, y a utilizar una jerga con una notable reminiscencia del holismo batesoniano ("mente", "contexto", "programación", etc.). Toda la conversación gira en torno a "responsabilizarse por uno mismo", pero los discípulos tienen un aura tenebrosamente parecido al de Erhard, a tal punto que la prensa californiana se refiere a ellos como "parquímetros parlantes". El fenómeno del *est*, escribe Rossman, nos ha brindado "el espectáculo... de gente relativamente inteligente entregando sus mentes en masa"[43]; y este abandono voluntario de las facultades críticas por parte de sus seguidores, le ha permitido a Erhard expandir significativamente su base de operaciones. Ahora su empresa incluye trucos de relaciones públicas tales como un fraudulento "proyecto del hambre", y el nombramiento del propio Erhard como un profesor de "contexto" (¡!) en la Antioch's Holistic Life University (Universidad de la Vida Holística de Antioquía). Desde un punto de vista político, lo que enseña *est* es pura carroña (por ejemplo, que las víctimas siempre escogen su propio destino, como si los niños bombardeados con napalm en Vietnam fueran responsables de su destino), pero no es lo que nos interesa aquí. La verdadera causa de preocupación es que a pesar de su extensa popularidad, Erhard, el Reverendo Moon (la Iglesia de la Unificación), L. Ron Hubbard (la Iglesia de la Cientología) y los demás tele-evangelizadores son relativamente amateurs e ineficaces; prueba de ello es que la gran mayoría de las personas han podido mantenerse ajenas a estas organizaciones, y la estructura política de la sociedad industrial hasta ahora se ha mantenido incólume ante el embate de estos estafadores del Aprendizaje III. Pero aún no hemos visto al último de estos falsos mesías, y tarde o temprano uno de ellos, con apoyo gubernamental, podría prender como un fenómeno de masas. Lo cierto es que Erhard ha intentado reclutar a personas en posiciones de influencia y poder, pero sin ningún éxito conocido. En la Alemania nazi, los adeptos a manipular el inconsciente no necesitaron cortejar al gobierno; ellos *eran* el gobierno. "Hitler", escribió el sociólogo alemán Max Horkheimer poco tiempo después de la guerra, "resultaba muy atractivo para el inconsciente de su auditorio porque insinuaba que podía forjar una fuerza suficiente como para eliminar las prohibiciones sobre la naturaleza reprimida"[44]. No hay que ser muy sagaz para percatarse de que las condiciones actuales apenas si descartan la posibilidad de una repetición de esto en todo su esplendor.

Desde luego que es comprensible que el espectro del fascismo sea invocado a menudo por aquellos que quieren racionalizar su oposición al cambio político, y me parece que en este caso no es una amenaza del todo ociosa. Estamos hablando acerca del resurgimiento del trasfondo psíquico, no dentro del contexto de una sociedad tradicional que aún está en contacto con sus fundamentos y raíces, sino que nos estamos situando dentro del marco de una sociedad móvil, sin raíces, con una alta tecnología, sexualmente reprimida y masificada. El paralelo con la Alemania de después de la Primera Guerra Mundial es bastante estrecho, porque ésa era una sociedad en que el mito y el símbolo, la sexualidad y el ocultismo, lo "natural" y lo no-racional, eran cultivados deliberadamente como antídotos para su estado de vida artificial, sobreintelectualizado y burocratizado[45]. Por lo tanto, la energía psíquica que se liberó fue enorme, y además fue brillantemente aprovechada por los nazis en las inmensas concentraciones de Nuremberg y Munich —representaciones miméticas completas con sus svásticas gigantes, reflectores potentes, banderas y marchas— para sus propios objetivos políticos. Sería irónico decir que triunfó "el pueblo" en esta "liberación" que iba dirigida a levantar su propia represión.

El peligro de dicho misticismo fue lo que Emmanuel Kant tenía en mente cuando denominó a la razón (la conciencia de ego) "el mayor bien del mundo", "la última piedra de toque de la verdad", y haciendo un comentario sobre esta afirmación, Lucien Goldman escribió en 1945:

> Los últimos 25 años nos han mostrado cuán penetrante fue la visión de Kant y cuán estrechos son los lazos que unen al irracionalismo con la mística de la intuición y al sentimiento con la supresión de las libertades individuales[46].

Debido a un caos social y económico suficiente, y al número creciente de gurúes auto-proclamados, están dadas todas las razones para seguir en contacto con nuestro antiguo déutero-aprendizaje.

La unión entre lo no-racional y el poder del Estado depende en general de un elitismo que está implícito en casi todo gurúismo. En la mayoría, pero no en todos. El chamán de las culturas tradicionales hablaba con la voz de Dios (cuando estaba en trance) y ahí terminaba. Por lo general no reclamaba para sí el control secular. Pero en una civilización que ha perdido sus propias raíces, los profesores del Aprendizaje III no solamente cobran elevadas tarifas por su servicios, sino que algunos, como Erhard, quieren, además, el poder más absoluto. Su demanda se basa precisamente en la distinción entre "los que están alerta" y "los que están dormidos". Aquí aparece una especie de escalafón espiritual, una separación de lo ortodoxo de lo heterodoxo, de los auto-realizados de aquellos que aún no han "despertado al éxtasis" y que tal vez jamás lo hagan. William Irving Thompson recientemente arguyó que siendo la conciencia de ego lo que es, "no debiéramos confiar en ninguna decisión política que emane de personas que aún no tienen (el) hábito (de Mente). Nosotros no debemos aceptar cerca del proceso político a nadie que no haya salido de la mente pequeña y que no haya encontrado la plenitud del Ser"[47]. El punto que señala Thompson es importante, pero, ¿cuál es la alternativa? ¿Quiénes son el "Nosotros" a que se refiere Thompson? Como él mismo lo dice en el siguiente párrafo:

> La dificultad que tiene esta idea es que sigue siendo una teoría de las élites… La Elite se convierte en los nuevos diseñadores de las políticas a seguir, en los nuevos políticos, en la nueva humanidad, en el nuevo homo sapiens… Esta élite globalista a su vez podría acercarse a los ejecutivos de las corporaciones multinacionales para introducir un nuevo reordenamiento autoritario del mundo[48].

En resumen, el holismo también es susceptible de convertirse en el agente de la tiranía, pero en el hombre de la Mente, del Aprendizaje III, o (con el favor de Dios) de Dios. No fue en balde que Orwell dijera que cuando el fascismo finalmente llegue a Occidente, lo hará en nombre de la libertad.

Al reflexionar sobre la filosofía mecánica de la Revolución Científica, Alfred North Whitehead dijo, en una oportunidad, que con su formulación, Occidente quedó atrapado en las garras de una idea con la que no podía vivir y sin la cual tampoco. Lo mismo se puede decir acerca del Aprendizaje III, o de la *mimesis* en general. La conciencia descorporalizada de la era moderna es barbárica; es integral al paisaje descrito en la Introducción. Pero los intentos para escapar de ese mundo por medio de la institucionalización del Aprendizaje III por lo general resultan igualmente bárbaros. La frase clave aquí es, "un mundo así". Incluso la *mimesis* total no es un proceso barbárico en un mundo bicameral, o enteramente de proceso primario, como lo ha indicado Julian Jaynes[49]. El problema surge cuando los mundos chocan. Como se diera cuenta Reich, la democracia industrial es como leña seca para el fascismo y lo irracional, debido precisamente a que *es* tan estéril, tan negadora del Eros, y porque ha estado con nosotros ya unos cuantos siglos. No es posible remover repentinamente ese fantástico bloqueo y esperar que la reacción sea de una readaptación armoniosa y sensata. Esto vale tanto para sociedades como para individuos. Por lo tanto, nos confrontamos con una opción que debe ser formada y que aún no puede serlo: el despertar de una civilización entera a su conocimiento arcaico reprimido. Es poco probable que la visión mental del mundo propia del déutero-aprendizaje cartesiano, que incluye tradiciones tales como la democracia social, el humanismo secular y el marxismo iluminado (o vulgar), pueda optar en una forma inteligente, porque estas tradiciones insisten en que Mente o Ser es un concepto oscurantista. Pero como lo indicara en 1931 un observador atípico, Ernst Bloch, la Izquierda en Alemania estaba ignorando por completo aquellos desarrollos que ocurrían en tendencias primitivas y utópicas, dejando el campo despejado para que lo ocuparan los nazis[50]. La historia nos dice claramente que la represión funciona únicamente hasta cierto punto; los anhelos utópicos inquietan incluso al individuo más subyugado, y el fascismo reconoce estas añoranzas y las manipula en su beneficio. Como lo indiqué arriba, la celebración de la naturaleza versus el artificio es un dogma central de la ideología fascista. La emancipación del "hombre natural" versus la tecnología, la destrucción de la espontaneidad y la dominación de la naturaleza son tendencias neciamente ignoradas por las corrientes centristas o "progresistas", pero cuando estos asuntos sí se tornan centrales, la política puede tomar dimensiones aterradoras. "A la luz de todo esto", escribe Max Horkheimer, "podríamos describir al fascismo como una síntesis satánica entre la razón y la naturaleza —el mismísimo opuesto de aquella reconciliación de los dos polos con la cual la filosofía siempre ha soñado"[51].

Sin embargo, yo creo que nuestra evolución hacia el Aprendizaje III es algo inevitable, y de ser así, la pregunta que surge es: ¿Cuál sería un contexto seguro para el Aprendizaje III? o ¿Qué estructuras institucionales serían beneficiosas para su sano florecimiento? En cierta medida, esta pregunta ya ha sido respondida en nuestra discusión anterior sobre la cultura planetaria. Un conjunto descentralizado de regiones autónomas es el opuesto de la sociedad masificada, desarraigada, que hace del Aprendizaje III un asunto tan volátil y peligroso. La autodeterminación, los vínculos estrechos dentro de las comunidades locales, el espíritu de vecindario —todas estas cosas derrumbarían al monolito globalista y por lo tanto servirían para contener cualquier resurgimiento de lo arcaico que amenazara con convertirse en un movimiento de masas. Es natural que el proceso de balcanización tenga sus problemas, pero dudo que la *mimesis* totalitarista global sea uno de ellos. Por ejemplo, el Tercer Reich fue hostil al sentimiento regional. El país era una nación-estado posibilitada en último término, por la unificación forzada que había hecho Bismarck de los pequeños estados alemanes. El Tercer Reich tuvo que enfrentar sentimientos regionales con su política de *Lebensraum*, la que apuntaba a forzar a los territorios colindantes hacia un orden del mundo germano centralizado. Por sí misma, la descentralización no puede eliminar al guruísmo, pero ciertamente puede limitar su influencia. Una sociedad con raíces no es tan sólo protección en contra de la alienación —que es el producto del intento de controlar todas las cosas— sino que también en contra de su opuesto, que involucra la pérdida total del control.

¿Cuáles serán las raíces de una sociedad así? Tradicionalmente, la política comunitaria o regional era la política de la etnicidad. Uno era leal a su propio clan, a su sistema de parentesco, a su raza o a su grupo lingüístico. Es dudoso que el modelo étnico pueda seguir funcionando en un mundo que ha visto varios siglos de comunicación global y un contacto cultural relativamente violento. Y esto en sí mismo puede ser beneficioso, porque la etnicidad regional fácilmente se puede convertir en un tipo provincial de chauvinismo étnico, que finalmente resulta en un *estrechamiento* de las posibilidades humanas. El cosmopolitanismo sigue siendo un ideal excelente, y por lo tanto la necesidad no es meramente de raíces, sino que de raíces que también estimulen una interdependencia planetaria y un intercambio cultural. Dada la ruptura de los lazos familiares y locales acaecidos en los últimos siglos, muchas personas en las sociedades industriales occidentales ahora buscan nuevas fuentes de comunitarismo que no amenacen con estrechar sus horizontes mentales. No hay respuestas fáciles a la vista, y puede que no haya ninguna salida para este dilema. Las culturas *in situ* no congenian con la "galaxia de Gutenberg".

El tema de la irreconciliabilidad de las visiones del mundo planetarias con las concepciones globalistas, o lo que ha sido denominado el ecosistema versus las culturas de biosfera, ha sido analizado últimamente por el ecólogo Raymond Dasmann[52]. En la concepción planetaria el suministro de alimentos y materiales depende del ecosistema local, y la protección ambiental es garantizada mediante las creencias religiosas y las costumbres sociales. Las personas que viven en ese contexto, por ejemplo los indios americanos, tienen (o tenían) unas asombrosas destrezas relacionadas con su localidad. Conocen las especies animales, el significado de los más leves cambios en la dirección del viento y tienen un amplio conocimiento de las hierbas y de su preparación. Sus vidas están adaptadas para una relación óptima con su región particular, o lo que Peter Berg denomina su *bio-región*. Una bio-región es una unidad geográfica donde "la cultura está integrada con la naturaleza a nivel del *ecosistema particular* y emplea para su cognición un cuerpo de metáfora extraído de y estructurado en relación a ese ecosistema"[53]. Investigaciones recientes indican que históricamente, la vida de la gente bajo esta modalidad ha sido relativamente plena, lo que conseguían con mucho menos trabajo que el que nos cuesta hoy en día[54]. La gente biosférica y globalista, por otro lado, considera a todo el globo terráqueo como su provincia, haciendo uso de vastas redes de intercambio y comunicación. Su conocimiento no posee una especificidad localista y pueden hacer lo que se les antoje en cualquier región en particular que escojan. Mientras que la gente de visión bio-regionalista lidiará con las sequías construyendo colectores en sus techos y tanques de almacenamiento, cuidando la vegetación local, y tal vez haciendo una o dos danzas de la lluvia (todo a un costo económico y ecológico trivial) la gente globalista construirá represas gigantes y sistemas de canales que perturbarán al ambiente y costarán millones. Como bien sabemos, para que los globalistas tengan lo que quieren, los bio-regionalistas tendrán que desaparecer o ser borrados de la faz de la tierra. Pero la verdad, dice Dasmann, es que la gente globalista es, a fin de cuentas, la que pierde en este juego global, porque su "victoria" involucra la pérdida de una vasta red de habilidades y hábitos que le han permitido mantenerse sobre el planeta durante miles de años. Las economías de las sociedades globalistas no son sostenibles y ahora están en caos, dice Dasmann; las políticas estadounidenses sobre recursos naturales son un ejemplo para el resto del mundo de lo que *no* debe hacerse. "Yo propondría", él concluye, "que el futuro pertenezca a aquellos que puedan recuperar, a un nivel más elevado, el antiguo sentido de equilibrio y pertenencia entre el hombre y la naturaleza". En resumen, el tener raíces debe ser algo biótico, y no meramente étnico. Dasmann ha construido un mapa de las "provincias bióticas del mundo", mostrando cómo se verían los límites políticos si siguieran las líneas de la geografía natural y las variaciones en la densidad de las especies[55]. El modelo bio-regional de Berg y Dasmann se sustenta en la distinción entre ocupar una región y habitarla; o, para nosotros ahora, el *re*habitarla. La *"rehabitación"*, escriben Berg y Dasmann, significa aprender a vivir en el lugar, en un área que ha sido desmantelada y herida por la explotación anterior. Significa el hacerse nativo de un lugar mediante el tornarse consciente de las relaciones ecológicas particulares que operan dentro y en torno a él. Significa entender las actividades y desarrollar conductas sociales que van a enriquecer la vida de ese lugar; significa restaurar sus sistemas sustentadores de vida y establecer una pauta ecológica y socialmente sostenible de existencia dentro de él. Dicho de una manera sencilla, significa el tornarse plenamente vivo en y con el lugar. Significa el hacerse miembro de una comunidad biótica y dejar de ser su explotador[56].

A mi juicio, ésta es una estupenda visión, y los autores puede que estén en lo correcto cuando sostienen que "vivir en un lugar... puede ser el único modo en que se pueda mantener una existencia verdaderamente civilizada"[57]. Pero si los desarraigados y urbanizados de Europa y Norteamérica podrán ahora crear una fuente de identidad en torno a las provincias bióticas y a las lealtades bio-regionales que fueron obliteradas en gran medida siglos atrás, es una interrogante que queda planteada.

Y sin embargo, ¿qué otra alternativa nos queda? El Aprendizaje III seguirá adquiriendo impulso, y el asunto político más crucial del siglo XXI podría llegar a ser cómo darle a este Aprendizaje III un contexto adecuado. Como lo indicáramos anteriormente, el Aprendizaje III ha sido acometido por todas las culturas tradicionales mediante ciertas técnicas de iniciación. El que este proceso se tornara inmanejable no fue sólo función del estilo de vida a pequeña escala, descentralizado. Veíamos que en organizaciones tales como el *est*, una vez que se obtiene una realidad flotante, los iniciadores, o los gurúes, implantan su propia realidad en la gente, lo que se traduce, por lo general, en la veneración a su persona y a la organización. Es claro que todas las culturas tribales *in situ* tienen sus chamanes, y también que el proceso de iniciación guiado por el chamán está designado para quebrantar el Aprendizaje II. Pero en un mundo enraizado en realidades bio-regionales, como lo están estas culturas, el proceso no conduce a la transferencia y a la obediencia ciega a la autoridad. Lo que se desarrolla en el proceso de Aprendizaje III no es una adoración al chamán, sino que la veneración al misterio que él pone de manifiesto: el Dios interior y el ecosistema que lo refleja. Esta fue la lección final que aprendió Carlos Castaneda en su iniciación en manos de don Juan y es el mensaje de todas las religiones basadas en la naturaleza[58]. Genera lo que los críticos sociales Jerry Gorsline y Linn House describen como "una ciencia de lo *concreto*, donde la naturaleza es el modelo de la cultura porque la mente ha sido nutrida y amamantada por la naturaleza[59]. En resumen, mi suposición es que la preservación de este planeta tal vez sea la mejor línea conductora para *toda* nuestra política, el mejor contexto para *todos* nuestros encuentros con la Mente o el Ser. La salud del planeta, si es que se puede defender con éxito del continuo impulso del socialismo y capitalismo industrial, puede entonces ser la válvula de seguridad esencial para la emergencia de una nueva conciencia. Y creo que será sólo en un mundo así que el paradigma cartesiano podrá ser descartado con alguna garantía de seguridad, y que los seres humanos comiencen a vivir las vidas que estaban destinados a vivir desde siempre: la vida propia.

Independientemente de su duración como entidad política, toda civilización, como toda persona, es un mensaje —emite una declaración única al resto del mundo. Posiblemente, la sociedad industrial occidental será recordada por el poderío, y el fracaso, del paradigma cartesiano.

Cuando yo era un muchacho, a la mayoría de los occidentales el paradigma cartesiano les parecía infalible y exitoso, sin paralelo en la historia del intelecto humano. Este estilo de vida era celebrado en los programas espaciales, en la innovación tecnológica rápida de todo tipo y en libros con títulos tales como *The Endless Frontier* (*La Frontera sin Límites*) y *The Edge Objectivity* (*El Borde de la Objetividad*). Ya por la mitad de la década del 60, muchas personas empezaron a darse cuenta que la ciencia era, de hecho, una ideología; y desde ese punto, el paso al reconocimiento de que incluso no era ni siquiera una ideología muy sana, era muy corto.

Es muy posible que las próximas décadas involucren un período de un cambio creciente hacia el holismo batesoniano o de otros tipos. A medida que la civilización entra en su período de declinación, más y más personas buscarán un nuevo paradigma, e indudablemente lo encontrarán en diversas versiones del pensamiento holístico. Si es que tenemos suerte, ya por el año 2200 d. C., posiblemente el viejo paradigma sea una curiosidad, una reliquia de una civilización que parecerá estar miles de años atrás. Jung, Reich y Bateson especialmente, cada uno de ellos, han ayudado a indicar el camino hacia un mundo reencantado en el que podamos creer. Una vez más, lo secular sería la dama de honor de lo sagrado, pero al menos con algo de su conciencia de ego intacta. Sin embargo, desde el punto de vista de una escala de tiempo extendida, uno se pregunta si bastará con esto. El período desde Homero al presente no es ni siquiera de 3.000 años —un mero parpadeo en tiempos antropológicos; los últimos 400 años puede que resulten ser sólo la fase más grave de un episodio evolutivo único. Si es así, la próxima fase en nuestra evolución, la de la *mimesis* auto-consciente, tal vez sea realmente una fase de transición. El reencantar al mundo, incluso en una forma no-animística, puede que requiera, en último termino, acabar con la conciencia de ego en su totalidad. El psiquiatra francés Jacques Lacan ha sostenido que el ego es una construcción paranoide, fundamentada en la lógica de la oposición y de la identidad del sí mismo y lo otro. Agrega que toda lógica así, que es peculiar de Occidente, precisa de límites, mientras que la verdad es que la percepción, siendo de naturaleza analógica, no tiene límites intrínsecos[60]. A medida que nuestra epistemología se haga menos digital y más analógica, los límites van a empezar a perder su definición. El ego, la armadura del carácter, el "proceso secundario" comenzará a desvanecerse. Puede entonces que empecemos una vez más a movernos hacia lo que Robert Bly ha llamado la "Gran Cultura Madre", hacia la anonimidad cósmica, hacia un mundo completamente mimético[61].

Si ése es nuestro destino, el caso es que la transformación no ocurrirá de la noche a la mañana. Como lo he sugerido arriba, una transferencia demasiado rápida posiblemente significaría un desastre sin precedentes. Si es que tenemos suerte, el período intermedio involucrará un resurgimiento de lo inconsciente, y el desarrollo de una percepción relacional u holística, pero con una suficiente percepción de la distinción sujeto/objeto como para evitar los eventos desastrosos. En definitiva, tendremos que mantener el buen juicio y eso implica la retención de algo de la conciencia de ego. Pero a fin de cuentas, es posible que la conciencia de ego no sea viable para nuestra permanencia en este planeta. El fin de la alienación puede no estar en reformar al ego, o en complementarlo con el proceso primario, sino que en su abolición.

Hay un famoso papiro en el Museo de Berlín, el número 3024, titulado *Rebel in the Soul* (*Rebelde en el Alma*), y que data más o menos del período entre el año 2500 y el 1991 a. C. Este fue el así llamado Período Intermedio de la historia egipcia, entre los Reinados Antiguo y Medio, una época de quiebre social total, caos y desorden. Refleja una época semejante a la nuestra, en que los antiguos valores se habían derrumbado y los nuevos aún no habían tomado su lugar. El documento registra algo desconocido acerca de la cultura bicameral —una crisis de identidad. Su autor está preocupado del significado de la vida, de su sí mismo (ego), del conflicto entre la razón y la emoción y del posible suicidio. El papiro no es en absoluto típico entre los textos jeroglíficos, y muchos expertos del Medio Oriente lo consideran como el único documento egipcio antiguo de su tipo. Su emergencia durante el Período Intermedio es una evidencia del argumento central de Julian Jaynes, de que cuando la distinción sujeto/objeto se produjo en la antigüedad, su función fue una función de crisis, el sonido de una alarma extrema. Lo que he tratado de argumentar en la presente obra es que desde el año 1600 d. C., y en forma más notoria a partir de la Revolución Industrial, Occidente ha estado en una crisis perpetua, una sociedad inestable en un estado de alarma extrema. Así entonces, si bien la conciencia cismática moderna es considerada como algo normal, hay que reconocer que durante siglos los tiempos no han sido "normales". La correspondencia con el Período Intermedio egipcio es bastante clara, pero con un tinte peculiar. El solitario autor de *Rebelde en el Alma* fue probablemente un enigma para sus contemporáneos, ya que él *encontró* su ego, mientras que nosotros, hoy en día, tendemos a considerar a los psicóticos como enigmáticos por haberlo *perdido*. En otras palabras, tal vez ahora nos estemos moviendo hacia la salud, mientras que los egipcios del Período Intermedio estaban al menos temporalmente orientándose hacia la patología. Al leer el texto, no podemos evitar el reconocer una voz moderna; por ejemplo, para nuestros oídos sus palabras a menudo suenan como heroicas. "Hermano", le dice su alma a él, "mientras estés ardiendo perteneces a la vida". Esto es lo que efectivamente Teiresias le dice a Odiseus cuando este último lo visita en Hades y le pide al profeta que le enseñe el camino a casa y así poner término a su inquietante búsqueda. Pero Teiresias no está de acuerdo y desaprueba esta búsqueda del Sí Mismo que ya lleva veinte años. Le sugiere a Odiseus que bien puede valer la pena abandonar[62] una vida que es equivalente a "arder". Los filósofos existencialistas contemporáneos como Rollo May, por el contrario, han hecho carrera basados en la noción de que tal ansiedad y preocupación por la identidad es señal de salud. Jamás logran captar que nosotros, como el autor de *Rebelde*, vivimos en épocas tan desquiciadas que el *Angst* y la vitalidad se confunden la una con la otra. Seguramente, como lo diría Christopher Hill, nuestro mundo es un mundo al revés[63].

El fin de la conciencia de ego no necesita del término de la vida, de la cultura o de la actividad humana significativa. La posición existencialista de hacer equivalentes el significado y la angustia sólo puede sostenerse si ignoramos gran parte de la historia del hombre sobre el planeta. La conciencia de ego, sin mencionar a la tradición del individualismo moderno, es un fenómeno que tiene una historia comparativamente corta; no es esencial para la supervivencia humana o para una cultura humana rica, y puede en último término ser enemiga de ambas. Por eso es que el ecólogo Paul Shepard ha indicado que fue una involución (devolution) en el cerebro neandertal el que dio lugar al hombre de Cro-Magnon con un cerebro más pequeño (aproximadamente 40.000 años a. C.) y a la civilización de Aurignac (aproximadamente 23.000 años a. C.), período notable por sus pinturas en las cavernas, la invención de casi 200 tipos diferentes de herramientas y una explosión general de la actividad cultural[64]. Como lo ha indicado Julian Jaynes, la neurología de la conciencia no es fija para todas las épocas. Puede que estemos en las vísperas de una involución igualmente dinámica, en que lo que está emergiendo no sea meramente una sociedad nueva, sino que una especie nueva, un nuevo tipo de ser humano. En último análisis, la especie como está en la actualidad puede demostrar ser una raza de dinosaurios, y la conciencia de ego algo como un camino evolutivo sin salida.

"Cuando hagas descansar tu carne", le dice su alma al autor de *Rebelde*.

Y por lo tanto alcances el Más / And thus reach the Beyond,
Allá,
En esa quietud apareceré ante / In that stillness shall I alight
ti; upon you;
así unidos formaremos la Mo- / then united we shall form the
rada. Abode.

Quiénes vivirán en esa Morada, y cómo vivirán, lo tendrán que decir
los historiadores del futuro. Pero dado un mundo así, tal vez no
sientan la necesidad de hacerlo.

Notas

Introducción: El Paisaje Moderno

[1] Morris Berman, *Social Change and Scientific Organization* (Londres e Ithaca, N.Y.: Heinemann Educational Books y Cornell University Press, 1978).

[2] Russell Jacoby, *Social Amnesia* (Boston: Beacon Press, 1975), p. 63. *Amnesia Social*. Barcelona: Antoni Bosch.

[3] Herbert Marcuse, *One-Dimensional Man* (Boston: Beacon Press, 1964), pp. 9, 154. *El Hombre Unidimensional*. Trad. Antonio Elorza. Ariel S.A., 1981.

[4] Studs Terkel, *Working* (New York: Avon Books, 1972).

[5] Richard Sennet y Jonathan Cobb, *The Hidden Injuries of Class* (New York: Vintage Books, 1973), pp. 168 ff.

[6] La elaboración de este proceso es tal vez la contribución más importante de la Escuela de Investigación Social de Frankfurt, cuyo representante más conocido en los Estados Unidos fue Herbert Marcuse. Un resumen de su obra puede encontrarse en el libro *The Dialectical Imagination* (Boston: Little, Brown, 1973) de Martin Jay; (*La Imaginación Dialéctica. Una historia de la Escuela de Frankfurt*. Trad. Juan Carlos Curutchet. Taurus Ediciones S.A., 1974). En un nivel popular, Vance Packard ha suministrado mucha evidencia para este punto de vista de una vida totalmente manipulada, en libros tales como *The Status Seekers* (*Buscadores de Prestigio*. 8ª ed. Buenos Aires: Eudeba), *The Hidden Persuaders* (*Formas Ocultas de la Propaganda*. Buenos Aires: Sudamericana), y varios otros.

[7] Joseph A. Camilleri, *Civilization in Crisis* (Cambridge: Cambridge University Press, 1976), pp. 31-32. El énfasis increíble en la técnica sexual, en oposición a su contenido emocional, es reflejado en la proliferación voluminosa de los manuales de sexo que ha ocurrido en los últimos quince años, que a esta altura es un negocio multimillonario.

[8] R.D. Laing, *The Divided Self* (Harmondsworth: Penguin Books, 1965; primera publ. 1959); (*El Yo Dividido*. Trad. Francisco González Aramburo. Fondo de Cultura Económica DE, 1978, 5ª edic.).

[9] Un reportaje sobre el estudio de la angustia de rendimiento entre niños de primera preparatoria, realizado por William Kessen de la Universidad de Yale, podrá verse en el artículo de Barbara Radloff, "The Tot in The Gray Flannel Suit", ("El Chico con el Terno de Franela Gris") *New York Times*, 4 de mayo de 1975. "Uno tiene que ajustarse a las reglas del juego si es que se va a sobrevivir", ella escribe, "ya sea en una corporación, o en Primera Preparatoria". La distinción entre la vitalidad interna y la esterilidad externa, familiar a todos los alumnos de Secundaria, se constituyó en un tema persistente de la música rock de los años 50. Las canciones de Chuck Berry, tales como "School Days" y "Sweet Little Sixteen", son tal vez el prototipo de ello.

[10] Camilleri, *Civilization in Crisis*, p. 42. Información como ésta puede recogerse simplemente leyendo los periódicos y las revistas populares. Mis propias fuentes incluyen: *Newsweek*, 8 de enero de 1973 y 12 de noviembre de 1979; *National Observer*, 6 de marzo de 1976; *San Francisco Examiner*, 24 de marzo de 1977 y 10 de julio de 1980; *San Francisco Chronicle*, 29 de marzo de 1976 y 10 de septiembre de 1979; *New York Times*, 16 de

Notas

marzo de 1976; *Cosmopolitan*, septiembre de 1974; y un examen general de tales artículos suministrados por John y Paula Zerzan, "Breakdown", publicado en forma resumida en el ejemplar de enero de 1976 de *Fifth State*. La cita de Darold Treffert proviene de este panfleto. Para una mayor información sobre el uso de drogas en los Estados Unidos véase el libro *The Tranquilizing of America* (New York: Harcourt Brace Jovanovich, 1979) de Richard Hughes y Robert Brewin.

[11]De acuerdo a un estudio finlandés de 1972, Polonia, la Unión Soviética y Hungría son respectivamente primero, segundo y tercero en consumo de licor fuerte per cápita en el mundo. Véase el *San Francisco Chronicle*, 8 de septiembre de 1978. Mi información sobre los suicidios en Francia y Alemania proviene de un reportaje de 1979 del San Francisco's Pacific News Service realizado por Eve Pell, "Teenage Suicides Sweep Advanced Nations of the West".

[12]Dr. Edward F. Foulks, antropólogo médico de la Universidad de Pennsylvania, ha sostenido que la locura puede ser un modo en que la especie humana se protege a sí misma en tales tiempos de crisis, y por lo tanto la sicosis puede ser una forma de avantgardismo cultural (véase el reportaje sobre su trabajo en el *New York Times* del 9 de diciembre de 1975, p. 22, y en el *National Observer* del 6 de marzo de 1976, p. 1). Gran parte de la obra de Laing apunta en esta dirección, y ha sido un tema en una serie de novelas de Doris Lessing. También véase a Andrew Weil, *The Natural Mind* (Boston: Houghton Mifflin, 1972).

[13]Robert Heilbroner, *Busines Civilization in Decline* (New York: Norton, 1976), pp. 120-24.

[14]Willis W. Harman, *An Incomplete Guide to the Future* (San Francisco: San Francisco Book Company, 1976), c 2.

Capítulo 1. *El Nacimiento de la Conciencia Científica Moderna*

[1]Christopher Marlowe, *The Tragedy of Doctor Faustus*, ed. Louis B. Wright and Virginia A. LaMar (New York: Washington Square Press, 1959), p. 3; reimpreso con permiso de Simon y Schuster; (*La Trágica Historia del Doctor Faust*. Trad. Josep Carner Ribalta. Edicions 62 S.A., 1981).

[2]Francis Bacon, *New Organon*, Libro I, Aforismo xxxi, en Hugh G. Dick, ed., *Selected Writings of Francis Bacon* (New York: The Modern Library, 1955); Este y los siguientes extractos impresos con permiso de Random House, Inc. (*Novum Organum*. Trad. Cristóbal Litrán. Orbis, S.A., Ediciones, 1984).

[3]Los historiadores "puristas" de ideas han tenido la tendencia de considerar a Bacon como irrelevante, o incluso perjudicial para el crecimiento de la ciencia moderna, en parte debido a su propia reacción contra los historiadores marxistas tales como Benjamin Farrington (*Francis Bacon: Philosopher of Industrial Science* [New York: Collier Books, 1961; primera publ. 1949]) (*Francis Bacon, Filósofo de la Revolución Industrial*. Ayuso. 1971), quien ve a Bacon como un héroe cultural. La expresión más extrema de esto es C.G. Gillispie, *The Edge of Objectivity* (Princeton: Princeton University Press, 1960), pp. 74-82.

[4]Además de la obra de Farrington, se pueden encontrar buenas discusiones sobre este tópico en dos libros escritos por Paolo Rossi: *Francis Bacon*, trad. Sacha Rabinovitch (London: Routledge & Kegan Paul, 1968), y *Philosophy, Technology and The Arts in the Early Modern Era*, trad. Salvador Attanasio (New York: Harper Torchbooks, 1970). También véase Christopher Hill, *Intellectual Origins of the English Revolution* (London: Panther Books, 1972), capít. 3; (*Los Orígenes Intelectuales de la Revolución Inglesa*, trad. Alberto Nicolás. Crítica S.A., 1980).

[5]Bacon, *Novum Organum*, Libro I, Aforismo lxxiv.

[6]Ibíd., Aforismo xcviii.

[7]Desde luego que hay una vasta literatura que compara la ciencia y las modalidades de pensamiento en Oriente y Occidente. Un excelente resumen en un solo volumen es el

libro de Joseph Needham, *The Grand Titration* (London: Allen & Unwin, 1969); (*La Gran Titulación. Ciencia y Sociedad en Oriente y Occidente*, trad. M. Teresa de la Torre Casas. Alianza Editorial S.A., 1977).

[8]Esta y todas las citas de Descartes están tomadas de su *Discourse on Method*, trad. Laurence J. Lafleur (Indianapolis: The Liberal Arts Press, 1950; edición original francesa, 1937); (*Discurso del Método*, trad. Juan Carlos García Borrón. Bruguera S.A., 1983, 7ª ed.).

[9]Una discusión bastante animosa sobre esta disparidad puede encontrarse en Pierre Duhem, *The Aim and Structure of Physical Theory*, trad. Philip P. Wiener (New York: Atheneum, 1962; edición original francesa, 1914), capít. 4.

[10]Descartes, Discurso, p. 12.

[11]A.R. Hall, *The Scientific Revolution* (Boston: Beacon Press, 1956), p. 149. Mi observación anterior, de que para Descartes "todos los fenómenos no materiales a final de cuentas tienen una base material", no es estrictamente verdadera. Para Descartes *res cogitans* y *res extensa* eran entidades distintas; fueron los discípulos de Descartes quienes convirtieron a la mente en algo epifenomenal e intentaron tragar a la primera en vez de a la segunda —como por lo general se hace en la ciencia actual. A pesar de la sofisticación original de Descartes, el Cartesianismo de la línea central llegó a ser identificado con el reduccionismo materialista.

[12]Estoy adoptando la distinción entre razón crítica y dialéctica hecha por Norman O. Brown en *Life Against Death* (Middletown, Conn.: Wesleyan Univ. Press, 1970; public. orig., 1959).

[13]La mejor discusión en un solo volumen de la obra de Galileo, a mi entender, es el libro de Ludovico Geymonat, *Galileo Galilei*, trad. Stillman Drake (New York: McGraw-Hill, 1965); (*Galileo Galilei*, trad. Y.R. Capella. Edicions 62 S.A.).

[14]Piaget ha dado cuenta de sus descubrimientos en un gran número de obras. El trabajo más reciente es *The Grasp of Consciousness*, trad. Susan Wedgwood (Cambridge: Harvard University Press, 1976); (*La Toma de Conciencia*, trad. Luis Hernández Alfonso. Morata S.A., 1981, 2ª edic.). Para evitar cualquiera confusión en la siguiente discusión y en el Capítulo 2, quiero recalcar que no soy un aristotélico y no estoy sugiriendo un retorno a la síntesis tomista de la Edad Media. Más bien, mi interés en Aristóteles aquí y en los Capítulos 2 y 3 tiene que ver con la presencia en su obra de la conciencia participativa. Desde luego que Aristóteles tiene más que esto, incluyendo sus leyes de lógica y no-contradicción que van directamente en contra de la noción de participación, y que constituyen hasta hoy día la base de gran parte del razonamiento científico moderno.

[15]Debiera quedar en claro que entrar al mundo de la ciencia moderna es entrar a un mundo de abstracciones que violan las observaciones cotidianas. Desde 1550 a 1700, Europa entró en el país de las maravillas, en forma tan segura como cuando Alicia cayó en la cueva del conejo. Pero yo diría que la caída no fue limpia. Ciertamente la cultura dominante de la ciencia y la tecnología relacionadas con la creación de la riqueza material es el otro extremo de la caída, y los alumnos que están formándose para tomar posiciones en esa cultura son rápidamente reeducados en el modo de percepción newtoniano/cartesiano/galileano; pero en forma privada y emocional, aún funcionamos en el mundo de sentido común de la experiencia inmediata —un mundo en que los objetos caen en forma natural hacia el centro de la tierra, y todo el movimiento obviamente requiere de un movedor. Incluso mantenemos trazas de animismo, a medida que pasan los años desarrollamos una relación casi personal con una lámpara o una silla preferida, a pesar de que "sabemos" que no es más que madera o metal.

[16]Oskar Kokoschka, *My Life*, trad. David Britt (London: Thames and Hudson, 1974), p. 198.

[17]Bertolt Brecht, *Galileo*, trad. Charles Laughton y ed. Eric Bentley (New York: Grove Press, 1966, de la edición inglesa de 1952), p. 63. Reimpreso con permiso de Indiana University Press; (*Galileo Galilei*. 1 ed. tr. alem. Buenos Aires: Teatro Municipal, 1984).

[18]De hecho, uno se pregunta si fue así. Rochefoucauld relataba un incidente que ocurrió en la segunda mitad del siglo XVIII, en que a un clérigo de Norfolk, que estaba

dando su examen para su doctorado en Cambridge, se le preguntó si acaso el sol giraba en torno a la tierra o la tierra en torno al sol. "Sin saber qué decir, y queriendo responder algo, asumió un aire enfático y exclamó gallardamente: 'A veces lo uno, a veces lo otro'". Aunque parezca increíble, obtuvo su título. Véase G.E. Mingay, *English Landed Society in the Eighteen Century* (London: Routledge & Kegan Paul, 1963), p. 137.

[19]Generalmente la fecha de publicación que se da para *Principia* es el año 1687, pero H.S. Thayer, en *Newton's Philosophy of Nature* (New York: Hafner, 1953). p. 9n, cita 1686 como el año correcto de la publicación de la primera edición.

[20]Citado en Thayer, p. 54; reimpreso con permiso de Macmillan Publishing Co., Inc.

[21]Ibíd., p. 45; reimpreso con permiso de Macmillan Publishing Co., Inc.

[22]El positivismo posiblemente recibió su primera formulación en el trabajo de Marin Mersenne (véase abajo, Capítulo 3). Un relato plenamente moderno de él se puede ver en el Prefacio de Roger Cotes a la segunda edición de *Principia*, reimpreso en Thayer, pp. 116-34, esp. p. 126.

[23]Alfred North Whitehead, *Science and the Modern World* (New York: Mentor Books, 1948; orig. publ. 1925), p. 55.

[24]N.O. Brown, *Love's Body* (New York: Vintage Books, 1966), p. 139.

[25]Peter Berger, "Towards a Sociological Understanding of Psychoanalysis", *Social Research* 32 (Primavera 1965), 32. La afirmación clásica de la sociología del conocimiento es el libro de Karl Mannheim, *Ideology and Utopia*, trad. Louis Wirth y Edward Shils (New York: Harvest Books, reimpresión de la edición de 1936).

Capítulo 2. *Conciencia y Sociedad en la Europa Moderna Temprana*

[1]*Ernest Gellner, Thought and Change* (Chicago: University of Chicago Press, 1964), p. 72.

[2]Cf. Carlo M. Cipolla, *Before the Industrial Revolution* (New York: Norton, 1976), pp. 117-18.

[3]Voy a analizar brevemente el problema de la sociología del conocimiento y el relativismo radical en la conclusión de este capítulo, y en detalle en el Capítulo 5. En lo que se refiere al tópico de la causalidad, el lector debe estar consciente que gran parte de la literatura en la historia de la ciencia gira en torno a un debate acerca del rol de los factores "externos" en el surgimiento de la ciencia moderna versus el rol de los factores "internos" (por ejemplo, los factores que surgen de la influencia social en oposición a aquellos que están enraízados en el material mismo del desarrollo científico). No es de sorprender entonces, que el debate jamás haya sido resuelto, porque depende por entero de la dicotomía artificial mente-cuerpo de la era moderna. Como lo discutiremos en el Capítulo 3, esta escisión no fue experimentada por la sociedad pre-moderna. Una vez que se reconoce la dicotomía por lo que es, el argumento "externalista-internalista" se esfuma.

Para algunos de los ensayos más clásicos sobre el tema, consúltense las siguientes antologías: Hugh F. Kearney, ed., *Origins of the Scientific Revolution* (London: Longmans, Green, 1964); George Basalla, ed., *The Rise of Modern Science* (Lexington, Mass.: D.C. Heath, 1968); Leonard M. Marsak, ed., *The Rise of Science in Relation to Society* (New York: Macmillan, 1964).

[4]E.A. Burtt, *The Metaphysical Foundations of Modern Science*, 2ª ed. (Garden City, N.Y.: Doubleday, 1932).

[5]John Donne, "An Anatomie of the World: The First Anniversary", en *Donne*, ed. Richard Wilbur (New York: Dell, 1962), pp. 112-13 (reimpreso con el permiso de Oxford University Press). Pascal está citado en el original ("Les silences des espaces éternels m'effrayent") en el libro de W.P.D. Wightman, *Science in a Renaissance Society* (London: Hutchinson University Library, 1972), p. 174.

[6]Como es de esperar, la literatura sobre el feudalismo, la Revolución Comercial y la

transición al capitalismo es tan vasta que desafía cualquier intento de hacer una bibliografía. Para las descripciones de estos procesos he utilizado las siguientes obras: Fernand Braudel, *The Mediterranean and the Mediterranean World in the Age of Philip* II, vol. 2, trad. Siân Reynolds (New York: Harper & Row, 1972) (*El Mediterráneo y el Mundo Mediterráneo en la Epoca de Felipe* II. II 2 ed. tr. 2 tomos. México: FCE, 1976); Pierre Jeanin, *Merchants of the 16th Century*, trad. Paul Fittingoff (New York: Harper & Row, 1972); Carlo M. Cipolla, *Before the Industrial Revolution*; Immanuel Wallerstein, *The Modern World-System* (New York: Academic Press, 1975) (*El Moderno Sistema Mundial*, trad. Antonio Resines. Siglo XXI de España Editores, 1979); y J.U. Nef, *Industry and Goverment in France and England, 1540-1640* (Philadelphia: American Philosophical Society, 1940).

[7]Alfred von Martin, *Sociology of the Renaissance* (New York: Harper Torchbooks, 1963; edición original alemana de 1932), pp. 14, 21; éstos y subsiguientes extractos reimpresos con permiso del editor; (*Sociología del Renacimiento*, trad. Manuel Pedroso. Fondo de Cultura Económica DE. 1981). La transición del número sagrado al secular (por ejemplo, de la cábala a la contabilidad) fue parte de este proceso general, y será analizada brevemente en el Capítulo 3.

[8]Ibíd., p. 40.

[9]Mircea Eliade, *The Myth of the Eternal Return*; o, *Cosmos and History*, trad. William R. Trask (Princeton University Press, 1971; de la edición francesa original de 1949) (*El Mito del Eterno Retorno*, trad. Ricardo Araya. Alianza Editorial S.A., 1984, 5ª ed.), y von "...Martin, *Sociología del Renacimiento (Sociology of the Renaissance*, p. 16)".

El lector debiera notar que el tiempo lineal era experiencialmente ajeno, pero no oficialmente ajeno a la mente medieval. El tiempo Oficial Cristiano de la Edad Media era lineal, se creía que había un momento en particular en que el mundo había sido creado y que ahora iba en dirección a la Segunda Venida (que era, sin embargo, una re-creación). De igual manera, cada individuo se estaba moviendo desde su nacimiento hasta su muerte e (idealmente) a la salvación. En la medida que la cultura cristiana adoptó el andamiaje, por así decir, de la escatología judía, entonces, sí pensó en términos lineales. Sin embargo, Eliade y von Martin no se están refiriendo a concepciones del tiempo bíblico u oficiales, sino que al tiempo como era experimentado en el acontecer diario de la vida. Lo que se *sentía* era de hecho cíclico: el sol se levanta y se pone, las estaciones se suceden año a año, a la siembra le sigue la cosecha, e incluso los feriados religiosos puede darse por seguro que volverán a ocurrir fielmente todos los años. Seguramente hay varios modos de pensamiento acerca del tiempo en la Edad Media, pero creo que Eliade y von Martin han captado el modo dominante de conciencia.

[10]Lynn White, Jr., *Medieval Technology and Social Change* (London: Oxford University Press, 1964), p. 125; (*Tecnología Medieval y Cambio Social*, trad. Ernesto Córdoba Palacios. Paidós Ibérica, S.A., 1984).

[11]Para literatura sobre el académico y el artesano véase la nota 3 de este capítulo. Son especialmente relevantes los artículos escritos por A.R. Hall y E. Zilsel en Kearney, *Origins of the Scientific Revolution*, pp. 67-99, y Paolo Rossi, *Philosophy, Technology and the Arts in the Early Modern Era*, trad. Salvator Attanasio (New York: Harper Torchbooks, 1970).

La discusión de más abajo generalmente se aplica al artesano de clase media, o al artesano maestro, en lugar de al artesano de nivel inferior. El primero, como el ingeniero militar, había tenido alguna educación no-vocacional, mientras que el último generalmente no. Ya por 1600 había divisiones de clases entre los aprendices, los jornaleros y los artesanos maestros.

[12]Frase que se estaba haciendo popular a fines del siglo XVI. William Gilbert la parafraseó en el Prefacio de su libro *De Magnete* (On the Magnet) de 1600.

[13]Rossi, *Philosophy, Technology and the Arts*, pp. 30-31.

[14]Ibíd., p. 42.

[15]Ibíd., p. 112. La reseña sobre Galileo, Tartaglia y la fusión académico-artesana que es dada más abajo está basada en las siguientes fuentes: Ludovico Geymonat, *Galileo*

Notas

Galilei, trad. Stillman Drake (New York: McGraw-Hill, 1965) (*Galileo Galilei*, trad. Y.R. Capella. Edicions 62 S.A.); Galileo Galilei, *Dialogues Concerning Two New Sciences*, trad. Henry Crew y Alfonso de Salvio (New York: Macmillan, 1914) (*Galileo Galilei, Diálogo Sobre los Sistemas Máximos*. Jornada 3. Trad. José Manuel Revuelta. Aguilar Argentina S.A. De Edi, 1977); Gerald Holton y Duane Roller, *Foundations of Modern Physical Science* (Reading, Mass.: Addison-Wesley, 1958) (*Fundamentos de la Física Moderna*, trad. F. Sancho Rebullida. Reverte, S.A., 1972, 2ª ed.); Stillman Drake y James MacLachlan, "Galileo's Discovery of the Parabolic Trajectory", *Scientific American* 232 (marzo de 1975), 102-10; Edgard Zilsel, "The Sociological Roots of Science", en Kearney, *Origins of the Scientific Revolution*, pp. 86-99; Stillman Drake e I.E. Drabkin, trad. y eds., *Mechanics in the Sixteenth-Century Italy* (Madison: University of Wisconsin Press, 1969); A.R. Hall, *Ballistics in the Seventeenth Century* (Cambridge: Cambridge University Press, 1952); Stillman Drake, "Galileo and the First Mechanical Computing Device", *Scientific American* 234 (abril de 1976), 104-13.

[16]Galileo Galilei, *Dialogues Concerning Two New Sciences*, p. 1, reimpreso con permiso de Dover Publications, Inc.

[17]Esto fue la evaluación de Imre Lakatos sobre la visión de T.S. Kuhn de las revoluciones científicas. Véase Imre Lakatos y Alan Musgrave, eds., *Criticism and the Growth of Knowledge* (Cambridge: Cambridge University Press, 1970), p. 178.

CAPÍTULO 3. *El Desencantamiento del Mundo (1)*

[1]Una serie de académicos incluyendo a T.S. Kuhn, Claude Lévi-Strauss, Michael Foucault, Roland Barthes, y a miembros de la Escuela de Frankfurt (véase la Introducción, nota 6) han reconocido la falacia de este progreso de la teoría de la historia intelectual, pero el marco epistemológico que representan apenas si ha hecho una marca en gran parte del pensamiento sobre el tema. La visión "asintótica" del conocimiento científico aún es corriente, e invade los medios de comunicación, las universidades, y todas las otras instituciones de la cultura occidental. Este punto de vista fue tal vez deificado por C.P. Snow en su novela, *The Search* (New York: Scribner's, 1958).

[2]El estudio del Judaísmo no-rabínico ha sido la obra de Gershom Scholem (*Major Trends in Jewish Mysticism, On the Kabbalah and Its Symbolism* [*La Cábala y su Simbolismo*, trad. José Antonio Pardo. Siglo XXI de España Editores, 1979, 2ª ed.]). El gnosticismo del Judaísmo en la antigüedad ha sido explorado por Erwin Goodenough, *Jewish Symbols in the Greco-Roman Period*, vols. 7-8, *Pagan Symbols in Judaism* (New York: Pantheon Books, 1958), y por Michael E. Stone, "Judaism at the Time of Christ", *Scientific American* 228 (enero de 1973), 80-87.

[3]Owen Barfield, *Saving the Appearances* (New York: Harcourt, Brace & World, 1965), esp. capít. 16.

[4]Julian Jaynes, *The Origin of Consciousness in the Breakdown of the Bicameral Mind* (Boston: Houghton Mifflin, 1976), libro 1, capít. 3, y libro 2, capít. 5; y Friedrich Nietzsche, *The Birth of Tragedy*, trad. Francis Golffing (Garden City: Doubleday Anchor, 1956), esp. pp. 84, 107-8, (*El Nacimiento de la Tragedia*, trad. Andrés Sánchez Pascual. Alianza Editorial S.A., 1981, 6ª ed.). Bennett Simon tiene una excelente discusión sobre las mentalidades homéricas y post-homéricas en su libro *Mind and Madness in Ancient Greece* (Ithaca, N.Y.: Cornell University Press, 1978), (*Razón y Locura en la Antigua Grecia*. Madrid: AKAL).

[5]La siguiente discusión de la conciencia griega está tomada de E.A. Havelock, *Preface to Plato* (Cambridge: Harvard University Press, Belknap Press, 1963), pp. 25-27, 45-47, 150-58, 190, 199-207, 219, 238-39, 261. John H. Finley, Jr., desarrolla la misma línea de pensamiento en su hermoso ensayo, *Four Stages of Greek Thought* (Stanford: Stanford University Press, 1966). Cf. también Simon, *Razón y Locura en la Antigua Grecia*.

[6]A pesar de que el análisis que hace Robert Pirsig sobre la historia intelectual griega

puede tener fallas en varios puntos, sin saber del descubrimiento de Nietzsche acerca de la realidad de la conciencia participativa, la redescubrió para sí mismo en su estudio autobiográfico de la filosofía griega y, como Nietzsche, también terminó loco (*Zen and the Art of Motorcycle Maintenance* [New York: William Morrow, 1974]), (*Zen y el Arte del Mantenimiento de la Motocicleta*, trad. Esteban Riambau. Noguer S.A., 1978). El mismo tema se repite en la historia de Doris Lessing acerca de un tal Charles Watkins, un profesor de griego y latín, en su brillante novela *Briefing for a Descent Into Hell* (New York: Knopf, 1971) (*Instrucciones para un Viaje al Infierno*, trad. Manuel Villar. Seix Barral S.A., 1974), en donde Watkins se vuelve loco debido a sus introvisiones y (como Pirsig) es devuelto a la conciencia no participativa por medio de la terapia electroconvulsiva (electroshock).

El ideal psicológico de Platón tal vez se describe mejor en el Libro IV de su *República*, párrafos 440-443; véase especialmente el 443e. Para Platón este ideal es equivalente a aquel del hombre justo, y también (véase párrafo 444) al del hombre sano.

[7]Owen Barfield, *Saving the Appearances*, pp. 79-80; Robert Ornstein, *The Psychology of Consciousness* (Baltimore: Penguin Books, 1975), pp. 138, 183.

[8]La discusión de abajo sigue aquella dada por Michel Foucault en *The Order of Things* (New York: Vintage Books, 1973; edición original francesa de 1966), capít. 2, (*El Orden del Discurso*, trad. Alberto González Troyano. Tusquets Editor, 1984, 3ª ed.).

[9]El primer libro de la obra de Agrippa ha sido traducido al inglés como *The Philosophy of Natural Magic*, ed. L.W. de Laurence (Mokelumne Hill, California: Health Research, Box 70, Mokelumne Hill, California 95245).

[10]Cf. la semejanza entre las palabras francesas *aimant* (imán) y *amant(e)* (amante).

[11]Este tema es elaborado en el libro de Keith Thomas, *Religion and the Decline of Magic* (Harmondsworth: Penguin Books, 1973), y en el de D.P. Walker, *Spiritual and Demonic Magic from Ficino to Campanella* (London: The Warburg Institute, 1958).

[12]Sobre gran parte de lo que sigue véase Foucault, *The Order of Things (El Orden del Discurso)*, capít. 3. Parte I de Don Quijote de la Mancha aparecido en 1605.

[13]Owen Barfield, *Saving the Appearances*, pp. 32n, 42. Gran parte del argumento dado abajo sigue el análisis desarrollado en esta obra.

[14]Dicho de esta manera, como la posición de "sentido-común" de que los fenómenos son enteramente independientes de la conciencia y que siempre lo han sido, parece ser tan estúpida que no merece más comentarios. Sin embargo, *es* la posición de sentido-común, como también la premisa básica de toda la historia intelectual o la historia de la conciencia. El estudio de Jaynes acerca de la conciencia humana (véase nota 4 de este capítulo) se basa tan firmemente en esta premisa que en último término se ve forzado a condenar toda forma de conocimiento participativo (poesía, música, arte) como delirante y atavístico, y hacerse campeón del intelecto alienado como la única forma confiable de conocer (a pesar de que llega a cuestionar esa forma, incluso a su propia obra, al final del libro). El ideal platónico es así llevado entonces a sus sicóticas conclusiones extremas. Yo quisiera agregar que a pesar de mi crítica de este ideal científico, estoy completamente de acuerdo con Barfield de que un retorno a la participación original en este momento de la historia humana no es ni posible ni deseable.

[15]De su libro *De Vanitate*, y citado por Carl Jung en *The Collected Works of C.G. Jung* (en adelante *OC*), trad. R.F.C. Hull, 2ª ed. (Princeton: Princeton University Press, 1961-79) vol. 14, p. 35. Véase también Wolf Dieter Müller-Jahncke, "The Attitude of Agrippa von Nettesheim (1486-1535) Towards Alchemy", *Ambix* 22 (1975), 134-50. Especialmente en Inglaterra, la alquimia era muchas veces vista como un juego de mafia, y la búsqueda alquímica como semejante a la fiebre de los juegos de azar. Chaucer la ridiculizó en el "Canon Yeoman's Tale" como una pérdida de tiempo y dinero.

[16]Jung, *OC* 12, pto. 2. Véase también la excelente colección en S.K. De Rola, *Alchemy: The Secret Art* (New York: Avon Books, 1973).

[17]Mi descripción de la obra de Jung en este capítulo se basa en su *OC*, 12, 14, 15, y *Memories, Dreams, Reflections*, ed. Aniela Jaffé, trad. Richard and Clara Winston, ed. rev.

Notas

(New York: Vintage Books, 1965) (*Recuerdos, Sueños, Pensamientos*, trad. M. Rosa Borras. Seix Barral S.A., 1982, 3ª ed.); Anthony Storr, *Jung* (London: Fontana, 1973); Harold Stone, Prólogo de Dora M. Kalff, *Sandplay* (San Francisco: Browser Press, 1971); y B.J.T. Dobbs, *The Foundations of Newton's Alchemy* (Cambridge: Cambridge University Press, 1975), pp. 26-34.

Irónicamente la palabra "gibberish", que nosotros hemos traducido como jerigonza, fue aplicada primeramente al lenguaje de la alquimia por afuerinos, y proviene de Geber, el nombre de un escritor sobre el tema, italiano o catalán del siglo XIII, que a su vez tomó su nombre del alquimista árabe del siglo VIII Jâbir ibn Hayyân.

[18]Estoy siguiendo la terminología utilizada por N.O. Brown en *Life Against Death* (Middletown, Conn.: Wesleyan University Press, 1970. Para una interesante discusión sobre el lenguaje de los sueños, véase Ann Faraday, *The Dream Game* (New York: Perennial Library, 1976), pp. 54-57.

[19]*OC* 12, pto. 2.

[20]Brown, *Life Against Death*, p. 316.

[21]Desde luego que la barbarie apenas si es una prerrogativa del hombre moderno, a pesar de que posiblemente su escala sí lo es. Jung probablemente habría argumentado que la creación de una tecnología necesaria para efectuar el genocidio de los tiempos modernos era en sí misma parte de la represión psíquica.

[22]"Sol et eius umbra perficiunt opus", de una obra de 1618, citado por Dobbs en su estudio de Newton, p. 31 y n.

[23]La experiencia tiene una alegoría en "The Fisherman and the Genie" ("El Pescador y el Genio") de *Las mil y una Noches* en donde el genio, una vez que ha salido de la botella, amenaza con matar al pescador y no es fácilmente persuadido a volver de donde provino. Naturalmente, la versión occidental de esto tiene que ver con la tecnología, y es captado en la novela gótica de Mary Wollstonecraft Shelley, *Frankenstein*.

[24]De hecho, este es un correlato incorrecto. La sicosis es el intento de *salvar* al alma; es únicamente a partir del punto de vista de la psiquiatría clínica occidental que se la considera como puramente negativa. Véase las páginas finales del Capítulo 4.

[25]R.D. Laing, *The Politics of Experience* (New York: Ballantine Books, 1968), (*La Política de la Experiencia*, trad. Silvia Furió. Críticas S.A., 1983, 3ª ed.).

[26]R.D. Laing, *The Divided Self (El Yo Dividido)*, (Harmondsworth, Penguin Books, 1965; orig. public. en 1959), pp. 200, 204-5.

[27]Mircea Eliade, *The Forge and the Crucible*, trad. Stephen Corrin (New York: Harper Torchbooks, 1971; edición orig. francesa de 1956), pp. 7-9, 30-33, 42, 54-57, 101-2, (*Herreros y Alquimistas* (il), trad. Manuel Pérez Ledesma (Ed.). Alianza Editorial S.A., 1982, 2ª ed.).

[28]Titus Burckhardt, *Alchemy*, trad. William Stoddart (Baltimore: Penguin Books, 1971; edición original alemana de 1960), p. 25, (*Alquimia*, trad. Ana María de la Fuente. Plaza Janes S.A., 1976). La discusión de los procedimientos alquímicos está tomada de este libro.

[29]De acuerdo a Frank Manuel, *A Portrait of Isaac Newton* (Cambridge: Harvard University Press, Belknap Press, 1968), p. 171, había en total doce procedimientos básicos, que él enumera (siguiendo el sistema de Sir George Ripley, 1591) como: calcinación, disolución, separación, conjunción, putrefacción, congelación, cibación, sublimación, fermentación, exaltación, multiplicación, y proyección. El estado de avance del trabajo era registrado mediante los distintos colores que se producían en el recipiente, una especie de índice con obvias raíces metalúrgicas. El "descenso al caos" de la solución inicial se caracterizaba por un ennegrecimiento, o *nigredo*, seguido por un blanqueamiento, o *albedo*, y finalmente terminaba (si todo marchaba bien) con un enrojecimiento, o *rubedo*. Pero también había una serie de colores intermedios, y de ahí que el término *cauda pavonis*, o cola de pavo real, sea empleado frecuentemente en los textos. El mercurio producía un ennegrecimiento; el azufre, un enrojecimiento.

[30]Una de las mejores descripciones del modelo alquímico de la personalidad humana,

aunque no se refiere precisamente a la alquimia, es la comiquísima novela de Luke Rhinehart, *The Dice Man* (London: Talmy, Franklin Ltd., 1971). La interpretación religiosa y psicoanalítica puede encontrarse en diversas fuentes, pero he escogido parafrasear la interpretación suministrada por James Hillman en una charla dada en San Francisco el 11 de diciembre de 1976. Hillman es editor de *Spring* y autor de varios trabajos sobre psicología jungiana. También en la brillante novela de Herman Hesse, *El Lobo Estepario* puede encontrarse un análisis semejante de la naturaleza de la personalidad.

La cita de Laing está en la p. 190 de *The Politics of Experience and the Bird of Paradise* (Penguin Books, 1967). Este libro, junto con *El Yo Dividido*, es una obra profundamente alquímica.

[31]Sobre la obra de Perry, véase su libro, *The Far Side of Madness* (Englewood Cliffs, N.J.: Prentice-Hall, 1974). El paralelo que puede hacerse entre la locura y la alquimia, y el pensamiento pre-moderno en general, es analizado brevemente al final del Capítulo 4 de la presente obra.

[32]F. Sherwood Taylor, *The Alchemist* (New York: Henry Schuman, 1949), pp. 179-89 (*La Alquimia y los Alquimistas*, trad. Luis Solano Costa. AHR, 1976). El testimonio de Spinoza se puede ver en una carta que él escribió a Jarrig Jellis en marzo de 1667, reimpreso en su *Posthumous Works.*

[33]Sobre la alquimia como la clave de la naturaleza véase los distintos autores citados por A.G. Debus en "Renaissance Chemistry and the Work of Robert Fludd", *Ambix* 14 (1967), 42-59. Agrippa analizó las relaciones entre la alquimia y los procesos de diversos oficios (véase el artículo de Müller-Jahncke citado en la nota 15 de este capít.); y su relación con la minería, la metalurgia, y la alfarería es analizada in extenso por Eliade en *Herreros y Alquimistas*. La relación entre la alquimia y la medicina es el tópico de una vasta literatura, y ha sido explorada en la obra de Paracelso y sus seguidores por Allen Debus y Walter Pagel. Finalmente, la alquimia como una forma de yoga ha sido analizada por Eliade, Jung, y una serie de otros escritores. Son de particular interés el libro de Burckhardt, *Alquimia*, y el trabajo de Maurice Aniane, "Notes sur l'alchimie, 'Yoga' cosmologique de la chrétienté médiévale", en Jacques Masui, ed., *Yoga, science de l'homme intégral* (Paris: Cahiers du Sud, 1953), pp. 243-73.

[34]Chinua Achebe, *Things Fall Apart* (New York: Fawcet World Library, 1959). Los primeros tres libros de la tetralogía de Castaneda, *Las Enseñanzas de Don Juan, Una Realidad Aparte* y *Viaje a Ixtlán*, tratan con la visión animística del mundo vista desde adentro. El cuarto, *Relatos de Poder*, indica la epistemología de la hechicería con extremo detalle.

[35]Reimpreso con permiso de G.P. Putnam's Sons de *Seeing Castaneda*, editado por Daniel Noel, p. 53. Copyright © 1976 por Daniel Noel.

[36]Philip Wheelwright, ed., *The Presocratics* (New York: The Odyssey Press, 1966), p. 52.

[37]Taylor, *La Alquimia y los Alquimistas (The Alchemist*, pp. 233-34.

[38]Para una discusión sobre la alquimia de Newton, véase Capítulo 4. Entre los historiadores de la ciencia ha surgido una especie de industria casera con respecto a Newton como alquimista, y a esta altura ya hay bastante literatura al respecto. El lector interesado podrá consultar cualquiera de las siguientes obras: Frank Manuel, *A Portrait of Isaac Newton*; J.E. McGuire y P.M. Rattansi, "Newton and the 'Pipes of Pan'", *Notes and Records of the Royal Society of London* 21 (1966), 108-43; Betty Dobbs, *The Foundations of Newton's Alchemy*; R.S. Westfall, "The Role of Alchemy in Newton's Career", en M.L. Bonelli y W.R. Shea, eds., *Reason, Experiment, and Mysticism in the Scientific Revolution* (New York: Science History Publications, 1975), p. 189-232, y también su "Newton and the Hermetic Tradition", en A.G. Debus, ed., *Science, Medicine and Society in the Renaissance*, 2 vols. (New York: Neale Watson, 1972), 2, 183-98; P.M. Rattansi, "Newton's Alchemical Studies", en el volumen de Debus, pp. 167-98; y el notable ensayo de David Kubrin, "Newton's Inside Out! Magic, Class Struggle, and the Rise of Mechanism in the

Notas

West", en Harry Woolf, ed., *The Analytic Spirit* (Ithaca, N.Y.: Cornell University Press, 1981).

Christopher Hill proporciona una brillante discusión de las ideas radicales del siglo XVII, incluyendo las de las ciencias ocultas, en su libro *The World Turned Upside Down* (New York: Viking, 1972), (*El Mundo Transtornado. El ideario popular extremista en la revolución.*, trad. M. Carmen Ruiz de Elvira. Siglo XXI de España Editores, 1983).

[39]Más aún, todavía existe una práctica alquímica subterránea que sobrevive. Véase Jacques Sadoul, *Alchemists and Gold* (London: Neville Spearman, 1972) (*El Tesoro de los Alquimistas*, trad. Manuel Vásquez. Plaza Janes S.A., 1976), y Armand Barbault, *Gold of a Thousand Mornings*, trad. Robin Campbell (London: Neville Spearman, 1975).

[40]Ambas citas de Magritte pueden encontrarse en la Introducción de Eddie Wolfran a David Larkin, ed., *Magritte* (New York: Ballantine Books, 1972). La unión entre la alquimia y el surrealismo es mencionada brevemente por E.R. Chamberlin en *Everyday Life in Renaissance Times* (New York: Capricorn Books, 1965), p. 175.

[41]Véase Walker, *Spiritual and Demonic Magic*.

[42]Eliade, *Herreros y Alquimistas (Forge and Crucible*, pp. 172-73). Cf. Brown, *Life Against Death*, p. 258.

[43]Paolo Rossi, *Philosophy, Technology and the Arts in the Early Modern Era*, trad. Salvador Attanasio (New York: Harper Torchbooks, 1970; edic. orig. italiana, 1962), p. 28. La idea de que el Hermeticismo fue un factor preponderante en el surgimiento del método experimental ahora es aceptada por muchos historiadores. Además de Rossi, varios de los autores citados en la nota 38 hablan en estos términos, lo mismo hace Eliade en *Herreros y Alquimistas*, Frances A. Yates en *Giordano Bruno y la Tradición Hermética* (New York: Vintage Books, 1969) y Christopher Hill en *Intellectual Origins of the English Revolution* (London: Panther Books, 1972; publ. orig., 1965). Véase también la Introducción en A.G. Debus, ed., John Dee, *The Mathematicall Preface to the Elements of Geometrie of Euclid of Megara*, 1570 (New York: Science History Publications, 1975).

Sin embargo, Robert S. Westman ha cuestionado seriamente esa tesis, y J.E. McGuire se ha distanciado significativamente de su primera posición, en ensayos publicados bajo el título de *Hermeticism and the Scientific Revolution* (Los Angeles: Williams Andrews Clark Memorial Library, 1977).

[44]Keith Thomas, *Religion and the Decline of Magic*.

[45]Yates, *Giordano Bruno (Giordano Bruno y la Tradición Hermética)*, p. 99.

[46]*Elim* también era una alusión al nombre de un lugar bíblico, mencionado en el Exodo 15:27 y 16:1. Para un bosquejo biográfico de Delmedigo véase la *Encyclopaedia Judaica*, 5 (1972), 1478-82. La ilustración de Fludd aparece en el segundo volumen de su libro, *Utriusque cosmi maioris scilicet et minoris metaphysica, physica atque technica historia, in duo secundum cosmi differentiaum divisa*.

[47]Rossi, *Philosophy, Technology and the Arts*, p. 149.

[48]Sobre Dee véase Peter J. French, *John Dee* (London: Routledge & Kegan Paul, 1972), y el trabajo de Debus citado arriba, nota 43. Sobre Campanella véase Yates, *Giordano Bruno y la Tradición Hermética*, pássim. El "borroneamiento" de la magia y la tecnología puede verse en *Filosofía Oculta* (Buenos Aires: Kier), (*De Occulta Philosophia*).

[49]Citado en Hill, *Intellectual Origins (Los Orígenes Intelectuales de la Revolución Inglesa)*, p. 149.

[50]Sobre la astrología de Ficino, y la reacción de Bacon, véase Walker, *Spiritual and Demonic Magic*.

[51]Erwin F. Lange, "Alchemy and the Sixteenth Century Metallurgists", *Ambix* 13 (1966), 92-95. Aparentemente el primero de esta tradición, el *Bergbüchlein* de 1505 contenía una mezcla por igual de alquimia y metalurgia (véase la discusión en Eliade, *Forge and Crucible* [*Herreros y Alquimistas*], pp. 47-49). La obra de Biringuccio de tan sólo treinta y cinco años más tarde denunció a la alquimia, a pesar de que de acuerdo a Rossi, *Philosophy, Technology and the Arts*, p. 52n, no estaba seguro acerca de su propia opinión

sobre el tema. La primera edición de Agricola apareció (sin ilustraciones) en 1546, y él definitivamente no tenía ninguna confusión acerca de su actitud hacia la alquimia.

[52]Citado en Rossi, *Philosophy, Technology and the Arts*, p. 71.

[53]Ibíd., pp. 43-55, y el Prefacio de *De Re Metallica*, trad. Herbert Clark Hoover y Lou Henry Hoover (New York: Dover Publications, 1950; trad. orig. inglesa de 1912).

[54]Thomas, *Religion and the Decline of Magic*, capít. 2.

[55]La siguiente discusión está basada en Jung, *CW* 12 y 14.

[56]Dobbs, *Foundations of Newton's Alchemy*, pp. 34-36.

[57]El símbolo usual utilizado para Cristo de esta manera era el unicornio, y esto puede verse, por ejemplo, en los tapices del famoso ciclo del unicornio que se exhiben en el Cloisters de Manhattan.

[58]La discusión que sigue está basada en las siguientes fuentes: Richard H. Popkin, "Father Mersenne's War Against Pyrrhonism", *The Modern Schoolman* 24 (1957), 61-78; A.R. Hall, *The Scientific Revolution* (Boston: Beacon Press, 1956), pp. 196-97; Robert H. Kargon, *Atomism in England from Hariot to Newton* (Oxford: Clarendon Press, 1966); Michael Maier, *Laws of the Fraternity of the Rosie Cross* (Los Angeles: The Philosophical Research Society, 1976, de la edición inglesa de 1656; edición orig. en latín de 1618); A.G. Debus, "Renaissance Alchemy and the Work of Robert Fludd", *The English Paracelsians* (London: Oldbourne Book Co., 1965), y "The Chemical Debates of the Seventeenth Century: The Reaction to Robert Fludd and Jean Baptiste van Helmont", en M.L.R. Bonelli y W.R. Shea, *Reason, Experiment, and Mysticism*, pp. 19-47; y Dobbs, *The Foundations of Newton's Alchemy*, pp. 53-63. También son útiles Robert Lenoble, *Mersenne ou la naissance du mécanisme* (Paris: Librairie Philosophique J. Vrin, 1943), y Francis A. Yates, *Iluminismo Rosacruz* (México: FCE, 1981), (*The Rosicrucian Enlightment* [London: Routledge & Kegan Paul, 1972]).

El intento francés de establecer una filosofía estable del mundo basada en el mecanicismo, y directamente opuesta a los principios dialécticos del Hermeticismo, se produjo en el contexto de un absolutismo político creciente y rebeliones campesinas, estas últimas particularmente frecuentes entre 1623 y 1648. Este tema es explorado por Carolyn Merchant en *The Death of Nature* (New York Harper & Row, 1980), capít. 8, y le estoy muy agradecido por permitirme leer la versión manuscrita de esta parte de su obra. Mi propia discusión trata fundamentalmente con los aspectos religiosos del ataque al Hermeticismo, pero el lector debiera estar consciente de que los asuntos de la Iglesia no estaban separados de los asuntos del Estado en las mentes de los protagonistas. Por lo tanto, mi propia discusión sigue necesariamente la línea de razonamiento desarrollado por la Profesora Merchant.

[59]En el contexto de la época, como lo indica Robert Kargon en su libro *Atomism in England*, había diferencias significativas entre los distintos atomistas y corpuscularios. La idea de Gassendi era que el movimiento era algo esencial a la materia, infundido en ella por Dios en la creación. Por lo tanto, su sistema se basaba en el enfoque del antiguo atomista Epicuro, pero lo suficientemente cristianizado como para ser aceptado. Sin embargo, desde el punto de vista de fines del siglo XVII y después, Descartes, Hobbes y Gassendi todos habían formulado una física de impacto.

[60]Sin embargo, un debate más racional que el ataque a la alquimia fue el que se produjo entre Fludd y Johannes Kepler, que también debilitó públicamente a la alquimia y ayudó a establecer la distinción hecho-valor. Sin embargo, no creo que este debate, que ocurrió justo antes del ataque de Mersenne y Gassendi, pueda ser visto alejado del surgimiento de la tradición tecnológica y los desarrollos religiosos descritos arriba. Ciertamente Kepler estaba (a pesar de su propio Hermeticismo muy extenso) argumentando en favor de una visión del cosmos más bien empírica que alegórica; pero las "condiciones que permitieron que tal sistema fuera pensado" (como lo dice Foucault) estaban en la escisión esotérica-exotérica que se había estado construyendo durante más de un siglo antes de que ocurriera el debate. Lo que nosotros llamamos empirismo, que

por definición es una exclusión de las causas ocultas, es precisamente el producto de los cambios descritos en este capítulo.

Una interesante discusión acerca del debate Kepler-Fludd puede encontrarse en W. Pauli, "The Influence of Archetypal Ideas on the Scientific Theories of Kepler", en C.G. Jung y W. Pauli, *Interpretación de la Naturaleza y la Psique* (trad. Haraldo Kahnemann. Paidós Ibérica, S.A., 1983), (*The Interpretation of Nature and the Psyche*, trad. Priscilla Silz [London: Routledge & Kegan Paul, 1955; pp. 151-240]).

[61]Thomas, *Religion and the Decline of Magic*, capít. 3.

[62]Ibíd., p. 130.

[63]Manuel, *Portrait of Isaac Newton*, pp. 59, 380.

[64]Hill, *World Turned Upside Down* (*El Mundo Transtornado. El Ideario Popular Extremista en la Revolución*), p. 262.

Capítulo 4. *El Desencantamiento del Mundo (2)*

[1]De hecho, el interés que tuvo Newton en la alquimia fue revelado luego después de su muerte, pero como se hace notar más abajo, en el contexto del racionalismo del siglo XVIII la prioridad fue de "aclararlo" de cualquiera de los "cargos" por haber sido un alquimista. L.T. More aparentemente olvidó, o no tuvo acceso a los manuscritos alquímicos y teológicos de Newton cuando escribió *Isaac Newton: A Biography* (London: Constable, 1934), y por lo tanto no tuvo que molestarse demasiado por integrar los aspectos racionales y místicos del hombre (una dicotomía que, espero demostrar, es espuria en todo momento).

[2]Citado en B.J.T. Dobbs, *The Foundations of Newton's Alchemy* (Cambridge: Cambridge University Press, 1975), pp. 13-14.

[3]Frank E. Manuel, *A Portrait of Isaac Newton* (Cambridge: Harvard University Press, Belknap Press, 1968). Para el estudio de Kubrin véase Harry Woolf, ed., *The Analytic Spirit* (Ithaca, N.Y.: Cornell University Press, 1981). Al ensayo de Kubrin se le da un tratamiento más pleno en una anterior obra suya, *How Sir Isaac Newton Helped Restore Law 'n' Order to the West* (publicada en forma particular, 1972), copias de la cual están en el depósito de la Biblioteca del Congreso.

[4]El siguiente bosquejo está tomado de Manuel, *Portrait of Isaac Newton*, pp. 23-67. El modelo que utiliza Manuel se basa en la obra de Erik Erikson, quien ve en todas las figuras cumbres de la época (sus propios estudios fueron de Luther y Gandhi) expresiones extremas de tendencias ya presentes en la población. Manuel pudo desarrollar bien este tema en el caso de Newton debido a la existencia de cuatro cuadernos de anotaciones de adolescente que reflejan la severa represión y depresión de la mentalidad puritana.

Sobre las reacciones de ansiedad véase N.O. Brown, *Life Against Death* (Middleton, Conn.: Wesleyan University Press, 1970; orig. publicado en 1959), esp. pp. 114 ff.; John Bowlby, *Separación Afectiva* (México: Paidós Mexicana), (*Separation* [New York: Basic Books, 1973]); y el trabajo pionero de Erikson, *Infancia y Sociedad* (México: Hormé), (*Childhood and Society*, 2ª ed., rev. y aumentada [New York: Norton, 1963]).

[5]Manuel, *Portrait of Isaac Newton*, p. 380.

[6]Géza Róheim, *Magia y Esquizofrenia*, trad. Gerardo Steenks. Paidós Ibérica, S.A. (1982), (*Magic and Schizophrenia* [Bloomington: Indiana University Press, 1970; orig. publ. en 1955]).

[7]D.P. Walker, *The Ancient Theology. Studies in Christian Platonism from the Fifteenth to the Eighteenth Century* (London: Gerald Duckworth, 1972).

[8]Citado por Rollo May en John Brockman, ed., *About Bateson* (New York: Dutton, 1977), p. 91. [9]Esto aparece en un importante tema del estudio de Betty Dobbs, *The Foundations of Newton's Alchemy*.

[10]Kubrin, "Newton's Inside Out!". La discusión que sigue se basa fundamentalmente

en este ensayo, y le estoy muy agradecido al Sr. Kubrin por haberme permitido leer la versión manuscrita. En el volumen sobre las publicaciones alquímicas véase también Keith Thomas, *Religion and the Decline of Magic* (Harmondsworth: Penguin Books, 1973), p. 270.

[11]Véanse obras tales como *The Century of Revolution, God's Englishman,* y especialmente *El Mundo Transtornado. El Ideario Popular Extremista en la Revolución.* Trad. M. Carmen Ruiz de Elvira. Siglo XXI de España Editores, 1983.

[12]Véase, por ejemplo, la revelación registrada por Ranter Abiezer Coppe, reimpresa en Norman Cohn, *En Pos del Milenio: Revolucionarios Milenaristas y Anarquistas Místicos de la Edad Media.* Madrid Alianza; (*The Pursuit of the Millennium* [London: Paladin, 1970; orig. publ. en 1957; pp. 319-30]). Cohn está visiblemente horrorizado por tal texto, claro que la actitud de uno depende de si uno está dentro o fuera de la experiencia.

[13]Thomas, *Religion and the Decline of Magic,* p. 322.

[14]Refiérase a las páginas finales del Capítulo 3. Nótese que estoy utilizando aquí el término "clase media" en el sentido marxista tradicional, es decir (en el caso inglés), para referirme a los intereses económicos y políticos opuestos al rey, no en el sentido sociológico moderno de identificación de grupo, estratificación socioeconómica, etc.

[15]Algunos de los ocultistas/líderes radicales incluyen a William Lilly, John Everard, Lawrence Clarkson, Nicholas Culpepper, Gerard Winstanley, William Dell, John Webster, John Allin y Thomas Tryon. Se pueden encontrar afirmaciones hechas por clérigos en P.M. Rattansi, "Paracelsus and the Puritan Revolution", *Ambix* 11 (1963), 24-32.

[16]Hill, *World Turned Upside Down* (*El Mundo Transtornado. El Ideario Popular Extremista en la Revolución*), pp. 144, 238, 287.

[17]Las citas de Newton aparecen en Kubrin, "Newton's Inside Out!". Para el lenguaje alquímico en Newton, véase H.S. Thayer, ed., *Newton's Philosophy of Nature* (New York: Hafner, 1953), pp. 49, 84-91, 164-65.

[18]R.S. Westfall, "The Role of Alchemy in Newton's Career", en M.L. Bonelli y W.R. Shea, eds., *Reason, Experiment, and Mysticism in the Scientific Revolution* (New York: Science History Publications, 1975), pp. 189-232.

[19]Véase *Chronology of Ancient Kingdoms Amended...* de Newton (London, 1728), esp. pp. 332-46, y *A Dissertation upon the Sacred Cubit of the Jews,* en John Greaves, *Miscellaneous Works...* (London, 1737), vol. 2.

[20]Acerca de esto véase también Margaret C. Jacob, *The Newtonians and the English Revolution, 1689-1720* (Ithaca, N.Y.: Cornell University Press, 1977).

[21]I.B. Cohen y Alexandre Koyré, "The Case of the Missing *Tanquam*: Leibniz, Newton, and Clarke", *Isis* 52 (1961), 555-67.

[22]Para una visión contemporánea de la tierra como algo que está vivo, véase Lewis Thomas, *Las Vidas de la Célula.* Trad. Jorge Blaquer. Ultramar Editores, S.A., 1977; (*The Lives of a Cell* [New York: Viking, 1974]).

[23]E.P. Thompson, *Formación Histórica de la Clase Obrera,* 3 tomos. Madrid: Laia; (*The Making of the English Working Class* [New York: Pantheon, 1964]) esp. capít. 11.

[24]Citado en Brown, *Life Against Death,* p. 108.

[25]El mismo endurecimiento de los rasgos puede ser visto en cuadros de un posterior presidente de la Royal Society, Humphry Davy, en las Ilustraciones 11 y 12 de mi *Social Change and Scientific Organization* (London and Ithaca, N.Y.: Heinemann Educational Books and Cornell University Press, 1978), y debieran ser comparadas con las Ilustraciones 24 y 25, que yuxtaponen retratos de Michael Faraday de joven y de viejo. Como lo discuto en esa obra, Faraday era un místico religioso y algo como un hermeticista de escritorio, por así decirlo, que creía que la materia era de naturaleza esencialmente espiritual. La fotografía de Faraday como un hombre anciano es notable por su naturaleza juvenil: la expresión suave y los ojos brillantes, casi luminosos.

[26]Citado en Hill, *El Mundo Transtornado...* (*World Turned Upside Down,* p. 287).

[27]David V. Erdman, ed., *The Poetry and the Prose of William Blake* (Garden City, N.Y.: Doubleday, 1965), p. 693.

[28]Milton Klonsky, *William Blake: The Seer and His Visions* (New York: Harmony Books, 1977), p. 62.

[29]Hill, *El Mundo Transtornado...* (*World Turned Upside Down*, p. 311).

[30]Ibíd., p.236.

[31]La siguiente discusión se basa (en parte) en R.D. Laing, *El Yo Dividido*. Trad. Francisco González Aramburo. Fondo de Cultura Económica; 1978, 5ª ed.; (*The Divided Self* [Harmondsworth: Penguin Books, 1965; publ. orig. 1959], esp. pp. 140-41, 148, 151, 179, 198).

Capítulo 5. *Prolegómenos a Cualquiera Metafísica Futura*

[1]El título de este capítulo fue tomado de un libro del mismo nombre publicado por Immanuel Kant en 1783, dos años después de la primera edición de su famosa obra *Crítica de la Razón Pura*. No soy kantiano y este capítulo no es un intento de hacer un análisis kantiano. Sin embargo, mi propia obra sí que intenta emular a Kant de las siguientes formas, y por esto creí que no había nada mejor que utilizar el título kantiano más apropiado a mis propios objetivos:

a) Kant trató de establecer lo que él creía eran los problemas centrales de la filosofía de su época, y de encontrar los principios que él esperaba serían válidos para todo el conocimiento humano.

b) Kant se dio cuenta de que cualquier metafísica del futuro deberá tener prolegómenos, es decir, algún tipo de prefacio que establezca cuáles podrían ser los criterios de una ciencia nueva.

c) Tal vez Kant fue el primer filósofo occidental del período moderno en reconocer que la mente no es simplemente bombardeada pasivamente por impresiones sensoriales, sino que realmente juega un rol en moldear lo que percibe.

[2]Citado en N.O. Brown, *Life Against Death* (Middleton, Conn.: Wesleyan University Press, 1970; orig. publ. en 1959), p. 315.

[3]Michael Polanyi, *Personal Knowledge*, ed. corregida (Chicago: University of Chicago Press, 1962); Owen Barfield, *Saving the Appearances* (New York: Harcourt, Brace & World, 1965).

[4]Polanyi, *Personal Knowledge*, p. 294.

[5]Debiera agregarse que en estas ilustraciones es probable que un observador vea ambas imágenes simultáneamente si él o ella está en un estado de onda cerebral meditativo o "alfa". Sin embargo, bajo condiciones normales el cerebro selecciona una de las dos.

[6]Véase Polanyi, *Personal Knowledge*, pp. 69-131, 249-61, y pássim; también véase pp. 49-65. El aspecto específico de la adquisición del lenguaje es discutido por Daniel Yankelovich y William Barret (basados en Noam Chomsky) en *Ego and Instinct* (New York: Vintage Books, 1971), pp. 338-92, y por Susanne Langer en *Philosophy in a New Key*, 3ª ed. (Cambridge: Harvard University Press, 1957), pp. 122-23, 122n.

[7]De la página 101 de *Personal Knowledge*, por Michael Polanyi, copyright © 1958, 1962; reimpreso con permiso de University Chicago Press.

[8]Ibíd., pp. 60-70, 88-90, 123, 162.

[9]La discusión que aparece a continuación está tomada de Barfield, *Saving the Appearances*, pp. 24-25, 32n, 40, 43, 81, y pássim. Lo que Barfield denomina "pensamiento alfa" (véase abajo) no debería ser confundido con la generación de ondas cerebrales alfa en estados alterados de conciencia (arriba, nota 5). El "pensamiento alfa" de Barfield es en realidad un tipo de "pensamiento beta", hablando en la jerga de recientes investigaciones del cerebro.

[10]Retener lo que ha sido llamado la "ilusión de la primera vez" es muy difícil una vez que uno se ha hecho diestro en una actividad. Es este sentido de asombro el que más envidian los adultos en los niños pequeños.

[11]Peter Achinstein, *Concepts of Science* (Baltimore: The Johns Hopkins University

Press, 1968), p. 164. El ejemplo de arriba sólo está tratado brevemente en este libro. Yo tuve la buena suerte de ser estudiante del Profesor Achinstein durante mis años de memorista, y he descrito el ejemplo dado en su libro en una versión mucho más completa, tal como él la proporcionó en la sala de clases.

El ejemplo favorito de Alan Watts sobre la confusión del mapa con el territorio era estar sentado en un restaurante comiéndose el menú en lugar de la cena, un acto que él vio como una metáfora de la sociedad moderna en general.

[12]Para el lego una de las mejores discusiones sobre el tema, y que no es fácil, es *The Strange Story of the Quantum*, de Banesh Hoffman, ed. revisada (Harmondsworth: Penguin Books, 1959). También pienso que son útiles para una mejor comprensión del tema *Einstein*, de Jeremy Bernstein (London: Fontana, 1973), y *Physics and Philosophy*, de Werner Heisenberg (New York: Harper Torchbooks, 1972).

Cuando yo afirmo que la institución científica pretende que la mecánica cuántica no existe, me estoy refiriendo a esto más bien en el sentido filosófico que en el sentido literal. No hay duda de que se reconoce a la mecánica cuántica como un área legítima de investigación, y un artículo recientemente aparecido en *Scientific American* escrito por Bernard d'Espagnat ("The Quantum Theory and Reality", 241 [noviembre de 1979], 158-81), no mide las palabras en relación a cuán epistemológicamente radical es el tema. Pero todos los científicos proceden con su trabajo virtualmente como si ellos fueran observadores imparciales, y la tradicional dicotomía sujeto/objeto está incluida en los planes y programas de estudio y en los textos de enseñanza de ciencias de todas las escuelas secundarias y en las universidades.

Parte del trabajo más avanzado, el cual utiliza la mecánica cuántica para crear una nueva metafísica científica, está siendo realizado por David Finkelstein de la Universidad de Yeshiva. Véase, por ejemplo, sus artículos sobre el "Space-Time Code" que aparecen en *Physical Review* 184 (25 de agosto de 1969), 1261-70; y *Physical Review D* 5 (15 de enero de 1972), 320-28 (15 de junio de 1972), 2922-31, y 9 (15 de abril de 1974), 2219-31. Finkelstein también tiene una interesante publicación sobre "Matter, Space and Logic" en *Boston Studies in the Philosophy of Science* 5 (1969), 199-215.

[13]Véase la introducción de Northrup en Heisenberg, *Physics and Philosophy*, pp. 6-10. Las citas de Heisenberg de abajo están tomadas de este libro, pp. 29, 41, 58. Véase también pp. 81, 130, 144.

De acuerdo con Norwood Russell Hanson, si uno fuera a sostener que las relaciones inestables no significa que los electrones realmente adolecen de una posición y un momentum simultáneos, uno esencialmente estaría sosteniendo que los electrones *están* en estados precisamente definidos pero que nosotros no podemos definirlos debido a la imperfección de las técnicas de investigación. Este valiente intento de salvar las clásicas nociones de la realidad no funciona. Como lo establece Hanson, esta posición "busca lo que ninguna teoría física puede esperar —un conocimiento de la naturaleza que trasciende a lo que nuestras mejores hipótesis y experimentos sugieren". Aquí se hace obvio el estrecho vínculo entre la epistemología y la ontología. Si no podemos conocer un objeto en el clásico sentido cartesiano, ¿cómo podemos sostener que está en conformidad con las clásicas nociones de la realidad? El sostener que éste debe concordar con las usuales relaciones sujeto/objeto convierte al paradigma cartesiano en una fe, no en una ciencia; que es lo que siempre fue.

Véase N.R. Hanson, "Quantum Mechanics, Philosophical Implications of", en Paul Edwards, ed., *The Encyclopedia of Philosophy* (New York: Macmillan, 1967), 7:44.

[14]Este necio intento de encontrar la última entidad material aún persiste. De aproximadamente las 200 partículas nucleares ahora reconocidas como existentes, el 90% de ellas han sido descubiertas en el período de post-guerra, sugiriendo que la realidad es más que nada una función del presupuesto nacional. Desde 1964, los físicos (atómicos) han postulado la existencia de los "quarks" (una palabra tomada de *Finnegans Wake*) para explicar estas partículas, pero su número se ha multiplicado hasta el punto que puede que pronto tengamos a un quark para explicar cada partícula. El asunto no terminó aquí:

para explicar los quark, se han sugerido las "variables ocultas". De hecho, no hay final para este proceso. Como Geoffrey Chew ha indicado, detectamos las partículas porque ellas interactúan con el observador, pero para que suceda esto ellas deben tener alguna estructura interna. Esto significa que en principio nunca podamos llegar a un objeto que no tenga una estructura interna, ya que una partícula verdaderamente elemental no podría estar sujeta a ninguna fuerza que nos permitiría detectar su existencia (si la encontramos por su peso, por ejemplo, entonces debe contener algo dentro de ella que produce un campo gravitacional). En base al modelo cartesiano estaremos persiguiendo a las "variables ocultas" hasta el fin de los tiempos. El desorden en la física moderna quedó embarazosamente de manifiesto en la reunión de 1978 de la Sociedad Física Americana en San Francisco, en la cual se hizo un llamado a un nuevo Einstein para que pusiera en orden las cosas. El aspecto "cul-de-sac" del cartesianismo se dejó ver en una acotación hecha por un físico de Berkeley, que a pesar de que nadie sabía lo que significaba la proliferación de partículas, al menos podríamos medirlas con gran precisión (!). A un nivel más inteligente, Werner Heisenberg en 1975 exigió darle un fin al concepto de la partícula elemental. La acotación de William Irwing Thompson de que una "partícula elemental es lo que se produce cuando uno construye un acelerador de partículas" no deja de ser relevante.

Véase Fritjof Capra, *The Tao of Physics* (Berkeley: Shambhala, 1975), pp. 273-74; "Scientist's Call for Another Einstein", *San Francisco Chronicle*, 24 de enero de 1978; "Monitor", *New Scientist*, 24 de julio de 1975, p. 196; y William Irwing Thompson, "Notes on an Emerging Planet", en Michael Katz et al., eds., *Earth's Answer* (New York: Harper & Row, 1977), p. 210.

[15]H. Forwald, *Mind, Matter and Gravitation* (New York: Parapsychology Foundation, 1969). Forwald, un ingeniero retirado e inventor, llevó a cabo estos experimentos durante un período de dos décadas.

[16]Por ejemplo, Capra, *The Tao of Physics*; Lawrence LeShan, *The Medium, the Mystic, and the Physicist* (New York: Ballantine Books, 1975; orig. publ. en 1966); Gary Zukav, *The Dancing Wu Li Masters* (New York: William Morrow, 1979).

[17]E.H. Walker, "Consciousness in the Quantum Theory of Measurement", *Journal for the Study of Consciousness* 5 (1972), Parte 1, Nº 1, p. 46; Parte 2, Nº 2, p. 257; "The Nature of Consciousness", *Mathematical Biosciences* 7 (1970), 175.

[18]Yankelovich y Barret, *Ego and Instinct*, p. 203.

[19]Gregory Bateson, *Pasos Hacia una Ecología de la Mente* (Buenos Aires: Lohlé), (*Steps to an Ecology of Mind* [London: Paladin, 1973; New York: Ballantine, 1972]. Las dos modalidades del darse cuenta humano son llamadas "tonal" y "nagual" en algunos libros sobre antropología, y se puede encontrar una excelente explicación de su relación en la segunda mitad de *Relatos de Poder*, de Carlos Castaneda (trad. Juan Tovar; Fondo de Cultura Económica, 1978, 5ª ed.). Como en el caso de la obra de Bateson, la de Castaneda proporciona un brillante modelo del conocimiento holístico. A diferencia de la obra de Bateson, se detiene en el momento en que el modelo es delineado.

[20]Este reconocimiento refleja perfectamente la osmosis *interna* que se produce en la conciencia holística entre la mente consciente y la inconsciente (núcleo y célula). En tal conciencia la barrera entre las dos modalidades se desintegra; ellas se interpenetran y se hacen más parecidas. Este proceso va acompañado de una alteración externa en la cual el Sí Mismo y el Otro no se distinguen tan claramente.

[21]Hanson, "Quantum Mechanics", p. 46.

[22]Gregory Bateson, "Estilo, Gracia e Información en el Arte Primitivo", en *Pasos Hacia una Ecología de la Mente*.

[23]Citado en Arthur Koestler, *Las Raíces del Azar* (trad. Rolando Hanglin. Kairos, S.A., 1974), (*The Roots of Coincidence* [New York: Random House, 1972], pp. 11-13).

[24]Peter Koestenbaum, *Managing Anxiety* (Englewood Cliffs, N.J.: Prentice-Hall, 1974), pp. 11-13.

[25]Brown, *Life Against Death*. pp. 94-5, 273-4. Tanto Freud como Reich también puntualizaron esto, al menos por medio de la analogía. Cf. Wilhelm Reich, *La Función del Orgasmo* (trad. Felipe Suárez. Paidós Ibérica, S.A., 1983, 2ª ed.), (*The Function of the Orgasm*, trad. Vincent R. Carfagno [New York: Pockets Books, 1975; ed. original alemana de 1972], pp. 33, 283).

[26]Barfield, *Saving the Appearances*, pp. 136, 144, 160.

[27]Todos los términos que hacen esta distinción entre interior y exterior, perpetuando así el dualismo mente/cuerpo, sujeto/objeto, deberían ser puestos entre comillas. En esta categoría yo incluiría frases tales como "fenómenos", "datos", "lo dado", etc. Necesitamos un nuevo vocabulario que refuerce el sentido ecológico de la realidad.

[28]No estoy sugiriendo, como Berkeley lo hizo, que los acontecimientos no existirían si nosotros estuviéramos ausentes, sino solamente que la naturaleza de lo que está sucediendo es de alguna forma dependiente de nuestra participación en los acontecimientos. Lo que ocurre en nuestra ausencia sería entonces irrelevante.

En lo que se refiere a la cosmología moderna, la última palabra, del Observatorio (Lick) de la Universidad de California, es que el universo de hecho se está colapsando. O más bien, aparentemente se extenderá por otros veinte mil millones de años, para luego colapsarse durante los próximos treinta mil millones de años después de eso. Una vez más, todo el asunto parece estar en resonancia con la sociología del conocimiento. En la medida que Europa comenzó a expandir sus horizontes geográficos y económicos, el universo pasó de ser completamente cerrado a infinitamente abierto. Ahora que el futuro de la ciencia, la tecnología, el progreso lineal, y la sociedad industrial ha llegado a ser bastante cuestionable, el cosmos ¡curiosamente ha comenzado a contraerse! Véase "New Evidence Backs A Collapsing Universe", *San Francisco Chronicle*, 30 de junio de 1978.

[29]Polanyi, *Personal Knowledge*, pp. 288-94. También se puede encontrar una descripción de la circularidad de la ciencia moderna en Max Marwick, "Is science a form of witchcraft?" *New Scientist*, 5 de septiembre de 1974, pp. 578-81.

[30]La sociología del conocimiento sí existía antes de los tiempos modernos, pero no en una forma seria o sistemática. Protágoras establece que "el hombre es la medida de todas las cosas", pero él se está refiriendo a lo que un individuo cree, no a una cultura, y no menciona las influencias sociales. Platón dice que las clases más bajas no pueden saber la verdad porque su trabajo distorsiona sus mentes y sus cuerpos; pero esta afirmación es más una sociología del error que un examen de las raíces sociales de una epistemología (aunque debe admitirse que la línea entre estas dos no está del todo clara). A pesar de que hay un tema subyacente en Platón de que las circunstancias sociales moldean al sujeto del conocimiento, éste es superado por la noción de la inmutabilidad de las Formas, y no está desarrollado como una crítica continua en cualquier acontecimiento. El sujeto no recibe atención rigurosa hasta la Iluminación, y la sociología del conocimiento no se constituye en una disciplina seria hasta la clásica formulación de Marx de la relación entre la existencia y la conciencia. (Sobre este punto véase Werner Stark, "Sociology of Knowledge", en Paul Edwards, ed., *The Encyclopedia of Philosophy*, 7: 475-78).

Sin embargo, las paradojas que la disciplina es capaz de generar eran conocidas desde el siglo v a. C. Así, la "Paradoja de Mannheim" es una versión del antiguo acertijo conocido como la "Paradoja del Mentiroso" (Un griego dijo, "Todos los griegos son mentirosos". ¿Decía la verdad?). En otras palabras, si uno toma a Mannheim seriamente, su argumento de que el conocimiento está ligado a la situación debe aplicarse a su argumento ("¿Qué tipo de cultura produjo la sociología del conocimiento?"). Pero si se aplica, entonces el argumento es incorrecto, o al menos dudoso; y si el argumento es incorrecto (el conocimiento *no* está ligado a la situación), luego podría ser correcto, y así sucesivamente (Platón utiliza la misma línea de razonamiento en contra de la doctrina de Protágoras en el *Theatetus*, 171A). Distintas escuelas griegas de pensamiento, tales como las de los Megarianos y los Eleáticos, se deleitaban elaborando acertijos de este tipo; y en una forma más seria, el conocido Argumento del Tercer Hombre del diálogo *Parménides*, de Platón, presenta la paradoja del regreso infinito como una amenaza a la teoría de las Formas. Pero debiéramos tener claro que aunque estas distintas paradojas sí involucran un relativismo radical al sugerir que podría no haber una verdad fija, ellas son estrictamente problemas de lógica, y no son equivalentes a la sociología del conocimiento. Es decir, no desarrollan el tema de que la información acerca del mundo es relativa porque está socialmente condicionada o ligada a la cultura.

Finalmente, es importante agregar que el asunto no es el comentario en sí mismo; por ejemplo, hay muchísimos comentarios y análisis en el Talmud. Pero los rabinos de la Edad Media no analizaron, hasta donde yo sé, la naturaleza de sus propios análisis, al igual que las culturas que vivían de mitos, las cuales a su vez tenían mitos acerca de la naturaleza general o la ubicación epistemológica de la mitología —es decir, no tenían mitos que explicaran cómo el mito per se determina la verdad.

[31]Friedrich Nietzsche, *El Nacimiento de la Tragedia*, trad. Andrés Sánchez Pascual. Alianza Editorial, S.A., 1981, 6ª ed. (*The Birth of Tragedy*, trad. Francis Golffing [Garden City, N.Y.: Doubleday Anchor, 1956], p. 95).

Capítulo 6. *El Eros Recobrado*

[1]Susanne Langer, *Philosophy in a New Key*, 3ª ed. (Cambridge: Harvard University Press, 1957), pp. 88, 92.

[2]Erich Neumann, *The Child*, trad. Ralph Mannheim (New York: Harper & Row, 1976), pp. 11-17, 28, 30; Sam Keen, *Apology for Wonder* (New York: Harper & Row, 1969), p. 46. Para dos estudios sobre el desarrollo del niño que ven las primeras semanas de vida en términos freudianos, véase Margaret S. Mahler et al., *Nacimiento Psicológico del Infante Humano*, 2ª ed. tr. ingl. Buenos Aires: Marymar, 1977 (*The Psychological Birth of the Human Infant: Symbiosis and Individuation* [New York: Basic Books, 1975], y Edith Jacobson, *The Self and the Object World* (New York: International Universities Press, 1964). Aunque Newmann describió los primeros tres meses de vida en estos términos, él sí se opuso al término "narcisismo" como algo que implica un tipo de relación de poder, algo imposible a menos que se reconozca a un otro.

Se menciona la carta de Rolland en una nota al pie de página insertada en la edición de 1931 de *Civilization and Its Discontents*. Freud admitió que la carta "me produjo no poca dificultad. No puedo descubrir este sentimiento 'oceánico' en mí mismo. No es fácil tratar científicamente los sentimientos. Uno puede intentar describir sus signos fisiológicos". Podemos comenzar a entender por qué la visión de Freud sobre la vida humana era tan pesimista. Véase James Strachey, ed., *The Standard Edition of the Complete Psychological Works of Sigmund Freud*, 24 vols. (London: The Hogarth Press, 1953-74), 21:65 y n.

[3]Al menos, esta era la posición de Freud tanto en 1923, y antes en 1902. Entre estas dos fechas, Freud consideró al ego como un conjunto de instintos en lugar de una estructura que obtenía su energía del id. Esta postura llegó a ser el núcleo de la psicología del ego, siendo Heinz Hartmann su principal exponente. Para tener una excelente visión general de la evolución del primer pensamiento psicoanalítico, véase Daniel Yankelovich y William Barrett, *Ego and Instinct* (New York: Vintage Books, 1971), esp. pp. 25-114.

[4]Cf. la inteligente discusión de Gordon Rattray Taylor sobre el ego "duro" versus el ego "blando" en *El Juicio Final*, trad. Fernando Corripio Pérez. Bruguera, S.A. 1975 (*Rethink* [Harmondsworth: Penguin Books, 1974], pp. 81-90, 109 ff). Lo que la psiquiatría moderna denomina la "fortaleza del ego" es más que rigidez del ego, lo que lo hace bastante frágil. El igualar las virtudes mudas del ego con la enfermedad mental es característico de las sociedades que definen la salud en términos de capacidad productiva.

[5]T.G.R. Bower, *El Mundo Perceptivo del Niño*, trad. Alfredo Guerra Miralles, Morata, S.A., 1982, 2ª ed. (*The Perceptual World of the Child* [Cambridge: Harvard University Press, 1977], pp. 19-21, 28).

[6]Ibíd., pp. 34, 49-50; Mahler, *Nacimiento Psicológico del Infante Humano* (*Psychological*

·*Birth of the Human Infant*, pp. 46-47, 52-56). Personalmente soy escéptico de este itinerario. Aunque (véase abajo) el desarrollo perceptivo no es lo mismo que el desarrollo del ego, es dudoso que la sonrisa no específica dure durante tres meses, o que comparativamente el examen atento con la mirada comience sólo a los siete meses de edad. Recientemente Joseph Lichtenberg demostró que a los catorce días de edad, el recién nacido distingue entre la cara de su madre y la de una mujer desconocida. Véase "New findings about the newborn", *San Francisco Examiner*, 28 de mayo de 1980.

[7]Mahler, *Nàcimiento Psicológico del Infante Humano* (*Psychological Birth of the Human Infant*, p. 223n), y Maurice Merleau-Ponty, "The Child's Relations with Others", trad. William Cobb, en James M. Edie, ed., *Fenomenología de la Percepción*, trad. Jem Cabanes. Edicions 62, S.A., 1975 (*The Primacy of Perception* [Evanston, Ill.: Northwestern University Press, 1964], pp. 125-26). La discusión de Merleau-Ponty está en gran medida basada en la obra del brillante y relativamente poco conocido psicólogo infantil marxista, Henri Wallon, la que presenta un marcado contraste con la de Piaget. En lo que se refiere a estas líneas, Wallon parecería ser el único científico que realizó extensos estudios sobre la conducta de los niños frente a un espejo, lo que Merleau-Ponty discute en pp. 125-40 de su ensayo. (De acuerdo con Mahler, tal proyecto de investigación pronto será publicado por John B. McDevitt). Para mayor información sobre Wallon, véase el ejemplar de invierno de 1972/73 del *International Journal of Mental Health*, así como también su artículo, "Comment se développe, chez l'enfant, la notion du corps propre", *Journal de Psychologie* (1931), 705-48.

[8]Mahler, *Nacimiento Psicológico del Infante Humano* (*Psychological Birth of the Human Infant*, pp. 67, 71, 77-92, 101); R.D. Laing, *El Yo Dividido*, trad. Francisco González Aramburo. Fondo de Cultura Económica. 1978, 5ª ed. (*The Divided Self* [Harmondsworth: Penguin Books, 1965; primera publ. de 1959], pp. 115-19).

[9]Merleau-Ponty, "The Relations with Others", pp, 136-37, 152-53.

[10]Yankelovich y Barrett, *Ego and Instinct*, pp. 320, 386-92, 396-7. Este punto hace ver el problema de cómo surgió el lenguaje, el cual nunca ha sido resuelto. Sobre esta materia, y material sobre los niños criados por animales, véase Langer, *Philosophy in a New Key*, pp. 108-42, y pássim. Ashley Montagu presenta una teoría darwiniana sobre los orígenes del lenguaje hablado en *La Revolución del Hombre*. México: Paidós Mexicana (*The Human Revolution* [New York: The World Publishing Company, 1965], pp. 108-13).

[11]Bower, *El Mundo Perceptivo del Niño* (*Perceptual World of the Child*, p. 42).

[12]Philippe Ariès, *Centuries of Childhood*, trad. Robert Baldick (New York: Vintage Books, 1962), pp. 103-6.

[13]Véase, por ejemplo, Mahler, *Nacimiento Psicológico del Infante Humano* (*Psychological Birth of the Human Infant*, p. 35). En general, considero este estudio altamente teleológico, los niños son vistos casi como criaturas sub-humanas, pero "redimidos" porque después de todo, se convertirán en adultos. Los autores no parecen darse cuenta de que los términos científicos utilizados para describir la infancia, los que incluyen al "narcisismo", a la "desorientación alucinatoria", e incluso al "autismo", son ambiguos y que tales términos suponen que la percepción adulta del mundo es la correcta y que cualquiera otra cosa es incorrecta.

El asunto de lo innato y lo adquirido se discutirá más adelante en este capítulo. La importancia de la socialización fue una de las características principales de la obra de Wallon (véase arriba, nota 7).

[14]Este material fue obtenido de los comentarios hechos por John Kennell en "General Discussion" sección de Evelyn Thomas, ed., *Origins of the Infant's Social Responsiveness* (Hilldale, N.J.: Lawrence Erlbaum Associates, 1979), pp. 435-36.

[15]Stuart A. Queen y Robert W. Habenstein, *The Family in Various Cultures*, 4ª ed. (New York: Lippincott, 1974; primera publ. 1952), p. 164; John Ruhräh, *Pediatrics of the Past* (New York: Paul B. Hoeber, 1925), p. 34; e Ian G. Wickes, "A History of Infant Feeding", *Archives of Disease in Childhood* 28 (1953), 156.

"Extendido" es un término ambiguo, ya que el lapso de tiempo está siendo medido

Notas

desde nuestro punto de vista. Sería más correcto quizás denominar al período de lactancia del siglo XX como "reducido".

[16]Ashley Montagu, *El Sentido del Tacto*, trad. Ana María Bravo. Aguilar, S.A., 1981 (*Touching: The Human Significance of the Skin*, 2ª ed. [New York: Harper & Row, 1978], pp. 124, 187, 190, 199, 203, y capít. 7, pássim).

[17]El estudio de Bali aparece en *Balinese Character*, de Bateson y Mead, y es discutido por Montagu en *El Sentido del Tacto* (*Touching*, pp. 115-18 [cf. Capítulo 7, nota 16]). También véase capít. 7 de Montagu acerca de los estudios culturales comparativos, y Beatrice B. Whiting, ed., *Six Cultures* (New York: John Wiley, 1963). Sobre Ariès véase nota 12, arriba. Los "nuevos" libros sobre el alumbramiento y la sexualidad infantil incluyen a Alayne Yates, *Sex Without Shame* (New York: William Morrow, 1978); a Frederick Leboyer, *Birth Whithout Violence* (New York: Knopf, 1975); y a Fernand Lamaze, *Painless Childbirth* (New York: Pocket Books, 1977).

[18]La discusión que viene a continuación está tomada de Ariès, *Centuries of Childhood*, esp. pp. 10, 33-34, 52, 61, 107, 114-16, 254-60, 264, 353-56, 398-99, 405, 414-15. Véase también Lawrence Stone, "The Rise of the Nuclear Family in Early Modern England" en Charles E. Rosenberg, ed., *The Family in History* (Philadelphia: University of Pennsylvania Press, 1975), pp. 36-38, 56; David Hunt, *Parents and Children in History* (New York: Basic Books, 1970), pp. 85-86; y M.J. Tucker, "The Child as Beginning and End: Fifteenth and Sixteenth Century English Childhood", en Lloyd deMause, ed., *Historia de la Infancia*. Madrid: Alianza, (*The History of Childhood* [New York: The Psychohistory Press, 1974], p. 238).

[19]Este punto es muy importante, y su fracaso en entenderlo ha hecho posible el ataque de Lloyd deMause a la obra de Ariès en su ensayo, "The Evolution of Childhood", pp. 1-73 de *Historia de la Infancia* (*The History of Childhood*). deMause llama a la descripción que hace Ariès del juego de los niños con sus genitales un ejemplo de abuso sexual, un acto que de hecho se produce hoy en día en Occidente. Pero la idea de Ariès era que ayer *no* es hoy; que en aquel entonces las actitudes sexuales eran muy diferentes, y que el contexto de actitudes determina el sentido de un acto. Como para una acción que es inequívocamente abusiva, el punto aquí es que el amor y el odio están muy ligados. La falta de contacto es el peligro psicológico real, ya que el niño experimenta tal carencia como apatía, y su psiquis la traduce como sin sentido. Quizás la búsqueda existencial del hombre de un sentido, un significado tenga su origen en esta experiencia trágica.

Segundo, la ausencia del ego en la historia jamás evitó que se produjera violencia, como *La Iliada* claramente lo muestra. Pero, me parece que tal violencia era de un orden muy distinto. Era producida por la pasión espontánea; el concepto de disciplina como una práctica institucional no existía en los colegios antes del siglo XVI (al menos el castigo corporal), como Ariès lo hace notar. Tal disciplina es premeditada, originada por razones distintas a los sentimientos inmediatos. Generalmente es una forma de sublimación, por ejemplo, el sadismo que posa de rectitud ("esto me duele más a mí que a ti"). Con la cristalización de un ego, las emociones transformadas se retuercen hasta llegar a otras formas. El resultado ya se presentaba en las órdenes monásticas flagelantes de la Edad Media, y el argumento de Reich era que gran parte de la sexualidad contemporánea tiene ribetes sádicos o masoquistas, y viceversa. Una brillante descripción de este tema fue proporcionada por Lindsay Anderson en su película *If...*, exhibida a fines de los años 60.

[20]Montagu, *El Sentido del Tacto* (*Touching*, p.207). La discusión que viene a continuación está tomada de pp. 60, 77-78, 120-24.

[21]¿Qué tipo de hombre eran Watson y Holt? De acuerdo con una descripción proporcionada por uno de sus colegas y uno de sus ayudantes, Holt era el estereotipo del individuo con armadura de Reich. "Su forma de ser", escribían, "era más que seria, era formal. No había nada en él que pudiera catalogarse de impresionante, debido quizás a la falta de alguna característica llamativa; más bien parecía una máquina humana altamente eficiente, perfectamente coordinada. Nos parecía que era una persona austera e inaccesible" (Citado en Montagu, *El Sentido del Tacto* [*Touching*, p. 121]). En relación a Watson, es

conveniente saber que poco después de la publicación de su *Psychology from the Standpoint of the Behaviorist* (1919) aceptó un empleo en la agencia de publicidad J. Walter Thompson en Nueva York, donde "aplicó sus principios para controlar a las ratas en la manipulación de los consumidores" (Philip J. Pauly, "Psychology at Hopkins", *Johns Hopkins Magazine* 30 [Diciembre de 1979], 40).

[22]Aunque en esta discusión he tendido a hablar en términos causales, no creo que el impacto de las prácticas de la crianza de niños en la vida adulta y en la cultura sea particularmente más significativo que lo inverso. Como ha sido indicado, creo que las dos forman una guestalt histórica, pero las implicancias que se producen no están del todo claras. Como Milton Singer lo muestra en su "Survey of Culture and Personality", en Bert Kaplan, ed., *Studying Personality Cross-Culturally* (New York: Harper & Row, 1961), pp. 9-90, la antropología ha tenido dificultades al tratar de desembarazarse de los argumentos causales mientras continúa diciendo algo significativo. Así tanto Montagu como deMause hablan como si esta o aquella práctica de crianza de niños tuviera como resultado esta o aquella característica adulta, pero la prueba aún continúa siendo esquiva y, de cualquier forma, su enfoque es un enfoque mecánico a problemas muy complejos.

Algún progreso ha sido hecho por Gregory Bateson (véase Capítulo 7), cuyos análisis han tendido a mostrar que los diferentes tipos de relaciones interpersonales pueden asumir pautas funcionales que difieren de cultura en cultura. Según este punto de vista, las relaciones padres-hijo son parte de temas cuyas pautas son determinadas culturalmente, y por lo tanto la relación del niño con sus padres es mutuamente interactiva, u holística. Así los niños son considerados activos en lo que se refiere a la estimulación de sus padres a seguir una cierta pauta, una tesis que es apoyada por varios de los estudios que aparecen en el volumen de Evelyn Thoman citado en la nota 14. Margot Witty y T.B. Brazelton dieron un argumento similar en "The Child's Mind", *Harper's*, abril de 1978, pp. 46-47. Se considera que la estructura opera como un circuito y no como una línea.

[23]Marshall H. Klaus y John H. Kennell, *Maternal-Infant Bonding* (St. Louis: The C.V. Mosby Company, 1976), esp. pp. 58 ff., y Louis W. Sander et al., "Change in Infant and Caregiver Variables over the First Two Months of Life: Integration of Action in Early Development", en Evelyn Thoman, ed., *Origins of the Infant's Social Responsiveness*, pp. 368-75. Una cobertura a nivel general de la obra de Klaus-Kennell fue proporcionada por el *New York Times*, 16 de agosto de 1977, p. 30, bajo el título "Closeness in the First Minutes of Life May Have a Lasting Effect". Cf. Aidan Macfarlane, *The Psychology of Childbirth* (Cambridge: Harvard University Press, 1977), pp. 52-54, 100-101.

[24]Montagu, *El Sentido del Tacto* (*Touching*, pp. 256-58).

[25]Véase el interesante análisis de letras de canciones de Richard Poirier, "Learning from the Beatles", en su libro *El Yo en Actuación*, trad. Manuel Arbolí. Fondo de Cultura Económica DE. 1975, (*The Performing Self* [New York: Oxford University Press, 1971], pp. 112-40).

[26]De *The Child*, de Erich Neumann, p. 33. Propiedad literaria de la traducción inglesa (1973) de la Fundación C.G. Jung para la Psicología Analítica (C.G. Jung Foundation for Analytical Psychology, Inc.).

[27]N.O. Brown, *Life Against Death* (Middletown, Conn.: Wesleyan University Press, 1970; primera publ. de 1959), p. 31.

[28]"Podría haber otro tipo de memoria menos sistematizada [que la del tipo cognitivo]", escribe el pediatra John Davies, "y no significa que la experiencia [preconsciente] se haya perdido, o que no esté teniendo influencia". Citado en Macfarlane, *The Psychology of Childbirth*, p. 31.

[29]C.G. Jung, "In Memory of Sigmund Freud", en *The Spirit in Man, Art, and Literature*, trad. R.F.C. Hull (Princeton: Princeton University Press, 1971), p. 48. Este fue el homenaje póstumo de Jung para Freud, originalmente publicado en 1939.

[30]En cuanto a Bowlby véase su libro *Separación Afectiva*. México: Paidós Mexicana, (*Separation* [New York: Basic Books, 1973]). La cita de Reich está en la página 30 de *La Función del Orgasmo*, trad. Felipe Suárez. Paidós Ibérica, S.A. 1983, 2ª ed., (*The Function of*

the Orgasm, trad. Vincent R. Carfagno [New York: Pocket Books, 1975; edición original alemana de 1942]). Aquí se produce una confusión, ya que este libro es el vol. 1 de su *Discovery of the Orgone*, el cual reescribió varias veces bajo el mismo título. En la discusión de Reich que viene a continuación, he utilizado como fuente las pp. 4-6, 15, 37, 88-96, 128-32, 162-69, 243-44, 269-71, 283 de esta obra, así como también su libro *Análisis del Carácter*, trad. Luis Fabricant. Paidós Ibérica, S.A. 1981 (*Character Analysis*, trad. Vincent R. Carfagno, 3ª ed., aumentada [New York: Simon and Schuster, 1972; orig. publ. en 1945], pp. 171-89).

[31]No estoy seguro de quién acuñó este término, pero cobra notoriedad primero en la literatura antropológica en *The People of Alor*, de Cora DuBois, publicado en 1944. Véase Milton Singer, "A Survey of Culture and Personality", p. 33.

[32]De hecho Reich dijo que existía en todos los patriarcados, una tesis mucho más difícil de establecer. Sobre el estudio de Fromm de la tipología anal véase "Die psychanalytische Charakterologie und ihre Bedeutung für die Sozialpsychologie", *Zeitschrift für Sozialforschung* 1 (1932), 253-77. La cita de Reich está en *Análisis del Carácter* (*Character Analysis*, p. xxvi).

[33]Peter Koestenbaum, *Existential Sexuality* (Englewood Cliffs, N.J.: Prentice-Hall, 1974), pp. 63, 75.

[34]Yankelovich y Barrett, *Ego and Instinct*, esp. pp. 157, 360-61, 365, 367-68, 371, 396. Desde luego existe una vasta literatura especializada sobre el desarrollo de la célula. Un artículo reciente, y en alguna medida conocido por el público en general, sobre la interconexión de la célula es el de L.A. Staehelin y B.E. Hull, "Junctions between Living Cells", *Scientific American* 238 (mayo de 1978), 141-52.

[35]Itzhak Bentov, *Stalking the Wild Pendulum* (New York: Dutton, 1977), pp.85-86. Otra forma de ver esto es considerar al cerebro igual que cualquier otro órgano, cuya función es amplificar los pensamientos. Lo que denominamos mente, que es idéntico al cuerpo, va desde la parte superior de la cabeza hasta la planta de los pies. La sensación del cuerpo como un objeto de una conciencia localizada en la cabeza es una ilusión cartesiana. Mircea Eliade ha hecho notar que las sociedades pre-modernas localizan en forma típica a la conciencia en un punto justo bajo el ombligo, lo que también es un ejercicio clásico de entrenamiento de yoga. Científicamente, esto sea probablemente más acertado que considerar a la conciencia como algo localizado dentro de la cabeza. Naturalmente, la cultura moderna considera que está situada allí porque en un contexto tan dominado por el procesamiento y el control, la experiencia de la racionalidad llega a ser abrumadora. En otros contextos, es menos impresionante. Nos convencemos fácilmente de que este proceso mental es la más importante, o incluso la única, forma de pensamiento. Más aún, Bentov sostiene que incluso no es *pensamiento*, una posición más o menos como la tomada por Don Juan en su discusión con Carlos Castaneda en *Relatos de Poder* (véase arriba, Capítulo 5, nota 19). Don Juan también sostiene, como yo lo he hecho en el texto, que *tanto* "tonal" *como* "nagual" son partes inherentes a nuestro ser, pero las decisiones que tomamos se producen en el reino del nagual. Sin embargo, él agrega (p. 265 de la versión en inglés) que la visión del tonal debe prevalecer si uno va a hacer uso del nagual —un punto que yo considero crucial en todo este asunto.

[36]Denominado en forma muy adecuada como "locuras del cerebro dividido" por Theodore Roszak. Véase *Unfinished Animal* (New York: Harper & Row, 1975), pp. 52-57. Los distintos experimentos que se han llevado a cabo con los "dos cerebros" pueden ser considerados como una refutación de mi argumento sobre el conocimiento del cuerpo y el inconsciente. Después de todo, estos experimentos sí que revelan que el hemisferio derecho es (en las personas que son diestras) el locus de las funciones no verbales. Sin embargo, mi argumento no niega que el cerebro almacene u organice las imágenes. Los experimentos de los "dos cerebros" no nos dicen nada acerca de donde se *origina* el conocimiento. Por lo tanto yo pienso que puede sostenerse que la inteligencia está en el cuerpo, y que el procesamiento de datos está en el cerebro. Esto tampoco significa negar

el que el cerebro pueda ser una cosa muy sensual, que amplifica y procesa las fantasías, los sueños, la imaginería artística, y así sucesivamente.

[37]Peter Marris, *Loss and Change* (Garden City, N.Y.: Doubleday Anchor, 1975).

[38]Desde luego, este argumento tiene sus limitaciones, pero sin embargo es probable que más allá del sustrato común del proceso primario, el cuerpo de Galileo fuera diferente del de Tomás de Aquino, y que ambos fueran significativamente distintos del cuerpo de Homero. El cuerpo humano ha cambiado con el paso de los siglos en muchos aspectos importantes: en estatura, forma, habilidad para percibir los colores, y especialmente en fisonomía. El psicoanalista Stanley Keleman ha desarrollado este tema con cierto detalle, y ha sostenido que el cuerpo del futuro será aún mas radicalmente diferente que el actual.

[39]Debiera quedar en claro que yo *no* he dejado atrás a Descartes, en gran parte porque actualmente es imposible pensar discursivamente en categorías netamente no científicas, a pesar de que he luchado por hacerlo (cf. notas 35 y 36 de este capítulo). La discusión en el libro continúa la dicotomía mente/cuerpo, localizando al ego en la cabeza y al inconsciente en el cuerpo. También utiliza el término "inconsciente" en dos sentidos, como participación, y como conocimiento en el cuerpo, el cual por alguna razón no podemos alcanzar. ¿Puede justificarse un enfoque como este?

Yo respondería diciendo que este capítulo tiene incluida una inevitable tensión dentro de sí. Estoy tratando de proporcionar un análisis verbal de la experiencia no verbal, y existen limitaciones obvias a lo que en este sentido puede comunicarse así. Como Don Juan lo hiciera notar, el "tonal", por definición, posiblemente no puede explicar al "nagual". Así los dos sentidos del inconsciente que yo utilizo son sólo duales para el razonamiento científico. Para el razonamiento holístico, la *mimesis* es el conocimiento presente en el cuerpo, y de difícil acceso. En otras palabras, el "nagual" no es desconocido. Sólo es desconocido para el ego. El ser ontológico, toda la persona, sí lo conoce, pero no hay forma de presentar este conocimiento al lector a menos que el texto estuviera impreso en piel o cambiándolo a verso. Desde luego, yo podría haber inventado una terminología holística nueva, completada con palabras tales como "mentecuerpo" y "yo-otro", pero no creo que un *Finnegans Wake* científico, sería útil a estas alturas. Entonces, sugiero que el presente capítulo y su vocabulario cartesiano sean vistos como un impulso que nos ayude a avanzar hasta el punto donde ya no pensaremos en términos dualísticos. Aún estamos atrapados en el dualismo, aunque podemos reconocer que se aproxima un cambio.

[40]E.A. Burtt, *The Metaphysical Foundations of Modern Science*, 2ª ed. (Garden City, N.Y.: Doubleday, 1932), p. 17; Langer, *Philosophy in a New Key*, pp. XIII, 3, 12-13.

[41]La siguiente discusión es una adaptación de mi ensayo, "The Ambiguity of Color", publicado en 1978 por el Exploratorium en San Francisco; uso de este material con permiso del Director. Véase también Mike y Nancy Samuels, *Seeing with the Mind's Eye* (New York: Random House, 1975), p. 93. El artículo de Land, "Experiments in Color Vision", se puede encontrar en el ejemplar de mayo de 1959 del *Scientific American*, y la cita de Lao-tzu aparece en Alan Watts, *The Way of Zen* (New York: Vintage Books, 1957), p. 27. La obra clásica de Whorf es *Lenguaje, Pensamiento y Realidad*. Barral Editores, S.A., 1971, (*Language, Thought, and Reality*, ed. John B. Carroll [Cambridge: The MIT Press, 1956]). Existe una vasta literatura sobre el aura humana; el lector que estuviera interesado podría comenzar con Nicholas M. Regush, *Exploring the Human Aura* (Englewood Cliffs, N.J.: Prentice-Hall, 1975).

[42]La exposición por *más* de quince minutos comienza a llevar al recluso hacia un quiebre. Véase "No new tortures needed", *Montreal Gazette*, 17 de octubre de 1980, y "Pink power calms raging inmates", *Montreal Gazette*, 5 de enero de 1981.

[43]Esta afirmación puede ser un poco engañosa; no estoy sugiriendo que el antropocentrismo sea la respuesta a nuestros dilemas epistemológicos. Vale la pena preguntarse, por ejemplo, cuál es la experiencia de la luz y del color de los cetáceos o de los arácnidos, y Judith y Herbert Kohl exploran este enfoque en su interesante libro, *The*

Notas

View From the Oak (San Francisco: Sierra Club Books, 1977). Sin embargo, incluso en estos casos se ve involucrado el factor humano; lo que uno realmente está estudiando es la experiencia humana de la experiencia de los cetáceos (o de los arácnidos) de la luz y del color. Pero el reconocer la existencia de este factor e incorporarlo a nuestras ciencias no tiene como resultado necesariamente el antropocentrismo. Donald Griffin discute la noción de la observación participativa en la investigación biológica en *The Question of Animal Awareness* (New York: The Rockefeller University Press, 1976).

[44]Robert Bly, *Sleepers Joining Hands* (New York: Harper & Row, 1973), pp. 48-49.

[45]Brown, *Life Against Death*, p. 236.

CAPÍTULO 7. *Metafísica del Mañana* (1)

[1]Philip Slater, *Earthwalk* (New York: Batam Books, 1975), p. 233.

[2]Gregory Bateson murió en San Francisco en julio de 1980. Estaba trabajando en esa época en un sucesor de *Mind and Nature*, que tal vez exploraba la dimensión estética que analicé brevemente en el Capítulo 9; pero como lo vemos ahora, la discusión de su obra en los Capítulos 7 y 8 resulta ser, en forma bastante inesperada, "completa".

Lamentablemente, una biografía de Bateson apareció demasiado tarde para que yo la leyera antes de esta obra: David Lipset, *Gregory Bateson: The Legacy of a Scientist* (Englewood Cliffs, N.J.: Prentice-Hall, 1980).

[3]Para la discusión sobre la vida de William Bateson me he basado en las siguientes fuentes: William Coleman, "Bateson and Chromosomes: Conservative Thought in Science", *Centaurus* 15 (1970), 228-314; la memoria de Beatrice Bateson sobre su esposo, *William Bateson, F.R.S., Naturalist* (Cambridge: Cambridge University Press, 1928), pp. 1-160; y Gregory Bateson, *Pasos hacia una Ecología de la Mente.*

[4]Morris Berman, "'Hegemony' and the Amateur Tradition in British Science", *Journal of Social History* 8 (invierno de 1975), 30-50. Sin embargo, toda la ciencia británica estuvo matizada por esta tradición hasta fines del siglo xix.

[5]El título completo es *Materiales para el Estudio de la Variación con especial Enfasis en la Discontinuidad del Origen de las Especies (Materials for the Study of Variation treated with especial Regard to Discontinuity in the Origin of Species).*

[6]Todo aquello que perdió la ciencia cuando triunfó la teoría de los cromosomas puede ser únicamente materia de conjetura. La idea de Bateson acerca de la transmisión de las tendencias ha sido resucitada en la obra de Gregory Bateson, C.H. Waddington y unos pocos otros biólogos que han podido argumentar con éxito sobre la existencia de la mímica lamarkiana —algo que simula la transmisión hereditaria de características adquiridas. Pero en términos generales, el mundo de la biología materialista ortodoxa nos está llevando, irremediablemente, a los horrores potenciales de la manipulación de los genes y de la recombinación del ADN —horrores que tal vez pudieron haber sido evitados si las ideas de Bateson hubieran prevalecido en la década del 20. Cf. Barry Commoner, "Failure of the Watson-Crick Theory as a Chemical Explanation of Inheritance", *Nature* 226 (1968), 334, ("El fracaso de la Teoría Watson-Crick como una Explicación Química de la Herencia").

[7]La construcción del modelo victoriano, incluyendo al átomo vortex, ha sido el centro de atención de una vasta literatura, incluyendo una revisión muy crítica hecha por el historiador francés Pierre Duhem en el capítulo 4 de su *Aim and Structure of Physical Theory*, trad. Philip P. Wiener (Princeton: Princeton University Press, 1954; edición original francesa de 1914). Se puede obtener más material en trabajos de y acerca de William Thomson (Lord Kelvin), P.G. Tait, James Clerck Maxwell, Oliver Lodge, Joseph Larmor et al. Cf. Robert Silliman, "William Thomson: Redondeles de Humo y el Atomismo del siglo xix", ("William Thomson: Smoke Rings and Nineteenth-Century Atomism", *Isis* 54 (1963), 461-74.

[8]W. y G. Bateson, "Sobre ciertas aberraciones en las codornices de patas rojas *Alectoris*

rufa y *saxatilis*" ("On certain aberrations of the red-legged partridges *Alectoris rufa* and *saxatilis*"), *Journal of Genetics* 16 (1926), 101-23.

[9]Cf. Gunther S. Stent, *El Advenimiento de la Edad de Oro*. Seix Barral, S.A. 1973 (*The Coming of the Golden Age* [Garden City, N.Y.: The Natural History Press, 1968], pp. 73-74, 112). Véase también su *Paradojas del Progreso* (il), trad. Ramón Giraldez Ceballos. Alhambra S.A. 1981 (*Paradoxes of Progress*) [San Francisco: W.H. Freeman, 1978]).

[10]En términos generales, voy a omitir cualquier discusión sobre los escritos biológicos de Bateson y su revisión sobre la evolución darwiniana. A pesar de estar integralmente relacionada con sus otras obras, limitaciones de espacio me impiden una exposición en este momento. Estoy fundamentalmente interesado también en las implicaciones éticas de ese trabajo, y esto lo presentamos en el Capítulo 8. Los lectores interesados en llenar esta brecha debieran consultar su libro *Mind and Nature: A Necessary Unity* (New York: Dutton, 1979), *Mente y Espíritu* (Buenos Aires: Amorrortu, 1985) y los ensayos que aparecen en *Pasos hacia una Ecología de la Mente* titulados "Requerimientos Mínimos para una Teoría de la Esquizofrenia" ("Minimal Requirements for a Theory of Schizophrenia") y "El Rol del Cambio Somático en la Evolución" ("The Roles of Somatic Change in Evolution").

[11]La siguiente discusión está tomada de *Naven*, 2ª ed. (Stanford: Stanford University Press, 1958), pp. 1-2, 29-30, 33, 35, 88, 92, 97-99, 106-34, 141-51, 157-58, 175-79, 186-203, 215, 218-20, 257-79, y el Epílogo de 1958. También he utilizado tres artículos tomados de *Pasos hacia una Ecología de la Mente*: "Experimentos en el Pensar acerca del Material Etnológico Observado" ("Experiments in Thinking about Observed Ethnological Material"), "La Moral y el Carácter Nacional" ("Morale and National Character"), y "Bali: El Sistema de Valores de un Estado Estacionario" ("Bali: The Value System of a Steady State").

Bateson sostiene en su *Mente y Espíritu*, que la metodología de la investigación iatmul es un paradigma para la resolución de un muy vasto número de problemas en ética, educación, y evolución.

[12]Sin embargo, Bateson tuvo sus diferencias con el enfoque de Ruth Benedict, como lo hace notar en la obra antes citada (*Mind and Nature*) en las páginas 191-92. La discusión a continuación se refiere exclusivamente al ethos; volveré al eidos más abajo en la sección acerca de la teoría del aprendizaje.

[13]Sin embargo, existe una diferenciación de parentesco, y el naven resulta ser motivado por el intento de reducir tensiones (como son vivenciadas personalmente) que surgen de estas relaciones, además de su importancia en resolver las tensiones sexuales. En gran medida, sin embargo, no estaré tratando con la motivación del parentesco. El resumen de Bateson puede encontrarse en la obra *Naven*, pp. 203-17.

[14]Para una visión global de parte de la discusión antropológica sobre este tópico, véase Milton Singer, "A Survey of Culture and Personality", en Bert Kaplan, ed., *Studying Personality Cross-Culturally* (New York: Harper & Row, 1961), pp. 9-90.

[15]Vale la pena hacer notar que el trabajo antropológico más temprano de Bateson tuvo dos graves errores, los que fueron indicados por él mismo más tarde. El primero fue lo que Alfred North Whitehead denominó la "falacia del concretismo mal ubicado" —es decir, el hacer abstracciones a partir de "cosas" concretas. Bateson de hecho estaba consciente de esto cuando escribió el Epílogo a la primera edición (1936) de *Naven*. El dice allí que a pesar del modo en que él tendía a argumentar en el texto, el ethos no es una entidad y no puede ser por lo tanto la causa de ninguna cosa: nadie jamás ha visto o a degustado un ethos, como tampoco nadie ha visto o a degustado la Primera Ley de la Termodinámica. El concepto es una descripción, una forma de organizar los datos, un punto de vista tomado por el científico o por los mismos nativos.

En segundo lugar la noción de que la estabilidad podría ser mantenida por una "mezcla" de cismogénesis simétrica y complementaria fue considerada por él mismo en 1958 como demasiado rudimentaria. Asume en forma bastante ingenua que las dos variables de alguna manera pueden anularse la una a la otra, pero jamás desarrolla una relación funcional entre ellas. Sin tal relación, no hay razón para esperar que ambos procesos se vayan a equilibrar; aquí la explicación de la estabilidad es demasiado fortuita. El verdadero asunto, que Bateson vio más tarde, era cómo (y si acaso) el aumentar la tensión cismogénica servía para gatillar los factores controladores, y llegó a reevaluar la teoría en términos cibernéticos con el concepto de "end-linkage" (ligazón final). Cf. el Capítulo 8 de esta obra y el Epílogo de 1958 de *Naven*.

[16]Sobre Bali, véase Gregory Bateson y Margaret Mead, *Balinese Character: A Photographic Analysis* (New York: New York Academy of Sciences, 1942); el ensayo sobre Bali mencionado en la nota 11; y "Estilo, Gracia e Información en el Arte Primitivo" ("Style, Grace and Information in Primitive Art"), en *Pasos hacia una Ecología de la Mente*.

[17]Herbert Marcuse, *El Hombre Unidimensional*, trad. Antonio Elorza. Ariel, S.A. 1981 (*One-Dimensional Man* [Boston: Beacon Press, 1964], p. 17).

[18]La discusión que sigue está basada en el libro de Jurgen Ruesch y Gregory Bateson, *Communication: The Social Matrix of Psychiatry* (New York: Norton, 1968; orig. publ. en 1951), pp. 176, 212, 218, 242; y los siguientes artículos tomados de *Pasos hacia una Ecología de la Mente*: "Planificación Social y el Concepto del Déutero Aprendizaje" ("Social Planning and the Concept of Deutero-Learning"); "Una Teoría del Juego y la Fantasía" ("A Theory of Play and Fantasy"); "Una Epidemiología de la Esquizofrenia" ("Epidemiology of a Schizophrenia"); "Hacia una Teoría de la Esquizofrenia" ("Towards a Theory of Schizophrenia") (escrito junto con Don D. Jackson, Jay Haley y John H. Wakland); "Los Requerimientos Mínimos para una Teoría de la Esquizofrenia" ("Minimal Requirements for a Theory of Schizophrenia"); "Doble Vínculo, 1969" ("Double Bind, 1969"); y "Las Categorías Lógicas del Aprendizaje y la Comunicación" ("The Logical Categories of Learning and Communication").

[19]Bateson, *Pasos hacia una Ecología de la Mente* (*Steps to an Ecology of Mind*, p. 143 de la edición británica; p. 170 de la edición norteamericana).

[20]Existe tal cosa como el sueño lúcido, donde el soñador se percata de que está soñando, pero en general este fenómeno no ocurre con frecuencia.

[21]Jay Haley, "Paradoxes in Play, Fantasy, and Psychotherapy", *Psychiatric Research Reports* 2 (1955), 52-58.

[22]R.D. Laing, *El Yo Dividido*, trad. Francisco González Aramburo. Fondo de Cultura Económica. 1978, 5ª ed. (*The Divided Self* [Harmondsworth: Penguin Books, 1965; primera publ. en 1959]), pp. 29-30.

[23]Citado en Coleman, "Bateson and Chromosomes", p. 273.

[24]Véase la Introducción de Bateson a Gregory Bateson, ed., *Perceval's Narrative: A Patient's Account of His Psychosis, 1830-1832*, de John Perceval (Stanford: Stanford University Press, 1961), (J. Perceval. *Locura de un Gentleman*. Buenos Aires: Lohlé).

[25]E.Z. Friedenberg, *R.D. Laing* (New York: Viking, 1974), p. 7.

[26]Mi fuente para la siguiente información es una charla dada por Bateson en Londres el 14 de octubre de 1975, y también pp. 121-23 de *Mind and Nature*.

[27]*Pasos hacia una Ecología de la Mente* (*Steps to an Ecology of Mind*). Para una encantadora historia victoriana basada en este tema, véase Edwin A. Abbott, *Planilandia*, trad. Jesús Villa Martín. Guadarrama, S.A. 1975 (*Flatland*, 6ª ed. [New York: Dover, 1952]).

[28]R.D. Laing, *La Política de la Experiencia*, trad. Silvia Furió. Críticas, S.A. 1983, 3ª ed. (*The Politics of Experience* [New York: Ballantine Books, 1968], pp. 144-45).

[29]"Oficialmente" es una palabra clave aquí, ya que es a través de la metacomunicación misma que absorbemos la visión cartesiana del mundo. Cf. mi discusión en el Capítulo 5, donde se dice que la metafísica cartesiana contiene conciencia participativa al mismo tiempo que niega su existencia.

Capítulo 8. *La Metafísica del Mañana* (2)

[1]Gregory Bateson, *Pasos hacia una Ecología de la Mente* (Buenos Aires: Lohlé), (*Steps to*

an Ecology of Mind [London: Paladin, 1973; New York: Ballantine, 1972], p. 31 de la edición británica, p. xxv de la edición norteamericana).

[2]Aquí estoy utilizando el término "Mente" aproximadamente en el mismo sentido que primero fue empleado en el Capítulo 5, es decir, para denotar el sistema mental que incluye tanto lo inconsciente y la mente (con m minúscula), o, dicho de otra forma, el darse cuenta consciente. El concepto será elaborado más ampliamente en la discusión que sigue.

[3]Para una interesante comparación con lo siguiente, véase Jurgen Ruesch y Gregory Bateson, *Communication: The Social Matrix of Psychiatry* (New York: Norton, 1968; orig. publ. en 1951), pp. 259-61.

[4]Acerca de la siguiente discusión, véase "The Cybernetics of 'Self': A Theory of Alcoholism", en *Steps to an Ecology of Mind* (*Pasos hacia una Ecología de la Mente*).

[5]Es interesante hacer notar aquí que uno de los fundadores de Alcohólicos Anónimos (AA) fue influenciado por la obra de Carl Jung. Véase *Alcoholics Anonymous*, 3ª ed. (New York: Alcoholics Anonymous World Services, 1976), pp. 26-27.

[6]La siguiente sección está basada en la obra de Bateson, *Mente y Espíritu* y *Pasos hacia una Ecología de la Mente*.

[7]La discusión de la redundancia dada más abajo se basa en *Pasos hacia una Ecología de la Mente*.

[8]Michael Polanyi, *Personal Knowledge*, ed. corregida (Chicago: University of Chicago Press, 1962), p. 88.

Espero no estar siendo demasiado insistente sobre este tema aquí, pero tal vez no sea inmediatamente obvio el que hacer que todo sea redundante equivale a hacer que todo sea azaroso. Una buena analogía de esto podría ser por ejemplo la razón señal-ruido de una transmisión de radio o de televisión: debe ser una *razón* si es que va a existir. Si todo fuera una señal, ya no habría más fondo; es decir todo sería fondo (por ejemplo, la pantalla de la televisión se vería del todo negra). Si todos los soldados de un ejército fueran promovidos al rango de general, ya no habría más ejército. En otras palabras, la redundancia total destruye la diferenciación. Cuando todo es redundante ya no hay un marco para crear redundancia. En una de sus operetas Gilbert y Sullivan escribían, "Si todo el mundo es alguien, entonces nadie es alguien".

[9]Gregory Bateson, *Naven*, 2ª ed. (Stanford: Stanford University Press, 1958), p. 276.

[10]Gregory Bateson y Margaret Mead, *Balinese Character: A Photographic Analysis* (New York: New York Academy of Sciences, 1942). Para estudios kinésicos representativos, véase R.L. Birdwhistell, *Introduction to Kinesics* (Louisville, Ky.: University of Louisville Press, 1952), y A.E. Scheflen, *How Behavior Means* (Garden City, N.Y.: Doubleday Anchor, 1974).

[11]Anthony Wilden, *Sistema y Estructura*, trad. Ubaldo Martínez Veiga. Alianza Editorial. 1979 (*System and Structure* [London: Tavistock Publications, 1972], pp. 123, 194, y pássim). Sobre la discusión acerca del conocimiento analógico versus el conocimiento digital proporcionada más abajo véase *Pasos hacia una Ecología de la Mente* (*Steps to an Ecology of Mind*, pp. 109-12, 387-89, 408 de la edición británica, y pp. 136-39, 411-14, 432-33 de la edición norteamericana).

[12]De hecho, tengo algunas dificultades con la contención de Bateson de que la esencia de un mensaje inconsciente es de que sea inconsciente, o de que toda la comunicación analógica es un ejercicio en la comunicación acerca de la mente inconsciente. La danza puede tratarse acerca de la relación entre espacio y contenido, o liviandad y gravedad, por ejemplo. En el famoso film *Les enfants du paradis*, Jean-Louis Barrault hace una secuencia mímica acerca de un carterista. El objetivo de esta secuencia no era revelar la naturaleza del inconsciente, sino que mostrar como se robaba un reloj. Pienso que en realidad Bateson está hablando del psicodrama directo, en lugar de cada tipo de comunicación analógica.

[13]"A Conversation with Gregory Bateson", en Lee Thayer, ed., *Communication:*

Notas

Ethical and Moral Issues (London and New York: Gordon and Breach Science Publishers, 1973), p. 248.

[14]La conversación que sigue está tomada de "A Conversation with Gregory Bateson", p. 247; Mary Catherine Bateson, ed., *Our Own Metaphor* (New York: Knopf, 1972), pp. 16-17; John Brockman, ed., *About Bateson* (New York: Dutton, 1977), p. 98; *Psychology Today*, mayo de 1972, p. 80 (entrevista con Lévi-Strauss); y *Pasos hacia una Ecología de la Mente* (*Steps to an Ecology of Mind*, pp. 95, 303, 410, 434-35, 459-60 de la edición británica, y pp. 122-23, 332-33, 434, 460, 483-84 de la edición norteamericana). Cf. también Lynn White, Jr., "The Historical Roots of Our Ecologic Crisis", *Science* 155 (10 de marzo de 1967), 1203-7.

[15]Sobre la aclimatación versus la adicción véase *Mind and Nature*, pp. 172-74, 178, y *Pasos hacia una Ecología de la Mente* (*Steps to an Ecology of Mind*, pp. 321, 416-17, 465-5 de la edición británica, y pp. 351, 441-42, 488-90 de la edición norteamericana).

[16]Parte de esta información está disponible en el artículo de 1979 del Pacific News Service (San Francisco), llamado "El Retorno Global de la Una Vez Controlada Malaria" ("Global Comeback of Once-banished Malaria"), de Rasa Gustaitis.

[17]Las fuentes de lo siguiente incluyen la entrevista con Lévi-Strauss citada en la nota 14 de este capítulo; Mary Catherine Bateson, *Our Own Metaphor*, pp.91, 266-79, 285; *Pasos hacia una Ecología de la Mente* (*Steps to an Ecology of Mind*, pp. 420, 426, 475 de la edición británica, y pp. 445, 451, 499 de la edición norteamericana); y Murray Bookchin "Ecología y Pensamiento Revolucionario", ("Ecology and Revolutionary Thought") en *El Anarquismo en la Sociedad de Consumo*, trad. Rolando Hanglin. Kairos, S.A. 1976, 2ª ed. (*Post-Scarcity Anarchism* [Palo Alto: Ramparts Press, 1971], esp. pp. 63-68, 70-82). La importancia de la diversidad también se discute en la mayoría de los textos sobre ecología y genética.

CAPÍTULO 9. *La Política de la Conciencia*

[1]Max Weber, *La Etica Protestante y el Espíritu del Capitalismo*. Edicions 62, S.A. (*The Protestant Ethic and the Spirit of Capitalism*, trad. Talcott Parsons [New York: Scribner's, 1958; orig. alemán publicado en 1904-5], p. 182).

[2]Véase Capítulo 7, nota 24.

[3]Tal vez esta afirmación sea errónea. La percepción de los colores en el aura humana, y su relación con la curación, tal vez demuestre ser una línea interesante de investigación. Cf. mi discusión sobre el color al final del Capítulo 6.

[4]*Pasos hacia una Ecología de la Mente*. Buenos Aires: Lohlé.

[5]Christopher Hill, *El Mundo Transtornado. El ideario popular extremista en la Revolución*, trad. M. Carmen Ruiz de Elvira. Siglo XXI de España Editores. 1983 (*The World Turned Upside Down* [New York: Viking, 1972]).

[6]Personalmente no soy activo en la "política planetaria" y por lo tanto no puedo hablar con autoridad sobre estas materias. Lo que sigue, entonces, debiera entenderse como un reportaje sobre ciertas tendencias que caen dentro de esta categoría. En esta discusión, estaré tomando ideas de la literatura que cito más abajo para construir el argumento, pero quiero manifestar mi gran gratitud a Peter Berg por abrirme los ojos ante este tema en general. Muchas de las ideas presentadas en la discusión que sigue han sido el foco de sus propios esfuerzos políticos y educacionales en el Area de la Bahía de San Francisco durante más de una década, mediante su diario *Planet Drum*, su libro *Reinhabiting a Separate Country* (San Francisco: Planet Drum Books, 1978), y numerosas otras actividades. La naturaleza de la cultura planetaria, y su existencia como una alternativa política, fue también el tema de una conferencia de cuatro días llamada "Escuchando la Tierra" ("Listening to the Earth"), que fue co-dirigida por Berg y yo en San Francisco entre los días 7 y 10 de abril de 1979. Parte de la discusión presentada más abajo toma ideas que fueron articuladas en esta conferencia.

La literatura general sobre este tópico es bastante vasta en este momento, así es que voy a citar sólo mi literatura favorita:

Ficción: Ernest Callenbach, *Ecotopía*: novela sobre ecología. Buenos Aires: Tres Tiempos (*Ecotopia* [Berkeley: Banyan Tree Books, 1975]); Ursula K. LeGuin, *Los Desposeídos*, trad. Matilde Horne. Edhasa. 1983 (*The Dispossessed* [New York: Avon, 1974]); Marge Piercy, *Woman on the Edge of Time* (New York: Knopf, 1976).

Investigación del futuro: Willis W. Harman, *An Incomplete Guide to the Future* (San Francisco: San Francisco Book Company, 1976); Kimon Valaskakis et al., eds., *The Conserver Society* (New York: Harper & Row, 1979); Hazel Henderson, *Creating Alternative Futures* (New York: Berkley Publishing Corp., 1978); Edward Goldsmith et al., *Manifiesto para la Supervivencia*, trad. Miguel Paredes. Alianza Editorial, S.A., 1972 (E.G. et al., eds., *Blueprint for Survival* [Boston: Houghton Mifflin, 1972]); Peter Hall, ed., Europe 2000 (London: Gerald Duckworth, 1977); Michael Marien, "The Two Visions of Post-Industrial Society", *Futures* 9 (1977), 415-31, y "Toward a Devolution", *Social Policy*, Nov./Dic., 1978, pp. 26-35.

Comentario político y económico: Leopold Kohr, *The Breakdown of Nations* (New York: Dutton, 1975; orig. publ. en 1957); Gary Snyder, "Four Changes", en *Turtle Island* (New York: New Directions, 1974); Gordon Rattray Taylor, *El Juicio Final*, trad. Juan Antonio G. Larraya. Planeta, S.A., 1983, 3ª ed. (*Rethink* [Harmondsworth: Penguin Books, 1972]); Michael Zwerin, *Case for the Balkanization of Practically Everyone* (London: Wildwood House, 1975); E.F. Schumacher, *Lo Pequeño es Hermoso*, trad. Oscar Margenet. Orbis, S.A., Ediciones. 1983 (*Small is Beautiful* [New York: Harper & Row, 1973]); Herman E. Daly, ed., *Toward a Steady-State Economy* (San Francisco, W.H. Freeman, 1973); "Ecology Party Manifesto", *The New Ecologist* 9 (1979), 59-61; y la literatura de un número de escritores anarquistas y/o críticos sociales, particularmente Paul Goodman, Ivan Illich, Lewis Mumford y Murray Bookchin (sobre la conexión entre el anarquismo y la ecología, véase el ensayo escrito por Bookchin titulado "Ecology and Revolutionary Thought", en *El Anarquismo en la Sociedad de Consumo*, trad. Rolando Hanglin. Kairos, S.A., 1976, 2ª ed. (*Post-Scarcity Anarchism* [Palo Alto: Ramparts Press, 1971], y también George Woodcock, "Anarchism and Ecology", en *The Ecologist* 4 [1974], 84-88).

Ecología: Arne Naess, "The Shallow and the Deep, Long-Range Ecology Movement. A Summary", *Inquiry* 16 (1973), 95-100; Paul Shepard, *The Tender Carnivore and the Sacred Game* (New York: Scribner's, 1973); Bill Devall, "Streams of Environmentalism", *Natural Resources Journal* 19 (1979, Nº 3; John Rodman, "The Liberation of Nature?" *Inquiry* 20 (1977), 83-131; Raymond F. Dasmann, "Toward a Dynamic Balance of Man and Nature", *The Ecologist* 6 (1976), 2-5, y "National Parks, Nature Conservation and 'Future Primitive'", *The Ecologist* 6 (1976), 164-67; y el maravilloso ensayo escrito por Jerry Gorsline y Linn House, "Future Primitive", que apareció en *Planet Drum*, Nº 3 ("Northern Pacific Rim Alive"), 1974, y fue reimpreso en *Alcheringa* 2 (1977), 111-13.

Renovación religiosa: Eleanor Wilner, *Gathering the Winds* (Baltimore: The Johns Hopkins University Press, 1975), y Jacob Needleman, *A Sense of the Cosmos* (Garden City, N.Y.: Doubleday, 1975).

[7]Desgraciadamente, durante muchos años la parapsicología ha sido tomada en forma bastante seria por la CIA y la KGB, interesadas en sus posibles aplicaciones militares. Los peligros políticos del Aprendizaje III los analizo más adelante en este capítulo, pero el lector debiera estar consciente de la considerable inversión norteamericana y soviética en la investigación psíquica per se, gran parte de ella información clasificada. Han habido pocas revelaciones públicas de los experimentos de la CIA con LSD (por ejemplo, el Proyecto MK-ULTRA) como resultado del material que está siendo dado a conocimiento público bajo el reciente Freedom of Information Act, pero que de otra manera es información a la cual prácticamente no se tiene acceso. Véase Michael Rossman, *New Age Blues* (New York: Dutton, 1979), pp. 167-260; John D. Marks, *The Search for the "Manchurian Candidate": The Cia and Mind Control* (New York: Times Books, 1979); "Soviet Psychic

Secrets", *San Francisco Chronicle*, junio 16 de 1977; John L. Wilhelm, "Psychic Spying?". *Washington Post*, agosto 7 de 1977.

[8]Fernand Lamaze, *Painless Childbirth* (New York: Pocket Books, 1977); Frederick Leboyer, *Por un Nacimiento sin Violencia*, trad. Ernesto Mascaró Porcar Daimon, Manuel Tamayo. 1974 (*Birth Without Violence* [New York: Knopf, 1975]).

[9]Aquí estoy utilizando el concepto de "self" ("sí mismo") en el sentido jungiano y no en el sentido que le da Bateson al ego (véase Capítulo 8).

[10]El artista de videos norteamericano, Paul Ryan ha estado trabajando precisamente en tal experimento durante años, lo que él llama la "práctica triádica", en la que grupos de tres aprenden a evitar la escalada hacia el conflicto. Algunos aspectos de su trabajo son tratados en su libro *Cybernetics of the Sacred* (Garden City, N.Y.: Doubleday Anchor, 1974), y más explícitamente en "Relationships", *Talking Wood* 1 (1980), 44-55.

[11]Jerry Gorsline y Linn House, "Future Primitive".

[12]Murray Bookchin, *El Anarquismo en la Sociedad de Consumo* (*Post-Scarcity Anarchism*, p. 78); Gary Snyder, "Four Changes", p. 94.

[13]A esta altura ya hay una gran cantidad de literatura sobre lo que se denomina "tecnología apropiada", "tecnología blanda" o "tecnología con un rostro humano". Dos de las obras más conocidas son de Ivan Illich, *La Convivencialidad*, trad. Matea P. de Grossmann. Barral Editores, S.A., 1975, 2ª ed. (*Tools for Convivianlity* [New York: Harper & Row, 1973]), y Schumacher, *Lo Pequeño es Hermoso* (*Small is Beautiful*).

[14]Murray Bookchin, *The Limits of the City* (New York: Harper & Row, 1973); Lewis Mumford, *The Culture of Cities* (New York: Harcourt, Brace and Company, 1938). La cita de Ariès está en *Centuries of Chilhood*, trad. Robert Baldick (New York: Vintage Books, 1962), p. 414. *La carretera y la ciudad*. Buenos Aires: Emecé. *Perspectivas Urbanas*. Buenos Aires: Emecé.

[15]Peter Berg y Raymond Dasmann, "Reinhabiting California", en Peter Berg, *Reinhabiting a Separate Country*, p. 219.

[16]La obra de Roszak, especialmente *Unfinished Animal* (New York: Harper & Row, 1975), *Where the Wasteland Ends* (Garden City, N.Y.: Doubleday Anchor, 1972), y *Person/ Planet* (Garden City, N.Y.: Doubleday, 1978), está establecida sobre la premisa del modelo del Imperio Romano. Cf. Harman, *Incomplete Guide*, y Robert L. Heilbroner, *Business Civilization in Decline* (New York: Norton, 1976).

[17]Percival Goodman, *The Double E* (Garden City, N.Y.: Doubleday Anchor, 1977).

[18]"A Future That Means Trouble", *San Francisco Chronicle*, diciembre 22 de 1975.

[19]Leopold Kohr, *The Breakdown of Nations*; Kevin Phillips, "The Balkanization of America", *Harper's*, mayo de 1978, pp. 37-47; Peter Hall, *Europe 2000*, esp. pp. 22-27 (en general, todas las tendencias que he delineado en la visión de una cultura planetaria ya han sido descritas en este libro, incluyendo algunas de las fuentes del cambio). Véase también Zwerin, *Case for the Balkanization of Practically Everyone*.

[20]Hall, *Europe 2000*, p. 167.

[21]*I Ching: El libro de los cambios*, trad. Helena Jacoby de Hoffmann de la versión alemana de Richard Wilhelm. Santiago de Chile: Editorial Cuatro Vientos. 1976, 3ª ed. Hexagrama 48 El Pozo, pp. 286-287.

[22]William Coleman, "Bateson and Chromosomes: Conservative Thought in Science", *Centaurus* 15 (1970), esp. pp. 292-304.

[23]La obra de Bateson tiene importantes implicaciones políticas, pero éstas no están particularmente enfatizadas o utilizadas en su análisis. En el caso de la esquizofrenia, por ejemplo, la unidad más grande de Mente bajo su consideración es la familia, y la familia apenas si es aislada de un contexto político más amplio. Las relaciones de autoridad de la sociedad más amplia se duplican dentro de la estructura de la familia, pero este problema jamás es tocado. La relación de poder que surge entre padre e hijo, desde luego que no siempre produce esquizofrenia, pero como lo indicara Bateson en 1969, es una condición necesaria para ella: la víctima debe ser incapaz de abandonar el campo. De aquí que el

foco de Bateson sobre las perturbaciones de la metacomunicación sea importante en el análisis, pero quizás incompleto.

[24]Anthony Wilden, *Sistema y Estructura*, trad. Ubaldo Martínez Veiga. Alianza Editorial. 1979 (*System and Structure* [London: Tavistock Publications, 1972], p. 113).

[25]Anatol Rapoport, "Man, the Symbol User" en Lee Thayer, ed., *Communication: Ethical and Moral Issues* (New York: Gordon and Breach Science Publishers, 1973), p. 41. *Comunicación y Sistemas de Comunicación*, trad. M. Parés y J.L. Alvarez. Edicions 62, S.A., 1975.

[26]La siguiente crítica de la tipificación lógica y de la jerarquía es la contribución de Paul Ryan, y le estoy agradecido por su ayuda en esta difícil área. Me apresuro a agregar que Ryan no comparte conmigo otras críticas de la obra de Bateson que he presentado en este capítulo.

Para una elaboración de la crítica que hace Ryan, véase "Metalogue: Gregory Bateson/Paul Ryan", en una edición especial (primavera de 1980) de la revista *Talking Wood* llamada "All area".

[27]G. Spencer Brown, *The Laws of Form* (New York: The Julian Press, 1972), p. x.

[28]Warren S. McCulloch, "A Heterarchy of Values Determines by the Topology of Nervous Nets", en *Embodiments of Mind* (Cambridge: The MIT Press, 1965), pp. 40-44.

[29]Desde luego que la jerarquía sí existe en el reino animal, como lo muestran varios estudios sobre la conducta de las manadas de lobos y otros grupos de animales; pero no hay ninguna forma de demostrar la existencia de una extensión de esto en la naturaleza humana, como frecuentemente desean hacerlo los partidarios de la sociedad de clases. En la opinión de Murray Bookchin, "no hay otras jerarquías en la naturaleza que aquellas impuestas por los modos jerárquicos de pensamiento humano, sino que más bien existen diferencias meramente en función entre y dentro de los organismos vivos" (*El Anarquismo en la Sociedad de Consumo* [*Post-Scarcity Anarchism*, p. 285]). Parte de la obra de Henri Laborit también habla en favor de este punto de vista.

Hablando estrictamente, la heterarquía y el igualitarismo no son la misma cosa. La heterarquía es una diferenciación intransitiva, que no es idéntica a la igualdad. Pero ambos son tan cercanos que en la práctica real un sistema heterárquico sería virtualmente igualitario.

[30]René Dubos, "Environment", *Dictionary of the History of Ideas*, 2 (1973), 126; C.H. Waddington, "Las Ideas Básicas de la Biología" ("The Basic Ideas of Biology"), en C.H. Waddington, *Hacia una Biología Teórica*. Madrid: Alianza (C.H.W., ed., *Towards a Theoretical Biology*, 4 vols. [Chicago: Aldine Publishing Company, 1968], 1:12).

[31]Anthony Wilden, *Sistema y Estructura* (*System and Structure*, pp. 141, 354 ff.). Shannon, Weaver y W. Ross Ashby son los escritores típicos de la cibernética temprana.

[32]Desde luego, este es un asunto muy espinudo. El que si un cambio fue una verdadera alteración de un programa, o parte del programa todo el tiempo, es un tópico que los historiadores debaten frente a casi cada desarrollo histórico mayor. Toda la argumentación de Marx acerca de cantidad-vs-calidad, fue diseñada para superar la tensión entre el desarrollo homeorético y el desarrollo morfogenético.

[33]Bateson, *Mente y Espíritu* (Buenos Aires: Amorrortu, 1985), p. 206.

[34]Robert Lilienfeld, *Teoría de Sistemas: Orígenes y Aplicaciones en Ciencias Sociales*, 1 ed. tr. ingl. Eduardo Cosacov, ilus. México: Trillas. 1984 (*The Rise of Systems Theory* [New York: Wiley, 1978], p. 70).

[35]Ibíd., p. 160.

[36]Ibíd., pp. 174, 263. Cf. William W. Everett, "Cybernetics and the Symbolic Body Model", *Zygon* 7 (junio de 1972), 104, 107.

[37]Carolyn Merchant, *The Death of Nature* (New York: Harper & Row, 1980), pp. 103, 252, 291; véase también pp. 238-39.

[38]De hecho, el experimento no funcionó tal como fue descrito. Como nos cuenta Bateson, la situación estaba tantas veces a punto de venirse abajo que el entrenador tenía

que darle al animal numerosas recompensas para lo cual no estaba autorizado, lo que hacía para mantener su relación con él.

[39]Véase Capítulo 7, nota 27.

[40]Rossman, *New Age Blues*, pp. 54-56. Sobre el párrafo siguiente cf. Capítulo 7, nota 2.

[41]De acuerdo con Flo Conway y Jim Siegelman, *Snapping: America's Epidemic of Sudden Personality Change* (Philadelphia: Lippincott, 1978), pp. 11-12, 56, 161, actualmente hay más de mil cultos religiosos activos en los Estados Unidos, que utilizan casi ocho mil técnicas que caen bajo la rúbrica de lo que Bateson denomina el Aprendizaje III. Muchos son impulsados o guiados por expertos de Madison Avenue (el centro de los publicistas), y el número de seguidores que tienen estos cultos no es necesariamente pequeño: La Iglesia de la Cientología, por ejemplo, tiene aproximadamente 3,5 millones de miembros solamente en los Estados Unidos.

[42]Jerry Mander, *Cuatro Buenas Razones para Eliminar la Televisión*, trad. Mario Bohoslavsky. Buenos Aires. Gedisa, 1981. Cuatro Vientos I, F. Huneeus, ed., Santiago: Cuatro Vientos, 1982. (*Four Arguments for the Elimination of Television* [New York: William Morrow, 1978], pp. 100-107).

[43]Rossman, *New Age Blues*, p. 117.

[44]Max Horkheimer, *Eclipse of Reason* (New York: The Seabury Press, 1974; orig. publ. en 1947), p. 120. Para material sobre *est* véase Rossman, *New Age Blues*, pp. 115-66; Peter Marin, "The New Narcissism", *Harper's*, octubre de 1975, pp. 45-56; Suzanne Gordon, "Let them Eat *est*", *Mother Jones* 3 (diciembre de 1978), 41-54; y Jesse Kornbluth, "The Führer over *est*", *New Times* 6 (marzo 19 de 1976), 36-52.

[45]Sobre el vínculo entre el nazismo y lo oculto, véase Jean-Michel Angebert, *Hitler y la Tradición Cátara*, trad. R.M. Bassols. Plaza Janes, S.A., 1976 (*The Occult and the Third Reich*, trad. Lewis Sumber [New York: Macmillan, 1974]); Trevor Ravenscroft, *The Spear of Destiny* (New York: Putnam's, 1973); y Dusty Skalr, *Gods and Beasts* (New York: Crowell, 1977). "El Círculo Hermético", Editorial Kier, 1982, N. del E.).

[46]Lucien Goldmann, *Introducción a la Filosofía de Kant*, trad. Luis Etcheverry. Amorrortu Editores, S.A., 1974 (*Immanuel Kant*, trad. Robert Black [London: New Left Books, 1971; orig. alemán publ. en 1945, ed. rev. francesa de 1967], p. 122; reimpreso con permiso del editor).

[47]William Irwin Thompson, "Notes on an Emerging Planet", en Michael Katz et al., eds., *Earth's Answer* (New York: Harper & Row, 1977), p. 211.

[48]Ibíd., p. 213. Aquí he hecho una pequeña mezcolanza; Thompson no se está refiriendo a su propia afirmación, sino que a aquella que hace Jonas Salk en su libro, *Supervivencia de los que Saben Más* (Buenos Aires: Emecé) (*The Survival of the Wisest*). Desgraciadamente, no hay mucha diferencia entre ambas. La propia afirmación de Thompson necesariamente involucra una distinción entre pastores y rebaños, que aparentemente él no ve.

[49]Julian Jaynes, *The Origin of Consciousness in the Breakdown of the Bicameral Mind* (Boston: Houghton Mifflin, 1976).

[50]Bruce Brown, *Marx, Freud y la Crítica de la Vida Cotidiana*, trad. Flora Setaro. Buenos Aires, Amorrortu Editores, 1975 (*Marx, Freud, and the Critique of Everyday Life* [New York: Monthly Review Press, 1973], p. 17).

[51]Horkheimer, *Eclipse of Reason*, pp. 122-23.

[52]Véase los dos artículos escritos por Dasmann en *The Ecologist*, de 1976, citados en la nota 6 de este capítulo.

[53]Gorsline y House, "Future Primitive". Berg define una biorregión como "un área geográfica unida por características naturales particulares (plantas, animales, tipos de suelos, régimen de agua y clima) y por las influencias humanas que inciden en esa región" (comunicación personal).

[54]Marshall Sahlins, *Economía de la Edad de Piedra*, trad. Emilio Muñiz y Emma Fondevila. Akal Editor. 1983, 2ª ed. (*Stone Age Economics* [Chicago: Aldine Publishing Company, 1972]).

⁵⁵Robert Curry analiza el mapa en "Reinhabiting the Earth: Life Support and the Future Primitive", *Truck*, N° 18 (1978), pp. 17-40. El mapa está reproducido en la página 190 de la misma edición, y fue originalmente parte de la Ponencia Ocasional N° 9 de la Unión Internacional para la Conservación de la Naturaleza y los Recursos Naturales (Morges, Suiza). El artículo de Curry también puede encontrarse en John Carins, ed., *The Recovery of Damaged Ecosystems* (Blacksburg, Va.: Virginia Polytechnic University Press, 1976).

⁵⁶Berg y Dasmann, "Reinhabiting California", pp. 217-18.

⁵⁷Ibíd., p. 217.

⁵⁸Mander, *Cuatro Buenas Razones* (*Four Arguments*, pp. 104-5). Blake estaba haciendo el mismo punto cuando escribió: "La tierra y todo lo que uno contempla: aunque parece estar afuera, está adentro".

A pesar de que esta distinción entre las religiones basadas en la naturaleza y el guruísmo es crucial, la ecología posiblemente no es en sí misma una garantía suficiente en contra del fascismo, como lo indica Daniel Cohn-Bendit en una reciente entrevista aparecida en *Le Sauvage* (N° 57, septiembre de 1978, p. 11). En junio de 1978, él hace notar que un partido ecológico de Hamburgo era abiertamente fascista, siguiendo la línea de "La Sangre y La Tierra", y combinando su postura antinuclear con una plataforma que a la vez era antihomosexual, antifeminista, antisemítica, etc., y altamente nacionalista. A pesar de que, como lo he indicado, el regionalismo es intrínsecamente opuesto al nacionalismo, en la práctica la línea se torna un tanto borrosa. Este fue de hecho el caso en Francia, donde proponentes del regionalismo tales como Charles Maurras terminaron apoyando al gobierno de Vichy.

⁵⁹Gorsline y House, "Future Primitive".

⁶⁰Wilden, *Sistema y Estructura* (*System and Strucrure*, pp. 21, 25); Jacques Lacan, "The Mirror Phase", trad. Jean Roussel, *New Left Review*, N° 51 (1968; versión orig. francesa de 1949), pp. 71-77.

⁶¹Robert Bly, "I Came Out of the Mother Naked", en *Sleepers Joining Hands* (New York: Harper & Row, 1973), pp. 29-50.

⁶²Homero, *La Odisea*, Libro XI.

⁶³*Rebel in the Soul* fue traducido más recientemente por Bika Reed (New York: Inner Traditions International, 1978), y lo que hemos tomado como cita aquí ha sido con el permiso del editor. La primera traducción a un idioma europeo fue hecha en alemán por A. Erman en 1896, y han habido una serie de otras, por ejemplo, la traducción de John A. Wilson, "A Dispute Over Suicide", en James B. Pritchard, ed., *Ancient Near Eastern Texts Relating to the Old Testament*, 3ª ed. (Princeton: Princeton University Press, 1969; orig. publ. en 1950), pp. 405-7. (*Arqueología y el Antiguo Testamento*. 4ª ed. Buenos Aires: Eudeba) o Hans Goedicke, *The Report About the Dispute of a Man with his Ba* (Baltimore: The Johns Hopkins University Press, 1970).

Julian Jaynes analiza el documento en las pp. 193-94 de *Origins of Consciousness*, argumentando que su lenguaje no es lo que los traductores creyeron que era, es decir, un genuino diálogo interno. Por lo tanto él escribe que "todas las traducciones de este extraordinario texto están llenas de imposiciones mentales modernas", mientras que lo que realmente está sucediendo es una alucinación auditiva. A pesar de que es cierto que hay tantas traducciones como traductores, creo que Jaynes está un poco confundido. Sostiene que la voz del alma que aparece aquí no puede ser una voz moderna, en que la conciencia bicameral es la que nos manda a traducirla como una alucinación auditiva; sin embargo, también sostiene que el documento data de un período de quiebre social, y que era en tales períodos que la conciencia bicameral también sufrió un colapso y surgió la conciencia de ego. Pero esto significa precisamente que los dioses, o las alucinaciones auditivas, son convertidos en sí mismos, o voces internas. Por esta razón, creo que podemos tomar la traducción contemporánea como precisa.

⁶⁴Paul Shepard, *The Tender Carnivore and the Sacred Game*, pp. 125, 283.

Glosario

Alambique: Recipiente de vidrio con forma de huevo con un tubo que se extiende desde el extremo superior. Era parte del equipamiento convencional del laboratorio alquímico donde transcurrían muchas de las operaciones esenciales de la alquimia, especialmente la destilación.

Animismo: Creencia que todo, incluyendo aquello que comúnmente consideramos como objetos materiales inertes, está vivo, posee un espíritu inmanente.

Aprendizaje I: La solución simple de un problema específico.

Aprendizaje II: Cambio progresivo en la velocidad del Aprendizaje I. Entender la naturaleza del contexto (qv) ahí donde existen los problemas planteados en el Aprendizaje I; aprender las reglas del juego. Equivalente a la formación de paradigma (qv).

Aprendizaje III: Una experiencia en que la persona súbitamente se da cuenta de la naturaleza arbitraria de su propio paradigma (qv), o Aprendizaje II, y como resultado sufre una profunda reorganización de la personalidad. Este cambio generalmente es experimentado como una conversión religiosa, y ha sido denominado por diversos nombres: *satori*, realización deífica, sentimiento oceánico, etc.

Atomismo: La doctrina, que incluye al atomismo material, dice que ningún fenómeno u objeto es mayor o menor que la suma de sus partes. Supone que un fenómeno es explicado cuando éste es dividido en sus partes constituyentes, que luego pueden ser (al menos teóricamente) armadas nuevamente. Esto contrasta con el Holismo (qv).

Cibernética: Estudio de las funciones de control humanas y de las máquinas diseñadas para reemplazarlas. Más ampliamente, la ciencia de los mensajes, del intercambio de información y de la comunicación.

Circuitidad: En la teoría cibernética, la interrelación de partes, o el intercambio de mensajes. El principio de la circuitidad sostiene que ninguna variación puede ocurrir en una parte del sistema o circuito sin a su vez elicitar una reacción en cadena que se siente en todas las otras partes.

Codificación: La programación o estandarización de una persona por su cultura en su ethos (qv) y eidos; también, el programa o modo de organización de la cultura en términos generales. Véase también Aprendizaje II, Conocimiento tácito, Guestalt, Paradigma. En la teoría cibernética, la codificación se refiere a la traducción de información en un conjunto de símbolos para la comunicación significativa.

Comunicación icónica: véase Conocimiento analógico.

Conciencia no-participativa: Estado de mente en que el conocedor, o el sujeto "aquí adentro", se ve a sí mismo como radicalmente distinto de los objetos que confronta, los cuales él considera que están "allá afuera". Desde esta perspectiva, los fenómenos del mundo se mantienen iguales ya sea estemos presentes para observarlos o no, y el conocimiento es adquirido mediante el reconocimiento de una distancia entre nosotros mismos y la naturaleza. También se le llama dicotomía sujeto/objeto.

Conocimiento analógico: También llamado comunicación icónica. Se refiere al rango de comunicación no-verbal (exceptuando la poesía), afectiva y de percepción mediante el cual llegamos a conocer el mundo, incluyendo la fantasía, los sueños, el arte, el lenguaje corporal, los gestos y la entonación. Contrasta con esto el *Conocimiento digital*, que es racional-verbal y abstracto. Cf. Razón dialéctica, Kinésica, Proceso primario.

Conocimiento digital: véase Conocimiento analógico.

Contexto: Conjunto de reglas estipuladas o no estipuladas dentro del cual transcurre un evento o una relación.

Conocimiento tácito: Darse cuenta subliminal y comprensión de la información, especialmente información acerca del paradigma particular (qv) en que ha nacido una determinada persona. Esto opera a un nivel guestáltico e inconsciente, y consiste en el ethos (qv) así como también en el eidos de una cultura. El concepto de conocimiento tácito presupone que cualquier visión articulada del mundo es resultado de los factores inconscientes que son cultural y biológicamente filtrados e influenciados. Véase también Guestalt, Principio de incompletitud, Figuración, Conocimiento analógico.

Contexto: Conjunto de reglas estipuladas o no estipuladas dentro del cual transcurre un evento o una relación.

Desarrollos: Estructuras psíquicas incompletas, tales como el ego y el lenguaje, que son innatas al ser humano en forma embriónica o potencial. Para poder realizarse, su programa de desarrollo biológico tiene que interactuar con experiencias sociales o culturales particulares en una etapa específica del ciclo vital.

Déutero-aprendizaje: véase Aprendizaje II.

Diferenciación merística: Repetición de partes o segmentos similares a lo largo del eje de un animal, como en una lombriz de tierra.

Distinción hecho/valor: Conciencia de la era científica moderna, de acuerdo con lo cual lo bueno y lo verdadero no están necesariamente relacionados; valor o significado que no puede ser derivado de los datos o del conocimiento empírico.

Eidos: véase Ethos.

Entropía: Medida del azar, o de la desorganización. El opuesto es la entropía negativa, o su equivalente, la información. Se dice que un sistema tiene significado cuando nos proporciona información, y tiene tal significado cuando está presente la pauta, o la redundancia.

Epistemología: Rama de la filosofía que intenta determinar la naturaleza del conocimiento, o lo que la mente humana puede legítimamente aspirar a descubrir acerca del mundo objetivo. El estudio de cómo la mente sabe lo que sabe.

Estado estacionario: Homeostasis (qv). El término también se utiliza para referirse a cualquier tipo de economía orientada a la "no-ganancia" (e.g., feudalismo) que no se prolonga en el tiempo, sino que sólo busca mantenerse a sí misma.

Ethos: Tono emocional global de una cultura; su paradigma afectivo (qv), o sistema de sentimientos, en oposición al *Eidos*, que es su paradigma cognitivo, o la visión intelectual del mundo. El eidos por lo tanto se refiere al sistema de realidad de una cultura, mientras que el ethos se aproxima a la "etiquette", o a las normas de conducta cultural.

Figuración: Formación de cuadros o imágenes mentales a partir de datos de sensaciones puras. Por ejemplo, si huelo café y me surge súbitamente la visión de una taza de café, podría decirse que la he figurado.

Guestalt: Una totalidad de imágenes o conceptos entrelazados que tienen propiedades específicas que no pueden ser derivadas de sus partes componentes. Una pauta o visión del mundo que tiene cierta unidad. Cf. Holismo.

Holismo: También denominado sinergia, o el principio sinergístico. Sostiene que una colección de entidades u objetos puede generar una realidad más amplia no analizable en términos de los componentes en sí mismos; que la realidad de cualquier fenómeno es por lo general más grande que la suma de sus partes.

Homeostasis: Tendencia de cualquier sistema a mantenerse o preservarse, a retornar a su status quo si es que ha sido perturbado. Un sistema homeostático es un sistema estacionario: intenta optimizar las variables en lugar de maximizarlas dentro de él. Cf. Circuitidad, Retroalimentación.

Individuación: De acuerdo a Carl Jung, un proceso de crecimiento personal e integración mediante el cual una persona desarrolla su verdadero centro, o su Sí Mismo, en oposición a su ego. El ego, o la persona, es visto como el centro de la vida consciente, mientras que el Sí Mismo es el resultado de llevar a la mente consciente a una armonía con el inconsciente.

Inmanencia: Doctrina en que Dios está presente dentro de los fenómenos que vemos, en lugar de ser externo a ellos. El panteísmo, el animismo (qv) y el holismo batesoniano son todas variaciones sobre este tema. En oposición a la Trascendencia, que ve a Dios en el cielo, externo a los fenómenos que nos rodean. El cartesianismo y la principal corriente de pensamiento judeo-cristiano caen dentro de esta categoría.

Kinésica: Estudio del lenguaje corporal y de la comunicación no-verbal, incluyendo postura, gestos y movimientos, como claves de la personalidad y de la interacción humana.

Metacomunicación: Comunicación acerca de la comunicación. "¿Cuál es la naturaleza de esta conversación?" es un enunciado metacomunicativo.

Metamerismo: Asimetría dinámica, o diferencia serial, entre los segmentos sucesivos de las partes de un animal; la pata de la langosta, por ejemplo. El animal que manifiesta metamerismo generalmente tiene la mayoría de sus partes parecidas las unas a las otras, como en la diferenciación merística, pero con algunas marcadas por un desarrollo asimétrico especial, como el caso precisamente de la langosta de mar.

Mimesis: Palabra griega que significa imitación, y es la raíz de palabras inglesas tales como "mime" (mimo) y "mimicry" (remedo). Más ampliamente, significa el someterse al hechizo de un ejecutante, o sumergirse en los acontecimientos; el estado de conciencia en que se rompe la dicotomía sujeto/objeto y la persona se siente identificada con lo que está percibiendo. También se le llama conciencia participativa. Incluye la participación original, pero no es necesariamente animística. Véase Tradición arcaica.

Paradigma: Una visión del mundo o modo de percepción; un modelo en torno al cual se organiza la realidad. Cf. Guestalt.

Paradigma cartesiano: El modo dominante de conciencia en Occidente desde el siglo XVII a la actualidad. Define como real aquello que puede ser analizado o explicado por el método científico, un conjunto de procedimientos que combinan la experimentación, la cuantificación, el atomismo (qv) y la filosofía mecánica. El mundo es visto como una vasta colección de materia y movimiento que obedece a ciertas leyes matemáticas.

Participación, o *Conciencia participativa*: véase Tradición arcaica, *Mimesis*.

Paralelo Lapis-Cristo: Analogía entre Cristo y el trabajo de la alquimia. Esta era parte de la afirmación, ocasionalmente hecha durante la Edad Media, de que la alquimia era el contenido interno de la cristiandad, y que la fabricación de la piedra filosofal (*lapis*) era equivalente a la experiencia de Cristo.

Participación original: véase Animismo.

Prima materia, o *Materia prima*: Literalmente, primera materia. En la alquimia, era la substancia amorfa que resultaba cuando un metal era disuelto, y a partir de la cual se comenzaba el trabajo alquímico de la coagulación o recristalización. En alegoría o crecimiento personal (véase Individuación), la etapa de caos a partir de la cual eventualmente se produciría una nueva forma o personalidad.

Principio de incompletitud: Teoría de que la mayor parte de nuestro conocimiento del mundo es de naturaleza tácita (véase Conocimiento tácito) y que por lo tanto tiene una base inefable, como resultado de lo que no puede ser descrito en ningún sentido racionalmente coherente. Más aún, el principio ve al proceso de la realidad en sí mismo como ontológicamente incompleto. Esta teoría está directamente en oposición al paradigma cartesiano que sostiene que la mente puede saber todo acerca de la realidad; y también en la perspectiva freudiana, que todo material inconsciente puede y debiera ser hecho consciente.

Proceso primario: Pautas de pensamiento asociadas con el inconsciente, como la imaginería de los sueños, opuestas a la ego-conciencia racional, o proceso secundario. Véase Tradición arcaica.

Proto-aprendizaje: véase Aprendizaje I.

Razón dialéctica: Modo de análisis que ve las cosas y sus opuestos como en relación. Desde este punto de vista, el amor y el odio, o el rechazo y el apego, no son opuestos sino que las dos caras de la misma moneda. La lógica de los sueños, o proceso primario (qv), es dialéctica.

Relativismo radical: Una posible consecuencia de la sociología del conocimiento, de que si todas las realidades o metodologías son producto de circunstancias históricas específicas, entonces toda verdad es relativa a su contexto individual y no existe verdad absoluta o transcultural. Esto también implica que ninguna epistemología o visión del mundo dada es más precisa, o menos precisa, que cualquiera otra.

Retroalimentación: En la teoría cibernética, el uso de parte o de todo el "output" (salida) de un sistema (e.g., un sistema de control de temperatura en una casa) como "input" (entrada) para otra fase. La retroalimentación negativa o autocorrectiva, que se obtiene retroalimentando un sistema con los resultados de acciones pasadas, permite al sistema mantener la homeostasis (qv); tal situación se llama también optimización. En una situación inmediata, la retroalimentación es positiva, o está escalando, llegando a un clímax a lo largo del tiempo. En esta situación el sistema está intentando maximizar ciertas variables en lugar de optimizarlas. Cf. Circuitidad.

Segunda Ley de la Termodinámica: Establece que todo tiende en forma natural a un estado de máximo desorden o caos, o a un máximo de entropía (qv). Es por esta razón que la creación de información, o de significado, requiere de esfuerzo.

Solve et coagula: Literalmente, disolver y coagular, una fase que resume la esencia del proceso alquímico. Esto incluye la reducción a la *prima materia* (qv) y luego la fijación gradual en una nueva pauta.

Sombra: En la terminología jungiana, la parte reprimida e inconsciente de la personalidad que tiene que ser reconocida e integrada por la mente consciente en el proceso de individuación (qv). Más ampliamente, la sombra es el lado no desarrollado de cualquier par natural de rasgos de carácter. Los hombres típicamente tienen una sombra femenina ("anima") y las mujeres una masculina ("animus"); los sádicos también poseen una veta de masoquismo; las personas muy serias tienen un lado frívolo no expresado, y así sucesivamente.

Teratología: Estudio de las monstruosidades, o formaciones anormales en los reinos animal y vegetal.

Teleológico: Concerniente a propósito, o meta. A la física aristotélica se le llama teleológica porque sostiene que los objetos caen a la tierra porque la buscan como su lugar natural.

Teoría de los Tipos Lógicos: Como lo formularon Alfred North Whitehead y Bertrand Russell, esta teoría establece que ninguna clase de objetos, como se define en lógica y en matemática, puede ser un miembro de sí mismo. Como un constructo lógico, por ejemplo, podemos formar una clase que consista de todos los elefantes que existen en el mundo. Esta teoría establece que este constructo no es en sí mismo un elefante; no tiene trompa, y no come hierbas. El punto esencial de la teoría es que existe una discontinuidad fundamental entre una clase y sus miembros.

Tradición arcaica: Lo utilizamos en esta obra intercambiablemente con los siguientes términos: tradición esotérica, teoría de la simpatía/antipatía, tradición hermética, mentalidad homérica o pre-homérica, *mimesis* (qv), animismo (qv), totemismo, participación, participación original, gnosticismo, doctrina de las signaturas y conciencia participativa.

Transcontextual: La característica de ver las cosas o las situaciones como poseyendo una dimensión simbólica así como también una literal. La locura, el humor, el arte y la poesía son todos de naturaleza transcontextual, que operan a nivel de metáfora o "double take".

Transformar: En la teoría cibernética, un cambio en la estructura o composición de la información sin ninguna alteración correspondiente en su significado. Cf. Codificación.

Trascendencia: véase Inmanencia.

Indice

Índice